HISTORIA Y CRÍTICA
DE LA
LITERATURA ESPAÑOLA

I

EDAD MEDIA

**PÁGINAS
DE
FILOLOGÍA**
Director: FRANCISCO RICO

FRANCISCO RICO
HISTORIA Y CRÍTICA DE LA LITERATURA ESPAÑOLA

HISTORIA Y CRÍTICA
DE LA LITERATURA ESPAÑOLA

AL CUIDADO DE
FRANCISCO RICO

I

ALAN DEYERMOND
EDAD MEDIA

EDITORIAL CRÍTICA
Grupo editorial Grijalbo
BARCELONA

Coordinación
de
MODESTA LOZANO

Traducciones
de
CARLOS PUJOL

Diseño de la cubierta:
ENRIC SATUÉ
© 1980 de la presente edición para España y América:
Editorial Crítica, S. A., Cruz, 58, Barcelona-34
ISBN: 84-7423-114-0
Depósito legal: B. 43.510 - 1979
Impreso en España
1980. — Alfonso impresores, Carreras Candi, 12-14, Barcelona-28

EL PRESENTE VOLUMEN
SE PUBLICA EN MEMORIA DE
MARCEL BATAILLON, AMÉRICO CASTRO,
ERNST ROBERT CURTIUS, H. J. CHAYTOR, ÉTIENNE GILSON,
OTIS H. GREEN, MARÍA ROSA LIDA DE MALKIEL,
RAMÓN MENÉNDEZ PIDAL, TOMÁS NAVARRO TOMÁS,
PEDRO SALINAS, LEO SPITZER Y SAMUEL M. STERN

HISTORIA Y CRÍTICA DE LA LITERATURA ESPAÑOLA

INTRODUCCIÓN

I

Historia y crítica de la literatura española quisiera ser varios libros, pero sobre todo uno: una historia nueva de la literatura española, no compuesta de resúmenes, catálogos y ristras de datos, sino formada por las mejores páginas que la investigación y la crítica más sagaces, desde las perspectivas más originales y reveladoras, han dedicado a los aspectos fundamentales de cerca de mil años de expresión artística en castellano. Nuestro ideal, pues, sería dar una selección de ensayos, artículos, fragmentos de libros..., que proporcionara una imagen cabal y rigurosamente al día de las cimas y los grandes momentos en la historia de la literatura española, en un conjunto bien conexo (dentro de la pluralidad de enfoques), apto igual para una ágil lectura seguida que para la consulta sobre un determinado particular. Ese objetivo es aún inalcanzable, por obvias limitaciones de hecho y por la inexistencia en bastantes dominios de los materiales adecuados para tal construcción. Pero no renunciamos a irnos acercando a la meta: *Historia y crítica de la literatura española* sale con el compromiso explícito de remozarse cada pocos años, bien por suplementos sueltos, bien en ediciones enteramente rehechas.

Por ahora, en cualquier caso, la presente obra (*HCLE*), capítulo a capítulo, es un intento de ensamblar en la dirección dicha dos tipos de elementos:

1. Una selección de textos ordenados cronológica y temáticamente para dibujar la trayectoria histórica de la literatura española, en una visión centrada en los grandes géneros, autores y libros, en las épocas y cuestiones principales, según las conclusiones

de la crítica de mayor solvencia. Esos textos, además de organizarse en semejante secuencia histórica, constituyen de por sí una antología de los estudios más valiosos en torno a la literatura española realizados en los últimos años.

2. Cada uno de los capítulos en que se han distribuido tales textos se abre con una introducción y un estricto registro de bibliografía. La introducción pasa revista —más o menos detenida— a los escritores, obras o temas considerados; y, ya simultáneamente, ya a continuación (véase abajo, III, 4), ofrece un panorama del estado actual de los trabajos sobre el asunto en cuestión, señalando los problemas más debatidos y las respuestas que proponen los diversos estudiosos y escuelas, las aportaciones más destacadas, las tendencias y criterios en auge... Como norma general, la bibliografía —nunca exhaustiva, antes cuidadosamente elegida— no pretende tener entidad propia, sino que ha de manejarse con la guía de la introducción, que la clasifica, criba y evalúa.

II

La razón de ser de *HCLE* no radica tanto en ninguna teoría como en el público a quien se dirige. Antes de añadir otras precisiones, permítaseme, pues, indicar los servicios que en mi opinión es capaz de prestar a lectores de preparación e intereses distintos; y perdóneseme si al hacerlo me paso de entusiasta (e ingenuo): no tengo reparo en declarar que en el curso del quehacer me ha ido ganando la convicción de que, si algo vale la buena literatura, individual y socialmente, algo de valor en tales sentidos podía significar nuestra obra.

Pensemos, para empezar al hilo del *curriculum*, en el sufrido estudiante de Letras (y aún del actual Curso de Orientación Universitaria: pero mejor no detenerse en cosa tan esquiva y tornadiza). En los primeros años de facultad, junto a varias asignaturas más, va a seguir dos o tres cursos de literatura española, correspondientes a otros tantos períodos. A un alumno en sus circunstancias, es difícil (o inútil) pedirle que, sobre familiarizarse con un número no chico de textos primarios, se inicie en el empleo de la bibliografía básica; y es cruel y dañino confinarlo a un manual para los datos y las imprescindibles referencias a la erudición y la crítica (que tampoco

pueden agobiar la clase). Ahora bien: equidistante del manual y de
la bibliografía básica, copiosa en secciones destinadas a abordar directamente los textos primarios, HCLE se deja usar con ventaja, de
modo gradual y discriminado, para satisfacer las exigencias de esa
etapa universitaria.

Tomemos a nuestro estudiante un par de años después. Entonces, verosímilmente, ya no tendrá que matricularse en un curso tan
amplio como 'Literatura española del Siglo de Oro' —digamos—,
sino en otros de objeto más reducido y atención más intensa: 'La
épica medieval', verbigracia, 'Garcilaso', 'El teatro neoclásico' o
el inevitable (en buena hora) 'Galdós'. En tal caso, los respectivos
capítulos de HCLE —con un nuevo equilibrio entre la selección de
textos y la *mise au point* que la precede— le permitirán entrar decidida y fácilmente en la materia monográfica que le atañe; y el
resto del volumen le brindará unas coordenadas o un contexto que,
si no, quizá debería ganarse con más esfuerzo del requerido.

Sigamos. Dejemos volar la loca fantasía e imaginemos que el
estudiante de antaño, ya licenciado, ha descubierto ¡y obtenido! un
puesto de trabajo como profesor de lengua y literatura en la enseñanza media o en un estadio docente similar. (En España, quién
sabe si ello todavía habrá ocurrido tras unas oposiciones a la manera
tradicional: el pudor, sin embargo, me veda insinuar la utilidad de
HCLE para el casticísimo opositor.) Probablemente le cumplirá ahora desempeñar su tarea en condiciones no óptimas: sin tanto sosiego
para preparar las clases como todos quisiéramos, tal vez lejos de una
biblioteca no ya buena sino mediana, dudando con frecuencia por
dónde abordar una explicación o una lectura en la forma apropiada
para bachilleres en cierne... Pienso, por supuesto, en el profesor
novel, a quien HCLE se propone ofrecer una variada gama de in-
citaciones y subsidios para enseñar literatura por caminos más atractivos y pertinentes que los muchas veces trillados. Pero no olvido
tampoco al profesor veterano, cuya experiencia se matizará refres-
cando ciertos temas o explorando nuevas directrices; y que, responsable de un pequeño seminario, con una asignación de fondos
siempre demasiado corta, se verá obligado a calcular despacio la
'política de compras' o —en plata— en qué libros y revistas se gasta
el dinero de que dispone.

O supongamos que el licenciado de nuestra fábula ha querido y
podido preparar una tesis doctoral, investigar, consagrarse a la do-

cencia universitaria. También él hallará de qué beneficiarse en *HCLE*. Es evidente que al especialista en un dominio nunca le sobrará enterarse de la situación en otros terrenos, más o menos próximos, pero al fin en continuidad (la *literatura* y hasta la *literaturnost* son en medida decisiva 'historia de la literatura'). No es solo eso, con todo: las introducciones a cada capítulo se deben a estudiosos de probada competencia, cuyos juicios tienen valor específico y que entre los comentarios a la bibliografía ajena deslizan multitud de pistas y aportaciones propias, cuando no incorporan, en síntesis, los resultados de investigaciones inéditas. Hay aquí numerosos materiales que ni el erudito harto avezado puede descuidar tranquilamente.

No obstante, me atrevo a suponer que para el especialista *HCLE* será esencialmente una no desdeñable invitación a reflexionar sobre *the state of the art*, sobre la situación de las disciplinas que cultiva y que aquí se le aparecerán compendiosamente con sus logros y sus lagunas, con sus protagonistas individuales y colectivos, en un cuadro que a muchos propósitos no encontrará en otro lugar. En tal sentido, no sólo los balances contenidos en las introducciones, sino la misma antología de la crítica (o de los críticos) que es la selección de textos, esperan valer tanto por las cotas que muestran conquistadas cuanto por los horizontes que estimulan a alcanzar.

No descuido, por otra parte, la posibilidad (confesadamente optimista) de que *HCLE* llegue a lectores que estén fuera del *curriculum* que acabo de esbozar, pero que, presumiblemente con formación universitaria, compartan con quienes están dentro el interés por la literatura. Tras disfrutar con el *Cantar del Cid* o *La Regenta*, tras asistir a una representación de *El caballero de Olmedo* o *La comedia nueva*, es normal que una persona con gustos literarios se quede con ganas de saber más sobre la obra y contrastar su opinión con el dictamen de los expertos. Difícilmente le bastará entonces la información accesible en el manual o en la enciclopedia familiar: en cambio, entre los textos seleccionados en *HCLE* es probable que halle exactamente el tipo de alimento intelectual que le apetece.

A ese vario público busca *HCLE*. Casi como Juan Ruiz, y desde luego con «buen amor», a cada cual, «en la carrera que andudiere», querría este nuestro libro bien dezir: *Intellectum tibi dabo*».

III

Con parejos destinatarios en mente, sospecho que se comprenderán mejor los criterios que han presidido nuestro quehacer.

1. El núcleo de *HCLE* son las obras, autores, movimientos, tradiciones... verdaderamente de primera magnitud y mayor vigencia para el lector de hoy. En especial en el marco de las introducciones, no faltan, desde luego, referencias a escritores, libros o géneros relativamente menores; pero el énfasis se marca en los mayores, y a la línea que ellos trazan se fía la ambicionada organicidad del conjunto. No es una visión de la historia de la literatura sometida a la pura moda del día ni reducida a un desfile de 'héroes': es que sólo así los materiales críticos y eruditos disponibles se podían enhebrar en una serie trabada, dentro de la pluralidad de perspectivas inherente a la empresa. Ejercicio no siempre sencillo ha sido compaginar la importancia real de obras y autores con el volumen y altura de la bibliografía existente al respecto. Vale decir: no por haberse trabajado más sobre una figura de segunda fila había que otorgarle más espacio que a otra de superior categoría y, sin embargo, menos estudiada; pero sí era necesario dejar constancia, en las introducciones, de las anomalías por el estilo y procurar salvarlas con un cuidado particular en la selección de textos.

2. La materia se distribuye en volúmenes (y capítulos) *no* rotulados de acuerdo con un concepto único y sistemático de periodización. Epígrafes como *Siglos de Oro: barroco, Modernismo y 98* o *Época contemporánea: 1914-1939* ni son demasiado satisfactorios ni responden a iguales principios demarcadores; pero pocos sentirán ante ellos las dudas que tal vez les provocarían etiquetas del tipo de * *La edad conflictiva,* * *La crisis de fin de siglo* o * *Del novecentismo a las vanguardias,* y a bastantes quizá se les antojarán una pizca más locuaces que una mera indicación cronológica (que tampoco permite excesivas precisiones). Los problemas de 'períodos', 'edades', etc., se asedian en detalle en cada tomo que así lo exige: para los títulos me he contentado con identificar *grosso modo* el ámbito de que se trata.

3. Más comprometido era resolver en qué volumen insertar a ciertos autores o cómo reflejar la multiplicidad de sus obras. ¿Cervantes o el *Guzmán de Alfarache* entraban mejor en el tomo II o

en el III? ¿Convenía despiezar a Lope y Quevedo por géneros o reservar capítulos singulares al conjunto de su producción? Los dilemas de esa índole han sido numerosos, y el criterio predominante ha consistido, por un lado, en conceder capítulo exclusivo a las *opera omnia* de cada escritor de talla excepcional —aun si pertenecen a especies diferentes—, y, por otra parte, con más incertidumbre, situarlo en el volumen correspondiente a los años decisivos de su experiencia literaria y vital, a la etapa de sus libros más característicos o al momento en que se definen las líneas de fuerza del movimiento al que se asocia. Así, pongamos, Cervantes me parece que se encuadra con mayor nitidez en la época de su formación que de sus publicaciones («frutos tardíos», sí), mientras el *Guzmán de Alfarache* se aprecia más claramente puesto al lado de la picaresca y de la narrativa toda del Seiscientos, ininteligible sin él (por más que *Ozmín y Daraja* forme prieto bloque con el *Abencerraje*); Guillén o Aleixandre seguramente han escrito más versos, y más excelsos, después que antes de 1936, pero sería un despropósito perturbador dedicarles sección en tomos distintos del que acoge a Salinas y Lorca. Etc., etc. No ha habido inconveniente, sin embargo, en hacer excepciones y, por ejemplo, encabalgar a un mismo autor entre dos capítulos o, más raramente, volúmenes. Los índices de cada entrega y, especialmente, el tomo complementario (véase abajo, 9) paliarán esas perplejidades inevitables: pues, en resumidas cuentas, ni siquiera con el recurso a técnicas cortazarianas (*Rayuela*, 34) puede el lenguaje, lineal, captar la simultaneidad compleja de la historia.

4. Como se ha dicho, la introducción a cada capítulo intenta pasar revista a los escritores, obras o temas en cuestión, y compaginar ese repaso con un panorama del estado actual de los estudios sobre el asunto considerado. La combinación de ambos factores —historia e historiografía— se mueve entre dos extremos posibles. En unos casos, se echa mano de la simple yuxtaposición: en primer término, se bosquejan rápidamente los hechos históricos que interesan; después, se presentan y se enjuician las conclusiones de la historiografía y la crítica pertinentes. En otros casos, tales elementos se ofrecen más íntimamente unidos, de suerte que la exposición de los hechos se apoye paso a paso en el comentario de la bibliografía, y viceversa. Los autores de las introducciones respectivas han procedido aquí con plena libertad, pero, no obstante, tampoco ahora ha faltado una orientación general. En principio, pues, cuando

una materia se presumía más ardua y lejana al lector (según ocurre con todo el volumen sobre la Edad Media), se ha tendido a dar primero un apretado sumario histórico, inmediatamente después del cual el principiante —saltándose la *mise au point* bibliográfica— pudiera pasar a la selección de textos, y sólo en un tercer momento, de interesarle, consultar el panorama de la historiografía al respecto. En cambio, cuando el tema del capítulo se creía más llano, atractivo o conocido, corrientemente ha parecido preferible no establecer fronteras entre historia e historiografía (y la selección de textos, entonces, se muestra en mayor medida como una ilustración parcial de algunos puntos llamativos de entre los señalados en la introducción).

5. Los trabajos históricos y críticos examinados en las introducciones, registrados en las bibliografías y antologados en el cuerpo de cada capítulo no abarcan, desde luego, el curso entero, a través de los siglos, de los estudios en torno a la literatura española. Salvo en las necesarias referencias ocasionales, no se discutirán ni se incluirán aquí las opiniones de Herrera sobre Garcilaso, Luzán sobre Calderón, Clarín sobre Galdós..., ni siquiera de Menéndez Pelayo sobre casi todo. Para la mayoría de las cuestiones abordadas en los volúmenes I-V, hemos dado por supuesto que como medio siglo atrás existía una cierta versión *vulgata* de la historia literaria, y que en los tres, cuatro o cinco decenios pasados se ha producido un reajuste en nuestros conocimientos (y sentimientos) al propósito. Ese nuevo marco, dentro del cual se mueven la crítica y la investigación más responsables y prometedoras, es justamente el ámbito de la presente obra.

Unas veces, la raya divisoria entre lo actual y lo anticuado (o definitivamente caduco) la trazan los descubrimientos factuales, aun si no llegan a tener la extraordinaria importancia del hallazgo de las jarchas. Otras veces, el cambio brota de una distinta actitud estética, incluso cuando cristaliza de manera menos resonante que la exaltación de Góngora en 1927. Otras, todavía, es un libro magistral —por ejemplo, *Erasmo y España*— el que divide en dos épocas las exploraciones de un determinado dominio. Obviamente, no siempre cabe fijar límites precisos. Pero no por ello es menos cierto que en los últimos decenios —el arranque se sitúa habitualmente alrededor de las guerras *plus quam civilia*—, en debate con las viejas certezas, al arrimo de las vanguardias artísticas, en diálogo con los hechos recién averiguados y las ideas latientes, se han transformado los instrumentos de trabajo y los modos de comprensión en la historia y la crítica de la literatura española. Nuestra intención ha sido levantar acta de cómo se ha operado —cómo se está operando— esa transformación y recoger una parte de sus logros más firmes.

En los volúmenes que llegan hasta finales del siglo XIX, nos hemos concentrado, así, en ese período propiamente 'moderno' de los estudios literarios. Para los tomos siguientes, claro está que los términos no eran iguales. Ciertamente, la valoración de Valle-Inclán, Cernuda o Celaya ha conocido vuelcos considerables en pocos años, pero de una entidad diversa a los que se han experimentado en la apreciación de autores más remotos. En los volúmenes VI, VII y VIII, por ende, se ha procurado sobre todo documentar el desarrollo —o el nacimiento— de una crítica honda y significativa sobre los temas contemplados, y, en la selección de textos, se han primado las contribuciones en tal sentido, por encima de los abundantes testimonios demasiado anecdóticos o impresionistas.

6. No me resisto a la tentación de ilustrar con alguna muestra dos tipos de problemas que hemos debido afrontar. Uno bien manifiesto planteaba la larga e ingente actividad de don Ramón Menéndez Pidal. No era el caso reproducir unas páginas del capital trabajo de 1898 en que don Ramón proponía dar el título de *Libro de buen amor* a la obra de Juan Ruiz y le negaba el carácter didáctico: esa propuesta y esa negativa pasaron pronto a la *vulgata* de las opiniones sobre el Arcipreste, la *vulgata* a cuya discusión o refutación atiende HCLE. Pero sí había de estar representada aquí la espléndida ancianidad de Menéndez Pidal, cuando el maestro repensaba su interpretación de los cantares de gesta a la luz de las novísimas inquisiciones sobre la epopeya oral yugoslava o cuando, al refundir un tratado de 1924, polemizaba con E. R. Curtius en torno al papel de clérigos y juglares en los orígenes de las literaturas románicas.

De una punta a otra de HCLE, a nadie se le ocultará que en buena parte del volumen VIII (*Época contemporánea: 1939-1975*) la dificultad mayor no estaba ya en calibrar y elegir la bibliografía, sino lisa y llanamente en localizarla. Los materiales más decisivos ahí a menudo andan dispersos en las entregas fugaces de los periódicos —que apenas dejan rastro en los repertorios—, en las revistas de la provincia, la clandestinidad y el exilio, y únicamente era hacedero dar fe de una parte de ellos, quizá no siempre con una perspectiva lo bastante completa.

7. En las introducciones, al esbozar el estado actual de los trabajos sobre cada asunto, se ha procurado mantener el número de referencias bibliográficas dentro de los límites estrictamente imprescindibles. Había que citar a los principales estudiosos y tendencias, realzar los libros y artículos de mayor utilidad —por sí mismos o por las indicaciones que brindan para profundizar en el tema—, insistir en lo positivo. Pero convenía reducirse a cuarenta, sesenta o, cuando mucho, un centenar de entradas bibliográficas (y ese extremo sólo se ha alcanzado excepcionalmente), que debieran ser suficientes para apuntar las grandes sendas en la selva feracísima en que se han convertido los estudios sobre la literatura española. Si de pecado se trata, en tales circunstancias, hemos preferido pecar por parcos.

8. Nuestro ideal —según declaraba arriba— sería que la selección de textos formara un todo bien conexo (dentro de la pluralidad de enfoques), apto igual para la lectura seguida que para la consulta de un determinado particular. Capítulo a capítulo, hubiéramos querido conjugar visiones de conjunto, análisis de piezas singulares y ejemplos de la erudición más perspicaz. No siempre era factible: no sólo por nuestras limitaciones, por las lagunas de la bibliografía o por otros impedimentos de diversa especie, sino también, a menudo, porque trabajos de gran valor no se prestaban a ser despojados del fragmento con la relativa coherencia (a nuestro objeto, naturalmente) que permitiera tenerlos representados en la antología. Adviértase que los textos seleccionados habían de versar sobre cuestiones substanciales, allanar el camino a la lectura de las fuentes primarias, no ser de tono excesivamente especializado para el común de los lectores... Por eso, y no únicamente por una convicción compartida por todos los colaboradores —y que en cierto sentido es la 'novedad' esencial del período crítico aquí revisado—, la selección de textos tiende a resaltar las contribuciones más sensibles a los factores propiamente literarios y más diestras en relacionarlos con la entera trama de la historia. Pero, por supuesto, ha sido el estado actual de la bibliografía sobre el dominio quien ha moldeado cada capítulo, y ninguna orientación provechosa ha quedado deliberadamente al margen.

9.   Las ocho entregas de *HCLE* tendrán por complemento un volumen que contendrá un diccionario de la literatura española, junto a otros materiales (tablas cronológicas, prontuario de bibliografía, etc.), coordinados todos con envíos al tomo y capítulo de la presente serie donde se traten más por extenso los asuntos ahí presentados desde un punto de vista escuetamente informativo y factual. Ese volumen en preparación espera tener validez autónoma, pero ha sido concebido contando con la existencia de *HCLE*.

En el aludido diccionario figurarán las oportunas noticias biobibliográficas sobre los principales estudiosos de la literatura española, y en particular, claro es, de todos aquellos de quienes se recogen textos en nuestra antología.

10.   Empezaba por confesar (1) que *HCLE*, primera aproximación a una meta sin duda ambiciosa, nace con el compromiso explícito de remozarse cada pocos años, bien por suplementos sueltos, bien —apenas las circunstancias lo aconsejen y permitan— en ediciones íntegramente rehechas. Todos los colaboradores estimaremos de veras la ayuda que para tal fin se nos preste en forma de comentarios, referencias, publicaciones...

IV

Pocas veces me ha sido tan necesaria y gustosa una expresión de gratitudes. Gratitud, primero, a los autores de los textos seleccionados que han accedido a su reproducción en las condiciones que imponía el carácter de la empresa (y aquí me importa consignar el inolvidable estímulo que en su día me dispensó don Dámaso Alonso). Gratitud, luego, a los colaboradores de los ocho volúmenes, por la calidad de su esfuerzo y por la paciencia con que han sobrellevado el diálogo conmigo. Gratitud, en fin, a Editorial Crítica, que ha puesto el mayor entusiasmo en el proyecto y ha hecho acrobacias inverosímiles para conseguir que *HCLE* resultara todo lo accesible económicamente y cuidada tipográficamente que cabía en los tiempos que corren.

FRANCISCO RICO

NOTAS PREVIAS

1. A lo largo de cada capítulo (y particularmente en la introducción, desde luego), cuando el nombre de un autor va asociado a un año entre paréntesis rectangulares, [ ], debe entenderse que se trata del envío a una ficha de la bibliografía correspondiente, donde el trabajo así aludido figura bajo el nombre en cuestión y en la entrada de la cual forma parte el año indicado.* En la bibliografía, las publicaciones de cada autor se relacionan cronológicamente; si hay varias que llevan el mismo año, se las identifica, en el resto del capítulo, añadiendo a la mención de año una letra (*a*, *b*, *c...*) que las dispone en el mismo orden adoptado en la bibliografía. Igual valor de remisión a la bibliografía tienen los paréntesis rectangulares cuando encierran referencias como *en prensa* o análogas. El contexto aclara suficientemente algunas minúsculas excepciones o contravenciones a tal sistema de citas. Las abreviaturas o claves empleadas ocasionalmente se resuelven siempre en la bibliografía.

2. En muchas ocasiones, el título de los textos seleccionados se debe al responsable del capítulo; el título primitivo, en su caso, se halla en

---

* Normalmente ese año es el de la primera edición o versión original (regularmente citadas, en cualquier caso, en la bibliografía), pero a veces convenía remitir a la reimpresión dentro de unas obras completas, a una edición revisada (o más accesible), a una traducción notable, etc., y así se ha hecho.

la ficha que, a pie de la página inicial, consigna la procedencia del fragmento elegido. Si lo registrado en esa ficha es un artículo (o el capítulo de un volumen, etc.), se señalan las páginas que en el original abarca todo él y a continuación, entre paréntesis, aquellas de donde se toman los pasajes reproducidos. En el presente tomo I, cuando no se menciona una traducción española ya publicada o no se especifica otra cosa, los textos originariamente en lengua extranjera han sido traducidos por Carlos Pujol.

3.   En los textos seleccionados, los puntos suspensivos entre paréntesis rectangulares, [...], denotan que se ha prescindido de una parte del original. Corrientemente no ha parecido necesario, sin embargo, marcar así la omisión de llamadas internas o referencias cruzadas («según hemos visto», «como indicaremos abajo», etc.) que no afecten estrictamente al fragmento reproducido.

4.   Entre paréntesis rectangulares van asimismo los cortos sumarios con que los responsables de *HCLE* han suplido a veces párrafos por lo demás omitidos. También de ese modo se indican pequeños complementos, explicaciones o cambios del editor (traducción de una cita o substitución de esta por solo aquella, glosa de una voz arcaica, aclaración sobre un personaje, etc.). Sin embargo, con frecuencia hemos creído que no hacía falta advertir el retoque, cuando consistía sencillamente en poner bien explícito un elemento indudable en el contexto primitivo (copiar entero un verso allí aducido parcialmente, completar un nombre o introducirlo para desplazar a un pronombre en función anafórica, etc.).

5.   Con escasas excepciones, la regla ha sido eliminar las notas de los originales (y también las referencias bibliográficas intercaladas en el cuerpo del trabajo). Las notas añadidas por los responsables de la antología —a menudo para incluir algún pasaje procedente de otro lugar del mismo texto seleccionado— se insertan entre paréntesis rectangulares.

EDAD MEDIA

PRÓLOGO

El presente volumen es fruto de una colaboración. Es principalmente mía la responsabilidad de las introducciones y bibliografías de los doce capítulos; la selección y la preparación de los textos correspondientes se deben al director de la obra. Al elegir los textos, sin embargo, Francisco Rico ha tomado en cuenta muchas de mis sugerencias, de suerte que la antología responde en gran medida a una común valoración. Por su parte, también él ha agregado varias fichas bibliográficas (casi todas relativas a libros o artículos muy recientes o, tal o cual vez, injustamente olvidados por mí) y, en las introducciones, ha añadido diversas observaciones propias y matizado según su criterio más de una afirmación mía que le pareció demasiado terminante. Estoy muy satisfecho de la mayoría de esas observaciones y matices. No obstante, en unos cuantos casos no hemos logrado alcanzar una redacción que significara una conciliación de nuestros respectivos puntos de vista, y ha acabado privando el de uno de los dos. Nos resultó muy interesante determinar los puntos controvertidos —en cuyo breve análisis pensamos ocuparnos en una publicación especializada—, y más interesante (y alentador) fue todavía comprobar la extensión de los juicios que compartíamos. Es de esperar que nuestros lectores saquen provecho de semejante colaboración: un panorama como HCLE no puede sino beneficiarse al ser contemplado desde perspectivas no coincidentes por completo.

Preparé las introducciones y bibliografías entre el verano de 1977 (capítulos 2 y 3) y la primavera de 1979 (capítulos 1, 11 y 12), y nadie ignora que la investigación y la crítica caminan hoy a paso harto ligero. Una visión de conjunto, pues, está en cualquier momento expuesta al peligro de quedarse anticuada en algún particular. Para reducir (ya que no eliminar) ese riesgo, además de haber procurado desde el principio mencionar los trabajos en prensa que conocía y cuya importancia me constaba, he dispuesto a última hora un apéndice bibliográfico. Las adiciones ahí contenidas carecen casi siempre de comentario; pero si el título de un trabajo no es suficientemente indicativo de su tema, he añadido una rápida aclaración entre paréntesis. En cuanto a las publicaciones muy recientes, sin duda se nos habrán escapado más que quisiéramos; en los oportunos suplementos o en una segunda edición, confiamos en salvar tales lagunas y anomalías, al igual que otras pocas provocadas por azares de diverso orden (como la huelga de correos que me impidió revisar en galeradas los capítulos 9, 10 y 12, o como alguna vacilación —solo resuelta frente a las pruebas— sobre si mencionar o no un determinado ítem bibliográfico). En fin, quiero manifestar mi gratitud a los colegas que me han ayudado con informaciones, separatas, originales, etc., etc.

ALAN DEYERMOND

Westfield College (Universidad de Londres)
y Princeton University

1. TEMAS Y PROBLEMAS
DE LA LITERATURA MEDIEVAL

En la historia intelectual, como ocurre en la política o en la vida económica de la sociedad, hay lindes y vertientes divisorias que no siempre se reconocen como tales en la época, pero que, contando con perspectiva, se destacan de un modo inconfundible y decisivo. El año 1948 es una de esas vertientes en el campo de los estudios sobre la literatura de la España medieval. Los tiempos eran poco propicios: una Europa devastada por la guerra estaba reconstruyendo su vida lenta y penosamente, y España parecía aún congelada en la inmovilidad y el aislamiento surgidos de la guerra civil. Con ese panorama al fondo, no obstante, aparecieron a pocos meses de diferencia dos artículos trascendentales y dos largos libros que concentraban los estudios y las reflexiones de toda una existencia. Los cuatro autores —un español, un alemán, un austríaco y un húngaro— habían visto interrumpido el curso normal de sus vidas por la guerra y la tiranía, y su trabajo erudito era en buena medida una afirmación de la inteligencia y del espíritu del hombre frente a la irracionalidad del mal.

Las obras a que aludo son la reinterpretación propuesta por Américo Castro de la historia y la cultura de España [1948, 1954, 1962], el estudio de Ernst Robert Curtius sobre el fondo latino común a las literaturas en lengua vulgar [1948], el convincente desafío lanzado por Leo Spitzer a la teoría de Menéndez Pidal sobre la historicidad de la epopeya española (véase capítulo 3) y el capital descubrimiento por Samuel Stern de las jarchas, que demostraba la gran antigüedad de la tradición lírica española (véase capítulo 2). Esas cuatro obras distan mucho de representar una concordancia de pareceres. Castro insiste en la singularidad de la cultura española como producto de la convivencia de cristianos, moros y judíos, mientras Curtius subraya la continuidad de la cultura latina europea, en la cual se inserta España; y en cierta medida los dos tienen razón. Spitzer destruye parte de la armazón teórica del neotradicionalismo y Stern refuerza otra parte; ambas operaciones eran igualmente beneficiosas. Las divergentes conclusiones de los cuatro autores prestaban, en su misma divergencia, un servicio inestimable al medievalismo hispánico, que durante demasiado tiempo se había resentido de las doctrinas monolíticas y de la falta de debate. Desde 1948 se ha tendido cada vez más a reconocer el debate como cosa necesaria para un estado saludable de la investigación; y en ámbitos que antes eran propiedad exclusiva de unas teorías comúnmente aceptadas, prevalece hoy un abierto eclecticismo (aunque obviamente aún se encuentra más de una muestra de inflexibilidad doctrinal).

Tal vez no sea mera coincidencia que las grandes innovaciones eruditas de 1948 afecten a cada uno de los tres estamentos tradicionales de la sociedad medieval: los *oradores,* es decir, los clérigos y hombres cultos en general, apegados a la cultura latina; los *defensores* o caballeros, cuyas gestas se cantan en la epopeya (y que son protagonistas de gran parte de la literatura cortesana); y los *labradores,* o sea, los campesinos y todos «los que viven por sus manos» (en palabras de Jorge Manrique), que forman la infraestructura de la historia y de la cultura de un país, y entre quienes nacen el folklore y la lírica tradicional. Y del mismo modo que la teoría medieval de la sociedad consideraba los tres estamentos como engranados en una relación de necesidad mutua, la investigación en los dominios abiertos por Castro, Curtius, Spitzer y Stern es interdependiente: la sociedad y la cultura, los elementos sabios y los populares, se influyen de un modo recíproco. En los estudios medievales no hay calles de dirección única.

Si volvemos la vista a unos treinta años atrás, advertiremos aún grandes diferencias de otra clase. En aquella época los estudiantes de literatura española medieval carecían de muchos instrumentos fundamentales o tenían que servirse de algunos sumamente limitados y arcaicos. La única historia a amplia escala de la literatura española medieval había sido escrita hacía casi un siglo por José Amador de los Ríos. Los siete volúmenes de Amador son todavía indispensables para los investigadores (de ahí la oportunidad de tenerlos reimpresos en facsímil [1969]), pero por multitud de razones poco podían ofrecer al estudiante que buscara una orientación básica. Es cierto que las historias de la literatura española más usuales dedicaban un espacio razonable a la Edad Media, pero aun así la imagen que daban estaba anticuada. Quizá fuese aún más grave la falta de una bibliografía sustancial: a menudo los principiantes ni siquiera sospechaban la existencia de libros y artículos que podían serles útiles. Hoy en día los estudiantes están incomparablemente mejor equipados en cuanto a sus necesidades primordiales (lo cual no significa que las historias de la literatura y las bibliografías de que disponemos sean perfectas). Existe un manual introductorio que brinda un detenido repaso de muchos campos y que utiliza las investigaciones más recientemente publicadas en varias lenguas (López Estrada [1979]). Hay diversas historias de la literatura debidas a medievalistas extranjeros (Vàrvaro [1969], Vàrvaro-Samonà [1972], Deyermond [1971, 1973]), una elaborada por un especialista en otras materias que efectúa una síntesis muy útil de los trabajos más recientes y la acompaña de agudos comentarios (Alborg [1970]), y hasta un intento de manual (Blanco Aguinaga - Rodríguez-Puértolas - Zavala [1978]) escrito desde un punto de vista marxista ... y tan ásperamente juzgado por marxistas como por no marxistas. En el más vasto terreno de la literatura europea, la clásica enciclopedia compilada hace ya mucho tiempo por Gustav Gröber va siendo sustituida (aunque con lentitud) por una serie de volúmenes escritos por un equipo internacional (Jauss y Köhler [1968 ss.]). Existe una extensa bibliografía (Simón Díaz [1963-1965], y cf. [1963 ss.]) que, a pesar de sus notorias omisiones e inexactitudes, es una guía indispensable, excepto para las fuentes primarias (manuscritos y antiguos impresos). A ese respecto ha sido superada por uno de los trabajos del equipo de Wisconsin que dirigen Lloyd Kasten y John Nitti y que utiliza la tecnología de las computadoras a beneficio de los estudios literarios y lingüísticos medievales (Cárdenas y otros [1977]). En otras zonas bibliográficas, el famoso *Ensayo de una biblioteca española de libros raros y curiosos* de Bartolomé José Gallardo ha tenido una continuación merced a los abundantes fondos de la Hispanic Society of America (Serís [1964-1969], aunque el suplemento, al igual que la obra primitiva, haya quedado incompleto a la muerte del compilador), y también se ha emprendido la catalogación de la literatura perdida de la Edad Media castellana (Deyermond [1976-1977]). Los estudiantes disponen asimismo de una antología de textos medievales más completa, extensa y digna de confianza que cualquiera de sus precedentes (Menéndez Pidal [1965-1966]), y de otra menos voluminosa, pero provista de un exhaustivo glosario (González Ollé [1979]). Claro está que el inconveniente de todas las obras de consulta es que envejecen muy aprisa, en estos tiempos de incesantes investigaciones, descubrimientos y discusiones.[1] En tal situación, en la que muchas constricciones impiden que las principales revistas especializadas informen de una manera rápida sobre las novedades bibliográficas, el modesto boletín *La Corónica*, órgano de los medievalistas norteamericanos, desempeña una función insustituible.[2]

1. Baste remitir a E. Sáez, ed., *Repertorio de medievalismo hispánico (1955-1975)*, cuyos dos primeros volúmenes (El Albir, Barcelona, 1976 ss.), de los cinco prometidos, mencionan ya cerca de 4.000 estudiosos y recogen alrededor de 20.000 referencias bibliográficas a sus publicaciones.
2. *La Corónica* puede obtenerse por suscripción dirigiéndose a Russell V.

No es preciso subrayar la importancia de las relaciones entre la literatura y la lengua, ni es éste el lugar adecuado para comentar las investigaciones de carácter lingüístico. Por fortuna, la magistral *Historia de la lengua española* de Rafael Lapesa es ahora accesible en una edición puesta al día [1979], donde siempre se hallarán datos y juicios tan seguros como atinados para la época medieval (a muchos propósitos, por otro lado, el repertorio crítico de Catalán [1974] es también particularmente valioso para nuestro período). Sí conviene insistir en que aún se echa en falta un diccionario del español antiguo, aunque confiamos en que el equipo de Wisconsin colme esa laguna dentro de poco. Mientras, el vasto diccionario etimológico de Corominas [1954-1957], que incluye rica documentación medieval, sigue siendo imprescindible. Entre los problemas específicos de la lengua literaria no debe olvidarse su cambiante vínculo con la nacionalidad y con los géneros (Chaytor [1945]), así como con el público de lectores o bien de oyentes (Auerbach [1958]).

La literatura está tan íntimamente unida a la historia como a la lengua, pero los progresos de la historiografía tampoco pueden ocuparnos aquí (entre los manuales recientes, quizá se deba a Hillgarth [1976] el más abundante en referencias literarias). No cabe pasar en silencio, sin embargo, que su visión de la singularidad histórica de España como fruto esencialmente de la convivencia de tres razas le ha valido a Américo Castro [1948, 1954, 1962] fieles seguidores y ha provocado también enconadas refutaciones. Además de los muchos especialistas que han argumentado (a menudo con buenas razones) que Castro y sus discípulos desmesuran la significación de determinados detalles, algunos han rechazado sus opiniones por una cuestión de principios, creyendo que la personalidad española ha sido fundamentalmente la misma desde la época de los visigodos, e incluso antes. Tal idea, formulada o implícitamente aceptada desde antiguo, aflora en diferentes momentos en la obra de Menéndez Pidal [1918, 1949; 1947], y Sánchez Albornoz [1956] la convirtió en el principio rector de su polémica con Castro, desarrollada en dos copiosos volúmenes que vale la pena leer por sus numerosas contribuciones factuales, mezcladas con discusiones un tanto destempladas. La convicción de Castro de que los conversos desempeñaron un papel predominante y muy peculiar en la literatura medieval y de los siglos de oro ha sido criticada con bastante justicia por sus exageraciones y por apoyarse en pruebas endebles: es de excepcional relevancia la aportación de Asensio [1976]. La controversia, descrita y comentada por

Brown, Department of Modern Languages, Muskingum College, New Concord, Ohio 43762, Estados Unidos.

Russell [1959] y Gómez Martínez [1975], no puede darse por concluida.

La relación entre la historia social y la literatura ha sido abordada desde diferentes ángulos (por ejemplo, a través de la teoría de los tres estamentos y sus repercusiones literarias (De Stefano [1966], Boase [1978]), y, en cualquier caso, cada vez se ha ido acentuando más una orientación de tipo sociohistórico, aunque para la Edad Media todavía no puede hablarse de las escuelas y tendencias que se han destacado en la aplicación de ese enfoque a otros períodos literarios (cf. Mainer [1973]). Si es usada debidamente, el valor de la crítica social e ideológica es innegable (como demuestran los renovadores trabajos de Maravall [1973] en la parcela de la historia intelectual), pero sus cultivadores no siempre tienen en cuenta la distinción esencial que cumple establecer entre el uso de técnicas para la exégesis literaria y el uso de la literatura como arma ideológica (o, si se quiere —en términos de moda—, la distinción entre la crítica marxiana y la marxista).

En la Edad Media, por supuesto, eran pocos quienes sabían leer, y tal estado de cosas afectaba profundamente a la composición, circulación y recepción de la poesía, y, aunque en menor grado, también de la prosa. Las obras habían de difundirse oralmente si aspiraban a tener un público considerable (Chaytor [1945]), y algunos investigadores han considerado a los juglares no sólo como divulgadores de las obras ajenas, sino incluso como autores de gran parte de la poesía medieval (véase Menéndez Pidal [1957], versión renovada de un estudio fundamental). La cuestión ha podido contemplarse desde nuevas perspectivas merced a la exploración de la poesía oral de nuestro propio siglo, a partir de la cual se ha llegado a concluir que muchas epopeyas (además de otros poemas medievales) se componían nuevamente en cada recitado, valiéndose de un sistema de fórmulas y de otras técnicas orales (Lord [1960]); la conclusión sin duda puede aplicarse a algunos poemas, pero a veces se han querido extraer de ella consecuencias excesivas (véase capítulo 3). Por otro lado, hubo algunas obras que evidentemente fueron compuestas para el reducido público que sabía leer (Chaytor [1945], Auerbach [1958]), y en algunos casos los poetas se dirigían a grupos aún más pequeños que podían dispensarles un mecenazgo literario (Boase [1978]).

Las obras compuestas para ese público reducido y culto (entre las cuales figuran algunas de las más importantes de la España medieval) a menudo se muestran particularmente influidas por la literatura extranjera. No es de extrañar, porque la Europa de la Edad Media era una unidad cultural que hundía sus raíces en las tradiciones clásica y occidental. Las diferencias nacionales son importantes y muy sugestivas, pero no deben hacernos descuidar el sentido de la continuidad (Curtius

[1948], Green [1963-1966], Whinnom [1967]). Por esta razón, entre otras, la literatura en lengua vulgar tiene que estudiarse junto con las obras hispanolatinas (Díaz y Díaz [1958-1959] y [1976]; Rico [1969]). Diversos aspectos de la influencia clásica en la cultura medieval han sido bien estudiados, tanto dentro del conjunto de Europa (Highet [1954], Bolgar [1954]), como para España en especial (Lida de Malkiel [1975]). La filosofía medieval también debe mucho a sus antecedentes clásicos —a menudo conocidos indirectamente, en este caso a través de la tradición árabe—, que se mezclan con la tradición cristiana (Carreras Artau [1939-1943], Gilson [1957], Green [1963-1966, volumen II]). El apogeo de la filosofía medieval se produjo en lo que Charles H. Haskins, en un influyente libro publicado en 1927, llamó «el renacimiento del siglo xii». Como es sabido, la cultura española acusó los efectos de tal renacimiento parcial y tardíamente, pero es menos conocido —no se menciona en los manuales de más difusión obra de no hispanistas— que la escuela de traductores de Toledo desempeñó un papel esencial en la transmisión de la cultura árabe a la Europa latina, y por lo tanto en el contexto de ese renacimiento. (Millás Vallicrosa [1942], Menéndez Pidal [1956]; cf. capítulo 5.)

Casi todos los escritores medievales se nutrieron de un sistema de educación en el que la retórica constituía una parte primordial de la enseñanza. Por ende, es natural que los recursos retóricos y los tópicos anejos se usaran con mucha frecuencia en literatura (Curtius [1948], Lausberg [1960]). Sin embargo, el estudio de la cuestión ha sido excesivamente simplificado: los eruditos han comparado las *artes poeticae* (los manuales de retórica de la época) con los rasgos de la poesía y de la prosa española, suponiendo que las *artes* circulaban por España. La suposición, al menos por lo que se refiere al siglo xiii, no parece debidamente justificada, y el tema ha requerido un enfoque más prudente (Faulhaber [1972]). Con todo, la influencia retórica a través de otras fuentes tuvo sin duda un efecto importante. No menor huella dejaron los métodos para la formación de los predicadores; al respecto es de especial importancia el sermón popular, ya que, como gran parte de la literatura en lengua romance, aspiraba a aleccionar y a divertir a un amplio auditorio (Owst [1961]). El estudio de los sermones españoles medievales y su relación con la literatura había sido descuidado hasta hace poco tiempo, pero en la actualidad está dando frutos de una cierta consideración (Rico [1977]).

La enseñanza religiosa se revitalizó en el siglo xiii y se extendió a capas más amplias del pueblo; ello influyó tanto en los tipos como en las técnicas de la producción literaria (Lomax [1969]; véase capítulo 5). Una gran cantidad de información sobre la historia religiosa y cultural de este período está ahora al alcance de la mano gracias a un par de obras de consulta (*Repertorio* [1967 ss.]; *Diccionario* [1972-1977]). Como hemos dicho, los sermones formaban parte de ese movimiento que quería dar instrucción religiosa al pueblo. Otro aspecto del mismo fenómeno fue la traducción de la Biblia a las lenguas vulgares (Morreale [1960, 1969]), que a su vez tuvo una importante influencia en la literatura vernácula (Gormly [1962], Catalán [1965]).

Para leer y entender debidamente la literatura de la Edad Media (y, de hecho, para comprender todo el arte del período), es forzoso saber algo de la manera en que los medievales veían el mundo y su lugar dentro de él. La imagen del mundo entonces más difundida era una mezcla de ciencia griega y de teología judeo-cristiana, y sus tres principios esenciales eran la armonía, la jerarquía y las concordancias que se dan entre los distintos órdenes de la existencia. Ello se aplica a la teoría y la práctica social de la época (el sistema feudal, los tres estamentos), al universo y a la fisiología y la psicología humanas (Gilson [1952], Lewis [1964], Green [1963-1966, vol. II]). El modo en que los autores hispánicos reflejan esa imagen ya ha sido estudiado (Pring-Mill [1961], McMullan [1971]), y se sigue trabajando en este campo. Se trata de una imagen tan trabada, que ninguna de sus partes puede entenderse aisladamente: por ejemplo, el hombre se representa como un mundo en miniatura o microcosmos, y esa correspondencia influyó mucho en la literatura (Rico [1970]). Otras ideas de gran importancia literaria son las relativas a la fortuna (Arias y Arias [1970], Mendoza Negrillo [1973]), la fama (Lida de Malkiel [1952]) y el mundo misterioso de más allá de los mares o debajo de la tierra (Patch y Lida de Malkiel [1956]).

Los principios de armonía, jerarquía y reciprocidad (véase aún Spitzer [1963]) también se ven actuando en la historia humana y sagrada. El Antiguo Testamento se interpretaba como una imperfecta prefiguración del Nuevo, y ese enfoque figural o tipológico se extendió gradualmente a otros campos (Auerbach [1944]).[3] La interpretación figural desempeña un importante papel en la literatura española medieval (véase Foster [1970], libro con muchos puntos inaceptables, pero valioso porque abordó por vez primera un campo de estudio descuidado por los

---

3. En sentido amplio, por *figura* se entiende una persona o cosa real e histórica «que preanuncia otra también real e histórica; la relación entre ambas se revela a través de una concordancia o semejanza» (E. Auerbach [1944]); «*tipología* significa la comprensión de unos sucesos pasados como tipos que predicen otros futuros» (J. Chydenius, *The Typological Problem in Dante: A Study in the History of Medieval Ideas*, Helsinki, 1958, citado por P. A. Bly y A. D. Deyermond, *The Journal of Medieval and Renaissance Studies*, II [1972], p. 159).

hispanistas). De modo semejante, la historia era considerada como una manifestación de los designios de Dios, mientras algunas culturas paganas, sobre todo la griega, la habían considerado como una serie cíclica de repeticiones (Patrides [1972]). Por esta razón las historias del mundo medievales, como la de Alfonso el Sabio, se esfuerzan por armonizar el relato bíblico con la historia profana (véase capítulo 5).

Queda aún por mencionar otro aspecto de la mentalidad y la experiencia medieval: el amor cortés. A partir del siglo XII (y esporádicamente antes de esa época) el amor suele considerarse como un impulso ennoblecedor y describirse de un modo idealizado (véase, sin embargo, Dronke [1965-1966]). Los ecos del amor cortés en la literatura española fueron especialmente sensibles en el siglo XV (Green [1963-1966, vol. I]). La bibliografía reciente se ha ocupado a menudo de la naturaleza y los orígenes del amor cortés, e incluso se ha discutido la propiedad del término (Boase [1977]).

Finalmente, es obligado decir cuatro palabras sobre la diferencia de las actitudes ante la literatura y ante los problemas estéticos en general adoptadas en la Edad Media y en nuestro propio tiempo. Tanto el punto de vista medieval (De Bruyne [1946]) como el de las últimas tendencias son herramientas valiosas para el estudio de la literatura, pero, si el estudiante no tiene en cuenta las diferencias que separan a uno de otro, incurrirá en los más variados anacronismos y no podrá interpretar los textos a derechas (Spearing [1972]). Una importante diferencia que la crítica se resistía a aceptar hasta tiempos muy recientes es que la obscenidad (a menudo incluso en escritores religiosos) era un componente nada raro de la cultura medieval (Whinnom [1967]). El concepto moderno de realismo resultaría difícil de entender para un escritor medieval, pero más de uno desarrolló procedimientos descriptivos que hoy pueden parecernos realistas (Auerbach [1946]). Del mismo modo, aunque las nociones de personalidad artística y estilo individual son posteriores a la Edad Media, muchos escritores medievales de hecho muestran una individualidad claramente diferenciada (véase Lida de Malkiel [1975], pp. 269-338, así como Dronke [1970] y los reparos de Rico [1972-1973]). Las teorías retóricas y métricas tuvieron un gran desarrollo en la Edad Media (carecemos de un libro de conjunto sobre la métrica medieval española, pero contamos con excelentes capítulos de Navarro Tomás [1973] y Baehr [1970]); la crítica literaria, sin embargo, tal como hoy la entendemos, no hizo su aparición hasta el siglo XVI. La consecuencia de ello es que, aunque la Edad Media tenía el concepto de unos niveles estilísticos (sublime, mediano y humilde), sus ideas acerca de los géneros literarios eran sumamente vagas. Con todo, las obras medievales encajan en géneros perfectamente reconocibles, que no siempre son los mismos que encontramos en la literatura moderna, y es esencial que se identifiquen cuidadosamente y sin incurrir en anacronismos (Deyermond [1975]; cf. Jaus y Köhler [1968 ss.], vol. I, pp. 107-138). Según las diferentes épocas ha habido diversas tendencias críticas que han dominado los estudios literarios medievales. El neotradicionalismo ha perdido la supremacía que tuvo tiempo atrás (Menéndez Pidal [1918, 1949; 1957]), pero, aunque en formas más modernas, aún tiene mucho que decir (véase capítulo 3). Una orientación que en un momento dado pareció que iba a ejercer una influencia decisiva, pero que ha ido perdiendo terreno (y se diría poco probable que lo recupere), es la interpretación de los textos profanos según los métodos de la exégesis alegórica empleada con la Biblia en la Edad Media (Robertson [1962]), enfoque que no debe confundirse con el más sencillo y harto más accesible de la tradición figural, mencionada antes. Las posturas críticas que en la actualidad tienen más prestigio son la sociohistórica o marxiana (véase más arriba), la estructuralista y la de los folkloristas. El estructuralismo (que ya nadie confunde, por supuesto, con los métodos tradicionales en el análisis de la estructura de una obra literaria) toma sus técnicas de la antropología y de la lingüística (Zumthor [1972, 1975]). Los resultados de su aplicación a la literatura medieval española hasta ahora han sido más bien decepcionantes, ya que la novedad parece haber estribado más en la terminología que en descubrimientos sustanciales, pero en el futuro es posible que dé frutos más interesantes (véase la detallada reseña de López Estrada [en prensa]). Mucho más efectivo ha sido el intento de examinar la literatura medieval a la luz del folklore, no sólo porque en lo antiguo eran especialmente estrechas las relaciones entre ambos, sino también porque los folkloristas han puesto a punto una variedad de utillaje que los estudiosos de la literatura pueden usar con toda confianza (Thompson [1955-1958], Aarne & Thompson [1961], Propp [1971]). El libro de López Estrada [1979] ofrece una guía actualizada sobre todas esas cuestiones. Los capítulos del presente volumen que siguen a continuación tratarán de mostrar cómo los temas generales aquí enunciados al vuelo afectan al estudio de los principales textos de la Edad Media castellana.

BIBLIOGRAFÍA

Aarne, Antti, y Stith Thompson, *The Types of the Folktale: a classification and bibliography*, 2.ª ed. revisada, Academia Scientiarum Fennica (Folklore Fellows Communications, CLXXXIV), Helsinki, 1961.

Alborg, Juan Luis, *Historia de la literatura española*, I. *Edad Media y Renacimiento*, 2.ª ed., Gredos, Madrid, 1970.

Amador de los Ríos, José, *Historia crítica de la literatura española* [1861-1865], siete vols., edición facsímil, Gredos, Madrid, 1969.

Arias y Arias, Ricardo, *El concepto del destino en la literatura medieval española*, Ínsula, Madrid, 1970.

Asensio, Eugenio, *La España imaginada de Américo Castro*, El Albir, Barcelona, 1976.

Auerbach, Erich, «Figura», en *Neue Dantestudien*, Estambul, 1944, pp. 11-71; versión inglesa en *Scenes from the Drama of European Literature*, Meridian Books, Nueva York, 1959, pp. 11-76.

—, *Mimesis*, Francke, Berna, 1946; trad. cast.: *Mímesis. La representación de la realidad en la literatura occidental*, Fondo de Cultura Económica, México, 1950.

—, *Literatursprache und Publikum in der lateinischen Spätantike und im Mittelalter*, Francke, Berna, 1958; trad. cast.: *Lenguaje literario y público en la baja latinidad y en la Edad Media*, Seix Barral, Barcelona, 1969.

Baehr, Rudolf, *Manual de métrica española*, Gredos, Madrid, 1970.

Blanco Aguinaga, Carlos, Julio Rodríguez-Puértolas e Iris M. Zavala, *Historia social de la literatura española en lengua castellana*, I, Castalia, Madrid, 1978.

Boase, Roger, *The Origin and Meaning of Courtly Love: a critical study of European scholarship*, University Press, Manchester, 1977.

—, *The Troubadour Revival: a study of social change and traditionalism in late medieval Spain*, Routledge, Londres, 1978.

Bolgar, R. R., *The Classical Heritage and its Beneficiaries from the Carolingian Age to the End of the Renaissance*, Cambridge University Press, Londres, 1954.

Cárdenas, Anthony, Jean Gilkison, John Nitti y Ellen Anderson, *Bibliography of Old Spanish Texts*, 2.ª ed., Hispanic Seminary of Medieval Studies, Madison, 1977.

Carreras Artau, Tomás y Joaquín, *Historia de la filosofía española. Filosofía cristiana de los siglos XIII al XV*, Asociación española para el congreso de las ciencias, 1939-1943, 2 vols.

Castro, Américo, *España en su historia: cristianos, moros y judíos*, Losada, Buenos Aires, 1948; 2.ª versión, *La realidad histórica de España*, Porrúa, México, 1954; nueva ed. (incompleta), 1962.

Catalán, Diego, «La Biblia en la literatura medieval española», *Hispanic Review*, XXXIII (1965), pp. 310-318.

—, *Lingüística ibero-románica (Crítica retrospectiva)*, Gredos, Madrid, 1974.

Chaytor, H. J., *From Script to Print: an introduction to medieval literature*, Heffer, Cambridge, 1945.

Corominas, Juan, *Diccionario crítico-etimológico de la lengua castellana*, Gredos, Madrid, y Francke, Berna, 1954-1957.

Curtius, Ernst Robert, *Europäische Literatur und lateinisches Mittelalter*, Francke, Berna, 1948; trad. cast. aumentada: *Literatura europea y Edad Media latina*, Fondo de Cultura Económica, México, 1955.

De Bruyne, Edgar, *Études d'esthétique médiévale*, De Tempel, Brujas, 1946; trad. cast.: *Estudios de estética medieval*, Gredos, Madrid, 1958.

De Stefano, Luciana, *La sociedad estamental de la baja Edad Media española a la luz de la literatura de la época*, Universidad Central de Venezuela, Caracas, 1966.

Deyermond, Alan, *A Literary History of Spain: the Middle Ages*, Ernest Benn, Londres, 1971; ed. cast. revisada: *Historia de la literatura española. I. La Edad Media*, Ariel (Letras e Ideas: Instrumenta, 1), Barcelona, 1973.

—, «The lost genre of medieval Spanish literature», *Hispanic Review*, XLIII (1975), pp. 231-259.

—, «The lost literature of medieval Spain: excerpts from a tentative catalogue», *La Corónica*, V (1976-1977), pp. 93-100.

Díaz y Díaz, Manuel C., *Index scriptorum latinorum medii aevi Hispanorum*, Universidad de Salamanca (Acta Salmanticensia), Salamanca, 1958-1959, dos vols.

—, *De Isidoro al siglo XI. Ocho estudios sobre la vida literaria peninsular*, El Albir, Barcelona, 1976.

Diccionario de historia eclesiástica de España, CSIC, Madrid, 1972-1977, cuatro vols.

Dronke, Peter, *Medieval Latin and the Rise European Love-Lyric*, Clarendon Press, Oxford, 1965-1966, dos vols.

—, *Poetic Individuality in the Middle Ages: new departures in poetry 1000-1150*, Clarendon, Oxford, 1970; trad. cast.: *La originalidad poética en la Edad Media*, Cupsa, Madrid, 1979.

Faulhaber, Charles, *Latin Rhetorical Theory in Thirteenth and Fourteenth Century Castile*, Universidad de California (Publications in Modern Philology, CIII), Berkeley, 1972.

Foster, David W., *Christian Allegory in Early Hispanic Poetry*, University Press of Kentucky (Studies in Romance Languages, IV), Lexington, 1970.

Gilson, Étienne, *La philosophie au Moyen Âge*, 2.ª ed., Payot, París, 1952; trad. cast.: *La filosofía en la Edad Media (desde los orígenes patrísticos hasta el fin del siglo XIV)*, Gredos, Madrid, 1958.

Gómez Martínez, José Luis, *Américo Castro y los orígenes de los españoles: historia de una polémica*, Gredos, Madrid, 1975.

González Ollé, Fernando, *Textos para el estudio de la lengua y literatura de la Edad Media española*, Ariel (Letras e Ideas: Bibliotheca, 2), Barcelona, 1979.

Gormly, Sister Francis, *The Use of the Bible in Representative Works of Medieval Spanish Literature, 1250-1300*, Catholic University of America (Studies in Romance Languages and Literatures, XLVI), Washington, D.C, 1962.

Green, Otis H., *Spain and the Western Tradition: the Castilian Mind in literature from «El Cid» to Calderón*, University of Wisconsin Press, Madison, 1963-1966; trad. cast.: *España y la tradición occidental: el espíritu castellano en la literatura desde «El Cid» hasta Calderón*, Gredos, Madrid, 1969-1972.

Highet, Gilbert, *La tradición clásica: influencias griegas y romanas en la literatura occidental*, Fondo de Cultura Económica, México, 1954; vers. cast., revisada, de *The Classical Tradition: Greek and Roman influences on Western literature*, Oxford University Press, Londres, 1949.

Hillgarth, J. N., *The Spanish Kingdoms, 1250-1516*, Oxford University Press, 1976; trad. cast.: *Los reinos hispánicos, 1250-1516*, dos vols., Grijalbo, Barcelona, 1979-1980.

Jauss, Hans Robert, y Erich Köhler, ed., *Grundriss der romanischen Literaturen des Mittelalters*, Winter, Heidelberg, 1968 y ss.

Lapesa, Rafael, *Historia de la lengua española*, edición renovada, Gredos, Madrid, 1979.

Lausberg, Heinrich, *Handbuch der literarischen Rhetorik: eine Grundlegung der Literaturwissenschaft*, Hueber, Munich, 1960; trad. cast.: *Manual de retórica literaria: fundamentos de una ciencia de la literatura*, Gredos, Madrid, 1966-1968.

Lewis, C. S., *The Discarded Image: an introduction to medieval and Renaissance literature*, Cambridge University Press, 1964; trad. esp.: Antoni Bosch editor, en prensa.

Lida de Malkiel, María Rosa, *La idea de la fama en la Edad Media castellana*, Fondo de Cultura Económica, México, 1952.

—, *La tradición clásica en España*, Ariel (Letras e Ideas: Maior, 4), Barcelona, 1975.

Lomax, Derek W., «The Lateran reforms and Spanish literature», *Iberoromania*, I (1969), pp. 299-313.

López Estrada, Francisco, *Introducción a la literatura medieval española*, 4.ª ed., renovada, Gredos, Madrid, 1979.

—, «La teoría poética medieval de Paul Zumthor», *Anuario de estudios medievales*, en prensa.

Mainer, José Carlos, «Sociología de la literatura en España», *Sistema*, núm. 1 (enero, 1973), pp. 69-80.

Maravall, José Antonio, *Estudios de historia del pensamiento español. Serie primera: Edad Media*, 2.ª ed. ampliada, Cultura Hispánica, Madrid, 1973.

McMullan, Susan J., «The world picture in medieval Spanish literature», *Annali dell'Istituto Universitario Orientale di Napoli, Sezione Romanza*, XIII (1971), pp. 27-105.

Mendoza Negrillo, Juan de Dios, *Fortuna y Providencia en la literatura castellana del siglo XV* (*Boletín de la Real Academia Española*, anejo XXVII), Madrid, 1973.

Menéndez Pidal, Ramón, «Algunos caracteres primordiales de la literatura española», *Bulletin Hispanique*, XX (1918), pp. 205-232; 2.ª versión en *Historia general de las literaturas hispánicas*, ed. Guillermo Díaz-Plaja, I, Barna, Barcelona, 1949, pp. xv-lix; reimpr.: *Los españoles en la literatura*, Espasa-Calpe Argentina (Austral, 1271), Buenos Aires, 1960.

—, ed., «Prólogo» a *Historia de España*, Espasa-Calpe, Madrid, 1947, vol. I; revisado en *Los españoles en la historia*, Espasa-Calpe Argentina (Austral, 1260), Buenos Aires, 1959.

—, *España, eslabón entre la Cristiandad y el Islam*, Espasa-Calpe (Austral, 1280), Madrid, 1956.

Menéndez Pidal, Ramón, *Poesía juglaresca y orígenes de las literaturas románicas: problemas de historia literaria y cultural*, 6.ª ed. [de *Poesía juglaresca y juglares*, 1924], Instituto de Estudios Políticos, Madrid, 1957.

—, Rafael Lapesa y María Soledad de Andrés, ed., *Crestomatía del español medieval*, Seminario Menéndez Pidal y Gredos, Madrid, 1965-1966.

Millás Vallicrosa, José M., *Las traducciones orientales en los manuscritos de la Biblioteca Catedral de Toledo*, CSIC, Madrid, 1942.

Morreale, Margherita, «Apuntes bibliográficos para la iniciación al estudio de las traducciones bíblicas medievales en castellano», *Sefarad*, XX (1960), pp. 66-109.

—, «Vernacular scriptures in Spain», en *The Cambridge History of the Bible. II. The West from the Fathers to the Reformation*, ed. G. W. H. Lampe, Cambridge University Press, 1969, pp. 465-491, 533-535.

Navarro Tomás, Tomás, *Métrica española*, Guadarrama, Madrid, 1973, 4.ª ed.

Owst, G. R., *Literature and Pulpit in Medieval England: a neglected chapter in the history of English letters and of the English people*, 2.ª ed., Blackwell, Oxford, 1961.

Patch, Howard R., *El otro mundo en la literatura medieval*, seguido de un apéndice, «La visión de trasmundo en las literaturas hispánicas», por María Rosa Lida de Malkiel (pp. 371-449), Fondo de Cultura Económica, México, 1956.

Patrides, C. A., *The Grand Design of God: the literary form of the Christian view of history*, Routledge, Londres, 1972.

Pring-Mill, Robert, *El microcosmos lul·lià*, Moll, Palma de Mallorca, y Dolphin, Oxford, 1961.

Propp, Vladimir, *Morfología del cuento* [2.ª ed. en ruso, 1969], Fundamentos, Madrid, 1971.

Repertorio de historia de las ciencias eclesiásticas en España, Instituto de Historia de la Teología Española, Salamanca, 1967 ss.

Rico, Francisco, «Las letras latinas del siglo XII en Galicia, León y Castilla», *Ábaco*, II (1969), pp. 9-91.

—, *El pequeño mundo del hombre: varia fortuna de una idea en las letras españolas*, Castalia, Madrid, 1970.

—, «Tradición y experimento en la poesía medieval: *Ruodlieb, Semiramis*, Abelardo, Santa Hildegarda», *Romance Philology*, XXVI (1972-1973), pp. 673-689; reproducido en Dronke [1979], trad. cast.

—, *Predicación y literatura en la España medieval*, Universidad Nacional de Educación a Distancia, Cádiz, 1977.

Robertson, D. W., *A preface to Chaucer: studies in medieval perspectives*, Princeton University Press, 1962.

Russell, P. E., «The Nessus-shirt of Spanish history», *Bulletin of Hispanic Studies*, XXXVI (1959), pp. 219-225; trad. cast. en *Temas de «La Celestina» y otros estudios (del «Cid» al «Quijote»)*, Ariel (Letras e Ideas: Maior, 14), Barcelona, 1978, pp. 479-491.

Sánchez-Albornoz, Claudio, *España, un enigma histórico*, Sudamericana, Buenos Aires, 1956.

Serís, Homero, *Nuevo ensayo de una biblioteca española de libros raros y curiosos*, Hispanic Society of America, Nueva York, 1964-1969.

Simón Díaz, José, *Bibliografía de la literatura hispánica*, III, 2.ª ed., CSIC, Madrid, 1963-1965; se publican suplementos en la *Revista de Literatura*.

—, *Manual de bibliografía de la literatura española*, Gustavo Gili, Barcelona, 1963 (*Suplemento 1*, 1966; *Suplemento 2*, 1972).

Spearing, A. C., *Criticism and Medieval Poetry*, 2.ª ed., Arnold, Londres, 1972.

Spitzer, Leo, *Classical and Christian Ideas of World Harmony*, The Johns Hopkins University Press, Baltimore, 1963; trad. cast., Seix-Barral, Barcelona, en prensa.

Thompson, Stith, *Motif-Index of Folk-Literature*, Rosenkilde & Bagger, Copenhague, e Indiana University Press, Bloomington, 1955-1958.

Vàrvaro, Alberto, *Manuale di filologia spagnola medievale. II. Letteratura*, Liguori (Romanica Neopolitana, IV), Nápoles, 1969.

— y Carmelo Samonà, *La letteratura spagnola dal Cid ai Re Cattolici*, Sansoni (Le letterature del mondo, 6), Milán, 1972.

Whinnom, Keith, *Spanish Literary Historiography: three forms of distortion*, University of Exeter, 1967.

Zumthor, Paul, *Essai de poétique médiévale*, Seuil, París, 1972.

—, *Langue, texte, énigme*, Seuil, París, 1975.

Ramón Menéndez Pidal

LOS JUGLARES
Y LOS ORÍGENES DE LA LITERATURA ESPAÑOLA

Es opinión muy común la de que las literaturas románicas empiezan hacia los siglos XI o XII, poco antes de los primeros textos conservados, y que nacen dirigidas por clérigos imitadores de la literatura latina medieval y de la antigüedad clásica. Se cree muy comúnmente también que los juglares y los clérigos no iban por caminos opuestos, como postulaba la crítica romántica, sino que los juglares se habían formado técnicamente en la escuela de los clérigos, aunque el tono de su poesía resultaba diverso del literario y eclesiástico. Pero todo esto, que responde a ciertos aspectos de los siglos tardíos, resulta inaceptable si tendemos la vista a tiempos anteriores.

La razón de ser de toda juglaría es que ella procura el recreo, alivio indispensable del ánimo, según decían concordes los antiguos. El *Libro de la Nobleza y Lealtad,* dedicado a san Fernando, recomienda al rey la honesta diversión con los juglares, y se apoya en uno de los famosos dísticos de Dionisio Catón, el mismo dístico que citan las *Partidas,* el mismo que el Arcipreste de Hita aplica a su arte: «Palabras son de sabio e díxolo Catón, / que omne a sus coydados que tiene en coraçón / entreponga plazeres e alegre la razón, / que la mucha tristeza mucho pecado pon». Sin duda, el placer recreativo que ahuyenta las tristezas del corazón es necesidad

Ramón Menéndez Pidal, *Poesía juglaresca y orígenes de las literaturas románicas,* 6.ª ed., corregida y aumentada [de *Poesía juglaresca y juglares,* 1924], Instituto de Estudios Políticos, Madrid, 1957, pp. 334-337, 358-359.

inexcusable del hombre, y lo es sobre todo el solaz del canto, impe-
rativo eterno lo mismo en el descanso que en el trabajo, esos «dulces cantares» (*Libro de buen amor,* 649) que aminoran las pesadum-
bres del alma, llegando hasta paliar los dolores físicos del enfermo
(según se dice en el *Cancionero de Baena*); y de ese solaz musical
los juglares son los dispensadores profesionales: «illorum officium
tribuit laeticiam», según dicen unas *leges palatinae* (de Mallorca,
1337). Pues respondiendo a una necesidad vital, el oficio juglaresco hubo de ser ejercido continuadamente. Los que recreaban al
público en los teatros de la antigüedad, los *histriones* y *mimos* que
declamaban, los *thymélicos* y *citharistas* que tañían y cantaban, debieron transmitir ininterrumpidamente su arte a sus sucesores medievales.

Esta continuación del arte antiguo en el medieval se nos impone
también considerando que los pueblos románicos no pudieron estarse
sin ningún recreo literario medio milenio largo antes de ese siglo xi
en que se suponen nacidas las literaturas neolatinas. El canto del juglar, como espectáculo público debió empalmar con el espectáculo
público del histrión y del thymélico; el *cedrero* de tiempos de Berceo debió heredar su canto del *citharista* de tiempos de Cicerón, como
heredó su instrumento con el nombre de *cithara* o de *cedra* por tradición ininterrumpida de mano en mano y de boca en boca.

La dificultad para comprender esa tradición está en el cambio de
lengua en que unos y otros cantaban. En los primeros tiempos de
ese medio milenio se olvida el latín de los histriones y nacen las
lenguas romances de los juglares. Y en este punto surge la perpetua
oposición de la crítica entre los dos conceptos antagónicos en el
modo de entender la poesía en cuanto diversión pública, el individualista y el tradicionalista: los que iniciaron el cultivo literario de
las lenguas neolatinas ¿fueron los clérigos por disperso trabajo individual o fueron los juglares por continua tradición de su oficio? Sin
duda contribuyeron unos y otros, pero creo inexcusable pensar que
los juglares tuvieron la iniciativa y la parte mayor, la más difícil y
la decisiva en esos primeros tiempos. El juglar, hombre indocto, que
cada día entiende menos el bajo latín, usual entre las personas ins-
truidas, puesto en el trance de divertir a un concurso de gentes que,
cada vez más también, iba dejando de entender la lengua de los
letrados, se vio antes que nadie obligado, por necesidad apremiante
de su oficio, a emplear las formas del latín vulgar, ajenas a la gramá-

tica, para con ellas sustituir las formas más o menos gramaticales heredadas de los actores del teatro antiguo. Era necesario darse a entender en todo momento, era urgente renovar el repertorio heredado, haciendo que el habla de los vulgares usos cotidianos entrase más y más en la prosa recreativa y en la canción musical del improvisado espectáculo público. En ese período inicial en que las hablas románicas se iban apartando totalmente del latín escrito, siglos debieron pasar en que el canto y recitación de los histriones o juglares fue la única literatura que existió en los nacientes idiomas de la Romania. En la plaza de la villa, en el atrio de la iglesia, en las danzas, en las romerías, durante el solaz público, se realizaron los difusos y pequeños aciertos de inspiración poética que fueron elevando lentamente la humilde lengua vulgar, hasta hacerla apta para ennoblecer la imaginación y la sensibilidad de los oyentes.

En fin, dedicados los juglares al espectáculo poético-musical en lengua diversa de la latina, se encontraron frente al mismo problema que afrontó muchos siglos después Lope de Vega cuando hubo de ejercitar el arte nuevo del espectáculo teatral moderno. Lope, no vacilante y tímido como suele decirse, sino muy seguro de su decisión, «encerró bajo seis llaves» los vigentes preceptos del arte docto muy envejecido, y atendió sólo a los gustos del vulgo que eran los propios de la sociedad moderna de su tiempo. Los juglares, no por decisión unipersonal sino colectiva, en esfuerzo difuso e instintivo, hicieron lo mismo que Lope: echaron las seis llaves al arte de los clérigos, continuador de una tradición latina docta, extremamente empobrecida, y dejándose conducir del gusto vulgar al que inexcusablemente debían atender, crearon una nueva tradición popular en la lengua románica de los nuevos pueblos medievales.

Es verdad que el clérigo por razón de su ministerio, lo mismo que el juglar por razón de su oficio, tuvo que allanar su lenguaje para ser mejor comprendido de sus fieles; pero la oratoria sagrada no se propone divertir sino adoctrinar, no busca el solaz recreativo sino el «solatium charitatis» que dice el Apóstol, de modo que su esfuerzo por sacar de la vulgaridad el habla diaria fue siempre mucho menor que el de la juglaría. El clérigo, servidor de una ideología teológica y moral formulada desde antiguo con una terminología latina muy suya, no podía intentar apartarse de ese tecnicismo consagrado, imposible de alterar; su trabajo había de consistir no en inclinarse hacia el habla vulgar, sino en levantar la comprensión del vulgo hacia ese tecnicismo latino, inculcando en el uso corriente varias de esas expresiones doctas, tarea también, sin duda, ennoblecedora del lenguaje vulgar, de la que se aprovecharían los juglares. Los clérigos despreciarían la obra del juglar construida con formas vulgares, que para ellos no eran sino horrendos barbarismos, hasta que avanzando la literatización de los espectáculos musicales, llegó un día en que los doctos debieron sorprenderse grandemente al oír la primera canción afortunada de un juglar que les ponía delante una lengua nueva, capaz de nuevas posibilidades artísticas, y entonces, cuando ya estaba muy usado el canto en lengua vulgar, pudo haber clérigos que abandonasen el latín para escribir en la lengua común, tratando temas propios de la clerecía (Berceo, *Libro de Alexandre*). Hubo antes también clérigos que cultivaron la canción y la música juglaresca, aunque éstos ya no eran muy bien vistos en sus biografías o en los vejámenes literarios (Peire Rogier, Hugo Brunenc, Pedro Amigo); en fin, también hubo siempre algún clérigo mal inclinado que practicaba todos los divertimientos no literarios del histrión o del juglar, pero ése era condenado y castigado por la Iglesia, lo mismo en el siglo VII que en el XIV. Juglares y clérigos fueron, pues, dos clases sociales muy distanciadas entre sí en su origen, y sólo tardíamente tuvieron contacto literario.

En conclusión: durante los primeros siglos generadores de las lenguas neolatinas, existió necesariamente en éstas una elemental poesía recreativa de la que formaba parte principal la canción, género esencialmente indocto, poesía consustancial al idioma, que, a la par que el idioma, se reforma y conforma siguiendo el mismo proceso evolutivo. A la vez que del fondo latino van surgiendo las lenguas romances, va a la par desgajándose de la canción del *citarista* la canción del *cedrero*. Esto me parece indisputable. [...]

A España se aplica rutinariamente la teoría de los orígenes monacales, sin hacerse cargo de que el espíritu de los cantares de gesta es tan civil, tan no eclesiástico que en el *Mio Cid,* se nombran 25 personajes hidalgos y guerreros, muchos de ellos insignificantes, y, sin embargo, todos en los diplomas aparecen comprobados como realmente existentes; en cambio, en el poema sólo se cita una persona monacal, y ésa lleva nombre falso, cuando en la realidad era un abad que hasta tenía fama de santidad entre los clérigos. Lo mismo en el *Romanz del infant García,* todos los ricos hombres que en él intervienen llevan nombre exacto, comprobado documentalmente, aunque no figuran en las crónicas, mientras el único personaje eclesiástico, el obispo de León, aparece con un nombre arbitrario. Esto no puede hacerlo un monje, sino un juglar.

Que los juglares fueron los primitivos poetas en lengua románica y que por ellos inducidos entraron los clérigos a cultivar el nuevo arte, lo confirma un hecho no bastante considerado: el más antiguo clérigo que poetiza en romance español, Gonzalo de Berceo, y aun el autor del *Alexandre* que más pretendía ser ajeno a la escuela juglaresca, sin embargo se dieron a sí mismo el nombre de *juglar* por hallarlo en uso ya de antiguo con la significación del latinismo «poeta», totalmente inusitado.

En los siglos anteriores a Berceo, ocurrió sin duda varias veces que algún clérigo se asociase al arte producido por los legos (*Auto de los tres Reyes, Vida de Santa María Egipciaca*, etc.), pero en metro y rima juglarescos. Posteriormente muchos casos semejantes sucedieron; la historia de las literaturas occidentales durante toda la Edad Media y hasta comienzos de la Edad Moderna, es la historia de cómo los legos van entrometiéndose a tratar en su lenguaje vulgar los temas o géneros reservados a la lengua latina, y cómo los clérigos se van sintiendo tentados a abandonar su latín escribiendo en vulgar, viéndose a causa de ello menospreciados por sus colegas y hasta acusados de impiedad por poner al alcance del vulgo delicados temas religiosos; tal fue el caso del inquisidor Valdés frente a los dos Luises, de Granada y de León, como escritores en lengua vulgar.

En fin, en esta multisecular competencia entre la lengua latina y la romance, no es posible negar a los juglares el mérito de haber reñido la primera y más grande batalla, la de la poesía; y fue la primera, porque el cultivo literario de toda lengua comienza siempre por el canto y por el verso, y no por la prosa. El juglar primitivo, como el de todos los tiempos, debió comunicar con los clérigos y aprender algo de ellos, pero, repitamos, el primer clérigo que conocemos como poeta en lengua del vulgo se estima *juglar*, prueba que entra en un campo ajeno, a cultivar un arte que no era el de los clérigos.

ERNST ROBERT CURTIUS

LA CULTURA LATINA Y LOS COMIENZOS
DE LAS LITERATURAS EN LENGUA VULGAR

La literatura francesa comienza en el siglo XI con relatos religiosos en verso; la perla de estos relatos, la *Vie de Saint Alexis* (hacia 1050), es la bien meditada composición de un culto poeta artístico, que conocía todos los recursos retóricos y había leído su Virgilio. Aparece luego, como nuevo género, la epopeya heroica nacional, iniciada gloriosamente con la *Canción de Roldán* (hacia 1100). Hay en ella elementos estilísticos que muestran un conocimiento de Virgilio, de los comentarios virgilianos de la Antigüedad tardía y de la cultura clerical de la Edad Media. A partir de 1150 se compone gran número de epopeyas sobre Guillermo [de Aquitania]. Por esa época surge un nuevo género, el *roman* cortesano en verso, que se vuelve a los temas antiguos —tomados de Virgilio, de Estacio, de Dares y Dictis— y a los temas célticos [o 'artúricos' que constituyen la «materia de Bretaña»]. Su refinada técnica retórica y su sutil casuística amorosa están inspiradas en Ovidio. El *roman* cortesano revela la influencia del renacimiento latino del siglo XII en la poesía francesa. También la poesía alegórico-didáctica se inspira en la ciencia latina; una de las fuentes principales de la segunda parte del *Roman de la Rose* (hacia 1275) es el *Planctus Naturae* de Alain de Lille. El rico despliegue de la poesía francesa en los siglos XI, XII y

Ernst Robert Curtius, *Europäische Literatur und lateinisches Mittelalter*, Francke, Berna, 1948; trad. cast. de M. Frenk y A. Alatorre, *Literatura europea y Edad Media latina*, Fondo de Cultura Económica, México, 1955, páginas 549-550, 552-555.

xiii está, pues, en estrecha relación con la poesía y la poética latinas que florecían en la Francia y en la Inglaterra francesa de esa época. La cultura y la poesía latinas van a la vanguardia, y siguiendo sus huellas, la cultura y la poesía francesas. Al francés se le soltó la lengua gracias al latín. Como Francia era la representante del *Studium,* y como las artes, con la gramática y la retórica a la cabeza, tenían su cuartel general en Francia, fue aquí donde brotó por vez primera la flor de la poesía en lengua vulgar.

A Edmond Faral corresponde el mérito de haber reconocido antes que nadie [en 1913] la influencia de la poética y retórica latinas medievales sobre la antigua poesía francesa. La mayor parte de los poetas que escribían en lengua vulgar eran hombres de cultura; habían aprendido las artes y leído a los *auctores* en las escuelas catedralicias del siglo xii. Era tal el número de los que concurrían a esas escuelas, que no había suficientes puestos eclesiásticos para los clérigos que habían terminado la carrera. Hubo así una oferta excesiva de intelectuales, que fueron absorbidos, en su mayoría, por las cortes feudales de Francia e Inglaterra. Los señores feudales, como dice Alfred Weber, habían sustituido desde hacía mucho la economía propia por un sistema de impuestos. «Del caballero para arriba, hasta llegar al más alto príncipe feudal, la pirámide del feudalismo fue perdiendo su dimensión económica. La estructura feudal se transforma así en una estratificación de castas, que tienen ahora libertad para entregarse a intereses extraeconómicos, esto es, espirituales. Los caballeros, sobre todo, vienen a constituir una extensa capa, que en las épocas en que no anda enredada en guerras y querellas, tiene que buscar una actividad espiritual.» La sociedad cortesana de Francia, como la Jonia de la época de Homero, busca esparcimiento. Las epopeyas heroicas y los *romans* caballerescos vienen a satisfacer esta necesidad. Sus autores son clérigos sin empleo, que refieren a su público las historias de Troya, de Tebas y Roma, además de aprovechar las obras de Ovidio; engalanan sus composiciones con todos los ornamentos de la retórica, que emplean también para temas modernos, como los célticos. [...]

España apenas tuvo un papel en el renacimiento latino del siglo xii. La cultura islámica del Sur era muy superior a la cristiana del Norte. Sólo en el Noroeste —en Navarra, y sobre todo en Cataluña— hay desde el siglo xi centros en que se cultiva la literatura latina, tal como irradia desde Francia. El más importante de estos centros es el monasterio de Santa María de Ripoll, cuna de la reforma cluniacense; florece aquí una escuela de poetas latinos, a la cual debemos canciones amorosas y también lamentaciones fúnebres panegíricas. Entre éstas hay un poema sobre el Cid, [el *Carmen Campidoctoris*,] del que desgraciadamente sólo se conservan las primeras estrofas, de modo que no es posible saber si se escribió antes o después de su muerte; en todo caso, es el primer poema que se compuso sobre el Cid. El más antiguo relato en prosa acerca de este héroe es la *Historia Roderici* (de hacia 1110). El *Cantar de mio Cid* adopta, pues, un tema ya tratado en latín; se ajusta formalmente al modelo de la epopeya francesa y emplea clichés estilísticos que en Francia no aparecen sino entre 1150 y 1170; de ahí que no pueda haberse escrito antes de 1180. Vemos, así, que la literatura española comienza más de un siglo después de la francesa. La razón es clara: en España faltaba el estímulo del florecimiento espiritual latino.

Apenas en el siglo XIII llega la cultura de los letrados al otro lado de los Pirineos. Los poetas de ese tiempo llaman a la rítmica y retórica latinas «mester de clerecía» (= 'técnica culta') o «nueva maestría», en contraposición al «mester de juglaría». Berceo se jacta de su saber libresco («ál ['otra cosa'] no escribimos si non lo que leemos»). Los temas son en su mayor parte de origen eclesiástico (Berceo) o antiguo (leyenda de Alejandro, novela de Apolonio). Hacia 1330, en su *Libro de buen amor*, Juan Ruiz importa a España, con gran desenfado, la erótica de Ovidio y de sus refundiciones medievales. A una libre versión del *Ars amandi* (que leyó en el original) añadió una adaptación de la popularísima comedia medieval *Pamphilus de amore*, la cual, a su vez, se remonta a una elegía de Ovidio (*Amores*, I, VIII) que pinta a una alcahueta en el elocuente desempeño de su oficio. El Arcipreste siguió los lances del *Pamphilus* casi al pie de la letra, sin más alteración que la de hacer españoles los nombres de lugar y de persona, para dar a su obra sabor local y colorido temporal. [...]

La poesía latina de la Edad Media penetró en España por etapas. Una oleada llegó hacia 1230, con Berceo; otra hacia 1330, con el Arcipreste de Hita; la tercera con Alfonso de la Torre. Todavía hacia 1440 pudo este último escribir una enciclopedia con ropaje alegórico sobre las siete artes liberales, la *Visión delectable,* inspirada en Marciano Capela y en Alain de Lille.

Como los españoles incluyen a los autores ibéricos del Imperio dentro de su literatura nacional, el tardío comienzo de la poesía en lengua vulgar no los desazona mayormente. El *Poema de mio Cid* constituye la espléndida iniciación de la poesía romance en España. Italia no tiene nada que se pueda comparar con él; se puede decir que hasta 1200 carece de literatura en *volgare*. Sólo hacia 1200 se inicia la poesía italiana. ¿Por qué tan tarde? Hace varias décadas que se viene discutiendo esta cuestión. Puede responderse a ella con sorprendente facilidad; basta considerar a la Romania en su conjunto. En la Italia del siglo XII florecen la jurisprudencia, la medicina y el arte de escribir epístolas; pero el estudio de los *auctores* está en decadencia, lo mismo que la poesía y la poética latinas; no hay humanismo, ni tampoco filosofía. La lírica romance del siglo XIII es un trasplante de la poesía artística provenzal. Sólo Dante dará vuelta al timón y hará que su poesía vaya a nutrirse en el legado de la Edad Media latina. La pregunta de por qué comienza tan tarde la literatura italiana está mal formulada; lo que hay que preguntar es más bien por qué comienza tan pronto la literatura francesa. Creemos haber dado ya la solución. Pero hay que ir más adelante y preguntar: ¿Por qué el renacimiento latino (1066-1230) sólo se dio en Francia y en la Inglaterra francesa? La respuesta es: porque la reforma de los estudios en tiempo de Carlomagno construyó cimientos que pudieron sobrevivir a las conmociones de los siglos IX y X.

AMÉRICO CASTRO

CASTILLA SIN «EDAD MEDIA»

Los cristianos de la Reconquista, sobre todo los castellanos, consiguieron llevar adelante su gran empresa acentuando intensamente su voluntad de ser ellos, en lucha continua y arriesgada a fin de superar todo obstáculo que impidiera lograr aquella primaria finalidad.

Américo Castro, «Introducción» a *Teresa la Santa y otros ensayos*, Alfaguara, Madrid, 1972, pp. 12-18.

Ha de ser reiterado que sólo el castellano cultivó la poesía épico-combativa en los reinos cristianos. Conviene traer por enésima vez a colación lo que el Cid dice acerca de los moros en su *Cantar*: «De ellos nos *serviremos*», no los exterminemos por consiguiente. Se creó así una dualidad que, imperfectamente y sólo para entendernos, compararía a una sístole y a una diástole: mantener mi personalidad, buscar fuera de ella tales o cuales ayudas a fin de no dejar de ser yo. Si todos los habitantes de la Península se hubieran convertido al islamismo (se hubieran hecho muladíes), si los musulmanes no hubieran encontrado algunas invencibles resistencias en las zonas septentrionales y menos romanizadas de la Península, los reinos cristianos no hubieran logrado constituirse. En esa situación se encuentra la célula primaria del peculiar ser humano llamado español, interesado en cuanto sirviera para mantener su ser señorial y dominante a costa de delegar en los demás, en quienes fueran, el secundario menester de servirle. En esa célula yace el germen del «que inventen ellos», actividad alternante con aquella otra: ya es bastante tarea la de mantener «mi identidad». Cuando esa «identidad» se creyó bastante fuerte, y en riesgo de que los meros coadyuvantes afectaran a la grandeza de mi «soy quien soy», fueron echados por la borda primero los judíos y luego los moriscos. [...]

Dentro de la casta cristiana, los castellanos se interesaron menos que los catalanes y aragoneses en las tareas financieras y comerciales. La palabra *mercader* es de origen catalán, y ya se usaba a comienzos del siglo XII, [en tanto el léxico de los oficios —desde el *albañil* al *rabadán*— hace visibles por doquier la mano y la técnica de los moros.] ¿Qué hacía entonces el castellano cristiano? Fundamentalmente mandar en algún modo, guerrear, ser señor, servir a los señores, labrar la tierra, ser religioso regular o secular. Gracián cita el refrán que yo he oído de niño: «ventura te dé Dios, que saber no te hace falta». Recordaré además lo tantas veces dicho —porque todo esto ha de ser repetido muchas veces—, que el rey Alfonso VIII, el de las Navas (1212), tuvo que traer maestros de fuera para iniciar los llamados Estudios de Palencia. Más tarde comenzó a funcionar la Universidad de Salamanca, aunque las historias omiten decir que la literatura en latín fue muy escasa, y por consiguiente no hubo, no pudo haber en Castilla, León o Aragón nada comparable a la cultura medieval de Europa (desde Escocia a Italia). La empresa de la Reconquista tuvo por fuerza que iniciarse geográficamente desunida, y también socialmente. Los musulmanes cultivaron unos saberes que los europeos codiciaban, y vinieron a Toledo y a otras ciudades a ponerlos en su latín. Los judíos, no los cristianos, sirvieron de puente entre el árabe de Averroes y lo que luego escribiría y expondría en latín Siger de Brabante. Pero aquellos saberes árabes pasaron por los cristianos de Castilla como el rayo de sol por el cristal (con raras excepciones, como la del arabizado Dominico Gundisalvo, que no invalidan lo antes dicho). Es por consiguiente incorrecto hablar de una Edad Media castellana, o española, porque la Península Ibérica, en su sección cristiana, *tuvo que* permanecer al margen de la magna cuestión discutida en Europa acerca de la armonía entre la religión y la razón, entre el realismo y el nominalismo. (La Edad Media no era «importable» como los arquitectos del románico o del gótico.) Del mismo modo que el castellano valoró en mucho su capacidad de mandar y de combatir, así también dirigió su energía expresiva hacia la épica y la literatura doctrinal y jurídica (cantares de gesta, romancero, Alfonso el Sabio, don Juan Manuel). En el *Libro de Buen Amor,* en medio de aquella selva de amores y humorismos, vibra como dardo certero un verso espléndido: «Con buen servicio vencen caballeros de España». Si los cristianos de Castilla hubieran pretendido compaginar su pelea contra el moro y, a veces, contra los otros cristianos peninsulares, con el cultivo del saber teórico y de la ingeniosidad técnico-artística, es decir, si hubieran expulsado de los incipientes reinos cristianos a mudéjares y judíos, a fin de emparejarse culturalmente con Irlanda, o con la Francia carolingia, aquellos reinos no hubieran podido subsistir.

A muchos enojará esta necesidad de echar por la borda otra perniciosa fantasía, la de una inexistente Edad Media española. Pero aquí no hubo ningún Abelardo nominalista que se alzara contra el callejón sin salida del realismo de Guillaume de Champeaux, ni una cultura en latín como en Bolonia, París y Oxford. [...] Castilla, semitizada hasta el tuétano —sobre todo por la acción de ciertos conversos—, fundió la religión con el estado, con un rigidez más de una vez criticada y zaherida en la corte pontificia. Moros y judíos se bautizaron a millares (venían haciéndolo los judíos desde comienzos del siglo xv) con lo cual se creó una situación social cuyo conocimiento es necesario para darnos cuenta del sentido de las vidas y de las obras [de muchos grandes escritores españoles]. Mientras cristianos, mudéjares y judíos convivieron pacíficamente, los no cristianos se limitaron a hacer lo que aquellos no hacían; los *arrieros* transportaban mercancías con sus *recuas*, sacaban el *aceite* de las *aceitunas* en sus *almazaras*, los áridos y los líquidos se medían y pesaban al modo árabe (*arrobas, fanegas, almudes, adarmes,* etc.). Los conversos del judaísmo continuaron su tradición de ejercer la medicina, de hacer productivo el dinero, etc. Pero, al sentirse señalados con el dedo, colocados al margen de la sociedad, sin posibilidad de marcharse a Indias, o incluso de entrar en la Iglesia por el impedimento de la limpieza de sangre, acudieron al recurso de forjarse falsas probanzas de cristiandad vieja. Los más inteligentes y dotados de capacidad literaria optaron por buscarse modos de expresión mediante las cuales se sintieran imaginariamente liberados de la estrechez y soledad a que se veían reducidos. Así se explica que los judíos, durante los siglos en que podían serlo legalmente, apenas produjeran obras en lengua castellana dignas de ser mencionadas. Como conversos, en cambio, su aportación a las letras y al pensamiento de España fue en verdad sorprendente. Su caso era muy otro que el de los moriscos; éstos, como mudéjares, no habían ocupado un rango en la sociedad castellana comparable al de los judíos, que aún pudieron hacer oír sus voces de protesta en la corte de los Reyes Católicos al ser expulsados en 1492. Mucho antes de esta fecha se había hecho legendaria la creencia de que el judío era de suyo inteligente (¡y a la vez cobarde!). En suma, el converso padecía terriblemente al verse puesto en situación de inferioridad [...] y al mismo tiempo se sintió estimulado a arremeter, en la forma que le fuera posible, contra la sociedad en torno a él.

CLAUDIO SÁNCHEZ ALBORNOZ

LITERATURA Y SOCIEDAD EN LA CASTILLA MEDIEVAL (*CANTAR DEL CID,* BERCEO, *LIBRO DE BUEN AMOR*)

[En el *Cantar del Cid,* importa percibir] la constante atención del juglar de Medinaceli, desde el comienzo del Poema, hacia los

Claudio Sánchez Albornoz, *España, un enigma histórico,* Sudamericana, Buenos Aires, 1956, vol. I, pp. 393-397, 428-429, 530-531.

bienes materiales, la riqueza, el medro. El primer episodio en cuya descripción se regodea es el engaño de los judíos burgaleses por Rodrigo para obtener recursos —seiscientos marcos de plata— con que poder iniciar las ingratas jornadas del destierro. Después, el poeta que canta las hazañas de «el que en buena hora nació», al referir cada una de las gestas de su héroe consigna siempre la cuantía del botín conseguido. [...] Los ojos del juglar por igual se encandilan ante la lanzada heroica o la magnífica estocada dada por el Cid o por alguno de los suyos, y ante los montones de riquezas que se acumulan después de la victoria. [...] Y el juglar jamás cambia de ángulo visual. Podría pensarse que coloca el apetito de medro como uno de los motores esenciales de la trama del Cantar. Le sitúa como espejuelo que atrae a la mesnada del Cid nuevos guerreros, seducidos por los pregones de los mensajeros de Rodrigo: Quien quiera quitarse de trabajos y ser rico vaya junto al Campeador, que se propone cabalgar. Y presenta la codicia de los tesoros del Cid por los infantes de Carrión —«d'aquestos averes sienpre seremos ricos omnes», exclaman— como fuerza determinante del nudo dramático de su obra. [...] Ese *leit motiv* que asoma a cada paso en el canturreo del juglar desborda la supuesta potencia realística y centáurica, de supuesto origen islámico, con que Castro [1948] le regala. Y afirma en cambio el carácter popular de la épica castellana, su condición de poesía para el pueblo y su enraizamiento en el islote de hombres libres de la Europa feudal que fue Castilla. [...]

Me he explicado el movimiento ascensional de Castilla en la escena histórica, [entre otras razones, por] su condición de pueblo de hombres libres, horros del poder mediatizador de grandes magnates laicos y de grandes señores eclesiásticos; de hombres libres, todos rectores de sus propias vidas, articulados en clases fluidas —infanzones, caballeros, ciudadanos, hombres de behetría y solariegos— y siempre abiertos hacia horizontes de afortunados medros económicos y sociales, en el libre juego de la historia; de hombres señores de sus propios destinos y capaces de saltar la barrera de su nativa condición por obra de la audacia, el coraje y el trágico coqueteo con la muerte, en la batalla contra el moro y en la repoblación de las nunca seguras fronteras. [...] Ningún abismo separaba en Castilla a las masas populares de la minoría de pequeños nobles rurales o infanzones que entre ellas y como ellas vivían —el Cid iba a picar sus molinos de Ubierna. Era en Castilla posible ascender desde el villanaje a la nobleza por el camino de la guerra, mediante el simple ingreso en las filas de la caballería ligera o en una mesnada vasallática. La mayoría de los campesinos castellanos podía, como los infanzones, elegir libremente señor, si les placía tener uno, y los restantes podían trocarse en propietarios acudiendo a poblar en la frontera. El pueblo de Castilla, altanero, dinámico y batallador, no aceptaba el papel pasivo y tangencial de asombrado y temeroso espectador de la vida pública sino que combatía como los nobles y junto a ellos y hacía y deshacía sus hombres, con su simpatía férvida, su ayuda o su saña, como en toda democracia. Las masas populares castellanas, al encumbrar y al abatir a sus hombres y al contribuir a fijar la norma reguladora de su existir, otorgaban a aquéllos y a ésta su adhesión entusiasta, sin distingos ni inhibiciones personales. Y todos, desde el infanzón al solariego, se hallaban habituados a soñar en adquirir riquezas a botes de lanza y se hallaban prestos a ascender en la jerarquía social a golpes de audacia y de coraje. [...] Los cantares de gesta castellanos tenían no poco de sustancia política. El de Mio Cid rebosa rencor contra la alta aristocracia y férvida admiración hacia los infanzones y caballeros, hijos de sus obras más que de su estirpe y de su riqueza; no logra ocultar una clara hostilidad al rey y descubre una vivaz enemiga a los judíos, muy explicable por la creciente presión económica que ejercían sobre el *demos* al amparo de los príncipes. [...] En contraste con la religiosidad islámica, Berceo descubre su concepción vasallática de las relaciones del hombre con Dios, tan enraizada en la vida castellana de la época. Frente al dejarse ir, al dejarse arrastrar, al deslizarse por la vida, de los creyentes musulmanes, según el arbitrio de «el Clemente y el Misericordioso», y frente al recibir los carismas de la Divinidad como recompensa de su amorosa unión integral con Ella, los piadosos cristianos de Berceo confían en alcanzar la gracia del Dios-Hombre y su milagroso quebrantamiento de las leyes de la naturaleza, mediante su servicio bucelarial a los señores de protección por ellos elegidos —María o los santos. O a fuerza de ruegos insistentes, actos de devoción ritual, promesas generosas, dones tangibles, luminarias, etcétera, etc.

[Conviene recordar] la religiosidad vasallática de los peninsulares. La idea central del vasallaje hispano —servicio a cambio de protección— desbordó de la vida social hacia la vida religiosa. Frente a la rígida vinculación feudal de allende el Pirineo, el castellano buscó siempre libremente señor a quien servir y por quien ser protegido. Esa práctica fue llevada por el exaltado y rudo hombre de Castilla al área de sus relaciones con las potestades celestiales. Berceo —un español «caboso», como me atrevo a llamarle con un calificativo muy de su gusto— es el mejor testigo de ese traslado y de ese desborde. En sus *Milagros de Nuestra Señora* fundamenta muchas veces el divinal prodigio en una estrecha correlación de servicio vasallático y de protección señorial: de vasallático servicio del pecador o del cuitado y de señorial protección de la Madre de Dios. Ésta no es para Berceo blanda con quienes no figuran entre sus servidores y llega a incurrir en iras y a castigar con dureza a quienes la desprecian o la agravian; pero «sobre sos vassallos —escribe el poeta—, es siempre piadosa». Por ellos pelea con los demonios, platica con su divino hijo, trastorna las leyes de la naturaleza y salva del deshonor y del infierno incluso a grandes pecadores. «Fue de Santa María vasallo e amigo» hace Berceo decir a un ángel que luchaba por liberar el alma de un labrador, a su muerte cautivado «en soga de diablos». Berceo en su *Vida de San Millán,* después de contar la doble promesa de los Votos legendarios a Santiago, por Ramiro II, y a San Millán, por Fernán González, refiere la maravillosa aparición de los dos celestes patronos de leoneses y castellanos y elogia así la maravillosa intervención de la divinal pareja de *Seniores* en ayuda de sus vasallos terrenales: «Non quisieron em baldi la soldada levar, / Primero la quisieron mereçer e sudar; / Tales sennores son de servir e onrrar...». Santiago y San Millán, como cualquier señor de protección, tenían para Berceo, como para cualquier castellano o leonés, el deber de proteger a sus vasallos. No pensaban de otra manera de sus propios señores los caballeros villanos o los hombres de behetría con quienes convivía. [...]

Me inclino a creer que la ironía de Juan Ruiz ha sido muy dejada de lado como faz esencial del *Libro de buen amor.* Nadie ha pensado, por ejemplo, en relacionarla con un primer relampaguear del espíritu burgués en la Castilla del trescientos. Y sin embargo me parece seguro que Juan Ruiz inició ese cambio en la sensibilidad literaria castellana y creo que la consideración de su obra a la luz de ese relámpago ayudará a comprenderla.

En cuanto tuvo de disidencia, de ruptura y de novedad frente a lo teocéntrico, lo caballeresco, lo vasallático, lo señorial... el espíritu burgués empezó a manifestarse mediante burlas, más o menos vivaces, de todo lo que había constituido hasta allí el eje de la vida medieval. Mediante burlas salidas de hombres inquietos y cargados de humorismo, que al contemplar el mundo en torno sentían estallarles en el pecho una carcajada, más benévola que sañuda, ante ideas, instituciones, prácticas, usos, fórmulas... hasta allí ancladas en el común asentimiento pero que empezaban a perder autenticidad vital. Ellos captaban ese inicio de caducidad: la caída de su prestigio, el vaciamiento de su sustancia interna, su desarraigo de la tierra firme del asenso general... Lo captaban cuando todavía no quebraban albores a la aurora de la nueva jornada histórica. Empezaban a ver las facetas cómicas y bufonescas del presente aún consagrado por el respeto de quienes no eran capaces de alzarse críticamente frente a lo recibido de las generaciones anteriores. Sólo la inquietud y la ironía podían disparar rayos infrarrojos hacia tejidos que empezaban a degenerar en la subestructura del cuerpo social, todavía en plena actividad.

La dinámica inquietud que acicateaba a su poderosa personalidad y su extraño y formidable potencial burlesco permitieron a Juan Ruiz, al mirar en derredor, adivinar cuanto había de cómico en la vida de la sociedad de su época, en trance de lento deslizamiento hacia una todavía lejana Modernidad. Si hubiera sido un hombre instalado en los primeros estamentos de la comunidad nacional, tal vez su ironía habría descargado por otros derroteros. Nacido quizás en una villa como Alcalá, aburguesada desde hacía tiempo, y arcipreste en otro centro urbano alejado del estruendo caballeresco, vivió en una Castilla que después de la gesta heroica comenzaba a abrirse a una nueva vida. Juan Ruiz perteneció además a una generación que había presenciado el aletargamiento de la reconquista, los desastres de la guerra civil, la ascensión del pueblo al primer plano de la vida política y el despliegue económico del reino. Y su ecuación psico-física pudo verterse por la catarata de la mofa burguesa de todo y de todos.

Juan Ruiz iluminó con su sonrisa nada sañuda la gran comedia humana de su época y se burló de la vida religiosa, de la vida caballeresca, de las prácticas piadosas, de los ejércitos y batallas, de la justicia, de la clerecía, de los teoréticos rigores morales y hasta del mismo buen amor. Con el *Buen amor* sopla en Castilla por primera vez el espíritu burgués en lo que tenía de ruptura crítica frente a las ideas, las instituciones, las normas, los valores, las fórmulas consagradas por la tradición; en lo que tenía de cómica captación de la inicial caducidad de muchos aspectos de la vida medieval. Se me antoja ver en el juego poético del Arcipreste un no sé si consciente —no han solido serlo los inaugurales cambios de rumbo— pero sin duda novedoso alumbrar de rutas en Castilla, hacia la formación de una conciencia burguesa todavía en nebulosa. Al suscitar la risa del pueblo en torno a las ideas, los valores, las instituciones... caballerescas y eclesiásticas, las ponía en tela de juicio, las desprestigiaba a los ojos de las masas, les hacía perder su secular crédito comunal y lanzaba en las mentes y en los corazones de los habitantes de los burgos, con las semillas de su desdén hacia la contextura tradicional de vida, un impulso hacia la búsqueda y estimación de nuevos caminos, de nuevas vigencias; es decir, alumbraba en ellos una conciencia nueva.

La modernidad de la ironía de Juan Ruiz estriba precisamente en su bufo enfrentamiento con una sociedad en trance inicial de crisis [...] cuando el humorismo contemporáneo se enfrentó con ella. Bajo el reinado de Alfonso XI († 1350) se inició el giro decisivo hacia una sociedad nueva. Empezaron a caducar muchas ideas y muchos valores antes inconmovibles y al parecer eternos. Apenas lo sospechaban los contemporáneos. El Arcipreste con sus parodias puso el dedo en la llaga. De ahí su éxito entre el pueblo. Entre el pueblo menos rudo y bárbaro y sañudo que antaño; pero más seguro del tambalearse de la torre clerical y caballeresca —hasta allí muy firme— ante los golpes de ariete de la monarquía. Obsérvese que la realeza, contra la que se habían alzado los cantares de gesta, escapa casi excepcionalmente a la befa general del Arcipreste contra todo y contra todos y hasta es invocada por él como instancia suprema de apelación. [...] Juan Ruiz, por cuya pluma reían y se burlaban la masas burguesas —burguesas en el sentido de habitantes en los burgos—, adivinaba que la institución real estaba empujando la crisis de lo caballeresco y clerical hacia su desenlace.

ÉTIENNE GILSON

LA IMAGEN DEL MUNDO EN LA EDAD MEDIA

[La enciclopedia que resume y clasifica el conjunto del saber de
una época —género heredado de la Antigüedad y favorecido por San
Agustín como repertorio de los conocimientos necesarios para la
comprensión de la Biblia— fue un tipo de obra cultivado a lo largo
de toda la Edad Media, desde los *Orígenes* o *Etimologías* de San
Isidoro († 636). Libros como el *De imagine mundi* atribuido a Honorio de Autun (*Augustodunensis*) nos ofrecen una útil aproximación
a las ideas sobre el universo y la historia y a los modos de pensamiento más comunes entre los doctos a partir del siglo XII.]

¿Qué es el mundo? «Mundus dicitur quasi undique motus»: la
palabra *mundus* significa 'en movimiento por todas partes', porque
se encuentra en movimiento perpetuo. Es una bola cuyo interior está
dividido como el de un huevo; la gota de grasa que hay en el centro
de la yema es la Tierra; la yema es la región del aire cargada de
vapores; la clara es el éter, y la cáscara del mundo es el cielo. [...]
El mundo, tal como es actualmente, está hecho de cuatro elementos.
Elemento significa a la vez *hyle* (materia) y *ligamento*. Efectivamente,
la tierra, el agua, el aire y el fuego son la materia de que todo ha
sido hecho, y se ligan entre sí en el curso de una incesante revolución circular. El fuego se transforma en aire, el aire en agua, el
agua en tierra y después, a su vez, la tierra en agua, el agua en aire
y el aire en fuego. En efecto, cada elemento posee dos cualidades:
una de ellas le es común con otro elemento, y se puede decir que,
gracias a estos elementos comunes, se dan la mano. Fría y seca, la
tierra está ligada al agua por medio del frío; fría y húmeda, el agua
se une al aire por la humedad; el aire, que es húmedo y cálido y
seco, se une a la tierra mediante la sequedad. La tierra, el más pesado
de los elementos, ocupa la parte baja del mundo; el fuego, que es

Étienne Gilson, *La philosophie au Moyen Âge,* Payot, París, 1952; trad.
cast. de A. Pacios y S. Caballero, *La filosofía de la Edad Media,* Gredos (Biblioteca Hispánica de Filosofía, 12), Madrid, 1958, vol. I, pp. 397-398, 402-
408.

el más ligero, ocupa el lugar más elevado; el agua se sitúa cerca de la tierra, y el aire más cerca del fuego. La tierra soporta a lo que camina, como el hombre y las bestias; el agua, a lo que nada, como los peces; el aire, a lo que vuela, como los pájaros; el fuego, a lo que brilla, como el sol y las estrellas.

Hay que empezar por la tierra, puesto que ocupa el centro. Tiene forma redonda. Si se la mirase desde lo alto, se verían las montañas y los valles como rugosidades menores que las que se aprecian en una pelota sostenida en la mano. La tierra tiene 180.000 estadios, es decir, unas 22.500 millas (en estadios y millas terrestres romanas: alrededor de 33.750 kilómetros). Situada exactamente en el centro del mundo, no descansa en nada, salvo en el poder de Dios. Por lo demás, leemos en la Escritura: «No me temáis —dice el Señor— a Mí, que he suspendido la tierra en la nada, pues está fundada en su estabilidad» (Salmo CIII, 5). En otras palabras: como cualquier elemento, la tierra ocupa el lugar conveniente a su cualidad distintiva. El Océano la rodea como un cinturón. En el interior está recorrida por conductos de agua que moderan su sequedad natural: por eso se encuentra agua en todas partes donde se cava. La superficie de la tierra está distribuida en cinco zonas o círculos. Las dos zonas extremas son inhabitables a causa del frío, porque el sol nunca se acerca a ellas; la zona media es inhabitable a causa del calor, pues el sol nunca se aleja de ella; las dos zonas medias son habitables, porque están templadas por el calor y el frío de las zonas vecinas. Estas zonas se llaman: círculos septentrional, solsticial, equinoccial, brumal y austral. El círculo solsticial (*solstitialis*) es el único —que sepamos— habitado por el hombre. Constituye, pues, la zona habitable, que se encuentra dividida en tres partes por el mar Mediterráneo; esas partes se llaman Europa, Asia y África. [...]

La ciencia del fuego comprende la descripción de los siete planetas, cada uno de los cuales recorre una órbita particular. Los planetas se mueven de oriente a occidente, empujados por la inmensa velocidad del firmamento. Se les llama astros errantes, porque los planetas tienden naturalmente a ir en sentido inverso a este movimiento de rotación. De la misma manera que una mosca, movida por la rueda de un molino, parecería dotada de movimiento propio, pero opuesto al de la rotación de la rueda. Tras una breve descripción de los siete planetas por su orden (Luna, Mercurio, Venus, Sol, Marte, Júpiter y Saturno), y después de la del Zodíaco, cuyo camino siguen, vienen algunas observaciones sobre la música de las esferas. La revolución de las siete esferas produce el efecto de una dulce armonía, pero no la oímos porque no se produce en el aire, único medio en el que percibimos los sonidos. Se dice que nuestros intervalos musicales se derivan de los de las esferas celestes. Las siete notas de la escala proceden de ahí. Hay un tono de la Tierra a la Luna; un semitono de la Luna a Mercurio; un semitono de Mercurio a Venus; tres semitonos de Venus al Sol; del Sol a Marte, un tono; un semitono de Marte a Júpiter; de Júpiter a Saturno, un semitono, y de Saturno hasta el círculo del Zodíaco, tres semitonos. Así como el mundo se compone de siete tonos, y nuestra música de siete notas, igualmente nosotros estamos compuestos de siete ingredientes: los cuatro elementos de nuestro cuerpo y las tres facultades de nuestra alma, que atempera naturalmente el arte musical. Por eso se dice que el hombre es un microcosmos (un pequeño mundo), pues forma una consonancia parecida a la de la música celestial. Entre la tierra y el firmamento hay una distancia de 109.375 millas, o sea, unos 164.000 kilómetros.

Después de haber atravesado así el fuego por medio de los planetas, al sabio no le queda más que explorar el cielo, cuya parte superior es el firmamento. De forma esférica, de naturaleza acuosa, pero hecho de un cristal sólido análogo al hielo, el firmamento tiene dos polos: el polo boreal, siempre visible, y el polo austral, al que nunca vemos, porque nos lo oculta la convexidad de la tierra. El cielo gira sobre sus dos polos, como una rueda sobre su eje; con el cielo giran las estrellas. Una estrella, *stella,* equivale a decir una luna parada: *stans luna,* porque las estrellas están fijas en el firmamento. Un grupo de estrellas forma una constelación. Solamente Dios conoce la distribución de las estrellas, sus nombres, sus virtudes, sus lugares, sus tiempos y sus órbitas; los sabios les pusieron nombres de animales o de hombres para reconocerlas con mayor facilidad. Una descripción de las constelaciones cierra esta cosmografía del mundo visible; pero el mundo real no se acaba ahí, porque más arriba del firmamento están suspendidos estos vapores, a los que se llama cielo de las aguas; por encima de este cielo acuoso se encuentra el cielo de los espíritus, desconocido para los hombres, donde los ángeles están dispuestos en nueve órdenes, y que contiene el paraíso de los paraísos, morada de las almas bienaventuradas. De este cielo es del que dice la Escritura que fue creado al principio con la tierra. Finalmente, encima de éste, y dominándolo desde muy lejos, se encuentra el Cielo de los Cielos, donde habita el Rey de los ángeles.

Así como el mundo se extiende en el espacio, dura en el tiempo; debemos, pues, considerarlo en este nuevo aspecto. De todos los modos de duración, el más noble es el *aevum*: una duración que existe antes del mundo, con el mundo y después del mundo; pertenece exclusivamente a Dios, que no ha sido ni será, sino que es siempre. [...] El tiempo mismo no es más que una sombra de la eternidad; comenzó con el mundo y acabará con él, semejante a un cable tendido de oriente a occidente, que cada día se enrolla sobre sí mismo, hasta que haya terminado de enrollarse. [...] La historia de lo que ha sucedido en el tiempo, desde los orígenes del mundo, [se ordena y se divide] en edades (*aetates*). Primera edad, desde la caída de los ángeles hasta el fin del diluvio; segunda edad, desde el fin del diluvio hasta Abraham; tercera edad, desde Abraham hasta David, Codro, la caída de Troya y Evandro; cuarta edad, desde David hasta la cautividad de Babilonia, Alejandro Magno y Tarquino; quinta edad, desde la cautividad de Babilonia hasta Jesucristo y Octavio: hasta entonces, el mundo había durado cuatro mil setecientos cincuenta y tres años, según el texto hebreo, o cinco mil doscientos veintiocho, según los Setenta; sexta edad, desde Jesucristo y César Augusto hasta el presente. El contenido de estas edades sucesivas es una cronología sumaria de los principales acontecimientos de la historia de los pueblos más célebres: hebreo, egipcio, asirio, griego y romano; los emperadores y reyes de la Edad Media occidental son colocados naturalmente después de los emperadores romanos, como si, hasta Federico I, se hubiera continuado la misma historia sin interrupción. [...] Para nosotros, la Edad Media se opone a la Antigüedad, redescubierta por el Renacimiento; para los hombres medievales, su propio tiempo era una continuación de la Antigüedad, sin que, históricamente hablando, nada los separase de ella. En ningún terreno les parecía más evidente esa continuidad de las dos edades que en el ámbito de la cultura intelectual, en el que hoy es corriente oponerlas del modo más radical. El mito histórico de la *translatio studii* —aceptado casi universalmente en la Edad Media— atestigua ese estado de espíritu. [...] [Determinados modos de razonamiento que parecen extraños en nuestros días fueron ampliamente utilizados en la Edad Media. La *etimología* de las palabras, así, era entonces un método explicativo universalmente aceptado.] Se admitía que, pues los nombres han sido dados a las cosas para expresar la naturaleza de éstas, era posible conocer las naturalezas de las cosas encontrando el sentido primitivo de sus nombres; [por ejemplo: *mulier* < *mollis aer*; *cadaver* < *caro* data ver*mibus*]. A la explicación etimológica se une, con frecuencia, la interpretación *simbólica,* que consiste en tratar las *cosas* mismas como *signos* y en desentrañar sus significaciones. Cada cosa tiene generalmente varios significados. Un mineral, una planta, un animal, un personaje histórico, pueden, simultáneamente, recordar un suceso pasado, presagiar un acontecimiento futuro, significa una o varias verdades morales y, por encima de éstas, una o varias verdades religiosas. El sentido simbólico de los seres era entonces de tal importancia que, a veces, se olvidaba verificar la existencia misma de aquello que lo simbolizaba. Un animal fabuloso —el fénix, por ejemplo— constituía un símbolo tan precioso de la resurrección de Cristo, que nadie pensaba en preguntar si existía el fénix. [...] A las interpretaciones etimológicas y simbólicas hemos de añadir el razonamiento por *analogía,* que consistía en explicar un ser o un hecho por su correspondencia con otros seres u otros hechos. Método legítimo éste y utilizado por todas las ciencias, pero que los hombres de la Edad Media emplearon más como poetas que como sabios. La descripción del hombre como un universo en pequeño, es decir, como un microcosmos análogo al macrocosmos, es el ejemplo clásico de este modo de razonamiento. Así concebido, el hombre es un universo a escala reducida: su carne es la tierra, su sangre es el agua, su aliento es el aire, su calor vital es el fuego, su cabeza es redonda como la esfera celeste; en ella brillan dos ojos, como el sol y la luna; siete aberturas en su rostro corresponden a los siete tonos de la armonía de las esferas; su pecho contiene el aliento y recibe todos los humores del cuerpo, de igual modo que el mar recibe todos los ríos; y así se continúa indefinidamente, como atestigua, v.gr., el *Elucidarium* atribuido a Honorio de Autun. Cuando estos diversos modos de razonamiento concurren para explicar un mismo hecho, se obtiene el tipo de inteligibilidad más satisfactorio para un espíritu medio [del período en cuestión], que estuvo constantemente repartido entre la imaginación de sus artistas y la razón raciocinante de sus dialécticos.

H. J. Chaytor

VERSO Y PROSA, LITERATURA PARA OÍR Y LITERATURA PARA LEER

El abismo que separa la edad del manuscrito de la edad de la imprenta no siempre es algo debidamente comprendido y tenido en cuenta por quienes empiezan a leer y a estudiar la literatura medieval. [...] Es fácil olvidar que estamos ante la literatura de una época en la que las normas ortográficas eran variables y el rigor gramatical no se apreciaba demasiado, en la que la lengua era fluida y no se consideraba necesariamente como un distintivo de nacionalidad,[1] en

H. J. Chaytor, *From script to print. An introduction to medieval literature,* Heffer, Cambridge, 1945; Sidgwick and Jackson, Londres, 1966, páginas 3, 12-13, 52-53, 55, 58-59, 83, 85, 89, 112-113.

———

1. [«En la Edad Media la lengua tenía muy escaso sentido político, por no decir ninguno. (...) El celta y el íbero desaparecieron y fueron sustituidos por el latín en la Galia y en España, no sólo porque el latín fuese la lengua oficial y legal, sino también porque era la lengua de una civilización superior y más atractiva. (...) En la Edad Media, el sentido de universalismo, la aceptación del Imperio, de la Iglesia Católica y del latín como su lengua oficial, se impusieron a cualquier noción de sentimiento nacional que pudiera haber inspirado respeto por una lengua vernácula. (...) La preocupación principal de los que pensaban y escribían era utilizar un medio expresivo que les capacitara para comunicar sus pensamientos a los demás. Para fines teológicos, o lo que hoy pudiéramos llamar científicos, naturalmente el latín tenía una primacía absoluta; era conocido de todos y poseía el vocabulario preciso para tratar temas técnicos, y en este aspecto ninguna de las lenguas vulgares podía compararse con él. Los escritores que se dirigían a un público más popular estaban dispuestos a renunciar a la lengua de su niñez por una lengua extranjera, cuando intervenían consideraciones de carácter cultural o estético. (...) El trovador catalán Ramon Vidal de Besalú, que probablemente vivió a fines del siglo XII, explica en el prólogo a sus *Rasos de trobar* que escribe para mostrar qué lengua es la adecuada para la poesía lírica, y afirma que "la parladura francesca val mais et es plus avinens a far romanz, retronsas et pasturellas, mas cella de Lemosin val mais per far vers et cansos et serventes". La distinción obedecía a la convención que establecía que la elección de la lengua estaba determinada por el género literario que se cultivaba y no por la nacionalidad del autor. (...) En el norte de Italia la poesía lírica

la que por estilo se entendía la aceptación de unas normas de retórica rígidas y complicadas. Copiar y difundir el libro de otra persona podía juzgarse como una acción meritoria en la edad del manuscrito; hacer lo mismo en la edad de la imprenta significa ser llevado ante los tribunales y condenado a daños y perjuicios. Los escritores que quieren lucrarse divirtiendo al público en la actualidad escriben en su mayor parte en prosa; hasta mediados del siglo XIII, solamente el verso podía aspirar a tener audiencia. De ahí que, si se quiere juzgar de un modo ecuánime las obras literarias que pertenecen a los siglos anteriores a la invención de la imprenta, haya que hacer un esfuerzo para ser conscientes de hasta qué punto se nos ha educado en una serie de prejuicios, y resistir a la involuntaria pretensión de que la literatura medieval se adapte a nuestros criterios de gusto o, de no ser así, sea considerada como de interés meramente arqueológico. [...] En pocas palabras, la historia de la evolución que lleva desde el manuscrito al impreso es la historia de la sustitución gradual de unos métodos de comunicación y de recepción de ideas de carácter visual por otros de carácter auditivo. [...]

[En la narrativa medieval], la inserción de diálogos proporcionaba la oportunidad de dar corporeidad a los personajes y de acentuar la expresión dramática; las aseveraciones de la verdad de lo que se contaba, reforzadas con invocaciones al cielo, tenían por objeto atraer el interés del público, al que se estimulaba a visualizar las escenas emocionantes por medio del uso de expresiones «epideícticas» [o señaladoras: «Afévos ('heos aquí') doña Ximena con sus fijas dó va llegando», «Veríedes quebrar tantas cuerdas» (*Cantar del Cid*)]. Toda la técnica del cantar de gesta, del *roman d'aventure* y del poema lírico presupone un auditorio, no un público lector. Cuando la cultura alcanzó el estadio en el que cada persona lee para sí, buscando su propio goce, se sintió la necesidad de una especie diferente de literatura. [...]

La Edad Media apreciaba la habilidad en el oficio por encima de todas las cosas. La poesía se componía para ser oída, no para ser leída; su objeto era proporcionar placer al oído. [...] Por lo

del siglo XIII se escribía en provenzal. (...) Semejantemente, en España las convenciones literarias establecían que Alfonso X, que era castellano, escribiese sus *Cantigas* en el siglo XIII en el dialecto gallego, que se consideraba como la lengua más idónea para la poesía lírica» (H. J. Chaytor, pp. 22-25).]

tanto la poesía medieval tenía que poderse recitar; si no era capaz de superar esta prueba, el poeta era considerado como un chapucero. [...]

Para saborear los matices más sutiles del estilo literario, tal como hoy lo entendemos, para apreciar la selección de las palabras, el ritmo de las frases e incluso la secuencia lógica de las ideas, nos vemos obligados a leer y a releer el texto en cuestión. Pero el escritor medieval no se dirigía a un público lector. Un auditorio analfabeto no puede tratarse con muchos miramientos; hay que insistir enérgicamente en lo que conviene destacar; las afirmaciones han de repetirse y es forzoso recurrir a la variedad expresiva. El narrador presentará a sus personajes de un modo individualizado, haciéndoles conversar unos con otros, y mediante cambios de voz, de entonación y de gesto les hará vivir en la imaginación de sus oyentes; tiene que ser también un poco actor, al mismo tiempo que narrador. [...]

En cuanto al cuerpo de la narración, naturalmente todas las reglas de los retóricos no se cumplían con gran exactitud; muchos poemas narrativos nos parecen carecer de un justo sentido de las proporciones, y la unidad de acción muchas veces no se ve por parte alguna. Pero es que sus autores no pensaban en un público lector: estas obras tenían que recitarse por episodios, que eran todo lo largos que los oyentes podían resistir, y el equivalente medieval del «continuará en el próximo número», como es lógico, se producía en el momento de mayor interés o emoción. [...] A un lector con espíritu crítico le sorprenderán incongruencias y arbitrariedades; [en el *Erec et Enide,* de Chrétien de Troyes, como en muchas otras narraciones caballerescas,] el torneo, por ejemplo, con el que concluyen las fiestas de la boda, no añade nada ni a la historia ni a la caracterización de los personajes: está ahí porque a los oyentes les gustaban los torneos; se interesaban por los relatos pormenorizados de destreza profesional, que espoleaban la ambición de los jóvenes; algo semejante podría decirse de las descripciones de los arneses de los guerreros y de los vestidos de las dama. Hay una cierta monotonía en los diversos combates que libra Erec, mientras que el tercer episodio podría omitirse por completo sin perjudicar en lo más mínimo a la historia, aunque Chrétien hubiese podido defenderlo argumentando que reforzaba el tema central, la superación de la *recreantisse* [o 'crisis de las virtudes caballerescas'], cuya existencia proporciona una cierta unidad de acción. Esos defectos no parecían tales a los que escuchaban la historia por episodios, ya que su principal exigencia era la emoción momentánea derivada de seguir las aventuras de unos personajes con los que congeniaban. Aunque la historia se situaba en un vago pasado céltico, la vida que se les describía, desde un punto de vista social, era la suya propia o al menos la vida a la que aspiraban, con sus castillos, fiestas, suntuosas armaduras y enjoyadas ropas, engalanados caballeros y damas de altísima alcurnia, cuya cortesía era tan refinada como indomable era su valor. [...]

Hasta fines del siglo XII, la literatura que tenía como objetivos la diversión o la edificación se escribió casi exclusivamente en verso. Las primeras muestras de prosa francesa son documentos legales, como las leyes de Guillermo el Conquistador, o traducciones de la Biblia. La prosa se fue abriendo camino lentamente, a medida que progresaba la educación y las gentes iban aprendiendo a leer. [Gran parte de los escritos en prosa, cada vez más numerosos, consistía en traducciones.] La prosa se especializó en materias documentales, no de imaginación; era un instrumento científico. Por lo tanto, contar una historia en prosa era darle un aire de realismo que el verso disipaba en las primeras estrofas; era evidente que una crónica familiar primitivamente escrita en verso ganaría muchísimo en autoridad y en dignidad si volvía a escribirse en prosa: de hecho pasaría a convertirse en historia real. Los lectores empezaron a descubrir que la peripecia de una historia progresaba más rápidamente en prosa que en poesía, y empezó a existir demanda de narraciones en prosa a medida que la afición por la lectura individual fue en aumento. [...]

En España y en Portugal se produce una evolución semejante: el verso precede a la prosa, que hace su aparición al aumentar el interés por la historia y al extenderse la educación y la cultura, que exigían disponer de información en lengua vulgar. [...] El desarrollo de la prosa en lengua vulgar es el resultado de dos influencias convergentes: un estado o provincia capaz de dominar a sus vecinos puede imponerles su lengua, lo cual será tanto más fácil si ellos hablan un dialecto afín al de sus dominadores; la necesidad de una lengua oficial que pueda servir para el funcionamiento de la administración conducirá inevitablemente al uso de una lengua vernácula. Estas lenguas ya tenían una base literaria gracias a la obra de poetas y juglares; cuando los particulares empiezan a saber leer, y la demanda de información y de diversión genera un nuevo aprecio de la prosa, se ha alcanzado ya el estadio final de desarrollo. Esto fue lo que ocurrió en Francia y en España, donde el *francien* y el castellano se convirtieron en lenguas oficiales y por lo tanto en lenguas literarias, que la poesía ya había creado y popularizado.

FRANCISCO LÓPEZ ESTRADA

CAUCES FORMALES
EN LA LITERATURA ESPAÑOLA MEDIEVAL

Una característica general de la literatura europea en la Edad Media es la existencia de unos poderosos cauces de contenido y expresión conjuntos por los cuales discurre la creación literaria; estos cauces actúan sobre el proceso creador en los autores y, al mismo tiempo, sirven al público para una identificación literaria de la obra. La condición de estos cauces —grupos genéricos— representó un factor favorable para la unidad de la literatura europea. Zumthor [1975], al asegurar esta unidad por encima de la diversidad lingüística, añade que se debe a la «unidad muy fuerte del sustrato común, diferenciado en la superficie según los modelos y los medios de comunicación: eso que se designa con el término abusivo de *géneros*. Una sincronía latente se descubre, en el curso de muchos siglos, por debajo de las diacronías patentes». [Un análisis demorado permite describir] estas formas que condicionaban un contenido análogo como constituyendo una unidad inseparable: métrica o prosa literaria conformaron los diversos grupos genéricos en una encabalgada sucesión donde encontramos las diferentes combinaciones que se dan dentro de las disposiciones genéricas básicas: épica, dramática, lírica y didáctica, implicadas en proporción diferente según los grupos. La intensidad con que se manifiestan los elementos literarios y el tratamiento que muestran es diferente en cada caso, y en esto se ha de encontrar la caracterización del conjunto español dentro de la unidad europea y románica. [En una consideración sinóptica,

Francisco López Estrada, *Introducción a la literatura medieval española*, 4.ª ed. renovada, Gredos, Madrid, 1979, pp. 566, 568-571.

cabe distinguir cinco grandes registros en la literatura española medieval, de acuerdo con los cauces de contenido, expresión y transmisión]:

a) *Canción*
Palabra poética [+ música vocal y|o instrumental]

b) *Recital*
Palabra poética [+ melodía cadenciosa y|o instrumental]

c) *Lectura pública*
Texto manifestado en voz alta a un grupo de oyentes.

d) *Lectura personal*
Texto leído por el lector para sí mismo en el libro.

e) *Representación teatral*
Texto comunicado por unos intérpretes en un escenario ante un público.

Los grupos mencionados pueden especificarse en modalidades determinadas según las siguientes referencias:

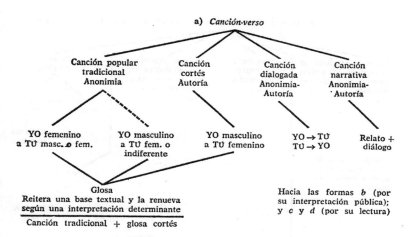

a) *Canción-verso*

| Canción popular tradicional Anonimia | Canción cortés Autoría | Canción dialogada Anonimia-Autoría | Canción narrativa Anonimia-Autoría |

YO femenino a TÚ masc. o fem.   YO masculino a TÚ fem. o indiferente   YO masculino a TÚ femenino   YO → TÚ TÚ → YO   Relato + diálogo

Glosa
Reitera una base textual y la renueva según una interpretación determinante

Canción tradicional + glosa cortés

Hacia las formas *b* (por su interpretación pública); y *c* y *d* (por su lectura)

Formas orales → Formas escritas

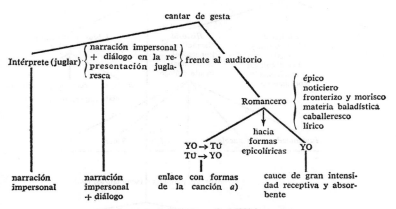

b) *Recital salmódico-verso*

cantar de gesta

Intérprete (juglar) · { narración impersonal + diálogo en la representación juglaresca } frente al auditorio

Romancero { épico noticiero fronterizo y morisco materia baladística caballeresco lírico }

YO → TÚ TÚ → YO

hacia formas epicolíricas   YO

narración impersonal   narración impersonal + diálogo   enlace con formas de la canción *a)*   cauce de gran intensidad receptiva y absorbente

Juglar como intérprete o vía folklórica → paso hacia la documentación escrita de los textos

Conversión de la noticia poética en verso en noticia histórica en prosa (y viceversa)

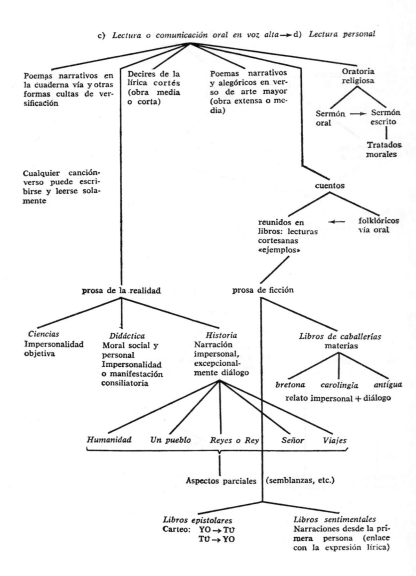

e) *Teatro*

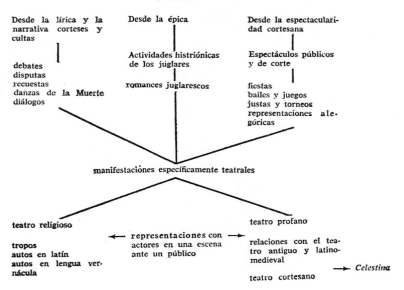

Desde la lírica y la narrativa corteses y cultas

|
debates
disputas
recuestas
danzas de la Muerte
diálogos

Desde la épica

|
Actividades histriónicas de los juglares

romances juglarescos

Desde la espectacularidad cortesana

|
Espectáculos públicos y de corte

|
fiestas
bailes y juegos
justas y torneos
representaciones alegóricas

manifestaciones específicamente teatrales

teatro religioso

tropos
autos en latín
autos en lengua vernácula

representaciones con actores en una escena ante un público

teatro profano

relaciones con el teatro antiguo y latino-medieval

teatro cortesano   → *Celestina*

2. LAS JARCHAS Y LA LÍRICA TRADICIONAL

La lírica temprana de la Península Ibérica es de dos tipos fundamentales: uno obviamente culto en tono y técnica, y otro —sea cual sea su origen— de notable sabor popular. Las primeras muestras considerables de la lírica culta son la *moaxaja* árabe (y después hebrea) y la *cantiga d'amor* gallego-portuguesa. La *moaxaja* (*muwaššaḥa*) debe mucho en temas y en recursos estilísticos (aunque no en su forma métrica) a la tradición poética árabe, nacida fuera de la Península. La *cantiga d'amor*, como las satíricas *cantigas d'escárnio e de maldizer* y la lírica culta catalana, sigue el modelo de la poesía trovadoresca clásica, de la poesía cortés provenzal, en cuanto a temas, estilo y versificación, aunque, desde luego, con algunas modificaciones. Así, pues, los géneros claramente cultos llevan la marca inequívoca de la influencia foránea. En el presente capítulo nos ocupamos principalmente del otro tipo de lírica, la de tono popular y, en apariencia, indígena (aunque puedan observarse en ella semejanzas con la poesía de otras lenguas).

La lírica popular indígena (o que, al menos, parece tal) puede dividirse en tres grupos claramente diferenciados. 1) En Andalucía se encuentran las jarchas (formadas por dos o pocos versos más en español, en árabe vulgar o en una mezcla de ambos) al final de las *moaxajas* hebreas y árabes. Parecen ser fragmentos de canciones femeninas de amor, y varias son muy antiguas: al menos una debe datar de comienzos del siglo XI, y fuentes dignas de crédito nos dicen que las *moaxajas* se componían ya adaptándose al esquema métrico de las jarchas en el año 900. 2) En Galicia, las *cantigas d'amigo* de los siglos XIII y XIV tienen una temática semejante a la de las jarchas, si bien presentan mayor variedad. Las que hoy se consideran como más características del género ofrecen una forma muy típica, basada en un esquema paralelístico en el que se combina la repetición y la variación. 3) El equivalente castellano de las jarchas y de las *cantigas d'amigo* sólo se documenta mucho más tarde: se conservan algunos villancicos del siglo XV, pero en general se atestiguan por primera vez en el XVI. En la mayoría de los casos, solamente el estribillo (los dos, tres o cuatro versos iniciales) tiene un aire auténticamente popular, mientras que la glosa es culta, y muy pocas veces ha sobrevivido intacto un villancico popular. La estructura más frecuente está muy próxima al zéjel del árabe vulgar (el cual, a su vez, se halla claramente relacionado con la *moaxaja*): el poema desarrolla el tema de los versos iniciales, que reaparecen al final de cada estrofa. Existen, sin embargo, algunos villancicos paralelísticos, como también lo son unas cuantas canciones catalanas, lo que indica que el paralelismo, si bien especialmente característico de la poesía gallega, se utilizaba en buena parte de la Península. Las semejanzas temáticas y formales señalan, por lo tanto, una íntima relación entre la lírica tradicional de todas esas regiones, aunque, como veremos, la naturaleza de tal relación es cuestión muy discutida.

Las investigaciones literarias y lingüísticas avanzan, por lo general, a ritmo lento, y gracias a la reinterpretación de datos ya conocidos, sin que normalmente ocurran grandes descubrimientos equiparables a los que se producen en el campo de las ciencias experimentales. Una excepción la constituye el hallazgo de las jarchas, comparable, por sus consecuencias y por el interés despertado, al desciframiento de la piedra Rosetta o al descubrimiento de los rollos del Mar Muerto. Durante decenios se había venido afirmando, de modo ocasional, que en las *moaxajas* árabes (así como en los zéjeles) se encerraban palabras romances, pero el paso definitivo lo dio S. M. Stern, en un artículo nacido como una suerte de subproducto de sus investigaciones sobre las *moaxajas* hebreas. Stern descubrió que varias de esas *moaxajas* acababan en versos que no eran hebreos, sino que pertenecían al dialecto mozárabe del español, e hizo también algunas transcripciones provisionales de esos versos [1948]. Su primer estudio al respecto fue superado por otros trabajos posteriores del propio Stern y de otros investigadores, pero por su importancia excepcional en la historia de la crítica merece estar representado en esta antología: es de una importancia equivalente, en el campo de la lírica medieval, a la del primitivo telescopio de Galileo o al rudimentario aparato con el cual Rutherford logró dividir el átomo.

Al año siguiente, Stern pudo publicar una *moaxaja* árabe (ya no hebrea) con una jarcha románica; el otro gran paso fue dado por Emilio García Gómez, quien, siguiendo el camino abierto por Stern, consiguió duplicar casi el número de jarchas conocidas en lengua románica, o en una mezcla de ésta y de árabe vulgar (la existencia de muchas jarchas en árabe vulgar era conocida por los estudiosos desde tiempo atrás). El descubrimiento de García Gómez [1952] confirmaba que la lírica española tuvo un papel fundamental en la poesía arábigo-andaluza, e hizo posible la comparación entre la utilización de una misma jarcha por un poeta árabe y por otro hebreo.

Estos primeros artículos de Stern y de García Gómez pusieron a disposición de los estudiosos más de cuarenta jarchas; a los pocos años eran ya cincuenta, y desde entonces se ha añadido a la lista poco más de una docena. Durante el pasado cuarto de siglo, por lo tanto, el interés crítico se ha centrado no en nuevos hallazgos (aunque se hayan hecho algunos valiosos), sino en la fijación e interpretación de los textos, en la comparación con otras tradiciones líricas y, más recientemente, en la apreciación literaria.

El primer intento de consolidar el terreno correspondió a Stern, en un libro en que reunía todas las jarchas conocidas total o parcialmente románicas [1953]. Stern insistía en el carácter provisional y como de tanteo de sus reconstrucciones, y señalaba la extrema dificultad que suponía transcribir e interpretar algunos de los textos: varios manuscritos estaban en mal estado, las transcripciones de los poemas árabes habían sido hechas muchas veces sin cuidado alguno, y la habitual omisión de las vocales permitía grandes márgenes de duda. Stern dejaba en blanco todo aquello que se sentía incapaz de leer correctamente, de modo que su colección es de uso difícil; por otra parte, su tendencia a conservar el texto de los manuscritos hace que su libro sea más digno de confianza. Klaus Heger [1960] proporcionó a los especialistas una valiosísima fuente al publicar los textos originales árabes y hebreos de las jarchas y reunir todas las versiones hasta entonces propuestas por Stern, García Gómez y otros estudiosos; un servicio semejante fue el llevado a cabo por Rodolfo A. Borello [1959], que agrupó tanto los textos como los comentarios de los críticos, con inclusión de sagaces y bien basadas valoraciones, así como de su propio comentario sobre los poemas.

Pocos años después [1965], García Gómez rompía felizmente con la práctica hasta entonces habitual al publicar la traducción de todas las *moaxajas* árabes que llevan jarchas románicas, acompañada de una importante —aunque discutible— reconstrucción del texto de las jarchas. La ventaja del método de García Gómez consistía en que, por vez primera, los no especialistas podían disponer de unos textos fácilmente legibles como poesía, y poesía ciertamente deliciosa. Mas ello tenía una desventaja, como se probó bien pronto: que esas reconstrucciones especulativas, difundidas ampliamente, llegaron a ser aceptadas como textos definitivos, brindando así el punto de partida para nuevas teorías. Varios investigadores han propuesto reinterpretaciones de algunas jarchas, especialmente Rafael Lapesa [1960], pero sólo ha habido otro intento de sintetizar y ordenar todo el material existente, llevado a cabo por J. M. Sola-Solé [1973], cuyas lecturas difieren muy a menudo y ampliamente de las de García Gómez. Uno de los grandes méritos del libro de Sola-Solé consiste en que gracias a él disponemos de traducciones de todas las *moaxajas*, tanto hebreas como árabes. La posibilidad de una reconstrucción correcta ha sido puesta en duda por Richard Hitchcock [1973], que subraya las grandes divergencias entre las interpretaciones de los diferentes investigadores, así como el alarmante número de correcciones que son necesarias —especialmente en los textos árabes— para llegar a tener unos poemas románicos convincentes. Si bien este punto de vista parece demasiado pesimista, no es posible descuidarlo tranquilamente; los estudios sobre las jarchas serán todavía más problemáticos después de la publicación de un nuevo artículo de Hitchcock, en el que sostiene que algunas de ellas, interpretadas como románicas gracias a las correcciones hechas en los textos árabes, pueden ser leídas sin necesidad de correcciones como poemas lisa y llanamente en árabe vulgar.

Es claro que se necesita un completo estudio de las *moaxajas* para poder comprender las jarchas, tarea emprendida no sólo por García Gómez [1965] y Sola-Solé [1973], en libros que estudian de modo especial —y con razón— las jarchas, sino también por tres especialistas preocupados básicamente por las *moaxajas*: Stern [1974], en un volumen póstumo en el que se incluyen una versión abreviada de su tesis doctoral y diferentes artículos; James T. Monroe [1965] y Vicente Cantarino [1969]. (En Inglaterra, con el auxilio de computadoras, se ha preparado un índice detallado de todas las jarchas conocidas, trabajo sin duda de extraordinario valor para futuras investigaciones.) También es cierto que la historia de la *moaxaja* no puede estudiarse de modo aislado, ya que los escritores árabes medievales nos aseguran que el género fue creado hacia el año 900 por un cierto Muqaddam, que tomó versos en lengua popular para construir sobre ellos sus propios poemas. Los mismos autores nos dicen también que esa práctica de Muqaddam fue asimismo la de los poetas de las *moaxajas* posteriores. García Gómez [1952] difundió y dio énfasis a tales afirmaciones, repetidas por otros eruditos, aunque sus posibles implicaciones no fueron bien comprendidas hasta que Brian Dutton subrayó la semejanza existente entre los términos técnicos utilizados en árabe para referirse a las varias partes de la *moaxaja*, y otros términos españoles bien conocidos, tales como *copla* y *vuelta*. Añade Dutton [1965] que Muqaddam era con probabilidad de origen mozárabe, convertido recientemente a la fe del Islam, e hispano-parlante.

Otros estudiosos no han ido tan lejos como Dutton, cuando afirma los orígenes románicos de la *moaxaja*, si bien la posición de García

Gómez no es muy radicalmente distinta. Stern, Monroe y Sola-Solé son más cautos. El problema, sin duda, está unido al del origen de las mismas jarchas: ¿hasta dónde se remonta la tradición lírica mozárabe? ¿Cuáles son sus conexiones con las otras tradiciones líricas de la Península y de fuera de ésta? Preguntas de difícil respuesta, pese a las destacadas contribuciones de Le Gentil [1954, 1963].

Fue Dámaso Alonso [1949] quien, en un artículo tan científico como emotivo, planteó la cuestión de lo que podían significar las jarchas para la cuestión de los orígenes de la lírica romance. Así, puso de relieve el paralelismo temático de las jarchas, los villancicos y las *cantigas d'amigo*, y señaló, con justificado orgullo, que las primeras muestras de lírica románica que han llegado hasta nosotros —anteriores a todas las demás en cien años— son españolas. La antología de lírica tradicional que preparó Dámaso Alonso en colaboración con J. M. Blecua [1956] partía de una premisa semejante, ejemplo seguido en otras dos antologías bien conocidas, las de Margit Frenk Alatorre [1966] y de José María Alín [1968]. En todas ellas, las jarchas aparecen junto a la lírica tradicional castellana, de modo que los estudiosos pueden hacer con facilidad las comparaciones oportunas. La única reserva que cabe a propósito de este método es que la inclusión de una jarcha en una antología refuerza la impresión de que se trata de un texto ya definitivamente fijado, impresión que en algunos casos es sencillamente ilusoria.

Otros aspectos del problema han sido debatidos con vigor e incluso con pasión. Se ha señalado que las semejanzas temáticas existentes entre las jarchas y otras tradiciones líricas llegan hasta la lírica popular moderna; las espléndidas colecciones de Eduardo M. Torner [1966] y Carlos H. Magis [1969] ofrecen un amplio material de estudio. En un primer momento, las jarchas sirvieron también como munición en la batalla emprendida entre Américo Castro y sus antagonistas: en un artículo publicado originalmente en inglés, Leo Spitzer [cf. 1955] sostenía que el descubrimiento socavaba la teoría de Castro sobre la ausencia de una lírica temprana en Castilla; Castro [1954] respondió a ello, si bien de modo poco concluyente. Más tarde, Giuseppe Tavani [1969] atacó ambas posiciones: para él, la lírica aparece tardíamente en todo el norte de España; por lo tanto, no hay por qué explicar peculiaridad castellana alguna. Alberto Vàrvaro [1968] adopta una posición similarmente cauta y positivista, tendente a subrayar que todos los textos que nos han llegado se han transmitido a través de poetas cultos y que por tanto no cabe extraer de ellos conclusiones firmes sobre la primitiva lírica popular de la Península.

El tema de las semejanzas entre las jarchas y la lírica no hispánica, aludido por Spitzer, ha sido investigado de modo fructífero. Desde su

clásica conferencia de 1919 sobre «La primitiva poesía lírica española»,
Menéndez Pidal había defendido la idea de una tradición continua que
venía de las canciones populares de la época romana; y más de treinta
años después saludaba el hallazgo de las jarchas como comprobación y
enriquecimiento de sus teorías [1951]. Otro aspecto de la herencia clásica española fue invocado por Elvira Gangutia [1972], que puso de
relieve las semejanzas entre las jarchas (así como las *moaxajas* y los
zéjeles) y la lírica femenina griega y greco-bizantina. Las semejanzas con
la lírica griega y con otras varias tradiciones habían sido notadas ya por
Peter Dronke [1965], como parte de su intento de explicar por poli-
génesis la tradición lírica conocida generalmente como cortés; ahí, el
estudio de los rasgos corteses de las jarchas (anticipado por Irénée M.
Cluzel [1960]) va de la mano con el reconocimiento de que nuestros
poemas forman parte de una tradición ampliamente difundida de lírica
popular europea. El más temprano enfoque comparatista, sin embargo,
fue el de Margit Frenk Alatorre [1952], que trata de las jarchas en
relación con un género semejante en cuanto a función y tema y, en
cierta medida, también en cuanto a la forma: los *refrains* populares
medievales del norte de Francia. Más recientemente, Samuel G. Armistead [1973] ha sido el primero en hallar analogías entre una jarcha y
un *refrain* provenzal, y James T. Monroe [1975] ha adoptado la técnica del análisis formular-oral (véase cap. 3) para identificar los elementos comunes entre las tradiciones andaluza, gallega, castellana y del norte
de Francia. Las conclusiones de su cuidadoso estudio refuerzan y amplían las de Menéndez Pidal, obtenidas desde diferente punto de vista:
las jarchas tienen su origen en la canción de amor latino-vulgar. Un último artículo de Monroe [1976] se ocupa de la moderna poesía popular
norteafricana y sugiere que también ésta se deriva de una base románica
común.

Ya ha sido tratada la cuestión de las influencias románicas en la
creación de los géneros característicos de la poesía arábigo-española, pero
queda por mencionar la otra cara del problema, la influencia árabe en
las jarchas y en la lírica europea en general. Probablemente la mayor
parte de los estudiosos considera que las jarchas son un género sin
duda románico (buena representante de esta opinión es Frenk Alatorre [1975]), pero no deja de haber algunas reservas al respecto: Sola-
Solé [1973], al tiempo que acepta que se trata de un género fundamentalmente románico, se inclina a pensar que la tradición árabe es un elemento que se halla presente en la formación de las jarchas; y, en su
última e importante aportación a los estudios sobre la lírica, Menéndez
Pidal [1960] retornó a la cuestión de la influencia hispano-arábiga en la
forma y los temas de la lírica cortés provenzal. La situación no es tan

confusa como pudiera parecer. A la luz de las investigaciones realizadas durante el último cuarto de siglo, parece casi seguro que las jarchas son parte de una tradición románica común y fuertemente arraigada, así como que constituyen la base de la *moaxaja* (y, por lo tanto, también del zéjel). Al mismo tiempo, debemos recordar que las jarchas nacen en una sociedad bilingüe, e incluso trilingüe, en la cual gran número de familias eran interraciales, de modo que la influencia arábiga se halla presente en toda una serie de detalles (véase al propósito la matizada posición de Roncaglia [1973]). Una influencia semejante y complementaria es totalmente posible en el caso de la lírica provenzal.

No es este el lugar para hacer una revisión de los trabajos realizados sobre las *cantigas d'amigo*, pero es preciso señalar, al menos, que durante los últimos veinte años el estudio de la poesía gallego-portuguesa ha cambiado no poco: se han publicado buenas ediciones (especialmente a cargo de investigadores italianos), y aunque en ellas suele marginarse la crítica literaria, algunos estudios sueltos han venido a llenar ese hueco. En tal sentido, un gran logro es el volumen de ensayos y poemas comentados de Stephen Reckert y Helder Macedo [1976]. La conexión entre la lírica gallego-portuguesa y la tradición folklórica común a toda la Península fue objeto de un magistral análisis de Eugenio Asensio [1957], en un libro donde, por otro lado, se estudia la «poética del paralelismo» a la luz de aportaciones críticas (como el formalismo ruso) hasta entonces no aplicadas a la literatura española. Al estudio de Asensio sobre el paralelismo ha añadido Francisco Rico un *postscriptum* de impo·.antes implicaciones [1975], al mostrar que el más antiguo cantar hispano de estructura paralelística no sólo es castellano (y se fecha en la segunda mitad del siglo XII), sino también trata de hechos heroicos y personajes épicos, más bien que de los temas líricos habituales. Es, pues, un sano recordatorio de que la lírica no puede aislarse de otros géneros.

Se ha trabajado menos sobre los villancicos que sobre otras tradiciones, pero existe el extenso estudio de Antonio Sánchez Romeralo [1969], que incluye una aproximación estructural y estilística, así como una presentación del problema de los orígenes. Se trata de un libro con posibles fallos metodológicos, pero, en todo caso, es buen punto de partida para nuevas investigaciones. Tres artículos de Bruce W. Wardropper sobre varios temas de los villancicos (y, como consecuencia, de la lírica tradicional hispánica en su conjunto) han elevado de modo notable el nivel crítico sobre la cuestión, y han acotado y despejado zonas de investigación en que será posible adentrarse con gran provecho en el futuro [1960, 1964, 1966].

Acerca de temas presentes en más de una tradición lírica, son dignos de mención los estudios de Monroe [1976] sobre la relación madre-hija, así como la extensa y magnífica compilación de Arthur T. Hatto [1965] sobre las albadas: en ella los poemas hispánicos se sitúan en un contexto universal, a la vez que E. M. Wilson muestra hábilmente su singularidad y vigencia literarias [1977]. Una perspectiva universal informa también, con tonalidad propia, los trabajos de Dronke [1965, 1968] y Reckert [1970], dos críticos de alcance poco común, ya que iluminan la lírica hispánica por medio de comparaciones que a primera vista —sobre todo en el caso de Reckert— pueden parecer bastante forzadas, pero que a la postre resultan totalmente justificadas.

Mención aparte merece la obra de una distinguida investigadora de habla española, Margit Frenk Alatorre, a quien se debe una larga y fructífera meditación acerca de la evolución de la lírica tradicional: por un lado, en un utilísimo trabajo de conjunto sobre las jarchas [1975] y en un fino ensayo en que repasa el mundo de la poesía popular atendiendo al estilo y los temas, a los símbolos y a las formas, y persigue su influencia en la literatura culta (desde Santillana a Lope y aun Lorca) [1971]; y, por otra parte, en una colección de monografías donde escudriña algunos problemas concretos para la identificación y la historia de la canción popular de raíces medievales [1978].

BIBLIOGRAFÍA

Para una bibliografía más amplia, véase Hitchcock [1977].

Alín, José María, ed., *El cancionero español de tipo tradicional*, Taurus, Madrid, 1968.

Alonso, Dámaso, «Cancioncillas 'de amigo' mozárabes (primavera temprana de la lírica europea)», *Revista de Filología Española*, XXXIII (1949), pp. 297-349; reimpr. en *Primavera temprana de la literatura europea: lírica-épica-novela*, Guadarrama, Madrid, 1961, pp. 17-79.

— y J. M. Blecua, eds., *Antología de la poesía española: poesía de tipo tradicional*, Gredos, Madrid, 1956.

Armistead, Samuel G., «A Mozarabic *ḫarǧa* and a Provençal refrain», *Hispanic Review*, XLI (1973), pp. 416-417.

Asensio, Eugenio, *Poética y realidad en el cancionero peninsular de la Edad Media*, Gredos, Madrid, 1957; 2.ª ed. ampliada, 1970.

Borello, Rodolfo A., *Jaryas andalusíes*, Universidad Nacional del Sur, Bahía Blanca, 1959.

Cantarino, Vincent, «Lyrical traditions in Andalusian *muwashshahas*», *Comparative Literature*, XXI (1969), pp. 213-231.

Castro, Américo, *La realidad histórica de España*, Porrúa, México, 1954.

Cluzel, Irénée M., «Les jarŷas et l'amour courtois'», Cultura Neolatina, XX (1960), pp. 233-250.

Dronke, Peter, Medieval Latin and the rise of European love-lyric, I. Problems and interpretations, Clarendon, Oxford, 1965.

—, The medieval lyric, Hutchinson, Londres, 1968; trad. cast.: La lírica en la Edad Media, Seix Barral, Barcelona, 1978.

Dutton, Brian, «Some new evidence for the romance origins of the muwashshaḥas», Bulletin of Hispanic Studies, XLII (1965), pp. 73-81.

Frenk Alatorre, Margit, «Jarŷas mozárabes y estribillos franceses», Nueva Revista de Filología Hispánica, VI (1952), pp. 281-284.

—, ed., Lírica hispánica de tipo popular: Edad Media y Renacimiento, Universidad Nacional Autónoma, México, 1966; 2.ª ed., Ediciones Cátedra, Madrid, 1977, con el título de Lírica española de tipo popular.

—, Entre folklore y literatura (lírica hispánica antigua), El Colegio de México (Jornadas, 68), México, 1971.

—, Las jarchas mozárabes y los comienzos de la lírica románica, El Colegio de México, México, 1975.

—, Estudios sobre lírica antigua, Castalia, Madrid, 1978.

Gangutia Elícegui, Elvira, «Poesía griega 'de amigo' y poesía arábigo-española», Emérita, XL (1972), pp. 329-396.

García Gómez, Emilio, «Nuevas observaciones sobre las jarŷas romances en muwaššaḥas hebreas», Al-Andalus, XV (1950), pp. 161-163.

—, «Veinticuatro jarŷas romances en muwaššaḥas árabes (Ms. G. S. Colin)», Al-Andalus, XVII (1952), pp. 57-127.

—, ed., Las jarchas romances de la serie árabe en su marco, 1965; 2.ª ed., Seix Barral, Barcelona, 1975.

Hatto, Arthur T., ed., Eos: An enquiry into the theme of lovers' meetings and partings at dawn in poetry, Mouton, La Haya, 1965.

Heger, Klaus, ed., Die bisher veröffentlichen Harğas und ihre Deutungen (Zeitschrift für romanische Philologie, Beihefte CI), Tubinga, 1960.

Hitchcock, Richard, «Some doubts about the reconstruction of the kharjas», Bulletin of Hispanic Studies, L (1973), pp. 109-119.

—, The kharjas: A critical bibliography, Grant & Cutler (Research Bibliographies and Checklists, XX), Londres, 1977.

Lapesa, Rafael, «Sobre el texto y lenguaje de algunas jarchyas mozárabes», Boletín de la Real Academia Española, XL (1960), pp. 53-65.

Le Gentil, Pierre, Le virelai et le villancico. Le problème des origines arabes, Institut Français au Portugal-Les Belles Letres (Collection Portugaise, IX), París, 1954.

—, «La strophe zadjalesque, les khardjas et le problème des origines du lyrisme roman», Romania, LXXXIV (1963), pp. 1-27, 209-250, 409-411.

Magis, Carlos H., ed., La lírica popular contemporánea: España, México, Argentina, El Colegio de México (Centro de Estudios Lingüísticos y Literarios, n. s., I), México, 1969.

Menéndez Pidal, Ramón, «Cantos románicos andalusíes, continuadores de una lírica latina vulgar», Boletín de la Real Academia Española, XXXI (1951), pp. 187-270; reimpr. en *España, eslabón entre la Cristiandad y el Islam*, Espasa-Calpe (Colección Austral, 1280), Madrid, 1956, pp. 61-153.

—, «La primitiva lírica europea. Estado actual del problema», *Revista de Filología Española*, XLIII (1960), pp. 279-354.

Monroe, James T., «The *muwashshaḥāt*», en *Collected Studies in Honour of Americo Castro's Eightieth Year*, Lincombe Lodge Research Library, Oxford, 1965, pp. 335-371.

—, «Formulaic diction and the common origins of Romance lyric traditions», *Hispanic Review*, XLIII (1975), pp. 341-350.

—, «Estudios sobre las *jarǧas*: las *jarǧas* y la poesía amorosa popular norafricana», *Nueva Revista de Filología Hispánica*, XXV (1976), pp. 1-16.

Reckert, Stephen, *Lyra minima: Structure and symbol in Iberian traditional verse* [King's College, Londres], 1970.

— y Helder Macedo, *Do cancioneiro de amigo*, Assírio & Alvim, Lisboa, 1976.

Rico, Francisco, «Çorraquín Sancho, Roldán y Oliveros: Un cantar paralelístico castellano del siglo xii», en *Homenaje a la memoria de don Antonio Rodríguez-Moñino 1910-1970*, Castalia, Madrid, 1975, pp. 537-564.

Roncaglia, Aurelio, «Il primo capitolo nella storia della lirica europea», en *Concetto, storia, miti e immagini del Medio Evo*, ed. V. Branca, Sansoni (Civiltà Europea e Civiltà Veneziana, 7), Venecia, 1973, pp. 247-268.

Sánchez Romeralo, Antonio, *El villancico: Estudios sobre la lírica popular en los siglos XV y XVI*, Gredos, Madrid, 1969.

Sola-Solé, J. M., *Corpus de poesía mozárabe (las barǧa-s andalusíes)*, Hispam, Barcelona, 1973.

Spitzer, Leo, «La lírica mozárabe y las teorías de Theodor Frings», en *Lingüística e historia literaria*, Gredos, Madrid, 1955, pp. 65-102.

Stern, Samuel M., «Les vers finaux en espagnol dans les *muwaššaḥs* hispano-hébraïques: Une contribution à l'histoire du *muwaššaḥ* et à l'étude du vieux dialecte espagnol 'mozarabe'», *Al-Andalus*, XIII (1948), pp. 299-348.

—, *Les chansons mozarabes: Les vers finaux (kharjas) en espagnol dans les muwashshahs arabes et hébreux*, Manfredi, Palermo, 1953; reimpr., Cassirer, Oxford, 1964.

—, *Hispano-arabic strophic poetry*, ed. L. P. Harvey, Clarendon, Oxford, 1974.

Tavani, Giuseppe, «Il problema della poesia lirica nel Duecento letterario ispanico», *Poesia del Duecento nella Penisola Iberica: Problemi della lirica galego-portoghese*, Ateneo (Officina Romanica, XII), Roma, 1969, pp. 9-50.

Torner, Eduardo M., *Lírica hispánica: Relaciones entre lo popular y lo culto*, Castalia (La Lupa y el Escalpelo, V), Madrid, 1966.

Vàrvaro, Alberto, «Diversità dell'intuizione lirica di tipo tradizionale», *Struttura e forme della letteratura romanza del Medioevo*, Liguori, Nápoles, 1968, pp. 166-178; trad. cast.: *Introducción a la literatura románica de la Edad Media*, Ariel, Barcelona, en prensa.

Wardropper, Bruce W., «The color problem in Spanish traditional poetry», *Modern Language Notes*, LXXV (1960), pp. 415-421.

Wardropper, Bruce W., «The reluctant novice: A critical approach to Spanish traditional song», *Romanic Review*, LV (1964), pp. 241-247.

—, «La más bella niña», *Studies in Philology*, LXIII (1966), pp. 661-676.

Wilson, Edward M., «Spanish dawn songs», en Hatto [1965], pp. 299-343; trad. cast., revisada, en Wilson, *Entre las jarchas y Cernuda. Constantes y variables en la poesía española*, Ariel (Letras e Ideas: Maior, 12), Barcelona, 1977, pp. 55-105.

Samuel M. Stern

MOAXAJAS Y JARCHAS

La literatura árabe debe su poesía estrófica a la España musulmana. Iban descaminados los intentos de señalar rasgos semejantes en los poemas del *diwān* de un poeta oriental como Ibn al-Mu'tazz; de hecho, no cabe ya duda alguna de que la gloria de haber inventado tal forma de poesía corresponde a los poetas andalusíes, de acuerdo con la tradición unánime de los autores árabes, tanto orientales como occidentales. Las fuentes más dignas de crédito coinciden en apuntar a los comienzos del siglo x como la época del primer florecimiento de la moaxaja.[1] [...] Sin embargo, ninguna especulación sobre los orígenes de la moaxaja puede pasar de mera hipótesis, ya que no conocemos poemas estróficos de quienes llevan la reputación de ser los inventores del género: Muqaddam de Cabra, Ibn 'Abd Rabbihi, Yūsuf al-Ramādī. Por tal razón, nos resulta imposible formarnos una idea de la verdadera naturaleza de esos primeros intentos (y muy probablemente siempre será así). Si las moaxajas más antiguas poseían algunos rasgos característicos que reve-

Samuel M. Stern, «Les vers finaux en espagnol dans les *muwaššaḥs* hispano-hébraïques: Une contribution à l'histoire du *muwaššaḥ* et à l'étude du vieux dialecte espagnol "mozarabe"», *Al-Andalus*, XIII (1948), pp. 299-346; texto inglés en su libro póstumo *Hispano-arabic strophic poetry*, ed. L. P. Harvey, Clarendon, Oxford, 1974, pp. 123-160 (123-129). (Traducción de Julio Rodríguez-Puértolas.)

---

1. [A lo largo del presente capítulo se han regularizado en las formas *moaxaja* y *jarcha* las diferentes transcripciones que los autores dan de los términos árabes *muwaššaḥa* y *jarŷa*.]

laran sus orígenes populares, la pérdida de los textos nos veda cualquier posibilidad de estudiarlos.

Todo lo que tenemos, en efecto, son moaxajas pertenecientes a un momento posterior de su desarrollo. Las moaxajas que conservamos aparecen ya asimiladas a la *qaṣīda* clásica. Por lo que se refiere al contenido, según nos dice Ibn Sanā'al-Mulk (y con el pleno apoyo de los textos), «la moaxaja puede tener como tema cualquiera de los asuntos del *shi'r* (poesía clásica): el amor, panegíricos, plantos por los muertos, sátiras a propósito de temas indecentes o ascéticos». [No obstante,] la moaxaja, incluso la de este período tardío, conservó un rasgo totalmente ajeno a la *qaṣīda*, como vestigio de su pasado popular. Se trata de la estrofa final de la moaxaja, una especie de tornada llamada en árabe *jarcha* o *markaz*.

El egipcio Ibn Sanā'al-Mulk [1155-1211], poeta y autor de una antología de moaxajas, traza en la introducción a ésta un *ars poetica* del género. La doctrina que expone en el párrafo dedicado a los rasgos característicos de la jarcha está totalmente de acuerdo con el testimonio de los textos. Con las reglas señaladas por Ibn Sanā'al-Mulk y con semejante testimonio podemos resumir del siguiente modo las leyes que gobiernan la jarcha:

La jarcha es el último de los *qufls* (versos que terminan con la misma rima) de la moaxaja; es una unidad aparte. Su asunto depende del tema del poema: si se trata de un poema de amor, la jarcha compendia su contenido a modo de expresión quintaesenciada de tal sentimiento. Si se trata de un panegírico, la jarcha elogia incisivamente a la persona celebrada en el cuerpo del poema. Los versos de la jarcha se ponen, por lo general, en boca de un personaje que no es el poeta. En la mayoría de los casos reproduce palabras de mujeres (preferentemente de muchachas que cantan), de mozos, de borrachos, incluso de palomas que se arrullan entre las ramas. A menudo aparecen objetos inanimados o alegóricos: una ciudad, la gloria, la guerra, etc. La estrofa con que acaba el poema y que precede inmediatamente a la jarcha sirve para presentar al personaje que habla en ésta, a modo de eslabón con el cuerpo del poema. La poética de la moaxaja exige además que la jarcha se escriba en algún dialecto vernáculo, o incluso en español coloquial, esto es, en la lengua cotidiana de los personajes que intervienen.

Todos estos curiosos detalles pueden explicarse gracias a la hipótesis del origen popular de la moaxaja. Parece que en principio los versos de la jarcha se tomaban de la poesía popular en romance (la circunstancia de que por lo general sea una muchacha que lamenta la ausencia de su amante la que habla en la jarcha, nos hace pensar que tales poemas pueden muy bien haber sido el modelo de las *cantigas d'amigo*) y que formaban la base métrica y musical sobre la que se construía la moaxaja.

Las dos lenguas que se utilizaban en la jarcha eran, como se ha notado, el árabe vulgar y el dialecto hispánico hablado tanto por los mozárabes como por la población musulmana. Al respecto contamos con el testimonio explícito de los autores árabes:

La jarcha es el último *qufl* de la moaxaja. Entre las reglas que la gobiernan figura la exigencia ... de que esté compuesta en lenguaje común y con expresiones de tipo popular. Si se escribe en lengua clásica, como las demás estrofas y *qufls*, la moaxaja ya no es tal en el verdadero sentido de la palabra. Solamente hay una excepción: en el caso de un panegírico en que se mencione el nombre de un personaje famoso, la jarcha puede estar escrita en lengua clásica ... En ocasiones la jarcha puede estar escrita en español, pero hay que tener mucho cuidado para que también en español la jarcha sea parlera, como la nafta y las pavesas y a la manera de los gitanos.

Esas referencias de Ibn Sanā'al-Mulk están confirmadas por Ibn Bassām, quien al hablar del inventor de la moaxaja dice que éste «tomó expresiones en vernáculo o en español, las llamó *markaz* y construyó la moaxaja a partir de ellas».

Entre las moaxajas que han llegado hasta nosotros aparecen varias con jarchas en árabe vulgar, pero ninguna con jarcha en romance.[2] Es fácil comprender el por qué de esta laguna en la tradición que ha llegado hasta nosotros: de los escasos textos que poseemos, la mayor parte se ha conservado en antologías compiladas por autores no andalusíes (como Ibn Sanā'al-Mulk y al-Maqqarī), que debieron prestar escasa atención a unos versos en español que no comprendían. Sin embargo, la literatura hispano-hebrea nos proporciona textos que suplen, hasta cierto punto, la pérdida de los materiales árabes. Los poetas judíos de España, que seguían muy de cerca las

---

2. [Las moaxajas árabes con jarchas romances se descubrieron bien poco después de hacerse tal afirmación, gracias al propio Stern, en 1949, y a Emilio García Gómez, en 1952.]

varias tendencias de la literatura árabe de su época, introdujeron la moaxaja en la literatura hebrea. Conocemos varias moaxajas hebreas atribuidas a los grandes poetas de la primera mitad del siglo xi, Šemūel ibn Nagrella [993-1056], kātib (secretario) de los reyes Zirid de Granada, y Šelomō ibn Gābirol [1020-h. 1057]. Pocas dudas caben en cuanto a la autenticidad de esos poemas. En los dīwāns fragmentarios de casi todos los poetas menores del siguiente período clásico (el de Moše ibn 'Ezra y de Yehūdā Halevī) se hallan también moaxajas; de tales poetas se conservan cierto número de poemas. De esos poetas de segunda fila, conocemos un grupo de moaxajas, al cual debemos añadir los poemas anónimos del período clásico, algunos descubiertos en la Genizá [o 'cuarto trastero' de la vieja sinagoga de Fusṭāṭ, en El Cairo]. En cuanto a los grandes poetas cuyos dīwāns han sobrevivido de modo completo, se conservan quince moaxajas de Moše ibn 'Ezra [h. 1057-1139], cuarenta de Yehūdā Halevī [h. 1075-1135...], diez de Abraham ibn 'Ezra [h. 1092-1167]. La última colección importante de moaxajas (contiene cuarenta y siete) es la de la gran figura de la época crepuscular de la poesía hispano-hebrea, Don Ṭodrōs Halevī Abūlāfia [1247-h. 1306], miembro de las cortes de Alfonso el Sabio y Sancho IV.

Todos estos poetas siguieron las reglas de la moaxaja árabe con el mayor cuidado. Habida cuenta del pequeño número de textos árabes que han sobrevivido, podemos aprovechar los poemas hispano-hebreos para completar lo que sabemos acerca de las leyes de la moaxaja. En efecto, las moaxajas hispano-hebreas contienen jarchas no sólo en árabe vulgar, sino también en romance, coincidiendo así en todo con los testimonios de los autores árabes: los poetas hebreos, al escribir moaxajas, sin duda no hacían sino imitar a sus modelos árabes hoy perdidos. Todavía más: es muy probable que algunas de esas jarchas españolas se tomasen directamente de poemas árabes. La costumbre de imitar (mu'āraḍa) las moaxajas de otro autor estaba muy extendida entre los poetas árabes. En tales casos se imitaban la estructura métrica y las rimas del poema tomado como modelo, y la mayoría de las veces la jarcha se copiaba lisa y llanamente. Lo mismo hicieron los poetas judíos, y un número considerable de las jarchas árabes que utilizaron procede de la moaxaja que estaban imitando. Debemos suponer, por tanto, que también algunas de sus jarchas españolas corresponden a esos modelos, si bien en asuntos tales no caben muchas precisiones.

EMILIO GARCÍA GÓMEZ

DE LA JARCHA A LA MOAXAJA

La moaxaja está fundamentalmente hecha para encuadrar en árabe una jarcha romance. Todo en ella mira hacia su fin: hacia la jarcha romance. La estructura que precede (de origen árabe o ibérico: esto ha vuelto a ser problema y ahora no podemos entrar en ello) viene obligada por la jarcha. Por consiguiente, el inventor de la moaxaja era una especie de folklorista *avant la lettre*, un árabe que se enamoró de la cancioncilla romance —simple, fresca, espontánea, generalmente puesta en labios de una mujer (una cancioncilla como tantas otras que él oyó de su madre española o de su mujer española)— y que la engastó como un rubí en una especie de sortija árabe, de modo parecido a como los compositores de canciones andalucistas actuales halagan el gusto del público, adoptando para estribillo de sus tonadas coplas populares que explican y enmarcan. Lo que dice el único preceptista de la moaxaja, Ibn Sanā' al-Mulk, un egipcio del siglo XIII que nunca estuvo en España, no invalida, sino que refuerza, nuestras suposiciones.

Veámoslo con un ejemplo. No podrá ser antiguo, porque de la primera época no tenemos moaxajas. Voy a elegir una del siglo XII, compuesta por el Ciego de Tudela († 1126). Pero podemos muy bien suponer que el mecanismo fue siempre análogo. Transportémonos con la imaginación dos siglos atrás, [a la época de la invención de la moaxaja por un poeta natural de la ciudad de Cabra].

Al poeta le ha gustado una coplilla romance en la que una coqueta doncellica mozárabe da celos a su amigo o *ḥabīb* y desea hacer sobre ella su moaxaja. La copla dice así:

> ME·W L-ḤABĪB ENFERMO DE MEW 'AMĀR.
> ¿KÉ NO A D'ESTĀR?
> ¿NON FĒS A MĪBE KE Š'A DE NŌ LEGĀR? [1]

Emilio García Gómez, *Poesía arábigoandaluza. Breve síntesis histórica*, Instituto Faruk I de Estudios Islámicos, Madrid, 1952, pp. 43-49.

---

1. [Damos la moaxaja y la jarcha según la versión más recientemente pro-

El poeta empieza por componer un calco árabe de la copla, que se adapta más o menos al metro *sarī́*, si es que no la obligó con algunos retoques a esta adaptación. El calco árabe de la copla sirve de preludio:

> *Dam'un saf̄ūhun wa-dulū́'un hirār:*
> *ma'un wa-nār,*
> *mā ŷtama'ā illā li-'amrin kubār,*

o sea, calcado a mi vez por mí del árabe:

> *El alma me abrasa, mas me hace llorar.*
> *¡Fuego, agua! Par*
> *de cosas es éste que es raro juntar.*

---

puesta por E. García Gómez [1965], pp. 103-107. Pero adviértase que fue ésta la primera moaxaja árabe con jarcha romance que llegó a publicarse y que el desciframiento y la interpretación del texto no se han logrado de una vez ni quizá pueden darse por definitivos. «En 1949, Stern, al dar a conocer por vez primera esta jarcha a base de la lectura del [único manuscrito entonces localizado], identificó: "meu-l-habīb enfermo de meu... *... d'estar *... a mib ... de meu atar". En 1952, García Gómez, al presentar su serie árabe, avanzó algo más en la interpretación: "Meu l-habīb enfermo de meu amar. *¿Ké no d'estar? *¿Non ves a mib ke s'a de no leǵar?", que, en castellano moderno, daba 'Mi amigo (está) enfermo de amarme. *¿Cómo no ha de estarlo? *¿No ves que a mí no se ha de allegar?' En 1953, Stern proponía a su vez: " Meu 'l-habīb enfermo de meu amar *quen ad sanar *ven (o: vengas) a mib que sanad (?) meu leǵar", con una versión al francés moderno: 'Mon ami est malade de mon amour! *Qui le guérira? *Viens chez moi, car c'est l'union avec moi qui guérit!' En el mismo año, Corominas avanzaba la siguiente interpretación del tercer estico: "non ves a mib keša de meu liǵar?", es decir, '¿no ves que a mí se queja de mi unión?' ('de mi unión o de mis relaciones con su rival'). En 1959, Borello seguía esta interpretación de Corominas y vocalizaba: "meu l-abibi enfermo de meu amar *¿qué no d'estar? *¿Non ves a mib quexase de meu ligar?" Finalmente, en 1965, García Gómez, a partir de un texto «mw l-habīb 'nfrm dy mw 'm'r *k' n dšt'r *nn fys 'myb k š' d nw lg'r", vocalizaba integralmente [la jarcha en la forma que hemos reproducido y ofrecía la siguiente] versión al castellano moderno: 'Mi amigo (está) enfermo de mi amor. *¿Cómo no ha de estar(lo)? *¿No ves que a mí no se ha de acercar?'» Tras resumir así las diversas opiniones de los estudiosos, J. M. Sola-Solé [1973], pp. 163-164, presenta a su vez una lectura de la jarcha que, vocalizada, dice: «mio al-habīb enfermo de mio amar *ke no ad šanar *benǵe-se a mibi ke šanad mio leǵar»; y en castellano moderno: 'Mi amigo (está) enfermo de amarme. *¿No sanará? *Que se venga a mí que cura mi acercamiento (es decir: el acercarse o juntarse a mí)'.]

Este alambicado concepto del fuego y el agua, que milagrosamente se juntan en el amante en forma de llanto y ardor, es tópico de la poesía árabe clásica. Lo mismo ocurre en la estrofa 1.ª, y en la 2.ª, donde el poeta llega incluso a hablar de la Kaʿba. Calco de nuevo el ritmo y las rimas agudas del árabe:

> Devoto a esa Kaʿba brillante he de ir,
> pues no puedo el grito de amor desoír.
> Si soy un esclavo, me debo rendir.
> ¡Aquí estoy! Lo que hablen de ti no he oír.
> *Permite que acuda piadoso a rezar*
> *en ese altar*
> *y como holocausto mi pecho a inmolar.*

Todo es árabe. Y otro tanto pasa en las estrofas 3.ª y 4.ª. Pero en la 5.ª viene la transición (*tambīd*):

> Que no podré, no, de su amor prescindir,
> por más que en dañarme no ceje y huir,
> por más que me fuerce de pena a gemir,
> y aun cuando coqueto persista en decir:

(Y aquí viene la copla origen de todo:)

MEW L-ḤABĪB ENFERMO DE MEW 'AMĀR.
¿KÉ NO A D'EŠTĀR?
¿NON FĒS A MĪBE KE Š'A ḎE NŌ LEGĀR?

La moaxaja es el más estupendo caso de fusión de las poesías de dos pueblos diferentes que probablemente se conoce en la historia. En ella, la lírica de los árabes de España merece en absoluto el calificativo de «arábigo-andaluza».

Dámaso Alonso

JARCHAS, CANTIGAS DE AMIGO Y VILLANCICOS

En la mayor parte de estas primitivísimas jarchas romances la persona que habla es una doncella enamorada: verdaderas canciones «de amigo», como ha visto ya Stern. Una y otra vez ese mundo de ternura con forma de hombre que en el *Cancioneiro da Vaticana* está representado por el *amigo*, en estas jarchas estará expresado por la voz árabe *ḥabibi* 'amado'. [...] No es difícil señalar múltiples coincidencias entre estas canciones de amigo judaico-mozárabes y la tradición peninsular, lo mismo la gallego-portuguesa tal como la podemos ver representada en el *Cancioneiro da Vaticana*, que la de la poesía de Castilla. Lo que en esa tradición es la voz *amigo*, es en estas viejísimas canciones la palabra *habib*, y nótese que la anfibología que se da en la voz hispánica romance existe también en la árabe, que usaban, como vemos, en la mozarabía, pues significa lo mismo 'amigo' que 'amado'. Pero con frecuencia las doncellas hispánicas, en las canciones de amigo, no hablan directamente al enamorado, sino que se dirigen a otro interlocutor, alguien que comparta su pena, a veces su gozo. Este personaje así atraído al tierno ambiente sentimental de la enamorada suele ser la madre: [...]

> ¿Qué faré, mamma?
> Meu al-ḥabib est' ad yana.

Y compárese aún (en impresionante proximidad):

> Gil González Dávila llama,
> no sé si, mi madre,
> si me le abra.

Dámaso Alonso, «Cancioncillas 'de amigo' mozárabes (primavera temprana de la lírica europea)», *Revista de Filología Española*, XXXIII (1949), pp. 297-349; reimpr. en *Primavera temprana de la literatura europea: lírica-épica-novela,* Guadarrama, Madrid, 1961, pp. 17-79 (pp. 36, 48-49, 57, 61-62, 70-72, 75-79).

Pero la enamorada, en busca de simpatía para su mal, dirige ahora su lamentación a sus amigas, a sus hermanas:

> Irmana, o meu amigo
> que mi quer ben de coraçon
> e que é coitado por mí...
> treide-lo-veer comigo... [...]

En nuestras canciones mozárabes también la muchacha se dirige, dolorosamente, a sus hermanas:

> Garid vos, ay, yermanelas,
> ¿cómo contener é meu mali...? [...]

Es muy probable que de este antiquísimo fondo que ahora se nos revela procedan —dos ramas divergentes, de un mismo tronco— esas dos delicias que han encantado nuestra vida: las «canciones de amigo» gallego-portuguesas (mucho más tardías) y las de ese tesoro castellano cuyas raíces medievales ha estudiado Menéndez Pidal (buena parte de él está formada también por canciones de doncella enamorada, auténticas canciones «de amigo», si bien de otro carácter y, sobre todo, de otra estructura formal). [...]

Estos ejemplos de villancicos mozárabes del siglo XI, puestos al lado de toda la tradición castellana tardía, prueban perfectamente que el núcleo lírico popular en la tradición hispánica es una breve y sencilla estrofa: un villancico. En él está la esencia lírica intensificada: él es la materia preciosa. Sobre él puede formarse una moaxaja o un zéjel árabe en el siglo XI o XII, una glosa zejelesca en castellano en el XIV o en el XV, o una nueva glosa en el XVII. Él es precisamente lo que da una prodigiosa unidad a la poesía tradicional castellana. La glosa es el metal del engaste. El villancico es la piedra preciosa que, por su concentradísima brevedad, necesita ser engastada. [...]

La herencia del lirismo mozárabe nos es común a portugueses y a castellanos. La participación de poetas de toda España en el cancionero gallego-portugués (cuyas últimas huellas llegan hasta la recopilación de Baena) puede ser consecuencia de esa herencia común. El mozárabe tenía la mayor parte de los rasgos comunes a los dialectos peninsulares, salvo al castellano, y había de parecer, por tanto, más próximo al portugués que al dialecto central: fue, por tanto, natural que el portugués recibiera, digamos, la mayor parte de la herencia. No cabe duda de que el lirismo castellano no produjo nada semejante a las brillantes generaciones que confluyen en los cancioneiros. El lirismo castellano se mantuvo, sin duda, más rural; no se convierte en escuela poética. Y quizá por eso permaneció más fiel al fondo primitivo. [...] [Las] jarchas, simples villancicos conservados prodigiosamente, como en alcohol, dentro de las moaxajas de cultos hebreos, son el núcleo lírico, lo que siempre se cita porque es condensado y abarcable, lo que siempre se toma, se transporta, compacto núcleo lírico, diamante sin engastar. ¿Cómo prolongaban o desarrollaban este núcleo —de cohesión más veces asonante que consonante— los cantores de Córdoba, de Granada, de Toledo, de Sevilla? ¿Con la fuerte y marcada consonancia zejelesca? ¿Con un primitivo sistema paralelístico? ¿Unas veces de la una manera y otras de la otra? Todo lo que digamos serán conjeturas. Es evidente (no se olvide) que el paralelismo existe lo mismo en la tradición portuguesa, que en la asturiana, que en la castellana. Lo que ocurrió (podemos interpretar) es que la formación de una fuerte escuela trovadoresca en Portugal fijó un tipo paralelístico de gran complicación y matemático desenvolvimiento (que no creemos fuera el tradicional arcaico). [...]

Haremos una observación para terminar. He aquí el nacimiento del villancico. El nacimiento del núcleo lírico. ¿Cómo nace? Tres razas, tres literaturas, tres lenguas colaboran: cristianos, moros y judíos. Esta colaboración nos la explicamos así: el origen mismo está en los siglos aún oscuros del romanismo peninsular; la lírica tradicional (¿de qué aún más soterraños gérmenes?) fermentó como la lengua y con el mismo ritmo de la lengua. Con la invasión, se vio sumida en lo árabe, rodeada de cultura árabe; y mientras se dejaba penetrar de numerosos arabismos, producía en la literatura árabe extrañas revulsiones: sobre las cancioncillas o villancicos romances se construyeron poemas (moaxajas y zéjeles); y es posible que la misma forma estrófica de estos poemas (forma nueva en árabe) esté basada en glosas o desenvolvimientos estróficos de los villancicos que existieran también en romance. Lo importante para nosotros es esto: poetas cultos árabes y hebreos, con una curiosidad, con una estimación de lo popular que el europeo no ha tenido hasta el siglo XIX, recogieron esas jarchas redactadas en la lengua vulgar que nadie escribía, y las tomaron como núcleo de intensidad lírica de sus moaxajas. [...]

Esas veinte cancioncillas, esos veinte villancicos [las jarchas conocidas en principio], son los antepasados líricos más viejos (hasta hoy) de toda la poesía portuguesa y castellana. ¡Venerable tesoro, emocionante tesoro!

Conocíamos sus descendientes tardíos (sí, hasta ayer ¡nos parecían tan arcaicos!; pero hoy ya los podemos llamar tardíos): la bellísima lírica «de amigo» gallego-portuguesa y toda la tradición (mal fechada) del villancico castellano. Lo que nos encantó bebido en tradición tardía, aquí en estas jarchas (lástima que sólo en una veintena y con zonas aún muy oscuras) se nos revela, vivo, en una época prodigiosamente arcaica: cuando en Europa no existe lírica. Mal dicho (porque creo que el hombre ha cantado siempre, aunque haya filólogos que parecen creer lo contrario —tal vez porque ellos no cantaron nunca): en una época en la que, para mí, existía, seguramente, por todas partes cancionero popular, en Europa, pero de la cual no nos queda ningún resto lírico verdaderamente coherente en otras lenguas. Mientras no haya nuevos descubrimientos, podemos afirmar que españoles son los testimonios cuajados y significativos de la más temprana primavera lírica de Europa.

PETER DRONKE

EL MUNDO POÉTICO DE LAS JARCHAS Y LA TRADICIÓN EUROPEA

Las jarchas hispánicas muestran una gran variedad de expresión y calidades. A un extremo hay, poéticamente, las exclamaciones y las quejas, aparentemente sin artificio, de una muchacha enamorada:

Que faray, Mamma?	¿Qué haré, madre?
Meu 'l-habib est' ad yana!	¡Mi amigo está a la puerta!
Que farayu, o que serad de mibi, ha-	¿Qué haré, o qué será de mí, amigo?
Non te tolgas de mibi! [*bibi?*	¡No te apartes de mí!

Peter Dronke, *La lírica en la Edad Media*, trad. J. M. Pujol, Seix Barral, Barcelona, 1978, pp. 109-113, 117-118.

Aman, aman, ya 'l-malih, gare
por que tu queris, bi 'llah, matare?

¡Piedad, piedad, el hermoso! Dime
¿por qué quieres, por Dios, matarme?

Como si filyol' alyenu,
non mas adormis a meu senu.

Como si fueras un extraño,
ya no dormirás más en mi pecho.

Estos cortos poemillas, ¿son acaso restos de poemas más largos perdidos? No necesariamente: como Joseph Bédier lo demostró refiriéndose a los *refrains* franceses medievales, a menudo de parecida extensión y propósito, el contexto requerido por los tales poemillas parece más bien una danza que un poema más largo: podían muy bien construirla a base de repeticiones, instrumentación y mimo, o bien, en una danza escenificada más larga, cada jarcha o *refrain* podía ser el punto central de una escena.

A otro extremo hay, entre las jarchas, algunas piezas maestras de la lírica, canciones en las que las penas de una muchacha enamorada se describen tan conmovedora e imaginativamente como lo han sido antes y después:

Garid vos, ay yermanellas,
com contenir a meu male!
Sin al-habib non vivireyu,
advolarey demandare.

¡Decidme, ay, hermanillas,
cómo contener mi dolor!
Sin mi amigo no viviré,
volaré a buscarlo.

No es cuestión, aquí, de hablar de fragmentos: la autonomía poética de la cuarteta es evidente.

Mientras solamente un reducido número de jarchas consiguen una fuerza de pasión semejante, la ingenuidad con que la muchacha canta sus sentimientos es una característica de casi todas ellas. Más que una amada es una amante activa. Así, importuna a su amado:

Meu sidi Ibrahim,
ya tu omne dolǧe,
vent' a mib
de nohte!
In non, si no queris,
yireym' a tib.
Gar me a ob
legarte!

Dueño mío Ibrahim,
oh hombre dulce,
vente a mí
de noche.
Si no, si no quieres,
iréme a ti
—¡dime adónde!—
a verte.

A veces ella le aborrece:

Ya rabb, com vivireyu
con este 'l-halaq,
ya man qabl an yusallam
yuhaddid bi 'l-firaq!

¡Ay Señor! ¿Cómo podré vivir
con este marrullero?
¡Ay de quien antes de saludar
ya amenaza con irse!

Otras veces aguijonea su deseo con la sugerencia de una nueva forma de hacer el amor:

Tan t'amaray, illa con
al-šarti
an tağma' halhali ma'
qurti!

¡Tanto te amaré, sólo con que
juntes
mi ajorca del tobillo con mis
pendientes!

Es especialmente en las canciones que la muchacha dirige a su confidente, su madre, donde puede verse hasta qué punto de complicación podían llegar sus sentimientos:

Non quero tener al-'iqd, ya mamma,
a mano hulla li.
Cuell' albo verad fora meu sidi,
non querid al-huli.

No quiero ponerme ningún collar, ma-
me basta el vestido.   [dre,
Mi señor verá mi cuello blanco
y no querrá joyas.

A un tiempo orgullo y modestia, sumisión y determinación. Véase esta otra:

Alsa-me min hali,
mon hali qad bare!
Que faray, ya 'ummi?
Faneq bad levare!

Sácame de este apuro,
estoy desesperada.
¿Qué haré, madre?
El halcón va a atacar.

La imagen del último verso (de ser cierta una lectura tan atractiva) sugiere maravillosamente la indecisión de la muchacha entre el deseo y el miedo frente al amor, atraída y aterrada a la vez.

Las cincuenta y nueve jarchas descubiertas hasta ahora proceden de moaxajas compuestas entre los años 1000 y 1150. Habiendo sido introducida la moaxaja como género literario en la España musulmana por los alrededores del año 900, no hay razón alguna que sugiera que las cancioncillas romances conocidas por los primeros compositores de moaxajas fueran por aquellos tiempos ninguna novedad. Es muy significativo que los concilios de la Iglesia protesten desde el siglo VI hasta el IX no sólo contra el hecho de cantar canciones amorosas o lascivas sino también, específicamente, contra las canciones de muchachas (*puellarum cantica*). Las jarchas pueden ayudarnos algo a comprender cómo debía de ser el panorama de la primitiva canción europea. Aun admitiendo que ciertas evoluciones formales dentro de la poesía árabe allanaran el camino de las moaxajas, fue sin duda alguna la viva y floreciente lírica estrófica romance lo que condujo principalmente a la innovación de la poesía estrófica en árabe, y más tarde en hebreo.

Así, las jarchas representan algunas veces y reflejan un tipo de canción tradicional o popular, no confinada a una élite culta o aristocrática, tal como debía ser cantada desde sus orígenes en los distintos *patois* romances. Los temas que recogen son elementales, y, como Theodor Frings demostró en su brillante conferencia en la Academia Alemana en 1949, se encuentran en las canciones de cualquier época y de cualquier pueblo. Los temas y el tono de las jarchas hispánicas se encuentran ya en unas colecciones de canciones amorosas egipcias de finales del segundo milenio antes de Cristo y en canciones chinas contemporáneas a Safo. En Pompeya, entre los antiguos *graffiti*, hay algunos descarnados mensajes amorosos, algunos de los cuales parecen reflejar un punto de vista femenino. [...] También en una pared de Pompeya se encuentran algunos versos fragmentarios de una poesía que, aunque formalmente toscos, demuestran un ingenio fresco y vibrante:

> *Amoris ignes si sentires, mulio,*
> *Magi[s] properares, ut videres Venerem.*
> *Diligo iuvenem venustum; rogo punge iamus,*
> *Bibisti, iamus, prende lora et excute,*
> *Pompeios defer, ubi dulcis est amor.*
> *Meus es...*

Mulero, si hubieras sentido el fuego del amor,
avanzarías más de prisa para ver a Venus.
Amo a un hermoso joven. Te ruego que le des a las espuelas.
Has bebido, espolea, dale a las riendas y al látigo.
Bájame a Pompeya, donde está mi dulce amor.
Eres mío...

Asimismo, muchos poetas y poetisas de la Europa medieval echaron mano de los temas antiguos y universales de las canciones amorosas femeninas, e inspirándose en ellas compusieron nuevos poemas de una variedad fascinadora. En el año 789, Carlomagno publicó una capitular ordenando que «ninguna abadesa ose abandonar el convento sin nuestro permiso, ni permita que ninguna de sus monjas lo haga ... y bajo ningún concepto les deje escribir *winileodas* o enviarlos fuera del convento». Los *winileodas* (literalmente, «canciones [cantigas] de amigo») de aquella época no se nos han conservado, pero [..., por ejemplo,] al final de una carta de una muchacha escrita en latín y dirigida a un *clerc*, [...] carta que fue copiada como modelo estilístico en un manuscrito bávaro de los alrededores de 1160, encontramos los siguientes versos en alemán:

Dû bist mîn, ich bin dîn:	Tú eres mío y yo soy tuya:
des solt dû gewis sîn.	debes saberlo perfectamente.
dû bist beslozzen	Estás encerrado
in mînem herzen:	en mi corazón;
verlorn ist daz slüzzelîn:	se ha perdido la llavecita:
dû muost immer drinne sîn.	siempre tendrás que permanecer en él.

Aquella culta dama, ¿improvisó los versos o citó un *winileod* popular? Probablemente nunca lo sabremos. En los *Carmina Burana* tampoco podemos saber si los impresionantes versos que siguen:

Gruonet der walt allenthalben.	Por todas partes verdea el bosque.
wâ ist mîn gesell alsô lange?	¿Dónde está mi amado, tanto rato?
der ist geriten hinnen.	Se ha ido a caballo.
owî! wer sol mich minnen?	¡Ay!, ¿quién me amará?

son el original de los versos en latín que van junto con ellos o una recreación posterior de éstos, o si (como me siento inclinado a creer) un único poeta, al componer para un auditorio vario de jóvenes *clercs* que sabían el latín y de muchachas que lo desconocían, los compuso a la vez conjuntamente, planeándolos como un todo.

STEPHEN RECKERT

POÉTICA MÍNIMA DE LA COPLA

Lo que de inmediato nos llama la atención en estos poemas en miniatura —oscilan entre dos y seis versos, entre doce y treinta y dos sílabas— es precisamente su brevedad. [...] He aquí una jarcha con el máximo: treinta y dos sílabas. Fue transcrita a principios del siglo XII por el más grande de los poetas hebreos medievales, Yehūdā Halevī, quien la puso en boca de una muchacha, simbolizada, a la manera oriental, en una gacela:

> Vai-se meu corachón de mib:
> *yā Rab*, ¿si se me tornarad?
> Tan mal me dóled *li'l-ḥabīb*;
> enfermo yed: ¿quánd' sanarad?

Una vez nos hemos abierto camino por entre la maleza de las palabras árabes, [no hay duda de que nos las habemos con un poema cabal, con plena entidad poética]: la mejor indicación de ello es que no cabe traducirlo, sino apenas parafrasearlo laboriosamente. El sujeto de los cinco verbos, así como el *leitmotif* del poema, es *corachón*; pero en los dos primeros versos esta palabra representa el delicado eufemismo 'amigo' (como en gallego-portugués): *ḥabīb*. Sólo en los dos versos últimos, cuando el *ḥabīb* aparece como tal, el sentido de *corachón* se vuelve literal. [...] La forma —un esquema reduplicado de afirmación > pregunta/afirmación > pregunta, donde la interrogación surge en cada caso de la afirmación previa— subraya la alternancia del paralelismo con causa y efecto en el significado: mientras «Vai-se meu corachón de mib» (verso 1) explica el dolor del corazón (3), el «quánd' sanarad?» (4) no es sino otro modo de decir «si se me tornarad?» (2). Este movimiento de ida y vuelta entre la lógica causal y la pura emoción de las preguntas retóricas

Stephen Reckert, *Lyra minima: Structure and symbol in Iberian traditional verse* [King's College, Londres], 1970, pp. 1-4. (Traducción de Julio Rodríguez-Puértolas.)

paralelas refleja de manera bien eficaz los sentimientos de la muchacha, entre el azoro y el dolor.

En otra de las jarchas transcritas por Yehūdā Halevī, aparece la misma «gacela», pero con un carácter más decidido:

> Garid vos, ai yermanelas,
> ¿cóm' contenirei meu male?
> Sin *al-ḥabīb* non vivreio:
> ¡advolarei demandare!

Si de la jarcha anterior podíamos decir que tenía un diseño zigzagueante, de ésta diríamos que tiene forma de cuadrado: tras pedir a sus hermanas gacelas que le respondan, la que habla pasa a hacer la pregunta misma, a explicar lo que ésta significa y por último —habiéndola ya formulado con claridad, al modo socrático, en su propia mente— puede deducir la respuesta que buscaba desde el primer momento.

Semejante estructura 'cuadrada' aparecerá más tarde en muchos poemas folklóricos de cuatro versos. En la otra punta del imperio árabe (donde otra nueva literatura, en el alfabeto de los conquistadores, había comenzado a desarrollarse antes que en Occidente), también, los teóricos de la copla llamada *robâ'i* —que terminaría siendo una de las formas poéticas predominantes en Persia— sostenían que su secreto técnico radicaba en darle al tercer verso un giro conceptual que permitiese al cuarto cerrar el cuadrado, saliendo así —como de hecho sucedía— por la misma puerta que habían entrado.

Sin embargo, el *robâ'i* tradicionalmente considerado como el más antiguo poema persa se comporta de distinto modo. Aquí, nos importa tanto temática como formalmente:

> *Ahu-ye kuhi: dar dasht,*   Una gacela de la montaña: por el desierto
> *che-gune davad-â!*   ¡cómo corre!
> *U na-dârad yâr; bi-yâr*   No tiene amigo; sin su amigo,
> *che-gune boyad-â?*   ¿cómo vivirá?

Esta cuarteta evoca el método más característico de comparación utilizado por la poesía tradicional. Podemos llamarlo 'equivalencia simbólica', y al recurso que emplea, 'ecuación simbólica'. Estructuralmente, consiste en un paralelismo hipotáctico de los términos figurado y real de la comparación; esta inseparabilidad del contenido simbólico y de la forma paralelística nos lleva a reconocer que el paralelismo es en sí mismo un recurso tanto comparativo como formal. De hecho, un estudioso ha podido tratarlo, sencillamente, como una forma de imagen comparativa, en la cual la yuxtaposición de afirmaciones sintácticamente semejantes implica su semejanza o equivalencia en otros aspectos.

La copla típica —sea un *robâ'i*, una seguidilla andaluza o una *quadra* portuguesa— es particularmente apropiada para hacer afirmaciones de dos versos, las cuales parecen inocentemente literales hasta que descubren su simbolismo gracias a los dos versos finales, que constituyen el término exacto de la ecuación y explican el significado 'real' del significado simbólico. Eso es lo que más o menos ocurre en el *robâ'i* citado, salvo en la asimetría ingeniosamente creada en el tercer verso por el patético aparte «no tiene amigo». Sin embargo, una vez que un símbolo se ha hecho suficientemente conocido —como es el caso de la gacela para todo aquel familiarizado con la tradición poética del Islam—, es posible dar un paso más allá de la ecuación simbólica normal, omitir totalmente, por economía, el término apropiado y utilizar sólo el símbolo. En efecto, la que se maneja en nuestro *robâ'i* es esa técnica de la «sustitución simple», cuya comprensión depende de un conocimiento previo del símbolo en cuestión. Tanto el desierto como la loca carrera de la gacela (al igual que el movimiento de ida y vuelta o el vuelo para buscar al amante, en las jarchas) reflejan la angustia de la muchacha ante la pérdida de su amigo; pero como símbolo y realidad se han fundido por completo, nos sentimos conmovidos por la queja de la joven, sin por ello olvidarnos de nuestra primera y vívida visión mental de una gacela real en un desierto real.

Eugenio Asensio

FOLKLORE Y PARALELISMO EN LA CANTIGA DE AMIGO

> *Digades, filha, mia filha velida:*
> *porque tardastes na fontana fria?*
> os amores ei;
> *digades, filha, mia filha louçana:*
> *porque tardastes na fria fontana?*
> os amores ei;
>
> *Tardei, mia madre, na fontana fria,*
> *cervos do monte a augua volvian:*
> os amores ei;
> *tardei, mia madre, na fria fontana:*
> *cervos do monte volvian a augua:*
> os amores ei;
>
> *Mentir, mia filha, mentir por amigo;*
> *nunca vi cervo que volvess'o rio:*
> os amores ei;
> *mentir, mia filha, mentir por amado;*
> *nunca vi cervo que volvess'o alto:*
> os amores ei. [...]

En el poema de Meogo el diálogo de madre e hija está formado por tres elementos: *a*) madre que pregunta el motivo de la tardanza de su hija en la fuente; *b*) hija que alega una excusa ambigua con un sentido literal y otro simbólico; *c*) réplica de la madre, que no acepta la semántica literal y pone al desnudo el referente del objeto simbólico. Este diseño ha sido seguido con fidelidad en una serie de canciones recogidas en el siglo pasado por folkloristas franceses, en las cuales unas veces aparece el erótico ruiseñor, otras, con prosaica racionalización, el pato.

La presencia del ciervo no es una mera variación caprichosa de Meogo. De su importancia se percató A. F. G. Bell, quien de ella

Eugenio Asensio, *Poética y realidad en el cancionero peninsular de la Edad Media*, Gredos, Madrid, 1970², pp. 49, 51-53, 78, 80.

dedujo que su autor «era un judío o, al menos, estaba familiarizado con el lenguaje e imaginería oriental del Antiguo Testamento» y lo relacionó con su condición de monje, denunciada por el apellido *Meogo*. Livianas bases para tan pesado edificio. El ciervo, símbolo fálico, pertenece a la más típica herencia del paganismo hispánico. El obispo de Barcelona, Paciano, a fines del siglo IV menciona la costumbre de «cervulum facere» «hacer el ciervito»; según San Jerónimo, Paciano había escrito un libro entero, *Cervus*, deplorando la costumbre de revestirse de pieles de ciervo para entregarse a prácticas inmorales. El antiguo homiliario hispánico (British Museum, manuscrito Add. 30845) en el *sermo in caput anni* censura *turpissimam consuetudinem de anniculam vel cervulum exercere* y pregunta retóricamente: «*Quis enim sapiens credere poterit inveniri aliquos sapientes qui cervulum facientes in ferarum se velint habitus commutari? Alii vestientur pellibus pecudum, alii adsumunt capita vestiarum* ...» [«¿Qué persona inteligente podrá creer que se encuentren algunos hombres cuerdos que, haciendo el ciervito, quieran cambiar su aspecto por el de fieras? Unos se visten con pellejos de oveja, otros se ponen cabezas de bestia ...»]. Tentador es el relacionarlo con el ciervo que, figurando al amigo, aparece en los versos hebreos que preceden a una jarcha mozárabe: «Cuando el ciervo ha venido a llamar a su puerta, ella, desde el cuarto, alza la voz y dice a su madre: ʿQue faray mama/meu lhabib est ad yanaʾ».

Las cantigas de Meogo revelan, a mi ver, un proceso por el que seguramente pasaron otros motivos: fases y estados intermedios de un relato poético en vía de asimilación a la cantiga de amigo. [...]

La poesía de cuño popular maneja preferentemente formas de paralelismo abierto. El núcleo simplicísimo o estrofa de cabeza engendra nuevas estrofas empalmadas mediante la anáfora de la frase inicial y caracterizadas por la reiteración de los giros emocionalmente cargados. La repetición pura y simple no satisface a una estética cada vez más refinada. La eficacia del poema aumenta cuando la repetición sirve de marco a la variación o cuando al lado del concepto positivo se coloca, a modo de claroscuro, el concepto negativo, o cuando, manteniendo idéntica la frase, se altera el orden y el ritmo. [...]

Ordinariamente el dístico de base remata en palabras castizas, rituales, que traen de la mano la rima alternamente. [...] El segundo dístico reproduce el primero, sin más modificación que el relevo de la palabra rimante por un sinónimo consagrado: *salido / levado, amigo / amado*. En las canciones de aire antiguo predominan las asonancias alternantes *io-ao*, condicionadas por los finales favoritos: *amigo / amado, rio / alto, navio / barco, pino / ramo*. Siguen de cerca las asonancias *ia-aa*, acarreadas por los remates *amiga / amada, velida / louçana, fremosinha / ben talhada*. Las parejas sinonímicas ocupando su sitio estratégico al cabo de los versos desempeñan doble misión: la de facilitar la alternancia y la de recordarnos que nos hallamos en los dominios de la cantiga de amigo, dentro de un cerco poético convencional. (No de otro modo que el *ay* prolongado y vocablos como *serrana, quereres, gitano* nos sitúan en la canción andaluza.) El colorido se convierte en pátina cuando las palabras rimantes conservan una fonética arcaica ya superada por la evolución de la lengua: *louçana, vado, fontana, pino, salido*.

MARGIT FRENK ALATORRE

IMAGEN Y ESTILO EN EL VILLANCICO

Salvo pocas excepciones, las jarchas se mueven en un estrecho recinto, el recinto de los sentimientos —de ciertos sentimientos— de la mujer. Todo ocurre dentro de ella; no hay, casi, situación exterior. Ni una alusión a la naturaleza, que en las *cantigas d'amigo* y los villancicos amorosos es presencia constante; tampoco ese ambiente «estrictamente urbano» que veía Spitzer [1955]: la calle se siente tan poco como el campo. Lo único verdaderamente tangible en la mayoría de las jarchas son los sentimientos del *yo* que habla y la presencia muda de sus interlocutores; sobre todo la del objeto de su preocupación: el amado, cuya actitud y conducta suele reflejarse en el espejo del monólogo.

En este clima abstraído del mundo exterior los nombres de persona —aparecen en seis textos— están como fuera de sitio, pues

Margit Frenk Alatorre, *Entre folklore y literatura (lírica hispánica antigua)*, El Colegio de México, México, 1971, pp. 55-63.

introducen un elemento anecdótico y concreto allí donde todo es vago y general. Lo es también el espacio y lo es el tiempo, casi siempre proyectado hacia el futuro —dolorida o jubilosa, la actitud de la mujer es básicamente de espera y deseo—, pero un futuro impreciso, intemporal.

[En los villancicos castellanos], las imágenes tomadas de la naturaleza suelen ser mucho más que un mero elemento decorativo: suelen estar cargadas de un valor simbólico, quizás inconsciente, que hunde sus raíces en un fondo común de la humanidad. Esos símbolos «arquetípicos» surgen una y otra vez, como por sí solos.

> Enbiárame mi madre
> por agua a la fonte fría:
> vengo del amor ferida.

En la poesía folklórica de muchos países y épocas la fuente es el lugar donde se encuentran los amantes, y esto no es por mero azar. «La fuente —ha dicho Eugenio Asensio— es un símbolo cargado de intrincadas sugerencias, en las que domina la idea de renovación y fecundidad.» Así el cantarcillo

> A mi puerta nasce una fonte:
> ¡por dó saliré que no me moje!

nos traslada a regiones recónditas del alma humana. En otro cantar los amantes se lavan mutuamente la cara, símbolo de su unión erótica: «En la fuente del rosel / lavan la niña y el donzel. // En la fuente de agua clara / con sus manos lavan la cara. / Él a ella y ella a él / lavan la niña y el donzel». [...] Relacionado con este conjunto de símbolos está el de lavar la camisa del amado, «rito que simboliza una mágica intimidad con él» (E. Asensio): «A mi puerta la garrida / nasce una fonte frida, / donde lavo la mi camisa / y la de aquel que yo más quería».

Igualmente arraigada en el «subconsciente colectivo» está la identificación del amor con el mundo vegetal. La primavera hace florecer los amores a la par de las plantas: «Ya florecen los árboles, Juan, / mala seré de guardar ...». Una doncella sueña un sueño misterioso: que le «floreçía la rosa, / el pino so ell agua frida», símbolos de amor y fecundidad. Los amantes se encuentran en un jardín florecido:

> Yo m'iva, mi madre,
> las rrosas coger,
> hallé mis amores
> dentro en el vergel.

«Las rosas coger»: otro símbolo antiquísimo y universal que, convertido en cliché, pierde mil veces su original sentido. La rosa es la doncellez (o la doncella misma); el hombre la «corta» (desflora la planta), o la muchacha se la ofrece; menos directamente, la muchacha corta flores para darlas a su amigo. Los frutos desempeñan el mismo papel: «Por las riberas del río / limones coge la virgo ... / para dar al su amigo».

Pero toda entrega amorosa encierra un peligro: hay que pagar por ella. Y esta idea se expresa con un símbolo varias veces repetido: el de la prenda que debe darse a cambio de las flores o frutas hurtadas: «Entrastes, mi señora, / en el huerto ageno, / cogistes tres pericas / del peral del medio, / dexaredes la prenda / d'amor verdadero». [...] La naturaleza también desempeña un papel predominante en las metáforas, que debemos distinguir de los símbolos, aunque a veces se entrecruzan con ellos. Son pocas las que hay en la antigua lírica de tipo popular, y la mayoría consiste en una simple comparación: «Mis penas son como ondas del mar, / qu'unas se vienen y otras se van ...», o este casi refrán: «Más prende amor que la çarça, / más prende y más mata». (A su parentesco con el refranero debe la lírica popular algunas imágenes de doble fondo: «Porque duerme sola el agua / amaneze elada».)

La comparación puede establecerse por medio de un paralelismo:

> Quebrántanse las peñas
> con picos y açadones,
> quebrántase mi coraçón
> con penas y dolores.

O, dando un paso más hacia el lenguaje figurado: «Lávanse las casadas / con agua de limones; / lávome yo, cuitada, / con ansias y dolores». Otra traslación, derivada de la asociación del amor con el mundo vegetal:

> Dame del tu amor, señora,
> siquiera una rosa;

> dame del tu amor, galana,
> siquiera una rama.

La identificación de la amada con una planta condujo a una de las poquísimas metáforas en que la idea básica encarna plenamente en una imagen concreta y se funde con ella:

> Arrimárame a ti, rosa,
> no me diste solombra.

El desamparo expresado en una breve e intensa imagen poética. [...]
¿Dónde está, por ejemplo, el secreto de la intensidad que emana de tantos cantarcillos? Intensidad, tensión, énfasis.

> No puedo apartarme
> de los amores, madre,
> no puedo apartarme.

Suprimamos el tercer verso, que no añade nada al sentido. El efecto es otro; queda la aseveración pura, neutral. La carga de pasión parece descansar sobre todo en la repetición, al final, de las primeras palabras. El poeta acentúa con la repetición el elemento subjetivo «no puedo apartarme» y hace pasar a segundo término el resto de la frase; pero a la vez toda ella se contamina con la intensidad que emana de la repetición: el cantarcillo entero ha subido de tono. [...]
Hay cantarcillos que consisten en dos o tres palabras varias veces repetidas: «So ell enzina, enzina, / so ell enzina», «Vayámonos ambos, / amor, vayamos, / vayámonos ambos», «Trébol florido, trébol, / trébol florido», «Anda, amor, anda, / anda, amor».
Un efecto análogo y a la vez diferente nos producen los cantares que repiten las primeras palabras variándolas: «Vos me matastes, / niña en cabello, / vos me avéys muerto», «En Ávila, mis ojos, / dentro en Ávila», y aquellos pareados cuyo segundo verso repite los elementos del primero invirtiéndolos, a veces con alguna alteración o supresión: «Del amor vengo yo presa, / presa del amor», «Del rosal vengo, mi madre, / vengo del rosale», «Por el río me llevad, amigo, / y llevádeme por el río». Subsiste el énfasis, aunque ya sin el efecto de martilleo que produce la repetición textual. [...]
El goce en la repetición es tan característico como el empleo de giros fijos: la continua invocación a la *madre*, el llamar a la amada

o al amado *mis ojos, mi vida, mi alma, vida de mi vida,* y hablar de *mi lindo amigo, mi buen amigo, mi lindo (dulce, buen, garrido) amor;* el *atán garrido y atán lozano;* el *¿qué haré?* y *no puedo olvidar;* el *agora viene,* o *irme quiero,* o *vámonos,* o *viera estar;* la *noche escura,* las *riberas de aquel río,* y tantos otros. Con ellos hay que asociar los personajes preferidos: la *niña virgo* o *niña dalgo* o *niña en cabello,* la *doncella,* la *serrana* y la *pastora,* la *moza* o *mozuela* o *zagala,* la *morena,* la *señora* y *dama,* la *casada* o *malcasada;* el *caballero,* el *marido,* el *barquero, pastor, villano.* También los nombres que suelen adoptar los personajes: *Catalina, Isabel, Juana, Leonor* y *María,* o *Juan, Pedro;* y los lugares predilectos: *Sevilla, Granada, Castilla, España...* [...]

Pero volvamos al «No puedo apartarme...». Hemos visto cómo la repetición de esas palabras al final de la frase origina un cambio de tono, dando de pronto carácter enfático a lo que era una simple aseveración sin especial carga afectiva. En un extenso grupo de cantares se logra un efecto parecido por medio de un procedimiento distinto: el empleo de una frase enfática —exclamación o interrogación— después de un comienzo en tono reposado:

> Madre mía, amores tengo:
> ¡ay de mí, que no los veo!

> Si eres niña y has amor,
> ¿qué harás quando mayor?

3. EL «CANTAR DE MIO CID» Y LA ÉPICA

Son escasos los cantares de gesta de la España medieval que han llegado hasta nosotros. El material conservado es muy poco en comparación con su equivalente francés (unos 8.000 versos en español, un millón en francés), pero la existencia de otras muchas epopeyas puede rastrearse en crónicas y romances, y gracias a unas y otros conocemos el argumento detallado de media docena de poemas, de los que incluso a menudo es posible reconstruir versos enteros. Afortunadamente, la más importante muestra de la épica española —y sin duda una de las más importantes de toda la épica europea— sobrevive en un manuscrito casi completo: se trata del *Cantar de Mio Cid*. Personalmente (y aunque se trata de una cuestión muy discutida), opino que es obra de un poeta culto que utiliza muy generosamente las técnicas de la épica oral y que fue compuesto para ser difundido por los juglares. Esta compleja mezcla de elementos orales y cultos, por otro lado, me parece característica de la épica española.

El *Cantar de Mio Cid* representa el florecimiento de una tradición que se había iniciado aproximadamente dos siglos antes. El primer poema épico español que puede datarse con cierta aproximación es el de *Los siete infantes de Lara* (hacia el año 1000), refundido probablemente unos tres siglos más tarde; tanto la versión primitiva como esa refundición se han perdido. A pesar del monumental trabajo de Ramón Menéndez Pidal en sus *Reliquias de la poesía épica española* [1951], no hay pruebas concluyentes para demostrar la existencia de gestas anteriores, que se remonten hasta la época de la conquista musulmana y del reino visigodo. Por el contrario, sí son notables los datos que se refieren a *Los siete infantes de Lara* y a otros poemas sobre los condes de Castilla y los sucesos ocurridos en sus reinados. De *La condesa traidora* y del *Romanz del infant García*, así como del *Cantar de Fernán González*, no conocemos sino referencias de segunda mano, pero en cambio sobrevive la mayor parte de una refundición: el *Poema de Fernán González*

(h. 1250), escrito en el verso culto de la *cuaderna vía* por un monje de San Pedro de Arlanza.

Al ciclo de los condes de Castilla le siguió otro relativo al Cid. Además del *Cantar de Mio Cid*, conocemos, gracias a los datos proporcionados por crónicas y romances, la existencia de dos versiones del *Cantar de Sancho II*, en el que Rodrigo Díaz tenía un papel importante, y la *Gesta de las mocedades de Rodrigo* (de fines del siglo xiii). Este último poema fue refundido por un clérigo de la diócesis de Palencia (h. 1360-1370), y constituye ya un ejemplo de la decadencia de la tradición épica española.

Un tercer grupo de poemas se relaciona de diferentes modos con la *Chanson de Roland* francesa; la vinculación es muy directa en el caso del fragmento (100 versos) del *Roncesvalles*, basado en una versión de la *Chanson*. El perdido *Mainete* se inspiraba a su vez en un poema francés sobre la juventud de Carlomagno, mientras que el *Bernardo del Carpio* —también perdido— representaba una reacción contra la influencia francesa y mostraba a su héroe como victorioso oponente del propio Carlomagno.

No se sabe de poemas épicos compuestos después de las *Mocedades de Rodrigo*, pero los ya existentes siguieron circulando y acaso fueran refundidos de cuando en cuando hasta bien entrado el siglo xv, y quizás incluso más tarde. Cuando la épica, en su forma original, se fue agotando, sus temas y asuntos centrales siguieron viviendo vigorosamente en los romances y en el teatro. Incluso hoy, casi mil años después de *Los siete infantes de Lara*, sobreviven en la tradición oral algunos romances de tema épico.

El problema de los orígenes de la épica es una de las cuestiones más frecuente y vivamente debatidas, tanto en la literatura española como en otras. La dificultad fundamental consiste en que nos enfrentamos con un género difundido oralmente, y en algunos casos compuesto también oralmente, y que sin embargo sólo podemos conocer gracias a textos escritos, por lo general copiados mucho después de la época en que ocurrieron los acontecimientos narrados. Toda la etapa previa a los manuscritos existentes no puede ser conocida más que por deducciones basadas en analogías y seriamente afectadas por las convicciones de cada estudioso. Así, algunos investigadores lo atribuyen todo a la composición oral por parte de juglares, de cantores populares, mientras que otros, exactamente ante los mismos materiales, ven sólo elementos cultos. Se trata, sin duda, de puntos de vista extremos, y es cierto que la mayor parte de los estudiosos de la épica adoptan una posición intermedia; pero queda claro que el modo en que los investigadores se acercan a los datos tiene más fuerza que los datos mismos. Algunos siguen el camino marcado hace unos setenta años por Joseph Bédier al estudiar la épica francesa, si bien las aproximaciones estrictamente bédieristas son hoy raras. Otros se adhieren a las doctrinas del neotradicionalismo, sugeridas por los eruditos del siglo xix y más plenamente desarrolladas por Menéndez Pidal a comienzos del xx.

Este viejo debate ha revivido ardorosamente gracias a dos tipos de investigación que, si bien presentes de modo intermitente desde hace mucho tiempo, no han sido abordados de manera sistemática más que en los últimos decenios. El primero es el estudio de los cantares épicos compuestos oralmente en la Yugoslavia moderna, estudio reflejado en el clásico panorama de la épica universal trazado por C. M. Bowra [1952], mas en general ignorado por los hispanistas hasta que Albert B. Lord [1960], en un libro lleno de sugerencias, ofreció una descripción fácil y asequible del trabajo que su maestro Milman Parry y él mismo habían llevado a cabo en Yugoslavia. La primera aplicación de las conclusiones del Lord al Cantar de Mio Cid surgió cuando L. P. Harvey [1963] mostró que el único manuscrito existente debe proceder de un texto dictado por un juglar a un copista; sostenía también Harvey que el Mio Cid había sido compuesto oralmente. Harvey fue seguido por otros investigadores, de modo especial Edmund de Chasca, que aplicó al Cid las tres pruebas de Lord para determinar el carácter oral de un poema, atendiendo a su contenido formular, uso del encabalgamiento y composición por medio de motivos (es decir, breves unidades descriptivas) [1972, caps. 1-2, 8-10, y apéndices 2-3; 1976, caps. 3-4]; y Joseph J. Duggan [1974] llevó a cabo un detallado análisis de los elementos formulares y comparó los resultados de tal análisis con los de su trabajo anterior sobre la épica francesa. Unos pocos investigadores, sin embargo, han presentado razones convincentes que hacen dudar de que la épica española hoy conocida fuera compuesta del mismo modo que la yugoslava. Menéndez Pidal [1965-1966], en un tour-de-force intelectual, ya al final de su vida, puso de relieve significativas diferencias entre las tradiciones épicas española y yugoslava. Señalaba Menéndez Pidal de modo especial el papel mucho más importante del recurso a la memoria —frente a la improvisación— en la tradición española; algo semejante se ha dicho sobre la épica religiosa de la India [J. D. Smith, 1977], en un artículo reciente que hace que se tambaleen las bases teóricas de las conclusiones de Lord. El análisis de Margaret Chaplin [1976] muestra que el contenido formular de la épica española es mucho menor que el de los poemas yugoslavos, así como que en el Cantar de Mio Cid la composición por medio de motivos se utiliza de manera muy singular. Las dudas manifestadas por Menéndez Pidal y por Chaplin se han visto reforzadas al estudiarse recientemente el tema de las influencias cultas en los orígenes de la épica. Un pionero artículo de P. E. Russell [1956], tan ajeno a las opiniones generalmente aceptadas que fue completamente desatendido por los críticos neotradicionalistas, mostraba que el poeta del *Mio Cid* estaba considerablemente versado en documentos y prácticas legales. Pocos años después [1958], el propio Russell ponía de relieve la existencia de algunas coincidencias intrigantes entre el *Cantar* y el culto al sepulcro del Cid en el monasterio de San Pedro de Cardeña. Desde entonces, el camino iniciado por Russell ha sido seguido por otros investigadores, sobre todo británicos. Algunos, como Colin Smith [1975], han explorado las fuentes literarias del *Cid*, aunque los problemas de cronología y de accesibilidad de los supuestos modelos, así como la dificultad para distinguir una fuente de una analogía, han retrasado los progresos en esa dirección. Más éxito ha tenido el estudio de las actitudes legales y administrativas patentes en el *Cantar*: Smith [1977 a (en *Studies*)] y David Hook [en prensa] han reunido pruebas que hacen difícil imaginar que el autor del *Cantar de Mio Cid* fuera un juglar iletrado. Con todo, en el estilo del poema aparecen rasgos orales inequívocos, y Thomas Montgomery [1977] ha ampliado el trabajo de los anteriores especialistas en tradición oral con un análisis que él mismo admite es más subjetivo que estadístico, pero que, a pesar de ello, parece bastante convincente. Todo conduce a pensar que el único modo de reconciliar los diferentes indicios no es otro que postular la existencia de un poeta culto que maneja las técnicas de la tradición oral y que escribe para un público que escucha, antes que para unos lectores. Lo mismo parece ser válido no sólo para el *Mio Cid*, sino también para otros poemas: yo mismo [1969] he mostrado que este es el único camino posible para explicar los rasgos en otro caso desconcertantes de las *Mocedades de Rodrigo*. Un poema más obviamente culto como es el de *Fernán González* tiene también rasgos orales. Al llegar aquí es preciso señalar un reciente e importante descubrimiento de John S. Miletich. En efecto, en un trabajo (de próxima publicación) sobre el estilo repetitivo, Miletich ha encontrado que el *Cantar de Mio Cid* difiere rotundamente de los poemas yugoslavos estudiados por Lord, y que, por el contrario, se parece mucho a otros poemas también yugoslavos que se sabe han sido compuestos por autores cultos en el estilo tradicional (véase el resumen de Miletich [1977-1978]).

Si la cuestión de las fuentes de la épica española se lleva más allá de la estricta relación literaria entre las diferentes obras, y si se tiene en cuenta la dependencia de éstas respecto de otras tradiciones, nos encontramos con avances considerables que será preciso tener en cuenta. John K. Walsh [1974] ha descubierto semejanzas sorprendentes entre ciertas escenas de las gestas y algunos relatos de martirios de la liturgia medieval, y Galmés [1978] ha ponderado los contactos con la narrativa árabe de tipo épico-caballeresco. El folklore, por otro lado, ha adquirido una importancia creciente en los estudios épicos: Margaret Chaplin y yo [1972] hemos documentado la presencia de motivos folklóricos en buen número de gestas, y Douglas Gifford [en *Studies*, 1977] —superando el escepticismo inicial que tal idea puede provocar— ha mostrado que las coincidencias entre la afrenta de Corpes y los *Lupercalia* romanos son demasiado grandes como para que puedan considerarse como mera casualidad. La vindicación de otra hipótesis en apariencia extraña ha sido felizmente lograda por Adrián G. Montoro [1974], que encuentra en varios poemas épicos la estructura tripartita presente en la primitiva cultura indoeuropea.

En efecto, las gestas españolas no han dejado de ser examinadas en sus posibles relaciones con otras epopeyas, incluso de más allá de los Pirineos. Erich von Richthofen [1954, 1970, 1972], uno de los escasos hispanistas todavía formados en la vieja y rica tradición alemana, ha utilizado un extraordinario abanico de lecturas para fijar los paralelismos de varios poemas españoles (especialmente el *Mio Cid*, *Los siete infantes de Lara* y *La condesa traidora*) con otros poemas y sagas de Francia, Alemania y Escandinavia. H. Salvador Martínez [1975], discípulo de Richthofen, ha mostrado la importancia de varias tradiciones de la épica latina —antigua y medieval— respecto a los poemas vernáculos españoles. La relación entre los diversos cantares de gesta, por un lado, y, por otra, la forma en que se han desarrollado los ciclos épicos piden ahora más atención, que será sin duda fructífera después del clásico estudio por Martín de Riquer [1959] de la relación del *Roncesvalles* y *Los siete infantes de Lara*; y yo mismo he llevado a cabo una investigación exploratoria sobre tales asuntos [1976]. Este problema se halla relacionado con el de los orígenes de la épica, ya que es muy posible que los poemas perdidos del ciclo más primitivo, el de los condes de Castilla, fueran compuestos oralmente y establecieran el modelo para los ciclos posteriores. No es necesario suponer que *Los siete infantes de Lara*, pronto perdido en su forma original, fuera el primer poema épico español, pero sí que fue, probablemente, uno de los primeros, al igual que seguramente se compuso de un modo bastante similar al de las canciones yugoslavas estudiadas por Lord. Y es también plausible pensar que en este caso el poema (sobre cuyo fondo histórico traen novedades Ruiz Asencio [1969] y Pérez de Urbel [1971]) precedió a los cultos sepulcrales asociados con la leyenda de los Infantes, mientras que en otros poemas del mismo ciclo y de otros posteriores los cultos parecen haber precedido a los poemas (así en San Pedro de Cardeña, San Salvador de Oña, San Pedro de Arlanza y en otros lugares).

La crítica literaria ha hecho posibles también nuevos vislumbres en la evolución de los sucesivos cantares sobre un mismo tema. El *Cantar de Mio Cid* es tan peculiar, tan diferente de la mayoría de los poemas épicos españoles y extranjeros (Smith [1977 *a*], en *Studies*), que, pese a los esfuerzos de Jules Horrent [1974], en mi opinión no puede considerarse fácilmente como el producto final de una serie de refundiciones; hay incluso quienes de modo general niegan que pudieran existir versiones sucesivas de otros poemas. Sin embargo, los artículos de John G. Cummins [1976] sobre *Los siete infantes de Lara* y de Charles F. Fraker [1974] sobre el *Cantar de Sancho II* no solamente muestran que tales versiones existieron, sino que llegan a aclarar el modo en que los poetas trabajaron.

El desplazamiento de la atención desde lo histórico a lo literario, ya propugnado por W. J. Entwistle hace casi medio siglo, se produjo con lentitud, pero ahora parece irreversible. El mérito de tal desplazamiento corresponde sobre todo a Dámaso Alonso [1941], cuyo brillante artículo sobre el *Mio Cid* mostraba lo que la crítica literaria podía hacer por la épica española, y a Leo Spitzer [1948], que además asestó a la supuesta historicidad del *Mio Cid* un golpe del que nunca volvió a recuperarse. La réplica de Menéndez Pidal [1949] admitía lo esencial de las opiniones de Spitzer, y si bien en sus posteriores publicaciones don Ramón volvió a sus planteos historicistas, el trabajo de otros investigadores tiene ya un tono quizá predominantemente spitzeriano. En este sentido, los estudios más notables son los de Jules Horrent [1974], Louis Chalon [1976] y Alberto Vàrvaro [1971], que muestran lo valiosas que pueden ser las comparaciones entre los sucesos históricos y las ficciones literarias, una vez logrado un auténtico equilibrio entre unos y otras. El trabajo de Chalon [1976] va más allá de los límites del *Mio Cid*, al tratar de la relación que existe entre la historia y otros varios poemas épicos. En ese terreno se basó la reputación inicial de Menéndez Pidal más de ochenta años antes; la última edición de su libro sobre *Los siete infantes de Lara* [1896, 1934, 1971] muestra la gradual evolución de los puntos de vista de don Ramón, pero bien podría ocurrir que su primera y clásica edición sea la más valiosa, por la cautela del enfoque y las conclusiones.

Los estudiosos del *Cantar de Mio Cid* disponen ahora no sólo de ricos materiales críticos y de investigación, sino también de dos importantes obras generales y de varias y excelentes ediciones. Las dos obras en cuestión son de Edmund de Chasca, representan la culminación de veinticinco años de continua dedicación al *Cantar* y constituyen el más sistemático *corpus* de crítica que poseemos sobre el *Cid*. En su libro de 1972, De Chasca parte de la teoría oral-formular, y, como hemos visto, hace una contribución sustancial al debate; pero su principal valor reside en los extensos y penetrantes comentarios que dedica al estilo y la estructura del poema. En otro volumen [1976], De Chasca se dirige a un público más amplio, y ofrece una introducción al poema en que trata la mayoría de los temas fundamentales. Menos extensos pero igualmente valiosos son los panoramas que preceden a las ediciones de Ian Michael [1976] y de Colin Smith [1976]. Más por casualidad que por otra cosa, ambos se complementan de modo bien útil: la introducción y las notas de Michael se ocupan más de problemas textuales, geográficos y estructurales, mientras que Smith se concentra especialmente en el fondo histórico y en el estilo del poema. Los textos preparados por ambos tienen un carácter mucho más conservador que el de Menéndez Pidal, de modo que por vez primera el lector no especializado se enfrenta con un texto realmente cercano al del único manuscrito del *Cantar de Mio Cid*. La importancia del cambio —sin duda, saludable— es tanta como la del paso de un enfoque casi exclusivamente histórico a otro en buena medida literario. Complemento necesario a toda edición de un gran texto medieval es sin duda una concordancia, y ésta ha sido preparada por Franklin M. Waltman [1972] con la ayuda de una computadora, en un trabajo de gran utilidad, aunque no siempre irreprochable.

Quién fuera el autor del *Cantar de Mio Cid* viene siendo discutido desde hace mucho, y es problema todavía no resuelto. La aceptación general de las teorías de Menéndez Pidal (composición por un juglar laico sin interés por los asuntos eclesiásticos; fidelidad a la historia; origen en la primera mitad del siglo XII) quedó en parte debilitada por las nuevas investigaciones y en parte también por el rechazo que el propio Menéndez Pidal hizo de una de sus ideas básicas, la del autor único. La argumentación sobre la que se sustenta la teoría de los dos autores [1961] no es particularmente convincente, y parece ya bastante claro que la idea original de don Ramón estaba mejor fundada; un último estudio de Oliver T. Myers [1977] refuerza la tesis de la autoría única. También ha provocado discusiones la personalidad del autor, tanto entre los partidarios de la tesis popular y los de la culta (debate relacionado con el de la composición oral o escrita), como entre quienes aceptan que el autor sea el Per Abbat que aparece en el verso 3.732 (al cual se intenta identificar con varias personas de igual nombre que figuran en diversos documentos) y quienes le consideran como un simple copista. La identificación más plausible es la hecha por Colin Smith [1977 *b*], pero aún se resiente del hecho de que el manuscrito dice que Per Abbat «escrivió» el poema (y normalmente «escribir» significaba 'copiar'). Por lo que se refiere a otros aspectos de la controvertida autoría, como la fecha del poema y el territorio en el cual y para el cual fue compuesto, la opinión en auge señala una fecha de composición tardía (a menudo, y con buenas razones, se da la fecha de 1207 como la más probable) y un origen burgalés. La tendencia a retrasar la fecha de hacia 1140 inicialmente propuesta por Pidal comenzó con los artículos de Russell [1952, 1958], y ha sido reforzada desde varios puntos de vista por Ubieto Arteta [1957 y 1972], Michael y Smith (el resumen de Derek W. Lomax [1977] llega, con precauciones, a idénticas conclusiones); y Rita Hamilton [1962] y Michael han insistido en lo que se refiere a situar el texto en la región de Burgos. Con todo, muchos investigadores sostienen todavía la opinión tradicional, según la cual se trataría de un poema de la primera mitad del siglo XII compuesto en la zona de San Esteban de Gormaz o de Medinaceli.

Menos controvertido es el tema mismo del *Cantar*, si bien los críticos suelen estar en desacuerdo básicamente por lo que se refiere a la importancia relativa de los varios temas subordinados al tema central del honor del Cid (aludo a temas secundarios, por ejemplo, como el de las bodas de las hijas de Rodrigo Díaz). Las aportaciones más notables han sido, probablemente, las de E. de Chasca [1972, 1976], Peter N. Dunn [1962] y Thomas R. Hart [1962]. Tema y fondo histórico se unen hasta un cierto punto en la obra crítica de los tres, pero de modo mucho más obvio en el polémico estudio de Rodríguez-Puértolas [en Deyermond, 1977] sobre el *Cantar* como propaganda socio-política, y en el más cauto artículo de Nilda Guglielmi sobre la movilidad social en el poema [1967]. El tema se halla también, inevitablemente, unido a la estructura. A la luz de distintos análisis recientes (Salinas [1947]; De Chasca [1972]; Deyermond [1973]; Hart [1977]), queda claro que el *Cantar* fue planeado con gran cuidado y sutileza; la estructura refuerza el tema, y los esquemas estilísticos y estructurales, a su vez, se apoyan entre sí. Varios aspectos estilísticos han sido tratados por Dámaso Alonso [1941], De Chasca [1972], Deyermond [1973], Gilman [1961, 1972], Eleazar Huerta [1948] y Salinas [1947]. La impresión general que se desprende de estos ensayos es que el estilo del poema, al igual que su estructura, está cuidadosamente elaborado; no es posible dejar de sentir admiración creciente no sólo por el poeta, sino también por su público, que debió de ser capaz de reaccionar más rápida y sensitivamente que el público moderno ante un espectáculo (cf. Montgomery [1977]). Ha habido también estudios sobre aspectos más especializados del estilo del *Cantar*. Así, Smith y Morris [1967] han puesto a contribución abundantes referencias de otras fuentes y pasajes del *Cantar* que aclaran giros por el estilo de «llorar de los ojos». El libro de Colin Smith [1977] recién aparecido, junto a otros temas, subraya otro importante rasgo estilístico: el empleo de las expresiones binarias. Por otro lado, contamos con una comparación entre la lengua del poeta y la de los cronistas alfonsinos hecha por

Antonio Badía Margarit [1961]; una clásica investigación sobre el modo en que el poeta utiliza los epítetos épicos (Hamilton [1962]), y el más logrado intento realizado hasta la fecha para enfrentarse con el difícil problema del uso fluctuante de los tiempos verbales (Montgomery [1967-1968]) (véase también capítulo 8). La versificación, asunto muy discutido por los primeros investigadores, ha atraído relativamente poco a los estudiosos posteriores, que la utilizan sobre todo como apoyatura para otros propósitos (por ejemplo, L. P. Harvey [1963], Menéndez Pidal [1961]).

Otro aspecto del arte del poeta que ha sido fructíferamente abordado es el retrato de los personajes (las exhaustivas investigaciones de Menéndez Pidal clarificaron casi todos los problemas relativos a la identificación histórica de las figuras que intervienen en el Cantar, y si bien ciertas lagunas han sido colmadas recientemente por Smith [1976], páginas 335-352). En este sentido, es grande el logro de Hart [1956], cuyo estudio de los infantes de Carrión a la luz de la moderna psicología ilumina los personajes y la acción sin caer en la trampa del anacronismo. Después de este artículo, Hart ha aplicado otros métodos también con buen éxito [1962, 1977]. Quizás a causa del ejemplo sentado por Hart, pero también porque los infantes son con toda probabilidad los personajes más enigmáticos del poema, éstos han sido objeto de la mayor atención, y el trabajo más reciente dedicado a los mismos se ocupa de algo que hasta el momento los críticos sólo habían aceptado con muchas reservas: el cambio experimentado por los infantes al final del poema, cuando su ridícula cobardía es sustituida por un aceptable grado de coraje y valentía, en el episodio de los duelos (Walsh [1976-1977]).

Hemos aludido ya a algunos aspectos de la crítica y de la investigación relativas a otras gestas, pero todavía quedan cuestiones por tratar. Por ejemplo, la relación entre los cantares —especialmente los perdidos— y las crónicas ha sido estudiada por extenso desde que Menéndez Pidal sentara las bases para ello en La leyenda de los infantes de Lara [1896], pero se precisan más trabajos sobre las implicaciones literarias de esa relación (véase Cummins [1976], Fraker [1974] y D. G. Pattison [1977]). Por lo que se refiere a los textos que han sobrevivido, disponemos de recientes ediciones paleográficas, así como críticas, de las Mocedades de Rodrigo (Deyermond [1969], pp. 221-277; Menéndez Pidal [1951], pp. 257-289); Jules Horrent [1951 b] ha preparado una magnífica edición del fragmento de Roncesvalles, con un completo aparato crítico y detallados estudios. Existe una útil edición del Poema de Fernán González hecha por Alonso Zamora Vicente [1946 y 1954] sobre la publicada en 1904 por Marden. Se pensó en cierto momento que la edición de Marden había quedado superada por la de Menéndez Pidal [1951, pp. 34-180], pero el texto crítico de don Ramón depende de una visión de las crónicas alfonsinas que, a la luz de las investigaciones de Diego Catalán [1963], no es muy de fiar. El texto paleográfico, que aparece al pie de cada página, es, sin duda, valioso, al igual que muchas de las notas, pero se necesita con urgencia una nueva edición que incorpore los resultados de los trabajos más recientes sobre el *Poema de Fernán González*, edición que habría de tener en cuenta el análisis de J. P. Keller [1957] sobre la estructura de la obra (quizás algo exagerado, pero todavía útil), el trabajo de Juan Bautista Avalle-Arce [1972] acerca de las relaciones existentes entre el *Poema* que ha llegado a nosotros y el perdido *Cantar de Fernán González*, o el sugestivo análisis de J. Gimeno Casalduero [1968].

De los otros dos poemas épicos existentes, el fragmento de *Roncesvalles* fue tratado de modo casi definitivo por Horrent [1951 *b*], quien preparó, además de dicha edición, un monumental estudio sobre la tradición de la *Chanson de Roland* en España [1951 *a*]. No quedaba, pues, mucho que hacer, pero después aparecieron algunos estudios, el mejor de los cuales es el de Riquer [1959] (cf. también Webber [1966]). Las *Mocedades de Rodrigo*, poema mucho más extenso y que plantea más problemas, requiere por lo mismo examen desde diversas perspectivas. Yo mismo [1969] estudié su trasfondo y llegué a la conclusión de que, contrariamente a lo que solía pensarse, se trata de una obra de propaganda eclesiástica. Es una conclusión que, según creo, no ha sido discutida, por lo que quizá sea razonable pensar que el punto de vista neotradicionalista ha sido tácitamente abandonado a este propósito. Raymond S. Willis [1972] ha presentado más pruebas de los orígenes cultos de las *Mocedades de Rodrigo*, y Samuel G. Armistead [1963-1964] —en la única aproximación literaria al poema publicada hasta ahora— ha demostrado que se introducen en él grandes cambios con relación a la estructura heredada de su fuente original, la perdida *Gesta de las mocedades de Rodrigo* (véase ahora Armistead [1978]).

De los poemas perdidos, o sólo parcialmente reconstruidos, únicamente *Los siete infantes de Lara* y el *Cantar de Sancho II* han sido objeto de investigaciones de importancia en los últimos decenios, si bien ha habido al menos una buena tesis (aún inédita) sobre *La condesa traidora*. Los poemas perdidos del ciclo carolingio, *Bernardo del Carpio* y *Mainete*, sólo han recibido breves y ocasionales comentarios; desde los seminales estudios de Entwistle y Menéndez Pidal han pasado ya casi cincuenta años, y, por lo tanto, se necesitan más trabajos sobre ellos. *La condesa traidora* y el *Romanz del infant García*, examinados con cierta amplitud por Menéndez Pidal hace mucho tiempo, han sido estudiados dentro de las obras generales sobre la épica, especialmente por Chalon [1976], pero hemos llegado ya a un punto en que son muy deseables nuevas y completas monografías. Lo mismo puede decirse del *Cantar de Sancho II*, puesto que la tesis de Carola Reig [1947], si bien útil como punto de partida, tiene ya un aire anticuado. Incluso *Los siete infantes de Lara* se beneficiarían de una nueva y amplia aproximación en forma de libro, no para sustituir el clásico trabajo de Menéndez Pidal, sino para complementarlo con un punto de vista moderno acerca de este poema perdido (empresa que sólo parcialmente consigue Acutis [1978] con su enfoque semiológico).

Se ha trabajado más sobre la épica que sobre cualquier otro aspecto de la literatura medieval española, y la extensión nada chica de la presente introducción y de la bibliografía que la acompaña refleja el gran interés de la crítica acerca del tema. Con todo, queda lugar más que suficiente para nuevas indagaciones.

BIBLIOGRAFÍA

Para una bibliografía más amplia, véanse en especial Deyermond [1977], Magnotta [1976], y también el *Bulletin Bibliographique de la Société Rencesvals (pour l'étude des épopées romanes)* y *Olifant* (boletín de la sección norteamericana de la Société Rencesvals).

Acutis, Cesare, *La leggenda degli Infanti di Lara. Due forme epiche nel Medioevo occidentale*, Einaudi, Turín, 1978.

Alonso, Dámaso, «Estilo y creación en el *Poema del Cid*», *Escorial*, III (1941), pp. 333-372; reimpr. en *Ensayos sobre poesía española*, Revista de Occidente, Madrid, 1944, pp. 69-111, y en sus *Obras completas*, Gredos, Madrid, 1972, I, pp. 107-143.

Alvar, Manuel, ed., *Cantares de gesta medievales*, Porrúa, México, 1969.

Armistead, Samuel G., «The structure of the *Refundición de las Mocedades de Rodrigo*», *Romance Philology*, XVII (1963-1964), pp. 338-345.

—, «The *Mocedades de Rodrigo* and neo-individualist theory», *Hispanic Review*, XLVI (1978), pp. 313-327.

Avalle-Arce, Juan Bautista, «El *Poema de Fernán González*: clerecía y juglaría», *Philological Quarterly*, LI (1972), pp. 60-73; 2.ª versión en *Temas hispánicos medievales*, Gredos, Madrid, 1974, pp. 64-82.

Badía Margarit, Antonio M., «Dos tipos de lengua cara a cara», en *Studia philologica: Homenaje ofrecido a Dámaso Alonso*, vol. I, Gredos, Madrid, 1961, pp. 115-139.

Bowra, C. M., *Heroic poetry*, Macmillan, Londres, 1952.

Catalán, D., «Crónicas generales y cantares de gesta. El *Mio Cid* de Alfonso X y el del pseudo Ben-Alfaraŷ», *Hispanic Review*, XXXI (1963), páginas 195-215, 291-306.

Cummins, John G., «The chronicle texts of the legend of the *Infantes de Lara*», *Bulletin of Hispanic Studies*, LIII (1976), pp. 101-116.

Chalon, Louis, *L'histoire et l'épopée castillane du Moyen Âge: le cycle du Cid; le cycle des comtes de Castille*, Champion (Nouvelle Bibliothèque du Moyen Âge, V), París, 1976.

Chaplin, Margaret, «Oral-formulaic style in the epic: a progress report», en *Medieval Hispanic studies presented to Rita Hamilton*, Tamesis, Londres, 1976, pp. 11-20.

De Chasca, Edmund, *El arte juglaresco en el «Cantar de Mio Cid»*, Gredos, Madrid, 1972².

—, *The Poem of the Cid*, Twayne (Twaine's World Authors Series, 378), Boston, 1976.

Deyermond, Alan D., *Epic poetry and the clergy: Studies on the «Mocedades de Rodrigo»*, Tamesis, Londres, 1969.

—, «Stylistic and structural patterns in the *Cantar de Mio Cid*», en *Medieval studies in honor of Robert White Linker*, Castalia, Madrid, 1973, páginas 55-71.

—, «Medieval Spanish epic cycles: observations on their formation and development», *Kentucky Romance Quarterly*, XXIII (1976), pp. 281-303.

—, «Tendencies in *Mio Cid* scholarship, 1943-1973», en *Studies* [1977], páginas 13-47.

— y Margaret Chaplin, «Folk-motifs in the medieval Spanish epic», *Philological Quarterly*, LI (1972), pp. 36-53.

Duggan, Joseph J., «Formulaic diction in the *Cantar de Mio Cid* and the old French epic», *Forum for Modern Language Studies*, X (1974), pp. 260-269.

Dunn, Peter N., «Theme and myth in the *Poema de Mio Cid*», *Romania*, LXXXIII (1962), pp. 348-369.

Faulhaber, Charles B., «Neo-traditionalism, formulism, individualism, and recent studies on the Spanish epic», *Romance Philology*, XXX (1976-1977), pp. 83-101.

Fraker, Charles F., «Sancho II: epic and chronicle», *Romania*, XCV (1974), pp. 467-507.

Galmés de Fuentes, Álvaro, *Épica árabe y épica castellana*, Ariel, Barcelona, 1978.

Gifford, Douglas, «European folk-tradition and the ''afrenta de Corpes''», en *Studies* [1977], pp. 49-62.

Gilman, Stephen, *Tiempo y formas temporales en el «Poema del Cid»*, Gredos, Madrid, 1961.

—, «The poetry of the *Poema* and the music of the *Cantar*», *Philological Quarterly*, LI (1972), pp. 1-11.

Gimeno Casalduero, J., «Sobre la composición del *Poema de Fernán González*», en *Anuario de Estudios Medievales*, V (1968). pp. 181-206.

Guglielmi, Nilda, «Cambio y movilidad social en el *Cantar de Mio Cid*», *Anales de Historia Antigua y Medieval*, Buenos Aires, XII (1963-1965 [1967]), pp. 43-65.

Hamilton, Rita, «Epic epithets in the *Poema de Mio Cid*», *Revue de Littérature Comparée*, XXXVI (1962), pp. 161-178.

Hart, Thomas R., «The Infantes de Carrión», *Bulletin of Hispanic Studies*, XXXIII (1956), pp. 17-24.

Hart, Thomas R., «Hierarchical patterns in the *Cantar de Mio Cid*», *Romanic Review*, LIII (1962), pp. 161-173.

—, «Characterization and plot structure in the *Poema de Mio Cid*», en *Studies* [1977], pp. 63-72.

Harvey, L. P., «The metrical irregularity of the *Cantar de Mio Cid*», *Bulletin of Hispanic Studies*, XL (1963), pp. 137-143.

Hook, David, «On certain correspondences between the *Poema de Mio Cid* and contemporary legal instruments», *Iberoromania*, en prensa.

Horrent, Jules, *Historia y poesía en torno al «Cantar del Cid»*, Ariel, Barcelona, 1974.

—, *La «Chanson de Roland» dans les littératures française et espagnole du Moyen Âge* (Bibliothèque de la Faculté de Philosophie et Lettres de l'Université de Liège, CXX), París, 1951.

—, «*Roncesvalles»: Étude sur le fragment de cantar de gesta conservé à l'Archivo de Navarra (Pampelune)* (ibid., CXXII), París, 1951.

Huerta, Eleazar, *Poética del «Mio Cid»*, Nuevo Extremo, Santiago de Chile, 1948.

Keller, J. P., «The structure of the *Poema de Fernán González*», *Hispanic Review*, XXV (1957), pp. 235-246.

Lomax, Derek W., «The date of the *Poema de Mio Cid*», en *Studies* [1977], pp. 73-81.

Lord, Albert B., *The singer of tales* (Harvard Studies in Comparative Literature, XXIV), Cambridge, Mass., 1960.

Magnotta, Miguel, *Historia y bibliografía de la crítica sobre el «Poema de Mio Cid» (1750-1971)* (University of North Carolina Studies in the Romance Languages and Literatures, CXLV), Chapel Hill, 1976.

Martínez, H. Salvador, *El «Poema de Almería» y la épica románica*, Gredos, Madrid, 1975.

Menéndez Pidal, Ramón, «Poesía e historia en el *Mio Cid*: el problema de la poesía épica», *Nueva Revista de Filología Hispánica*, III (1949), páginas 113-129; reimpr. en *De primitiva lírica española y antigua épica*, Espasa-Calpe (Austral), Buenos Aires, 1951, pp. 9-33.

—, ed. *Reliquias de la poesía épica española*, Instituto de Cultura Hispánica y CSIC, Madrid, 1951.

—, «Dos poetas en el *Cantar de Mio Cid*», *Romania*, LXXXII (1961), páginas 145-200; reimpr. en *En torno al «Poema del Cid»*, EDHASA, Barcelona, 1963, pp. 107-162.

—, «Los cantores épicos yugoeslavos y los occidentales. El *Mio Cid* y dos refundidores primitivos», *Boletín de la Real Academia de Buenas Letras de Barcelona*, XXXI (1965-1966), pp. 195-225.

—, *La leyenda de los infantes de Lara*, en *Obras completas*, I, Espasa-Calpe, Madrid, 1971[3] (1.ª ed. 1896, 2.ª ed. 1934).

Michael, Ian, ed., *Poema de Mio Cid*, Castalia, Madrid, 1976; 1978[2].

Miletich, John S., «Medieval Spanish epic and European narrative traditions», *La Corónica*, VI (1977-1978), pp. 90-96.

Montgomery, Thomas, «Narrative tense preference in the *Cantar de Mio Cid*», *Romance Philology*, XXI (1967-1968), pp. 253-274.

Montgomery, Thomas, «The *Poema de Mio Cid*: oral art in transition», en *Studies* [1977], pp. 91-112.

Montoro, Adrián G., «La épica medieval española y la "estructura trifuncional" de los indoeuropeos», *Cuadernos Hispanoamericanos*, XCV (1974), páginas 554-571.

Myers, Oliver T., «Multiple authorship of the *Poema de Mio Cid*: a final word?», en *Studies* [1977], pp. 123-128.

Pattison, D. G., «The "afrenta de Corpes" in fourteenth-century historiography» en *Studies* [1977], pp. 129-140.

Pérez de Urbel, fray Justo, «Sobre la cronología de la gesta de los Infantes de Salas», en *Revista [del] Instituto «José Cornide» de Estudios Coruñeses*, IV, n.º 4 (1968 [1971], pp. 167-184).

Reig, Carola, *El cantar de Sancho II y cerco de Zamora*, CSIC (*Revista de Filología Española,* anejo XXXVII), Madrid, 1947.

Richthofen, Erich von, *Estudios épicos medievales*, Gredos, Madrid, 1954.

—, *Nuevos estudios épicos medievales*, Gredos, Madrid, 1970.

—, *Tradicionalismo épico-novelesco*, Planeta, Barcelona, 1972.

Riquer, Martín de, «El fragmento de *Roncesvalles* y el planto de Gonzalo Gústioz», en *Studi in onore di Angelo Monteverdi*, Società Editrice Modenese, Módena, 1959, II, pp. 623-628; 2.ª versión en *La leyenda del graal y temas épicos medievales*, Prensa Española (El Soto, VI), Madrid, 1963, pp. 205-213.

Rodríguez-Puértolas, Julio, «El *Poema de Mio Cid*: nueva épica y nueva propaganda», en *Studies* [1977], pp. 141-159.

Ruiz Asencio, J. M., «La rebelión de Sancho García heredero del condado de Castilla», *Hispania Sacra*, XXII (1969), pp. 31-67.

Russell, P. E., «Some problems of diplomatic in the *Cantar de Mio Cid* and their implications», *Modern Language Review*, XLVII (1952), pp. 340-349; trad. cast. de A. Pérez Vidal en *Temas de «La Celestina» y otros estudios (del «Cid» al «Quijote»)*, Ariel (Letras e Ideas: Maior, 14), Barcelona, 1978, pp. 13-33.

—, «San Pedro de Cardeña and the heroic history of the Cid», *Medium Aevum*, XXVII (1958), pp. 57-79; trad. cast. en *Temas de «La Celestina»*, pp. 71-112.

Salinas, Pedro, «La vuelta al esposo: ensayo sobre estructura y sensibilidad en el *Cantar de Mio Cid*», *Bulletin of Spanish Studies*, XXIV (1947), páginas 79-88; reimpr. en *Ensayos de literatura hispánica (Del «Cantar de Mio Cid» a García Lorca)*, Aguilar, Madrid, 1958, pp. 44-56.

Smith, Colin, «Literary sources of two episodes in the *Poema de Mio Cid*», *Bulletin of Hispanic Studies*, LII (1975), pp. 109-122; trad. cast. [1977 *b*] pp. 107-123.

—, ed., *Poema de Mio Cid*, Cátedra, Madrid, 1976.

—, «On the distinctiveness of the *Poema de Mio Cid*», en *Studies* [1977], pp. 161-194.

—, *Estudios cidianos*, Cupsa, Madrid, 1977.

— y J. Morris, «On 'phisical' Phrases in old Spanish epic and other texts», *Proceedings of the Leeds Philosophical and Literary Society, Literary and*

Historical Section, XII (1967), pp. 129-190; trad. cast. en *Estudios cidianos*, pp. 219-289.

Smith, John D., «*The singer* or *The song?* A reassessment of Lord's oral theory», *Man*, nueva serie, XII (1977), pp. 141-153.

Spitzer, Leo, «Sobre el carácter histórico del *Cantar de Mio Cid*», *Nueva Revista de Filología Hispánica*, II (1948), pp. 105-117; reimpr. en *Sobre antigua poesía española*, Universidad de Buenos Aires (Instituto de Literatura Española, Monografías y Estudios, I), Buenos Aires, 1962, pp. 9-25.

Studies [1977]=«*Mio Cid» Studies*, ed. A. D. Deyermond, Tamesis, Londres, 1977.

Ubieto Arteta, Antonio, «Observaciones al *Cantar de Mio Cid*», *Arbor*, XXXVII (1957), pp. 145-170.

—, «El *Cantar de Mio Cid* y algunos problemas históricos», *Ligarzas*, IV (1972), pp. 5-192.

Vàrvaro, Alberto, «Dalla storia alla poesia epica: Álvar Fáñez», en *Studi di filologia romanza offerti a Silvio Pellegrini*, Liviani, Padua, 1971, pp. 655-665.

Walsh, John K., «Religious motifs in the early Spanish epic», *Revista Hispánica Moderna*, XXXVI (1970-1971 [1974]), pp. 165-172.

—, «Epic flaw and final combat in the *Poema de Mio Cid*», *La Corónica*, V (1976-1977), pp. 100-109.

Waltman, Franklin M., *Concordance to «Poema de Mio Cid»*, Pennsylvania State University Press, University Park, 1972.

Webber, Ruth H., «The diction of the *Roncesvalles* fragment», en *Homenaje a Rodríguez-Moñino*, Castalia, Madrid, 1966, II, pp. 311-321.

Willis, Raymond S., «*La crónica rimada del Cid*: a school text?», en *Studia hispanica in honorem R. Lapesa*, vol. 1, Gredos y Cátedra-Seminario Menéndez Pidal, Madrid, 1972, pp. 587-595.

Zamora Vicente, Alonso, ed., *Poema de Fernán González*, Clásicos Castellanos, Madrid, 1946; 2.ª ed., 1954.

Ramón Menéndez Pidal

POESÍA ORAL Y CANTARES DE GESTA

La existencia de una poesía particular que no se difunda por medio de la escritura, sino por el canto, es difícil de estudiar y definir después que la escritura domina, hace varios milenios, el ejercicio de toda actividad mental, pues tal poesía sólo subsiste en medios retirados donde la escritura aún no predomina. [No obstante, en todos los pueblos de Occidente podemos estudiar muy bien esa poesía oral, gracias a la persistencia de la canción épico-lírica, de la que son buena muestra los romances españoles, obra de] autores múltiples, colaboradores sucesivos en la tradición oral [en cuyo seno se gesta la poesía de texto fluido, elaborado durante su trasmisión cantada.] Un nuevo apoyo para el esclarecimiento de estas cuestiones de la poesía oral viene a dar el estudio de los cantores yugoslavos [modernos], emprendido por Milman Parry, desde 1935, y continuado con los trabajos del mismo M. Parry y Albert B. Lord, en 1954, y los trabajos de Lord solo, en 1960. Cantos de difusión tradicional son conocidos en otros muchos pueblos, pero el nuevo estudio de los cantos yugoslavos es particularmente ilustrativo, porque, aunque no alude a las cuestiones críticas discutidas en el campo occidental, trata varias de ellas en modo igual y contribuye poderosamente a difundir la idea de que la poesía de Homero y la épica medieval del Occidente europeo es poesía de trasmisión oral y de texto fluido, cambiante en sus varias recitaciones. [...]

Ramón Menéndez Pidal, «Los cantares épicos yugoeslavos y los occidentales. El *Mio Cid* y dos refundidores primitivos», *Boletín de la Real Academia de Buenas Letras de Barcelona*, XXXI (1965-1966), pp. 195-225 (195-199, 204-205, 208, 210, 212).

Desde 1914 insisto en que las variantes entre las recitaciones de una canción épico-lírica son innumerables, como elemento creativo poético; un mismo cantor, al repetir inmediatamente un romance, lo repite con variantes. Esto se observa lo mismo en Yugoslavia, según el citado libro de A. B. Lord, de 1960: el texto de una poesía oral es fluido, de expresión verbal cambiante, aun en las varias recitaciones de un mismo cantor. [...] El cantor canta en tensión poética recreándose él, y re-creando la canción; al reproducir la canción ante el público la re-produce; el recuerdo y la refundición leve se confunden. Igualmente en Yugoslavia, fenómeno descrito en parecidos términos: la conservación de una poesía por tradición es una constante re-creación cada vez que se recita. [...] En las refundiciones épicas el desenlace se altera mucho más que el comienzo; el refundidor al terminar el relato se siente más dueño de él. En Yugoslavia, el final de una canción narrativa es menos estable, está más abierto a las «variaciones» que el comienzo. Entre la recitación cantada de un romance y la recitación sin canto y con pausas para dar tiempo a que sea escrito hay diferencias de texto, y la versión cantada suele ser preferible. Igual observación respecto al cantor yugoslavo, que, cuando recita sin canto y con pausas para la escritura, deforma el texto. [...] El breve romance cantado por personas, a veces en coro, que no son cantores profesionales, y el poema extenso ejecutado por un cantor de oficio, son hechos idénticos en cuanto a la trasmisión oral, pero difieren en la calidad y el número de los trasmisores; el romancero tradicional está en una época de mera conservación, carece de creatividad, siendo rarísimo el caso de un romance o corrido nuevo que llegue a tradicionalizarse. Los cantores yugoslavos tienen especial semejanza con los juglares medievales, trasmisores y refundidores de poemas extensos, tipo profesional que los cantores de romances sólo nos dejan ver aproximadamente. La juglaría yugoslava nos ha puesto de manifiesto la extraordinaria retención memorística que abunda de modo increíble entre los que se dedican a la trasmisión de la poesía oral; no recordábamos en España sino un testimonio referente a otro arte semioral, el teatro del siglo XVII: el caso de un sujeto llamado «el Memorilla», que, según nos cuenta Lope de Vega, se aprendía toda una comedia oyéndola una sola vez y la hurtaba entregándola a un impresor. La juglaría yugoslava nos instruye sobre la gran ayuda memorística que la música da al aprendizaje. [...]

Los cantores juglarescos son, hasta la invención de la imprenta, los principales agentes en la publicación de la poesía en lengua vulgar. Cuando a comienzos del siglo XII se manifestó activo el concepto de «autor» en la poesía románica, el poeta publicaba sus versos confiándolos a la memoria de un juglar, al cual exigía fidelidad verbal absoluta; cualquier palabra cambiada era censurable: «Erró el juglar», decía el trovador. Pero cuando la exigencia del autor no existía, el juglar, y mucho más el cantor no profesional, gozaba de gran libertad de memoria. Libertad grande, pero no absoluta, sino dentro de los límites del recuerdo común. [...] Nuestra experiencia en Occidente nos dice que, cuando un cantor aprende un poema de tradición oral, lo recibe como un poema sabido por muchos, propiedad de todos, cuyo texto versificado no tiene la rigidez absoluta de un texto formulado por un autor, pues es un texto flexible a los pequeños cambios que la memoria de los muchos le imprime, conformándolo a la manera y gusto de cada uno. [...] El cantor de una balada o romance de tradición oral, teniéndolo por patrimonio común del pueblo, se siente poseído del texto poético que ha aprendido de otro cantor, se recrea en él, y a la vez lo re-crea, acomodando la expresión, libre o vagamente recordada, a su espontánea sensibilidad del momento; el verso aprendido, si es de llaneza evidente, se repite inalterable, pero por lo común admite variantes de pormenor, pudiendo expresarse de varias maneras, y, a pesar de esas pequeñas variantes, el que canta pretende siempre seguir un *prototipo colectivo*, sabido por los demás, como un bien comunal de todos, y toda desviación grande de cualquier cantor parece intolerable a los otros, que le corrigen: «Eso no es así». [...]

Los cantores refundidores reaniman la canción cuando, a fuerza de repetirse, se ha hecho ya vieja y fastidiosa; renuevan algo de ella; principalmente modifican el desenlace; de un modo u otro practican una *re-creación innovadora*, que altera notablemente alguna parte de la canción añadiéndole algún episodio, para devolverle el interés que había perdido entre los oyentes. Los cantores memoristas o repetidores son la vida, el esqueleto, la carne, la sangre y el espíritu de la canción tradicional. Los cantores que innovan son la fabulosa fuente de juventud que restaura la frescura vital. En fin: *la canción tradicional oral vive en variantes y se rejuvenece y crece en refundiciones.* [...]

En Yugoslavia el refundidor de un poema, poseído de un virtuosismo improvisador allí muy apreciado, transforma por completo el tradicional tema, vistiéndolo repentina y rápidamente de nuevo, con un ropaje ornamental compuesto principalmente de fórmulas y lugares comunes. Lo que innova es mucho más que lo que conserva. El canto breve yugoslavo no requiere tantos ornatos y tiende a hacerse más estable cuanto más se canta. En Occidente, el refundidor juglar, lo mismo que el cantor de romances, no ejercitan ninguna improvisación: pretenden conservar una historia cantada que es ya muy vieja, y la innovan un poco, conservando la mayor parte de lo antiguo. Escasean mucho en su trabajo las fórmulas y lugares comunes, predominando la narración objetiva y directa de los hechos. Sólo en la extrema baja Edad Media se observa algún raro caso de innovar totalmente, por el gusto de alterar totalmente el relato tradicional.

A pesar de estas diferencias, el género oriental y el occidental están conformes en las más esenciales características de su oralidad. Ambos dependen de un desarrollo fenomenal de la memoria, facultad mental dilatable en grados increíbles, como medio de fijar un texto, remediando la falta de la escritura. [...] La memoria aplicada a un poema oral no exige fidelidad verbal absoluta, como la exige un texto religioso o uno poético de autor único; el texto, aprendido por tradición colectiva, es algo variable según el recuerdo de los diversos cantores. En primer lugar, se halla en estado fluido, cambiante, y, por lo tanto, incitante a la re-creación en *variantes* del texto que cada cantor introduce; y en segundo lugar, se halla también sujeto a la renovación que, en una *refundición*, el cantor más personal hace con mayor o menor amplitud.

Leo Spitzer

HISTORIA Y POESÍA EN EL *CANTAR DEL CID*

Ya Ernst Robert Curtius observaba que la afrenta de Corpes,

Leo Spitzer, «Sobre el carácter histórico del *Cantar de Mio Cid*», *Nueva Revista de Filología Hispánica*, II (1948), pp. 105-117; reimpr. en *Sobre antigua poesía española*, Universidad de Buenos Aires, 1962, pp. 9-25 (11-17).

sin duda la parte más dramática y más poética, la culminación del
Cantar del Cid, no es histórica. El razonamiento de Menéndez Pidal
(«dada la historicidad general del poema, es muy arriesgado el declarar totalmente fabulosa la acción central del mismo») no resiste
a la crítica, que diría con más razón: «dado el carácter fabuloso de
la acción central del poema, es muy arriesgado declarar totalmente
histórico el poema en su conjunto». [...] Ahora bien, si la afrenta
de Corpes es ficción, hay que pensar, de parte del poeta, en motivos únicamente poéticos para introducir ese episodio. Uno de ellos
sería la necesidad artística de oponer el Cid, dechado de nobleza
caballeresca, en el apogeo de su gloria, a adversarios infames, negación viviente de toda caballería: cobardes, afeminados, codiciosos,
celosos, orgullosos, intrigantes, derrochadores, fanfarrones, crueles,
que por satisfacer su odio mezquino le desgarrarán al héroe las telas
del corazón y le herirán en la honra. El Cid no tiene enemigos nobles y heroicos como Aquiles, Sigfrido o Roldán. Menéndez Pidal
parece censurar al poeta en ese punto. Pero nótese que el Cid, a
diferencia de otros héroes épicos, es un héroe modelo, comparable
con Carlomagno más bien que con Roldán, y el modelo no puede
tener otro adversario que el no-modelo, el anti-modelo, lo ignoble.
El Cid de nuestro poema es ejemplar en todas las virtudes del hombre maduro; no es el Rodrigo joven, enamorado y arrogante de las
Mocedades, un Roldán español, que había de sobrevivir en el teatro
de Guillén de Castro y de Corneille. Como ha visto bien el mismo
Menéndez Pidal, el Cid del *Cantar* representa una síntesis del rebelde, a la manera de Fernán González o Girart de Roussillon, y el
vasallo leal al servicio del monarca, a la manera de Roldán o Guillermo de Orange: el Cid es el rebelde leal, el rebelde que no se
rebela, buen vasallo aunque no tenga buen señor. Su adversario no
es tanto el rey cuanto la fatalidad, que emplea como instrumentos
ya al monarca desconocedor de la justicia, ya a los infantes, intrigantes palaciegos. En nuestro *Cantar*, como en el de *Los siete infantes de Lara*, habrá odios y luchas dentro de una familia, pero el
Cid, ejemplar, se distinguirá de esos héroes bárbaros por acudir a la
justicia real en vez de acariciar en su pecho, años y años, la sed de
venganza, hasta lograrla en la sangre del enemigo. Es una invención poética la que opone las intrigas de los mezquinos a la magnanimidad del héroe ideal, como es una invención poética la traición
del mezquino Ganelón contra el magnánimo emperador en la *Chan-*

son de Roland. Rasgo genial de nuestro poeta fue precipitar al Cid —devuelto al amor del rey, conquistador de Valencia, riquísimo, honrado por todos, padre feliz de hijas bien casadas, a lo que parece— en el más hondo abismo del sufrimiento, desgarrarle las telas del corazón (lo que el destierro no pudo lograr), para hacerle subir, al final del poema, a más alto estado: ¡qué ejemplo de lo inestable de los bienes terrestres, pero también de un orden providencial que acaba por recompensar al virtuoso! Los caminos de la Providencia son inescrutables: la afrenta de Corpes es, al fin y al cabo, consecuencia de la fidelidad del vasallo Rodrigo Díaz de Vivar. No es él quien ha querido el matrimonio de sus hijas con los de Carrión; el casamentero ha sido el rey. Y es el caso que el rey, después de haberse reconciliado con su irreprochable vasallo, toma una decisión otra vez dañosa para el Cid y su familia. El rey está llamado, sin darse cuenta de lo que hace, a ayudar a las fuerzas del mal contra las del bien; hace mal al Cid tanto con su amor como con su odio, pero a pesar de esa persecución por el destino, el Cid consigue librarse de ella; su virtud y fama obran la salvación de sus hijas. Es la fidelidad de Félez Muñoz, producto de la magnanimidad del Cid, lo que salva a las hijas; es la fama del Cid lo que mueve a los reyes de Navarra y Aragón a pedir la mano de sus hijas agraviadas. El poema, optimista, proclama la victoria final de las fuerzas del bien: «Aun todos los duelos en gozo se tornarán». Se ve cómo el poeta, ahora, al final, se empeña en colmar al Cid de felicidad, en igual medida que antes lo colmó de desgracias: los mensajeros de Navarra y Aragón llegan a las mismas cortes que dan satisfacción al agraviado. Es verdad que «esa corte nunca se celebró» en la realidad histórica, como confiesa Menéndez Pidal, pero tenía que celebrarse en la realidad poética. Y si el matrimonio ultrajado y roto de las hijas del Cid con los infantes es ficción, ficticio será también el episodio del león —reconocido como ficticio por Menéndez Pidal— que motiva el odio de los infantes. La fiera sale de su jaula para asustar y exponer a la risa a los dos cobardes, y suscitar en ellos ese odio vital de los mezquinos que no se detienen ante la crueldad y, de otra parte, para mostrar la fuerza mágica, casi sobrehumana, que naturalmente reside en el Campeador, especie de santo laico que puede obrar milagros sin martirio y sin lucha. El león es el agente catalítico que separa las fuerzas del bien y del mal.

. Si el cenit de la acción es el momento en que el Cid llega a ser padre de reinas, el nadir es sin duda la escena de los judíos, muy ricamente desarrollada, y ficticia también según Menéndez Pidal. Menéndez Pidal se esfuerza en negar toda huella de antisemitismo medieval en su héroe y subraya el hecho de que, en contra de las bulas papales que declaraban nulas las deudas contraídas con judíos, el poeta «anuncia que el Cid pagará largamente el engaño. Después de este anuncio, poco importa que el poeta no se acuerde más de decirnos cómo el Cid recompensa a los judíos. Una de tantas omisiones del autor...». Pero la verdad es que cuando la «casa comercial judía Don Raquel y Vidas» reclama su préstamo a Álvar Fáñez en su parada en Burgos, él contesta: «Yo lo veré con el Cid, si Dios me lleva allá», lo que no es precisamente una promesa de pago; y así lo entienden los negociantes, quienes anuncian en tono de desafío que, si no se les paga, «dexaremos Burgos, ir lo hemos buscar». El Cid, tan generoso con todos los que le ayudan, ya no piensa más en los judíos engañados. No, el poeta quiere con ese engaño patente —del cual se da cuenta exacta el Cid: «yo más non puedo e amidos lo fago»— señalar el punto más bajo de la trayectoria, que irá subiendo gradualmente en el poema hasta el punto en que el Cid sea padre de reinas; es como si nos dijera: «he aquí a qué nivel se encontró una vez, sin culpa suya, el Campeador». [...] Un caballero medieval debe, ante todo, seguir siendo caballero, y qué se le va a hacer si se vuelve caballero-bandido, y para no sufrir hambre, hace sufrir a otros (recuérdense las palabras del juglar, tan llenas de compasión por las víctimas de tales correrías: «mala cueta es, señores, aver mingua de pan, / fijos e mugieres verlos murir de fambre»). La trayectoria del Cid lo lleva de caballero-bandido a reconquistador de Valencia, donde no sólo triunfa la «limpia cristiandad»: la «rica ganancia» es la manifestación exterior de esa honra que le va creciendo al Cid a lo largo del poema. No olvidemos que riqueza y honor no son para la Edad Media bienes inconmensurables. [...] Lo problemático en el poema no es la vida interior del protagonista, siempre mesurado y ejemplar; lo problemático es la vida exterior arbitrariamente injusta que tiene que vivir. No es el Cid quien debe mostrarse digno de la vida; es la vida la que debe justificarse ante un ser ejemplar como él. «Dios, qué buen vasallo, si oviesse buen señor»: ese verso nos revela la óptica del *Cantar*. El vasallo es bueno, el rey es bueno (siempre lo llama así el poeta); lo que le falta es la adecuada relación de buen vasallo a buen señor, por imperfección de la vida humana, que no es precisamente vida paradisíaca. El poeta establece al fin la situación ideal. El carácter del Cid —nada dramático, en el sentido moderno de que no hay en su alma conflictos— es el de un santo laico, que por su sola existencia, por la irradiación milagrosa de su personalidad, logra cambiar la vida exterior alrededor de sí, gracias a una Providencia cuyas intervenciones, si no frecuentes, son decisivas en el poema. En contraste con la *Chanson de Roland*, donde parece haber entre el cielo y la casa de Carlomagno un tren directo en que viajan regularmente los ángeles como correos diplomáticos de Dios, hay sólo una intervención sobrenatural en nuestro poema: la aparición de Gabriel en el sueño del héroe; sabemos así desde el comienzo que el Cid está bien protegido por la Providencia, pero es él quien mediante sus esfuerzos personales se labrará la rehabilitación.

Y en ese marco hay que poner otro elemento ficticio reconocido por Menéndez Pidal: la larga oración de Jimena, que no creo, con Menéndez Pidal, sea imitación de oraciones semejantes de las *chansons de geste*, sino una derivación paralela de viejas oraciones mágicas cristianas que subsisten en la *Commendatio animae* de la Misa de Réquiem. Esa oración pronunciada antes del destierro es, no sólo el grito del alma que la mujer del agraviado se arranca del pecho, sino la voz del público que implora a la Providencia por el bien del héroe y que recibe contestación del cielo en forma de palabras consoladoras del ángel. No habrá más oraciones explícitas en el poema. Para los oyentes del *Cantar* basta saber, de una vez para siempre, que el Cid está bajo la protección de Dios. En el resto del poema se manifestará directamente esa acción divina (o su irradiación, acción indirecta).

En suma: los elementos ficticios reconocidos por Menéndez Pidal —el episodio del león, el de las arcas, la oración de Jimena y la visión del arcángel Gabriel—, así como los no reconocidos —el primer matrimonio de las hijas, la afrenta de Corpes y el segundo matrimonio anunciado cuando fracasa el primero—, se revelan como elementos no advenedizos, sino fundamentales en la fabulación del *Cantar*, que sirven para poner de relieve la trayectoria ascendente de la vida exterior del héroe.

Dámaso Alonso

ESTILO Y CREACIÓN EN EL *POEMA DEL CID*

No debemos ni un momento olvidar que la recitación juglaresca debía ser una semi-representación, y así no me parece exagerado decir que la épica medieval está a medio camino entre ser narrativa y ser dramática. ¡Qué milagros de mímica no tendrían que hacer los juglares para ser entendidos aun en tierras lejanas! [...] Tenido esto presente, notemos ahora que en el *Poema del Cid* el paso al lenguaje directo se hace muchas veces sin verbo introductor, es decir, sin empleo de las fórmulas del tipo «A dijo», «B contestó». Claro que los novelistas procuran ingeniosamente variar la cansada fórmula por medio de matizaciones, como «A subrayó», «B asintió», «C rezongó», etc. Algunas veces la omiten completamente, cuando el diálogo mismo indica el cambio de personaje, por ejemplo, en la respuesta inmediata a una pregunta. Novelistas amigos de la variación estilística (esto es muy característico de Valle-Inclán), omiten el verbo *dicendi*, pero dan por lo menos, casi siempre, un dato que permita identificar el personaje. Y ahora oigamos un pasaje del *Poema del Cid*. Martín Antolínez llega a casa de Raquel y Vidas a proponerles el famoso negocio de las arcas:

> Raquel e Vidas en uno estavan amos,
> en cuenta de sus averes, de los que avién ganados.
> Llegó Martín Antolínez a guisa de membrado:
> «¿Ó sodes, Raquel e Vidas, los mios amigos caros?
> En poridad fablar querría con amos».
> Non lo detardan, todos tres se apartaron.
> «Raquel e Vidas, amos me dat las manos»..., etc.

Y poco más adelante:

Dámaso Alonso, «Estilo y creación en el *Poema del Cid*», en *Ensayos sobre poesía española*, Buenos Aires, 1944, pp. 69-111, y en sus *Obras completas*, Gredos, Madrid, 1972, I, pp. 107-143 (107-112, 114, 125, 127, 129-131, 133-136, 141).

Raquel e Vidas seiense consejando:
«Nos huebos avemos en todo de ganar algo...
Mas, dezidnos del Cid, ¿de qué será pagado
o qué ganancia nos dará?...», etc.

Ante las primeras palabras de Martín Antolínez se da la indicación del personaje (sin verbo introductor de cita), y lo mismo en el segundo fragmento transcrito, antes de las palabras con que los judíos inician su aparte. Pero después de la indicación «todos tres se apartaron», sigue hablando sin introducción ninguna Martín Antolínez, y, en el segundo fragmento, sin indicación ninguna se rompe el aparte y los judíos continúan ahora dirigiéndose a Martín Antolínez. [...] Para el poeta esto pudo ser sólo previsión del recitado y la mímica juglaresca ante un auditorio. Para nosotros —meros lectores, y no representantes, del poema—, el hecho da una andadura estilística rapidísima y modernísima. [...] Velocidad es, pues, la consecuencia, y también predominio de los elementos afectivos, impulsivos y dramáticos en el movimiento de la narración.

A una conclusión semejante nos va a llevar el examen de otras peculiaridades. Por ejemplo, un poco más arriba, en el *Poema*, habla el Cid con Martín Antolínez explicándole su penuria y la necesidad de acudir al engaño de las arcas:

Fabló Mio Cid, el que en buen ora cinxo espada:
«Martín Antolínez, ¡sodes ardida lança!
Si yo bivo, doblar vos he la soldada.
Espeso e el oro e toda la plata.
Bien lo veedes que yo no trayo nada.
Huebos me serié pora toda mi compaña:
ferlo he amidos, de grado non avrié nada.
Con vuestro consejo bastir quiero dos arcas.
Inchámoslas d'arena, ca bien serán pesadas,
cubiertas de guadalmeçí e bien enclaveadas».

Notemos el desligamiento de las oraciones y la sencillez de éstas. No nos asombra la escasez de oraciones subordinadas. Pero sí la total ausencia de los pesados, machacones, enlaces que va a tener un siglo más tarde la prosa de las crónicas y que no dejarán de pesar en el verso de clerecía. Pero, si comparamos con nuestra lengua moderna, notaremos también la completa omisión de nuestras partícu-

las, de los *pues, por tanto, mientras tanto, como quiera que.* [...]
Las oraciones del pasaje citado son nítidas, están puestas ahí ente-
ras, diríamos que brutalmente ante el cerebro del lector. [...]

Si estudiamos ahora la tirada siguiente, encontraremos condiciones semejantes, más otras nuevas que nos han de interesar: (Sigue
hablando el Cid.)

> Los guadamecís vermejos e los clavos bien dorados.
> Por Raquel e Vidas vayádesme privado:
> quando en Burgos me vedaron compra y el rey me ha ayrado,
> non puedo traer el aver, ca mucho es pesado,
> empeñárgelo he por lo que fore guisado;
> de noche lo lieven, que non lo vean cristianos.
> ¡Véalo el Criador con todos los sos santos,
> yo más non puedo e amidos lo fago!

Encontramos la misma omisión de elementos lógicos, de enlace, que
antes hallábamos. Pero lo interesante aquí es el tránsito entre el
mandato 'Idme por Raquel y Vidas' y los cuatro versos que siguen: «quando en Burgos», etc. En esas palabras la complejidad
intencional estilística es extraordinaria: 1) Es el Cid quien habla.
2) Pero está representando en lenguaje indirecto lo que Martín Antolínez ha de decir a los judíos. 3) Lo que ha de darles como razón
es falso, pues falsas eran las murmuraciones de los *mestureros*, acerca de un ilegal enriquecimiento del Cid. A estas murmuraciones se
alude, pues, despectiva e irónicamente. 4) Al mismo tiempo se alude
picarescamente al engaño que van a sufrir los judíos. El lector no
posee más punto de referencia que el conocimiento que debía tener
(por la parte inicial del poema, hoy perdida, y por las palabras anteriores del Cid: «Espeso e el oro», etc.) de la realidad de los hechos. [...]

Sobre una frase (portentosa complejidad que hace pensar en
técnica moderna) se montan —lo hemos visto— cuatro o cinco planos afectivos e intencionales. Y por la parquedad, la mesura de los
medios estilísticos, se llega a la intensificación de los efectos estilísticos. En el libre juego de las oraciones desligadas, la intención expresiva es sólo un resultado de la entonación y del conocimiento del
ambiente afectivo. Es decir, sobre los elementos lógicos triunfan los
afectivos. Y el estilo del poema es así tierno, ágil, vívido, humaní-
simo y matizado. [...]

Vamos a ver ahora con qué riqueza de contrastes hace vivir el anónimo creador a sus exactas criaturas. El primer contraste que se nos presenta es el que separa (hasta cierto punto) los caracteres heroicos de aquellos otros tratados humorísticamente. [...] ¡Cuán delicado nuestro viejo *Cantar*! Los pormenores gruesamente cómicos apenas si alguna vez están apuntados. No hay monstruosidad alguna, no hay nada burdamente grotesco y que no pueda darse en la realidad psicológica normal de la especie humana. [...]

Algunos de los caracteres tratados cómicamente por el juglar pasan sólo como estrellas fugaces por las páginas. Así, el del rey Búcar, cuando corre en su caballo, lleno de pavor, hacia el mar (a sus alcances, con la espada desnuda, el Cid). La gracia está apenas indicada en la ironía de las palabras del Cid:

> ¡Acá torna, Búcar! Venist dalent mar.
> Veerte as con el Cid, el de la barba grant,
> ¡saludar nos hemos amos, e tajaremos amiztat!

Y en la contestación:

> Respuso Búcar al Cid: «¡Cofonda Dios tal amiztad!
> Espada tienes en mano e veot aguijar;
> así como semeja, en mí la quieres ensayar.
> Mas si el cavallo non estropieça o comigo non cade,
> non te juntarás comigo fata dentro en la mar». [...]

Otro carácter cómico es el del conde de Barcelona. Se entera el conde de que algunas tierras de tributarios suyos eran corridas por el Cid. En un verso, al ir a dejar hablar al personaje, el poeta nos le ha descrito: «El conde es muy follón e dixo una vanidat». Y los duros castellanos, con sus botas de montar y sus sillas gallegas, vencen a los refinados catalanes, montados en sillas coceras y vestidos de delicadas calzas. El conde don Ramón ha caído prisionero. Al Cid le adoban «grant cozina». El conde intenta la huelga del hambre. No comeré un bocado, dice, «pues que tales malcalçados me vencieron de batalla». Pero, cuando a los tres días le oye al Cid que si come le pondrá en libertad, entre aquella promesa y el buen apetito medieval y templado por tres días de abstención, cambia de parecer y olvida su voto. Como él es muy fino, pide aguamanos: «alegre es el conde e pidió agua a las manos». Y comienza a comer con tantas

ganas que era gloria verlo: «comiendo va el conde, ¡Dios, qué de
buen grado!». El Cid está allí y, seguramente (en esta ocasión no
lo dice el poeta), se sonríe. Nos dice, sí, que estaba contento de ver
que el conde movía tan bien los dedos: «pagado es mio Cid, que
lo está aguardando, / porque el conde don Remont tan bien bolvié
las manos». Y le ponen en libertad. Todavía el follón del conde
(último pormenor cómico de su carácter) va volviendo atrás la cabeza, de miedo que el Cid se arrepienta y falte a su palabra. A lo
cual exclama, indignado, el poeta: «lo que non ferié el caboso por
quanto en el mundo ha, / una deslealtança ca non la fizo alguandre».
Una deslealtad, *alguandre*, es decir, *nunca, nunca jamás* la cometió
el Cid. [...]

Insistamos ahora en la variedad de los caracteres, o, lo que es
lo mismo, en la fuerza creativa, inventiva del autor. [...] Este artista del siglo XII nos da una serie de personajes nítidamente diferenciados y contrastados: en nada se parecen los unos a los otros. [...]

[Como el prudente, mundano y a la vez arrojado Álvar Fáñez,]
Martín Antolínez es también un valiente caballero: él es quien hiere
al caudillo moro Galve en la batalla de Alcocer, él quien reta, por
el Cid, a Diego González en las Cortes de Toledo, y quien le vence
en Carrión; a él, en prenda de su estima, da el Cid la Colada. Pero
Martín Antolínez es, por otra parte, un hombre industrioso e inge-
nioso. Él provee en Burgos de todo lo necesario al Cid, a pesar de
la prohibición del rey. Él es quien va a gestionar el asunto de las
arcas de arena. En sus ojos brilla la malicia y en su boca rebullen
las chanzas. Llega a casa de los judíos y les saluda con los mayores
encarecimientos: «¿Ó sodes, Raquel e Vidas, los mios amigos ca-
ros?». Y les empieza a proponer con el mayor sigilo y los mayores
aspavientos el lucrativo negocio, exigiéndoles juramento de secreto:
«Raquel e Vidas, amos me dat las manos, / que non me descubra-
des a moros nin a cristianos, / por siempre vos faré ricos, que non
seades menguados». Y luego, consumada la operación, aún tiene la
donosa desfachatez de pedir comisión, de pedir «para calzas» a los
desplumados hebreos: «Ya don Raquel e Vidas, en vuestras manos
son las arcas. / ¡Yo, que esto vos gané, bien merecía calças!». Y saca
para él 30 marcos. En la literatura española, donde lo caballeresco y
lo picaresco están limpiamente deslindados, este astuto Martín Antolínez, este caballero-pícaro es una creación de una complejidad
artística tal que asombra a los albores mismos de nuestras letras.

He aquí que llega ahora otro ser rico en contrastes, pero superior aún en fuerza vital a Martín Antolínez. Es el sobrino del Cid Pedro Bermúdez; Pero Mudo le llama el Cid en Toledo, y la *Primera crónica general* explica así el mote: «Pero Mudo le llamó porque era gangoso y por quanto se le trababa la lengua quando quería fablar». Tartamudo era, pues, lo que era el muy bueno Pedro Bermúdez. Su tartamudez nacía de nerviosa impetuosidad, de concentrada energía. Quedo o callado, cuando se disparaba nada le podía impedir el obrar, nada atajarle el discurso. Así, cuando el Cid le da la enseña en la batalla de Alcocer con prohibición de espolonear hasta que no se lo mande, Pedro Bermúdez la recibe y de repente, como herido por inspiración divina, en patente desobediencia, prorrumpe:

«¡El Criador vos vala, Cid Campeador leal!
Vo meter la vuestra seña en aquella mayor az...»
Dixo el Campeador: «¡Non sea, por caridad!».
Respuso Per Vermudoz: «Non rastará por ál».

«Non rastará por ál»: nada me lo podrá impedir. Y espolonea a su caballo y se mete por lo más apretado de las filas enemigas. Después de la victoria, el Cid ya no podría menos (el *Cantar* no lo dice, pero así debió ser) de perdonar a su impetuoso sobrino. Y lo mismo, pero aquí a invitación del Cid, se dispara en las Cortes de Toledo: «Mio Cid Roy Díaz a Per Vermudoz cata: / "¡Fabla, Pero Mudo, varón que tanto callas!"». Y el poema comenta, describiéndonos la tartamudez del guerrero:

Per Vermudoz compeçó de fablar;
detiénesle la lengua, non puede delibrar,
mas cuando empieça, sabed, nol da vagar.

Pedro Bermúdez, impetuoso e irrefrenable, se levanta. Se levanta *indignado* contra el Cid porque allí delante de todos le ha llamado por el mote: «Dirévos, Cid, costumbres avedes tales, / ¡siempre en las cortes Pero Mudo me llamades!». Pero ya se dirige a Fernando, al que va a retar. Ya se le suelta la lengua. Las primeras palabras son las exactas, sin ambages: «Mientes, Ferrando». Y de ahí adelante, le lanza nítidamente todos sus agravios, para terminar la primera tirada de su desafío con aquellas concentradas expresiones, las más sintéticas que se dicen en las Cortes de Toledo: «¡E eres fermoso, mas mal varragán! Lengua sin manos, / ¿cuómo osas fablar?». [...]

El *Poema del Cid* es no sólo una admirable galería de retratos. Más aún, es una de las obras de la literatura castellana donde la caracterización es más rápida, más feliz, más varia, más intensa. [...] Asombra cuán poca materia pictórica ha sido empleada para tal resultado; maravilla la ligereza de la mano y de la pincelada. Los personajes —repito— se nos manifiestan hablando; es un ligero, casi inapreciable matiz estilístico lo que delata el fondo de su corazón. ¡Qué gran artista el anónimo autor de nuestra primera obra castellana!

EDMUND DE CHASCA

FÓRMULAS, CONTEXTOS Y ESTRUCTURAS ÉPICAS

Según Parry, una fórmula es un grupo de palabras que se emplea con regularidad en las mismas condiciones métricas para expresar una esencial idea habitual. Si nos atuviéramos únicamente a esta proposición, nos limitaríamos a la consideración de procedimientos verbales; pero tan habituales como éstos son ciertos modos de disponer el relato, modos que versan sobre la causa formal, no la causa material. Para nuestros propósitos, pues, definiremos la fórmula como cualquier procedimiento épico habitual a) del estilo, y b) de la disposición narrativa. [...] Tampoco aceptamos sin modificación otra proposición de la definición de Parry, por lo menos en cuanto se refiere al *Cantar del Cid*. No expresan siempre la misma idea esencial las mismas palabras, porque la huella psíquica de éstas se matiza de distintos modos en distintos contextos. [...] Baste citar un ejemplo. Cuando, terminado el trato de las arcas de arena, Raquel le besa la mano al Cid y le dice: «¡Ya Canpeador, en buena

Edmund de Chasca, *El arte juglaresco en el «Cantar de Mio Cid»*, Gredos, Madrid, 1967, pp. 165-167, 170, 194-195.

çinxiestes espada!» (175), ni por asomo se puede interpretar el epíteto rebosante que le dirige como *simple* expresión de admiración. El modificante del epíteto es el estado de ánimo del hablante manifestado en los versos precedentes:

> Al cargar de las arcas   veriedes gozo tanto:
> non las podien poner en somo   maguer eran esforçados;
> grádanse Raquel e Vidas   con averes monedados,
> ca mientra que visquiessen   refechos eran amos (170-173).

Al despedirse del Cid con el epíteto rebosante, pues, Raquel no lo está viendo con los ojos de los que lo celebran únicamente por su grandeza heroica. El judío ve al Cid como fuente de enorme riqueza, lo ve con los ojos del interés. [...]

Es cierto que a menudo una particular variante del epíteto formulario parece ser elegida porque conviene a la asonancia o porque un mayor o menor número de sílabas es el indicado para que la variante se ajuste a la flexible medida de un hemistiquio, o porque sirve para llenar un verso con el fin de darle al juglar un poco de tiempo para ensartar el elemento narrativo siguiente. Pero no siempre se atiene el juglar al epíteto sin particularizarlo con matices especiales. Por ejemplo, si el poeta castellano hubiera empleado automáticamente el de más fácil alcance al cantar la tirada once, con asonancia en *a-o*, habría repetido, en el verso 204, la expresión «Burgalés contado» del verso 193, en vez de «el mío fidel vassallo». Pero el juglar hace al Cid llamar a Martín Antolínez su «fidel vassallo» precisamente porque éste ha dado una prueba notable de fidelidad, prueba ya resaltada en los versos 70-77, en que el burgalés provee de víveres al Cid, aunque, como aquél dice, sabe muy bien que, a causa de ello, será acusado de haber servido al desterrado, y que la ira del rey Alfonso caerá sobre él. También en la tirada 13 llama el juglar a Martín «el Burgalés leal», sin que se pueda pensar que el adjetivo se haya elegido sólo porque convenga a la asonancia en *á*. Otra vez se subraya la lealtad del vasallo, pues éste declara que está dispuesto a correr el riesgo de volver a Burgos para despedirse de su mujer sin prisa, pero que estará otra vez con el Cid antes de que raye el alba, *aunque el rey quiera desheredarle*. [...]

Una constante a través del poema, desde los elementos geminales de la parte más mínima hasta los paralelismos temáticos de las dos grandes divisiones del conjunto, es la iteración de significados afines. En orden ascendente estos paralelismos se manifiestan en el HEMISTIQUIO, en el VERSO, en la SERIE y en la forma interior del POEMA como totalidad:

HEMISTIQUIO

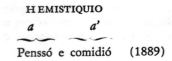

Penssó e comidió   (1889)

VERSO

a   a'

Mucho pesa a los de Teca e a los de Terrer non plaze   (625)

SERIE

Minaya al Cid:

a

Vos con çiento   de aquesta nuestra conpaña,
pues que a Castejón   sacaremos a çelada,
en él fincaredes   teniendo a la çaga;
a mí dedes dozientos   pora ir en algara (440-441c)

El Cid a Minaya:

a'

Vos con los dozientos   id vos en algara (442)
E yo con los çiento   aquí fincaré en la çaga (449)

POEMA

a   Tema de la honra del Cid en la esfera política.

a'   Tema de la honra del Cid en la esfera doméstica.

Colin Smith

FORMAS Y TÉCNICAS NARRATIVAS
EN EL *CANTAR DEL CID*

Aunque se notan diferencias de tono entre la primera parte, con predominio de la narración de hechos militares, y la segunda, más colorista y dramática en su invención, la mayoría [de los críticos] acepta ahora la unidad del texto, basándose en razones artísticas. Hay unas pocas vinculaciones débiles y ciertas omisiones, pero los temas centrales del drama se mantienen consistentes a lo largo del poema, algunos versos e incidentes hacen referencia a otros anteriores y posteriores, y los personajes son notablemente constantes. Hay también una absoluta unidad de estilo. [...]

La estructura métrica del poema es muy sencilla y, en algún sentido, totalmente misteriosa. Los versos están agrupados en párrafos que encierran una misma idea, a los que se denomina con el término francés *laisse* o los españoles *serie* y *tirada*. Dentro de cada tirada la asonancia es más o menos continua. La serie más corta del poema, tal como lo editó Pidal, consta de 3 versos; la más larga de 190. Existían ciertas costumbres —no reglas— para cerrar la tirada y cambiar de asonancia: cuando la narración da paso al discurso directo y viceversa, cuando empieza una nueva escena, cuando el locutor inicia un nuevo tema. Hay algunas series paralelas o «series gemelas», en las que se recapitula brevemente el tema anterior, unas veces por énfasis e insistencia artística (v. gr., tirada 129), y otras para dar, quizás, un resumen de algo que ha sido interrumpido en la recitación; pero nuestro poeta no hace mucho uso de esta técnica, que puede muy bien ser una reliquia evolutiva, algo heredado de un pasado oral y que no es estrictamente necesario para su propio arte, o, quizás, un intento de imitación de la práctica francesa. [...]

Lo que se conoce como la «*-e* paragógica» ha sido muy discutido. Se verá que el poema tiene, por ejemplo en la tirada 18, aso-

Colin Smith, «Introducción» a *Poema de Mio Cid*, Cátedra, Madrid, 1976, pp. 15-119 (46, 48-50, 55, 60-63).

nancias en *á* mezcladas con otras en *á-e* (*Bivar, valdrá, sale, besar* ... *heredades*). [...] Parece verosímil que, aunque el copista del *Poema de Mio Cid* escribió su texto en el castellano corriente de su época, la tradición oral de la épica había cantado o recitado siempre sus versos colocando la *-e* paragógica después de la vocal acentuada al final de un verso, haciendo de esta manera todas las asonancias en realidad dobles y todas iguales. No esperaríamos menos si el canto épico iba acompañado de una música que requería este mínimo de regularidad. Podemos representar mejor tales tiradas diciendo que eran en *á(-e)*, *ó(-e)*. [...] A menudo, la *-e* adicional representaba un recuerdo de la *-e* existente en los infinitivos y nombres latinos, que todavía se pronunciaba en el siglo x en Castilla (y mucho más tarde en algunos dialectos), como en el caso de *besare, voluntade*, etc. En otros casos la *-e* sería contraria a la etimología, v. gr., *estan-e* 305 (< STANT), *mas-e* 307 (< MAGIS). Es claro que cualquiera que fuese su origen, la *-e* paragógica era una licencia poética muy usada en un género que tenía sus rasgos y convencionalismos arcaicos, como correspondía a la nobleza y antigüedad de sus temas. [...]

El único aspecto gramatical que aquí nos interesa es la extrema libertad que muestra el poeta en el uso de los tiempos verbales, libertad que era probablemente algo característico de la épica, aunque se aprecia también en otros géneros, y que es una constante en los romances. Se distingue en seguida el uso del presente histórico para hacer más vívida la narración, como en otras lenguas, pero otros rasgos son más difíciles de explicar. Respetemos los esfuerzos que se han hecho para analizar la estructura de los tiempos en el poema y la actitud del autor, pero algunos de estos esfuerzos pecan de sutileza cuando pretenden atribuir al poeta una clara intención estética en cada peculiaridad del uso de los tiempos. Las formas verbales de los versos 715-717, por ejemplo —dos presentes seguidos de un pretérito, que expresan acciones exactamente semejantes y sucesivas, redondeados por una aplicación ligeramente diferente de un imperfecto en el v. 718—, desafían cualquier análisis lógico o estético. [...]

El primer aspecto digno de ser tenido en cuenta es la claridad, la simplicidad y economía de estilo que el poeta confiere a su narración. Incluso el más trillado de los epítetos épicos, la expresión más mecánica que le sirve para llenar un verso, realiza una función estructural, estética o melódica; [...] El poeta sigue una clara línea narrativa en el conjunto y en el detalle, y no se permite digresiones ni gorgoritos estilísticos. El atento análisis por parte del lector de tiradas tan poco enfáticas como la 38 y las que siguen, le convencerá de la fundamental competencia del poeta, de su pulcritud y habilidad para proseguir su historia con el mínimo de ruido, así como de su capacidad para combinar de manera convincente la narrativa con los elementos del discurso directo. El pasaje está construido con materiales muy ordinarios, con abundante fraseología tradicional y formularia; pero incluso aquí ofrece el poeta una contribución individual, como en la tirada 39, en la que con una serie de versos cortos y galopantes nos presenta a los hombres del Cid persiguiendo a los moros hasta las puertas de Calatayud. [...]

La selección que el poeta hace del detalle en sus pasajes más conscientemente literarios muestra la mano de un gran artista, capaz de sugerir toda una escena con la alusión a las cosas pequeñas y al conjunto, y de asociar a esta escena los personajes del drama y nuestras emociones. No se molesta en decirnos cómo era Cardeña, puesto que todos lo sabían, pero presenta a los monjes moviéndose en la madrugada por el recinto de la abadía, llenos de emoción por la llegada del Cid y con sus trémulas candelas (244), el sonar de las campanas a la salida de éste (en un hermoso verso, cuyas palabras se hacen eco del repique de las campanas, 286), y a Doña Jimena arrojándose a las gradas del altar para rogar por su esposo (327). De una manera más concentrada, los versos 1.610-1.617 nos proporcionan una de las descripciones más delicadas del poema. El genio del autor nos hace ver aquí a Valencia a través de los ojos de Jimena y sus hijas. La gran ciudad era aún «nueva» para el conquistador y éste estaba inmensamente orgulloso de ella; habría sido impresionante el que el poeta nos la hubiese presentado a través de los ojos del héroe, o simplemente a través de los del mismo narrador; pero escoge para que veamos esta maravilla los ojos de las personas que acaban de llegar ahora mismo —quizá también porque son éstas más impresionables y sensibles—. Vemos asimismo los ojos de las mujeres como los vieron el Cid y los soldados que habían subido a la ciudadela acompañando al grupo: «Ojos velidos catan a todas partes» (1.612), siendo los suyos los primeros ojos dulces de mujer cristiana que el Cid y muchos de sus hombres habían visto desde hacía tiempo. Esos dulces ojos contemplan admirados, en primer lugar la ciudad que extiende su panorama debajo de ellos (1.613), una ciudad mora y mediterránea más impresionante que ninguna otra en la España cristiana; se dirigen después hacia el mar, que, quizá, nunca habían visto antes (1.614) y miran, por fin, hacia el otro lado, para ver la gran huerta verde, la tierra más rica de toda Iberia. El gesto hacia Dios y la acción de gracias por esta gran merced, con los que se cierra la breve escena, son la cosa más natural del mundo; la perfecta discreción del poeta le ha dicho cómo crear una emoción profunda sin expresarla de un modo directo.

La escena de Corpes es un ejemplo todavía más fino del arte descriptivo. Nos tememos que va a ocurrir alguna desgracia: el Cid ha ordenado a Félez Muñoz que acompañe al grupo por ciertas sospechas que no se indican, y Avengalvón, después del complot de los infantes para matarle, ha prevenido en público a las hijas del Cid sobre la maldad de sus maridos. Pero para valorar de una manera completa el horror que se presagia conforme se aproximan a Corpes, debemos mirar a otros detalles y leer la escena con una mente medieval. Los misteriosos árboles son anormalmente altos, sus ramas se pierden en las nubes (2.698); recordamos asimismo que en la tradición medieval se describía el infierno como rodeado de un espeso bosque. El bosque —como todos los de Europa en los siglos XII y XIII— ofrecía el peligro muy real de las «bestias fieras» (2.699) y las «aves del monte» (2.751); la alusión que de éstas se hace más tarde en la corte, en una sociedad de esforzados soldados (2.946, 3.267), tiene el propósito de hacer temblar al más fuerte, con un estremecimiento que resulta de antiguos temores, imprecisas nociones de males que acechan en lugares oscuros y pensamientos del infierno. Sin embargo, hay en el tenebroso bosque un *locus amoenus*, el vergel o claro, con su fuente de agua cristalina; por un momento todo es encanto e inocencia, y los infantes hacen el amor a sus mujeres en lo que casi constituye un marco de pastoral renacentista. La noche en el bosque no ha sido desagradable, a pesar de los augurios; pero el alba, que debería traer con su luz la esperanza, la claridad y una nueva inocencia, traerá en la predicción del poeta la tragedia (2.704). El resto del relato de Corpes, analizado con acierto por los críticos, conserva su alto nivel artístico con la misma economía y riqueza de alusiones.

ALAN DEYERMOND

EL CICLO ÉPICO DE LOS CONDES DE CASTILLA: MOTIVOS Y PERSONAJES

[Cuatro cantares de gesta constituyen fundamentalmente el ciclo épico de los Condes de Castilla.] Sobre el primer conde, Fernán González, conservamos la mayor parte del *Poema de Fernán González,* refundición en el metro culto de la cuaderna vía del perdido *Cantar de Fernán González,* que ha dejado huellas en crónicas y romances del siglo XIV. El segundo conde, Garci Fernández, es el personaje central, aunque no el más importante, de *La condesa traidora* (cuyo argumento conocemos en su totalidad gracias a los cronistas), y durante su reinado se sitúa *Los siete infantes de Lara [o de Salas]* (del que los cronistas citan muchos versos y nos han conservado todo su argumento; hay varios romances sobre el tema). Sancho, el tercer conde, no es protagonista de ningún poema del que tengamos noticia, pero desempeña un destacado papel en el desenlace de *La condesa traidora* y en los móviles del *Romanz del infant García.* Este último poema (cuyo argumento conocemos íntegramente gracias a los cronistas, que en un caso mencionan el título del poema y comparan su contenido con lo que dicen los historiadores hispanolatinos) trata del asesinato del cuarto y último conde de la antigua estirpe castellana. [El ciclo de los Condes de Castilla quizás incluyó otros cantares hoy atestiguados sólo parcial e indirectamente (con la posible excepción del tardío y sospechoso *Poema del Abad don Juan de Montemayor*), y es problemática la relación que con él tenía el *Cantar de Sancho II.* En cualquier caso, en las obras indudablemente constitutivas del ciclo resaltan varios rasgos comunes y característicos, como *a*) el fondo histórico, *b*) la fuerte vinculación de las gestas al culto que recibían los sepulcros de los protagonistas en iglesias y monasterios, *c*) el deseo de venganza en tanto móvil central de la acción poética, y *d*) el decisivo papel que desempeñan las mujeres en

Alan Deyermond, «Medieval Spanish epic cycles: Observations on their formation and development», *Kentucky Romance Quarterly*, XXIII (1976), pp. 281-303 (283-288).

la trama argumental.] La versión de *La condesa traidora* en la *Crónica Najerense* termina con el rescate del cuerpo de Garci Fernández en tierra de moros por su heredero, Sancho, y con su sepultura en San Pedro de Cardeña. En la versión más completa, que leemos en la *Estoria de España*, el momento culminante es el relato, históricamente falso, de la fundación por Sancho de San Salvador de Oña, después de la muerte de su traicionera madre. El *Romanz del infant García*, según se nos cuenta en la *Estoria de España*, trata de la sepultura del conde asesinado en Oña (donde, como ocurre en la tumba rival de León, de la que hablan los cronistas hispanolatinos del siglo xiii, un epitafio recuerda la historia del crimen). Dos monasterios compiten también en mostrar las tumbas de los Siete Infantes de Lara: San Pedro de Arlanza y San Millán de la Cogolla tenían cada uno siete tumbas que contenían supuestamente los cadáveres decapitados, y lo que según se pretendía eran las calaveras de los Infantes, se exhibía orgullosamente en la iglesia parroquial de Salas de los Infantes. A todo eso podemos añadir el hecho sobradamente conocido de que Fernán González fundó el monasterio de Arlanza y fue sepultado allí; el *Poema*, que habla de sus donaciones al monasterio y de la relación que mantenía el conde con los monjes, quienes le dispensaban sus consejos y su consuelo, suele considerarse como compuesto en Arlanza a mediados del siglo xiii. Ello no significa que todas las epopeyas sean composiciones eclesiásticas que tengan su origen en la veneración de determinados sepulcros: como advierte Russell, no disponemos de medios de llegar a una conclusión satisfactoria. Por otra parte, parece probable por diversas razones que la epopeya de *Los siete infantes* inspirara los cultos rivales, y no viceversa. [...]

Mayor significado tiene aún el hecho de asociar la venganza con personajes femeninos que desempeñan una función activa, y a veces predominante. Estos personajes se encuentran de vez en cuando en las epopeyas de otros países (quizá los más conocidos sean Brunilda y Crimilda en el *Nibelungenlied*), pero son más frecuentes en otros ámbitos literarios, sobre todo en los cuentos populares y en los romances. En la epopeya es más usual que las mujeres apenas desempeñen ningún papel (como en la *Chanson de Roland*), o que su papel, aun siendo esencial para los móviles de la intriga, sea sobre todo pasivo (como sucede con Helena en la *Ilíada*, o con Jimena y sus hijas en el *Cantar de Mio Cid*). Las únicas epopeyas españolas, aparte del ciclo de los Condes, en las que tiene participación activa una mujer son las *Mocedades de Rodrigo* (Jimena decide vengar la muerte de su padre, pero acaba deseando casarse con Rodrigo, después de lo cual su papel se hace pasivo) y el *Cantar de Sancho II*, que quizá se concibió como un componente tardío del ciclo de los Condes. No obstante, lo que es excepcional en los demás ciclos en éste es la norma.

En el *Poema de Fernán González* la captura y encarcelamiento del héroe en Navarra tienen por causa la traición de Teresa, reina de León. Es puesto en libertad gracias a la princesa navarra Sancha, quien demuestra rápidamente ser una mujer de valor y fértil en recursos (apuñala a un arcipreste que intenta forzarla durante su huida), y cuando ella y Fernán González ya se han casado, demuestra una gran audacia ayudando a escapar a su marido de un segundo encarcelamiento.

El título que los eruditos han dado a *La condesa traidora* ya indica el papel predominante de Sancha, segunda esposa de Garci Fernández, en la segunda mitad de la epopeya: dominada por el ilícito amor que siente por el rey moro, acuerda con él la muerte de su esposo, y más tarde intenta envenenar a su hijo porque también es un obstáculo a sus deseos. La primera mujer de García Fernández, Argentina, recuerda a Sancha en muchos aspectos, pero aunque es importante en la primera mitad de la epopeya, más que dominar la acción, obra según las iniciativas de los demás. No es una rival comparable a su hijastra *de facto* Sancha, quien, maltratada por ella, se venga urdiendo la muerte de Argentina y de su propio padre a manos del furioso Garci Fernández. En *Los siete infantes*, desde la ofensa en la boda a la muerte de los siete hermanos y al intento de que también su padre perezca a manos de los moros de Córdoba, todo es obra de Doña Lambra, quien actúa directamente o como instigadora de su marido. La versión que da de los hechos la *Estoria de España* trata de un modo relativamente superficial la venganza que lleva a cabo Mudarra, pero en la *Crónica de 1344* hay una segunda parte del relato que es digna de la primera por su alcance y fuerza trágica. No sólo Mudarra tiene una intervención mucho mayor, sino que además Sancha, esposa de Gonzalo Gústioz, tiene un papel muy activo en los hechos. Acoge gozosamente al desorientado bastardo de su esposo cuando el joven llega a Castilla, ya que ve en él la única posibilidad de venganza; gracias a ella es reconocido (le adopta como hijo propio) y armado caballero por Garci Fernández, haciéndose así digno de enfrentarse con el traidor Ruy Velázquez; y asiste a su muerte, decidiendo la suerte de Ruy Velázquez e incluso tratando de beber su sangre (*Crónica de 1344*, cap. 379). De este modo Sancha contrapesa la figura de Lambra, dirigiendo la venganza como Lambra había dirigido la traición, y llega a ser tan cruel como Lambra: la madre y tierna esposa se ha convertido en una furia vengadora, cuya sed de sangre llega incluso a escandalizar al héroe guerrero Mudarra: «E entō pos os geolhos em terra pera lhe bever do sangue. Mas dom Mudarra Gonçálvez a tomou pello braço e alevantouha da terra, dizendo: —Nom queira Deus, madre senhora, que tal cousa passe, que sāgue de homen assý treedor entre ē corpo tam leal e bōo como o vosso he!». Erich von Richthofen, analizando las analogías que hay entre este episodio y una escena de venganza del *Ragnarssdrápa* noruego, llega a la conclusión de que «de toda la épica europea son estas dos las escenas más sangrientas». La evolución de Sancha es, pues, muy parecida a la de Crimilda, que en el *Nibelungenlied* empieza siendo una dulce doncella para convertirse, a fuerza de sombrías cavilaciones sobre la muerte sin venganza de su esposo, en un monstruo de destrucción. [...]

Una evolución semejante a la de Sancha en *Los siete infantes* la encontramos en su homónima del *Romanz del infant García*. La princesa de León, joven feliz y enamorada, presencia el asesinato de su prometido, e incluso es brutalmente tratada por uno de los asesinos. De ellos, todos salvo uno no tardan en ser apresados y ejecutados («Los reys cercáronlos estonces a los otros condes [ios hermanos Vela], et quemáronlos ý luego, faziéndoles antes muy grandes penas como a traydores que mataran a su sennor», *Primera crónica general*, cap. 789). El superviviente sólo es castigado gracias a la perseverancia de Sancha, que, prometida al príncipe Fernando de Navarra (el futuro Fernando I de Castilla), jura que nunca consumará el matrimonio hasta que el criminal que sigue con vida caiga en sus manos. Finalmente es apresado, y al igual que a la Sancha de ios *Siete infantes*, a esta Sancha se le pide que decida cuál es el castigo que merece: «tomó un cuchiello en su mano ella misma, et tajóle luego las manos con que él firiera all inffant et ella misma, desí tajól' los pies con que andidiera en aquel fecho, después sacóle la lengua con que fablara la trayción ...» (*Primera crónica general*). Adviértase que el castigo infligido por Sancha con sus propias manos es más cruel que el que sufrieron los otros asesinos a mano del rey de Navarra y de sus hijos, y que la descripción es mucho más pormenorizada.

En todas las epopeyas del ciclo de los Condes que han llegado hasta nosotros tanto en verso como en prosa, al menos una parte de la acción está fuertemente influida por una mujer: la segunda mitad de la epopeya en el *Fernán González*, *La condesa traidora* y el *Romanz del infant García*; la primera mitad de *Los siete infantes de Salas*, tal como está incorporada en la *Estoria de España*, y toda la trama argumental en la versión de la misma epopeya en la *Crónica de 1344*. En dos de estas epopeyas (*Fernán González* y la versión de *Los siete infantes* que da la *Crónica de 1344*) una parte o la totalidad de la acción se basa en un enfrentamiento entre dos mujeres, una a favor del héroe o héroes, la otra en contra. Por lo común las mujeres tienen personalidades muy enérgicas, y algunas de ellas se muestran capaces de una gran crueldad. [...] Se trata, como otros muchos personajes y temas de la epopeya española, de rasgos propios del relato folklórico universal, y los poetas épicos no hacen más que tomar elementos de un fondo común. Lc más digno de destacarse, en el presente estudio, son las numerosas coincidencias que existen en los cuatro poemas del ciclo de los Condes, y sobre todo entre el *Infant García* y la versión que de *Los siete infantes* da la *Crónica de 1344*.

Samuel G. Armistead

TRAYECTORIA DE UNA GESTA:
LAS *MOCEDADES DE RODRIGO*

Las formas de literatura tradicional —el romance, el cuento popular y también la epopeya— que son o fueron cantadas o narradas en el curso de siglos y en áreas geográficas muy vastas por innume-

Samuel G. Armistead, «The *Mocedades de Rodrigo* and neo-individualist theory», *Hispanic Review*, XLVI (1978), pp. 313-327 (316-320).

rables personas, tienen la confusa e incómoda característica de no adaptarse a la monolítica univalencia textual que los críticos del siglo XX, pensando siempre en términos de letra impresa, tienden a proyectar sobre ellas. Desde luego, tenemos siempre que hablar de textos individuales, de concreciones individuales de una narración épica dada, pero siempre hay que tener en cuenta que esta narración existía ya antes y al margen del texto de la versión concreta que ha llegado hasta nosotros y que pueden estudiar los críticos modernos. Desde el punto de vista metodológico es difícil referirse a la epopeya conservada en el manuscrito Espagnol 138 [de la Bibliothèque Nationale de París] como LAS *Mocedades de Rodrigo*, y a la persona que la refundió como su autor. Por ello he decidido llamar a este poema la *Refundición de las Mocedades*, sin dejar de reconocer lo engorroso del título. Es indispensable e ineludible estudiar este poema, como todas las demás manifestaciones de la epopeya castellana —ya prosificadas, ya en su forma original— como partes de una continuidad tradicional, de una trayectoria tradicional, de cuyos innumerables componentes o recitados individuales sólo se ha conservado un número ínfimo, ya fuera en copias manuscritas, ya en las prosificaciones y alusiones de las crónicas, o en sus derivaciones en forma de romances.

Veamos ahora de un modo específico la tradición épica de las *Mocedades de Rodrigo* como un ejemplo de esta trayectoria o continuidad de los textos épicos. Encontramos ya pruebas de distintas versiones de las *Mocedades* durante el último cuarto del siglo XIII, en tres o quizá cuatro narraciones épicas diferentes prosificadas o resumidas por la *Primera crónica general* (*Estoria de España*) y la *Crónica de veinte reyes*. El relato que puede reconstruirse a partir de estas antiguas alusiones guarda en muchos casos una indudable relación con el que, unos veinticinco años después, hacia el 1300, iba a prosificarse en la *Crónica de los reyes de Castilla*, y luego copiarse, con la interpolación de otros materiales de origen épico, en la *Crónica de 1344*. Este es el poema perdido que, a falta de un título mejor, he llamado la *Gesta de las mocedades de Rodrigo*. Tenemos, pues, un testimonio indudable de dos fases cronológicamente distintas en el desarrollo de la tradición de las *Mocedades* antes de la redacción o refundición del poema estudiado por Deyermond [1969], que, tal como éste ha demostrado, probablemente recibió la forma en que lo conocemos alrededor del año 1360. Pero, ¿significó esta refundición clerical el fin de la tradición de las *Mocedades?* En absoluto. Lope García de Salazar compiló su monumental *Libro de las bienandanzas e fortunas* entre 1471 y 1476, poco más de cien años después de que el divulgador palentino diera forma a su refundición. En esta abundante compilación Lope García utilizó varios textos épicos y entre ellos figuraba una versión de las *Mocedades*; versión que, como por mi parte he demostrado, difería tanto de la *Gesta* como de la *Refundición*. Lope García nos aporta, pues, la prueba de una cuarta forma tradicional del relato de las *Mocedades*. Pero ¿acaba aquí la tradición? Tampoco. Entre 1504 y 1515 un cronista anónimo refundió y amplió el *Compendio historial* de Diego Rodríguez de Almela, y al hacerlo interpoló diversos pasajes que procedían de otra versión de las *Mocedades*, diferente de la de la *Gesta* y diferente también de la *Refundición* y del texto usado por Lope García. Pero tampoco nuestra trayectoria tradicional termina con el refundidor de Rodríguez de Almela. Ya hace años que Menéndez Pidal nos demostró que los romances del siglo XVI representan otra versión o versiones tradicionales de las *Mocedades*, que difieren en una serie de detalles tanto de la *Gesta* como de la *Refundición*, y, añado yo, que difieren asimismo de las otras versiones descubiertas posteriormente. Pero ni siquiera las pruebas de la tradicionalidad de las *Mocedades* llegan a su término en el siglo XVI. Un breve fragmento conservado en la tradición moderna de los romances de los judíos sefarditas marroquíes, puede relacionarse con los romances del siglo XVI sobre las *Mocedades*, aunque estos textos modernos son más fieles a la epopeya tradicional en el hecho de mantener el nombre del rey, *Fernando*, y en un detalle concuerdan sólo con la forma completa más antigua que se conoce de la epopeya: la *Gesta* del siglo XIII prosificada en torno al 1300 en la *Crónica de los reyes de Castilla*.

De toda esta enumeración más bien tediosa de versiones y variantes surge una imagen muy distinta de la evocada por los individualistas, la del «autor» único de inspiración clerical de un único poema de las *Mocedades de Rodrigo*. De hecho tenemos pruebas de que existieron por lo menos seis, quizá siete, variantes distintas de la historia de las *Mocedades*: 1) los antiguos testimonios fragmentarios que aparecen en la *Primera crónica general* (fines del siglo XIII); 2) la *Gesta* prosificada de hacia 1300; 3) la *Refundición* (h. 1360); 4) el poema que utilizó García de Salazar (1471-1476); 5) la versión que conoció el refundidor y ampliador del *Compendio* de Almela (1504-1515);

6) la versión o versiones reflejadas en los romances impresos en el siglo XVI; y 7) el fragmento del romance marroquí.

¿Cómo es posible explicar las múltiples concordancias de cada una de estas narraciones, tan pronto con uno como con otro de los diversos componentes de la cadena tradicional? ¿Y cómo podemos armonizar sus profundas discrepancias? Teniendo en cuenta estas últimas, es evidente que ninguno de estos relatos se copió directamente de ninguno de los restantes. Sin embargo, teniendo en cuenta sus concordancias es igualmente obvio que de una manera u otra están relacionados entre sí. A mi entender, la única solución posible es suponer la existencia de lo que en la crítica reciente se ha convertido en una expresión malsonante: textos intermedios perdidos. Es posible que pueda encontrarse alguna otra solución. De ser así, sería magnífico. Pero hasta hoy el neoindividualismo no se ha enfrentado con este incómodo problema. Como sabe perfectamente todo el mundo que se ocupa de literatura tradicional, por cada romance o cuento popular que se conserva, son innumerables las versiones relacionadas con él que caen en el olvido, corriendo la suerte reservada a la mayor parte de la literatura oral, que es por naturaleza un género efímero. Lo que se pierde es típico. Podríamos llamarlo «la mayoría silenciosa». Lo que se recoge, se registra, se pone por escrito, es una excepción caprichosa, rara, extremadamente rara. No sirve de nada condenar automáticamente a toda crítica que habla de los textos intermedios perdidos. Los textos perdidos son una parte sustancial e ineludible incluso de la literatura medieval culta, que se fijó por escrito, y mucho más aún por lo que respecta a los géneros orales.

4. BERCEO Y LA POESÍA DEL SIGLO XIII

Si bien tanto la tradición lírica como la épica florecen en España antes de 1200, la primera escuela consciente de poesía —el primer grupo de poetas con un programa literario común— no aparece hasta el siglo XIII. Estos poetas utilizan una nueva forma métrica conocida como *cuaderna vía*: versos de catorce sílabas (con cesura tras la séptima) en tetrástrofos monorrimos. El nombre de «cuaderna vía» se ha tomado del que probablemente fue el primer poema compuesto en tal manera, el *Libro de Alexandre,* donde también se halla otra designación gemela, *mester de clerecía.*

Esta forma métrica proviene de Francia: probablemente es una adaptación del alejandrino francés, aunque algunos críticos han apuntado la influencia de la poesía latina cultivada en la Francia del siglo XII. Pero no sólo la estrofa, también la materia central del *Alexandre* llegó de allende los Pirineos, así como otros elementos lingüísticos y conceptuales. Cabe incluso pensar que la poesía del *mester de clerecía* surgió en la recién fundada Universidad de Palencia, donde había maestros franceses encargados de enseñar a la que sería la primera generación de universitarios españoles.

El primer poeta de la nueva escuela cuyo nombre conocemos es Gonzalo de Berceo, pero el anónimo *Libro de Alexandre* es probablemente anterior (¿hacia 1225-1230?) y parece haber sido el modelo de Berceo. El *Alexandre,* una de las más valiosas obras medievales referentes a Alejandro Magno, es en parte un libro de aventuras y en parte una epopeya culta. El poema es el más extenso de la *clerecía* y muestra la grandeza y la trágica caída del héroe. Berceo (nacido a fines del siglo XII y muerto antes de 1264) utilizó la nueva poesía con propósitos piadosos. En la *Vida de San Millán de la Cogolla* (¿hacia 1230-1235?) combina la devoción por el santo patrón de su monasterio (Berceo era notario del abad de San Millán) con la preocupación por los intereses económicos del cenobio. El poema, en efecto incorpora una adaptación de los falsos

Votos de San Millán, que prescribían el pago de tributos al monasterio por parte de los territorios vecinos; es incluso posible que el propio Berceo estuviese implicado en la falsificación de tales *Votos,* si bien no por motivos de ganancia personal. Sus poemas posteriores, en los cuales la motivación económica tiene un papel mucho menor o se halla ausente por completo, versan sobre la vida de otros santos, sobre asuntos doctrinales y sobre la Virgen María. Todos los poemas, excepción hecha de una canción inserta en el *Duelo de la Virgen,* están en *cuaderna vía.*

En el mismo género métrico figuran el *Poema de Fernán González* (véase cap. 3); el *Libro de Apolonio,* que, como el de *Alexandre,* trata de un asunto clásico, pero utilizando la tradición narrativa antigua para poner de relieve una lección moral cristiana, con final feliz; y algunas obras menores, como los *Castigos y exemplos de Catón,* perteneciente a la literatura sapiencial, o la adaptación versificada de un pequeño fragmento de *Las siete partidas* de Alfonso el Sabio. La cronología de estos poemas es insegura, pero la mayor parte, incluyendo todos los principales, parecen corresponder a un período de menos de cuarenta años, entre 1225 y 1265. Los poetas están al tanto de la obra de sus colegas, de la que toman elementos y a la que hacen alusiones varias. Esta conciencia, así como las notables semejanzas técnicas que existen entre poemas de temática muy diversa, justifican la etiqueta general de *mester de clerecía.* Lo mismo cabe decir por lo que se refiere a la formación de los autores: como observó ya Menéndez Pelayo, se trata de una poesía de las recién nacidas universidades y de los monasterios. No queda tan claro que la etiqueta de *mester de clerecía* pueda aplicarse correctamente a los poemas del siglo XIV escritos por la *cuaderna vía,* más heterogéneos que los anteriores, y, desde luego, no es posible admitir la frecuente práctica de agrupar los demás poemas de los siglos XIII y XIV en un artificial *mester de juglaría.* De hecho, la mayor parte de los poemas de métrica diferente a la *cuaderna vía* también tiene un origen claramente culto.

Del siglo XIII datan dos importantes narraciones religiosas en pareados de versos cortos: la *Vida de Santa María Egipciaca* y el que ha solido llamarse *Libre dels tres reys d'Orient*; son, respectivamente, una hagiografía novelesca y una versión cuidadosamente estructurada de materiales tomados de los Evangelios Apócrifos. En otro poema más breve, *¡Ay Jherusalem!* —uno de los raros ejemplos castellanos de literatura de cruzada—, lo narrativo se combina con una llamada a la acción. Mejor representado se halla otro género común a toda Europa, el de los debates en forma poética, con tres obras de gran interés, la *Disputa del alma y el cuerpo,* la segunda parte de la *Razón de amor (Denuestos del agua y el vino)* y el *Elena y María,* todos de vivaz andadura. *Elena y María,* además, ofrece una mordaz crítica social, mientras que la *Razón de amor* —poema particularmente delicado, hermoso y enigmático— sitúa el debate en un marco de narración amorosa de tono lírico.

Entre las investigaciones sobre el *mester de clerecía* llevadas a cabo durante los últimos decenios se cuentan los útiles panoramas introductorios de Barcia [1967] y Salvador Miguel [1973], así como los estudios métricos de Saavedra Molina [1950-1951] y Baldwin [1973]. El extenso artículo de Saavedra Molina contiene un minucioso análisis de la versificación, especialmente valioso por su detalle y exhaustividad. Baldwin, por su parte, apuntando a un nuevo aspecto de la relación entre los poetas romances y la cultura latino-medieval, sugiere la influencia del *cursus* de la prosa latina en la rítmica del *mester de clerecía*. El aspecto lingüístico de tal relación ha sido estudiado por Dutton [1967], que también insiste en la conexión con lo francés ([1973] y cf. [1974]). Debemos a Dutton el primer desarrollo detallado de la idea de Menéndez Pelayo acerca del trasfondo universitario del *mester de clerecía* y su asociación específica con Palencia. Esa teoría se ha visto reforzada por el trabajo (todavía inédito) de Peter T. Such sobre los aspectos retóricos del *Libro de Alexandre*.[1] Otros estudios sobre este poema han arrojado nueva luz sobre la naturaleza del *mester de clerecía*. Willis [1956-1957], en especia!, ha subrayado que tal denominación conviene muy singularmente al erudito y refinado *Alexandre*, en tanto se aplica con más dificultad a las restantes obras en *cuaderna vía*. A propósito de los mal llamados (y mal datados) *Proverbios de Salamón*, Rico [1977] ha insistido en que el *mester* se configura en gran medida como la *escuela* poética que reconoce como dechado al *Libro de Alexandre*, cuyo ámbito enciclopédico lo convertía en una suerte de repertorio temático y estilístico. Por último, entre los trabajos de conjunto, hay dos que se oponen a las teorías aceptadas. Gybbon-Monypenny [1965] muestra que algunos datos considerados como prueba de la difusión oral de estos poemas no son en absoluto dignos de confianza, argumentando, además, que existen pistas considerables para afirmar que el *mester de clerecía* se dirigía a la lectura privada. Es muy posible que la presentación oral del *mester de clerecía* fuese más importante de lo que dice, pero, en todo caso, su trabajo ha tenido un efecto muy saludable en este aspecto de las investigaciones

---

1. En un artículo que acaba de aparecer, Francisco López Estrada estudia el desarrollo de *clerecía* y otros términos afines —en varias lenguas— como concepto literario: «Mester de clerecía: las palabras y el concepto», *Journal of Hispanic Philology*, III (1978), pp. 165-174.

sobre el género (Dutton [1967 ss.], I, p. 175; Ruffinatto [1968-1970]). La dicotomía tradicional entre clerecía y juglaría, supuestamente justificada por las estrofas iniciales del *Alexandre*, es cuestionada en un artículo mío [1965]; Musgrave [1976] ha demostrado que yo simplificaba en exceso un aspecto de la cuestión.

Era cosa conocida de antiguo que Gonzalo de Berceo aparece como signatario de una serie de documentos en la primera mitad del siglo XIII, y gracias a ello fue posible fijar las fechas aproximadas de su vida. Así quedó la cuestión hasta que hace unos veinte años Dutton [1960] inició sus investigaciones en torno a Berceo, logrando reorientar el asunto en forma decisiva, con pocos análogos en el dominio del medievalismo reciente. Su demostración de la formación legal y administrativa de Berceo ha sido generalmente aceptada, pero la conexión que establece entre el poeta y las falsificaciones de documentos del monasterio de San Millán [1967 ss.], I resulta más polémica, no tanto por defecto en los datos (sin duda de mucho peso, y es preciso tener en cuenta que Dutton tiene gran cuidado en no exagerar las conclusiones que saca de ellos) como porque muchos lectores, sobre todo los relacionados con el monasterio, se han sentido horrorizados ante la idea de que un poeta tan devoto pudiera haber participado en semejantes manejos. Otros estudios de Dutton que completan el cuadro biográfico de Berceo han desembocado en un útil artículo de conjunto [1976] sobre la cronología de las obras del poeta. La cronología establecida por Dutton para las vidas de los santos coincide con la propuesta por Weber de Kurlat [1961] sobre la base de un penetrante análisis literario.

También se han hecho notables progresos en la edición de los poemas de Berceo, aunque el avance cualitativo es aquí menos señalado que en el campo biográfico. Así, las ediciones publicadas entre 1900 y 1930 por John D. Fitz-Gerald, Antonio G. Solalinde y C. Carroll Marden ofrecieron textos fiables de la mayoría de los poemas; más recientemente se han ido publicando los textos que aún restaban, y los que habían sido ya adecuadamente preparados se han revisado a la luz de nuevos manuscritos y de los progresos de la crítica textual. Lo más importante ha sido, otra vez, lo realizado por Dutton, el primer estudioso desde los tiempos de Tomás Antonio Sánchez (1780) que ha intentado una edición de las obras completas de Berceo; han aparecido por el momento hasta cuatro volúmenes, y los demás verán la luz a no tardar [1967]. Dutton incluye estudios acerca de la relación de los poemas con sus fuentes (véase asimismo [1974]), algunas de las cuales también publica, y acerca de la lengua de los manuscritos (cf. Ruffinatto [1974 *a*]). Dutton intenta restaurar las formas lingüísticas originales de los cuatro poemas cuyo manuscrito más antiguo es el *in folio* del siglo XIV designado *F*, y para ello recurre al análisis de los pasajes que aparecen tanto en *F* como en la copia realizada en el siglo XVIII de un manuscrito *in quarto* hoy perdido, *Q*. Este procedimiento ha sido últimamente cuestionado de modo implícito por Uría Maqua [1976] en su edición de la *Vida de Santa Oria*; se trata de un asunto que, con toda probabilidad, seguirá siendo discutido. El trabajo de Uría va más allá de las sugerencias de Lida de Malkiel [1956-1957] y es audazmente innovador: al par que introduce correcciones apoyadas en datos claros y en una argumentación persuasiva, propone, menos convincentemente, un radical cambio de orden de algunas estrofas, incluyendo desplazamientos entre el comienzo y el final del poema. Se trata, en todo caso, después de las de Dutton, de la más importante edición de Berceo hecha en los últimos tiempos, aunque ha habido otras aportaciones útiles, como la edición de un olvidado manuscrito de la *Vida de San Millán* (Koberstein [1964]) y la del *Martirio de San Lorenzo* (Tesauro [1971]).[2]

La crítica literaria no había dicho prácticamente nada sobre Berceo hasta hace treinta años (y lo mismo cabe afirmar sobre gran parte de los autores medievales españoles), pero disponemos ya de un ensayo general y muy agudo debido al poeta Jorge Guillén [1962], así como de un cómodo y bien organizado inventario de los recursos estilísticos berceanos, preparado por Artiles [1968]. La sola objeción de importancia que puede hacerse a este último es que el tratamiento que hace del sistema formular del *mester de clerecía* es excesivamente cauto y provisional. Un estudio de John K. Walsh, de próxima publicación, mostrará que tal sistema (hasta cierto punto similar al de la épica, si bien no procedente de las constricciones de la composición oral) lo impregna todo, hasta límites en verdad sorprendentes. También es digno de mención el libro de conjunto de Giménez Resano [1976], particularmente por su capítulo sobre las técnicas narrativas. Entre los trabajos sobre los varios poemas se cuentan una excelente guía a la lectura de los *Milagros*, contenida en el glosario a la versión modernizada de D. Devoto [1957]; el libro de Gariano [1965, 1971] sobre el mismo poema, en el que se hacen algunas afirmaciones cuestionables, pero muy útil en general; y el sagaz análisis por Rozas de uno de los milagros [1975] y del libro en tanto forma unitaria [1976]. Por lo que se refiere a las vidas de santos, y además del clásico ensayo de Weber de Kurlat [1961], tenemos el libro de Perry [1968] sobre *Santa Oria*, y el de Suszynski [1976] sobre *Santo Domingo*, ambos dignos de elogio por la equilibrada aproximación crítica, al igual que el artículo de Ruffinatto [1974 *a*] que utiliza los

---

2. El *Santo Domingo* acaba de ser editado por A. Ruffinatto (Logroño, 1978), en la misma serie que Uría [1976].

métodos de la morfología del relato y la semiología. Recordemos aún un artículo de Gimeno Casalduero [1977] asimismo sobre el *Santo Domingo* en el que se dedica una cuidadosa atención a la estructura del poema (sobre cuyo estilo traerá novedades un inminente libro de Rafael Sala). No poco se ha escrito sobre el lírico *¡Eya velar!*, incluido en el *Duelo de la Virgen*. Varios investigadores de primera categoría han intentado solucionar el problema de su estructura y de la correcta ordenación de sus estrofas, pero las aportaciones más importantes han sido las de Devoto [1963] y Orduna [1975]; este último hace una revisión parcial de su estudio de 1958 sobre la estructura del *Duelo* en conjunto y del *¡Eya velar!* en particular. Ambos críticos tratan tanto del problema estructural como del igualmente espinoso asunto de los orígenes líricos: Devoto pone de relieve su base litúrgica, mientras que Orduna —probablemente con razón— considera que hay una mezcla de elementos litúrgicos y populares. También Devoto [1976 y 1977] lleva publicadas dos partes de lo que sin duda será una investigación definitiva acerca de la fortuna de Berceo antes de la edición de Sánchez. Este trabajo, aparte de su interés intrínseco, nos ayuda a ver los estudios modernos sobre Berceo en una perspectiva más adecuada y nos recuerda la necesidad de prestar atención detenida a la resonancia temprana de los autores medievales.

¿Qué queda por hacer? La culminación de la edición de Dutton y la resolución del problema de la lengua (cf. Ruffinatto [1974 *a*]) son sin duda objetivos urgentes. La crítica se ha ocupado de modo desigual de los diferentes poemas de Berceo, y no ha estado siempre a la altura de la importancia del poema mismo. Así, por ejemplo, ¿por qué el *Santo Domingo* ha atraído mucho más la atención crítica que el *San Millán*? Se trata, probablemente, de un poema de más calidad, pero ello no quiere decir que el segundo sea insignificante desde un punto de vista artístico. El *Martirio de San Lorenzo* ha sido olvidado casi por completo, lo mismo que los *Loores de Nuestra Señora* entre los poemas no hagiográficos. Caso aún más sorprendente es el de *El sacrificio de la misa*: con ser uno de los primeros textos de Berceo editado con seriedad (por Solalinde, cuando todavía era estudiante) y tema de dos libros hace medio siglo, ha quedado descuidado desde entonces, pese al interés que presenta su probable combinación de varias fuentes en un todo satisfactorio, así como su despliegue de virtuosismo al interpretar las relaciones entre el Viejo y Nuevo Testamento y la Iglesia medieval.

El *Libro de Alexandre* sobrevive en dos manuscritos básicos, ambos incompletos, y en varios fragmentos. El códice más completo y correcto, P, tiene rasgos aragoneses muy marcados, mientras que el otro, O, es claramente leonés en el aspecto lingüístico. Difieren de modo notable en muchos aspectos de sus lecturas respectivas, incluyendo las atribuciones que se hacen en la estrofa final: *O* dice que el *copista* («escrevió este ditado», cf. cap. 3, p. 89) es Juan Lorenzo, natural de Astorga, mientras que en *P* se dice que el *poeta* («fizo esti ditado») es Gonzalo de Berceo. La cuestión, complicada aún más por la aparición anterior de los nombres «Lorente» y «Gonzalo», ha sido muy discutida. Hasta hace poco, la mayoría de los estudiosos aceptaban el punto de vista de Alarcos Llorach [1948], según el cual el autor no era ni Juan Lorenzo ni Berceo, sino un anónimo; los intentos de atribuir la paternidad del poema a Juan Lorenzo han terminado en notorio fracaso. Un par de estudiosos, sin embargo, tienden hoy a aceptar a Berceo como autor del *Alexandre*. Esta idea, apuntada por Dutton [1960], ha sido defendida recientemente en una serie de artículos por Dana A. Nelson. La argumentación, basada en aspectos lingüísticos, ha sido controvertida, pero Nelson continúa desarrollándola, y el debate está lejos de haber terminado. La más reciente exposición de los puntos de vista de Nelson aparecerá en su próxima edición de la obra. Existen dificultades todavía no resueltas por los defensores de esta teoría —y que a mí me parecen muy serias—, pero es preciso admitir que la atribución del *Libro de Alexandre* a Berceo tiene hoy una base considerablemente más amplia que hace treinta años.

Las diferencias entre los manuscritos son tan grandes que una edición crítica en que se utilizasen los códices existentes para intentar reconstruir el arquetipo parece una tarea quizá poco prudente y capaz de desalentar al más intrépido. En 1934, Raymond S. Willis publicó una excelente edición paleográfica de los manuscritos y de los fragmentos, que fue punto de partida de las investigaciones posteriores. Alarcos [1948] incluyó en su libro la muestra de una posible edición, pero no fue más allá; para preparar un texto dirigido a un público no especializado, el camino más inteligente es, con toda probabilidad, el seguido por Ian Michael en la edición que está a punto de aparecer en «Clásicos Castellanos»: basarse en un solo manuscrito y utilizar el otro para colmar las lagunas. Nelson, sin embargo, está convencido de que una edición crítica es no sólo deseable, sino también posible; será preciso esperar a que se publique su trabajo, antes de arriesgar un juicio.

El interés despertado últimamente por la lengua del poema se refleja no sólo en los estudios de Alarcos y de Nelson, sino también en la publicación del extenso glosario de Sas [1976]. Los aspectos literarios, sin embargo, no han sido olvidados. El estudio de las fuentes, iniciado por Alfred Morel-Fatio en el siglo XIX, fue luego ampliamente completado por Willis en dos monografías publicadas casi al mismo tiempo que su edición; algo más han añadido también Alarcos [1948] y Michael

[1970]; este último incluye además una utilísima tabla sumaria de las fuentes de cada episodio (pp. 287-293). La estructura del poema, condenado en un tiempo por la crítica por sus digresiones supuestamente innecesarias, está siendo considerada últimamente como sutil, coherente y eficaz, como un factor fundamental que pone al *Alexandre* por encima de casi todas las obras medievales sobre el tema (Michael [1970], Rico [1970], Bly y Deyermond [1972]). El creciente acuerdo sobre las cualidades artísticas del poema contrasta con las discusiones acerca de su temática, en particular por lo que se refiere a la actitud del poeta para con su héroe. Willis [1956-1957] y Lida de Malkiel [1961-1962] han sostenido que Alejandro, pese a sus pecados de orgullo y otros excesos, se salva al final del poema por su arrepentimiento y humildad. Tal opinión parece ya insostenible a la luz de las objeciones de Michael [1970], si bien éste no acaba de demostrar totalmente que el poeta nos presenta la condenación de Alejandro. Lo que parece más probable es que el autor soslayara el problema, prefiriendo presentar el destino de su héroe como ejemplo de la caída de las glorias mundanas (Bly y Deyermond [1972]). Otros aspectos literarios del *Alexandre* estudiados por la crítica son la adaptación de la materia clásica a una atmósfera cristiana y medieval (Michael [1970]), las analogías de otros textos con el tratamiento que el *Libro* da al personaje de Alejandro (Lida [1952 y 1961-1962]), y el recurso a la técnica tipológica (Bly y Deyermond [1972]). Lo que se necesita más perentoriamente es una edición que sea tan textualmente firme como accesible para el lector no especializado. También sería útil disponer de una versión actualizada del juicioso panorama de la crítica sobre el *Alexandre* trazado por Michael [1965].

Al igual que el *Alexandre*, el *Libro de Apolonio* fue publicado tiempo atrás por un estudioso norteamericano, en este caso C. Carroll Marden, en 1917-1922, pero después se sintió la necesidad de una edición menos conservadora que la de éste. Dos críticos han intentado llevar a cabo tal tarea, De Cesare [1974] y Alvar [1976]. El primero hace algunas correcciones imprescindibles en el texto de Marden, aunque otras son discutibles. En conjunto, se trata de una útil edición, cuyo defecto obvio, como ocurre con frecuencia en los realizados por eruditos italianos, es la falta de todo análisis literario. La edición de Alvar, mucho más amplia y ambiciosa, todavía no ha sido cabalmente valorada, pero plantea ciertas dudas en lo referente a sus técnicas textuales y bibliográficas. Los aspectos literarios del poema fueron ya tratados por Marden en la introducción y notas de su edición, pero después quedaron bastante olvidados hasta el renovador artículo de García Blanco [1945]. Después, yo mismo [1967-1968] he estudiado los aspectos folklóricos y la estructura del poema, y Devoto [1972] ha comentado detallada y eruditamente dos pasajes relevantes; Artiles [1976] ha publicado un trabajo de conjunto útil pero curiosamente anticuado. La *Vida de Santa María Egipciaca* y el *Libre dels tres reys d'Orient*, incluidos en el mismo manuscrito que el *Apolonio*, han sido también publicados por Alvar [1970-1972 y 1965], quien ha rebautizado la segunda obra como *Libro de la infancia y muerte de Jesús*. Estas ediciones contienen una gran riqueza de materiales y, sobre todo, riquísimos estudios lingüísticos, pero tampoco faltan descuidos, como cuando Alvar corrige una lectura que previamente ha mostrado deberse no al copista, sino al autor mismo. La edición de M. S. de Andrés Castellanos [1964], por lo tanto, no ha sido superada por completo. Es lamentable que la preparada por el desaparecido J. W. Rees no haya pasado del estadio de pruebas de imprenta; aun así, sería de desear que se publicase, ya que su minuciosidad textual y lingüística no se ha igualado. Craddock [1966] ha enmarcado la *Vida* en el contexto de otras versiones hispánicas, y Kassier [1972-1973] ha estudiado en ella el uso de la retórica, pero todavía queda mucho por ahondar desde el punto de vista literario, quizá siguiendo las directrices del análisis de Chaplin [1967] acerca de la interacción de tema y estructura en *Los tres reys d'Orient* y aprovechando muchas sugestivas observaciones de Alvar.

¡Ay Jherusalem! es uno de los tres poemas incluidos en un manuscrito descubierto no hace mucho tiempo. Los otros dos, si bien interesantes, son obras menores, pero *¡Ay Jherusalem!* tiene una gran altura, tanto por sus cualidades literarias como por la importancia histórica que le concede el ser un poema de cruzada. La descubridora del manuscrito, Carmen Pescador del Hoyo [1960], lo publicó en edición paleográfica, y Asensio [1960] ha dado una erudita y fina valoración de las fuentes y características del poema. Se trata de un estudio casi definitivo, pero todavía suceptible de ser completado en algún detalle (véanse la primera parte del muy desigual artículo de De Vries [1977] y Deyermond [1977]).

La *Razón de amor* fue descubierta y correctamente publicada hace casi cien años, pero la edición paleográfica de London [1965-1966], con detalladas y copiosas notas, ha llevado el estudio textual de esta obra a nuevos niveles de rigor y seriedad. Los investigadores, sin embargo, se han centrado en los aspectos literarios: tema, unidad y tradiciones en que se inserta. La crítica difiere vehementemente en lo que se refiere a la unidad de la obra; hay quien defiende la idea de que se trata en realidad de dos poemas, la *Razón* y los *Denuestos*, unidos por algún copista. La debilidad de esta tesis consiste en que sus defensores no han podido ponerse de acuerdo acerca de qué versos pertenecen a la *Razón* y qué otros a los *Denuestos*, y lo que es más grave, que no aparece en el texto un lugar apropiado para trazar una divisoria satisfactoria. Resulta

prudente recordar la afirmación hecha por Spitzer [1950], según la cual
si un manuscrito medieval parece incluir una obra sola, únicamente razones muy poderosas justificarían el pensar que son dos. El artículo de
Spitzer se ocupa de modo especial de cuál sea el tema de la *Razón*, en el
que ve una síntesis necesaria de contrarios y, de manera más concreta,
de la necesidad mutua del amor espiritual y del sensual. Muy diferente
punto de vista es el de Jacob [1952], que interpreta el poema de acuerdo con el simbolismo cristiano (así, la amante del narrador-protagonista
representaría a la Virgen María). Pese a la validez de varios aspectos
aislados, la teoría de Jacob no parece nada plausible. Lo mismo sucede
con la de Rivas [1967-1968], que considera que la *Razón* es propaganda
subrepticia de la herejía cátara. Ciertos aspectos del poema han quedado
iluminados por Rivas, pero hay otros que se escapan a sus razonamientos.
Queda, sin embargo, cada vez más claro que es grande la influencia provenzal: Ferraresi [1976] ha estudiado las relaciones del poema con la
tradición lírica provenzal, y De Ley [1976-1977] ha mostrado cómo su
estructura debe mucho al género de las biografías trovadorescas. También
está claro que es necesario investigar las posibles conexiones con ciertas
tradiciones esotéricas; así, por ejemplo, en un artículo todavía inédito
André S. Michalski señala semejanzas desconcertantes entre la *Razón* y
algunos textos de los alquimistas. Aunque la *Razón* ha sido más estudiada que el resto de los debates poéticos españoles, queda mucho por
hacer antes de que revele sus últimos misterios.

BIBLIOGRAFÍA

Alarcos Llorach, Emilio, *Investigaciones sobre el «Libro de Alexandre»* (*Revista de Filología Española*, anejo XLV), Madrid, 1948.
Alvar, Manuel, ed., *Libro de la infancia y muerte de Jesús (Libre dels tres
reys d'Orient)* CSIC (Clásicos Hispánicos), Madrid, 1965.
—, ed., *Poemas hagiográficos de carácter juglaresco*, Alcalá (Aula Magna: Textos, 11), Madrid, 1967.
—, ed., *Vida de Santa María Egipciaca*, 2 tomos, CSIC (Clásicos Hispánicos),
Madrid, 1970-1972.
—, ed., *El libro de Apolonio*, 3 vols., Castalia y Fundación Juan March, Madrid, 1976.
Andrés Castellanos, María Soledad de, ed., *La vida de Santa María Egipciaca*
(*Boletín de la Real Academia Española*, anejo XI), Madrid, 1964.
Artiles, Joaquín, *Los recursos literarios de Berceo*, Gredos, Madrid, 1968².
—, *El «Libro de Apolonio», poema español del siglo XIII*, Gredos, Madrid,
1976.
Asensio, Eugenio, *«¡Ay Iherusalem! Planto narrativo del siglo XIII»*, *Nueva*

Revista de Filología Hispánica, XIV (1960), pp. 251-270; reimpr. en *Poética y realidad en el cancionero peninsular en la Edad Media*, Gredos, Madrid, 1970², pp. 263-292.

Baldwin, Spurgeon W., «Irregular versification in the *Libro de Alexandre* and the possibility of *cursus* in old Spanish verse», *Romanische Forschungen*, LXXXV (1973), pp. 298-313.

Barcia, Pedro L., *El mester de clerecía*, Centro Editor de América Latina (Enciclopedia Literaria, IX), Buenos Aires, 1967.

Bly, P. A., y A. D. Deyermond, «The use of *figura* in the *Libro de Alexandre*», *Journal of Medieval and Renaissance Studies*, II (1972), pp. 151-181.

Craddock, Jerry R., «Apuntes para el estudio de la leyenda de Santa María Egipciaca en España», en *Homenaje a Rodríguez-Moñino*, Castalia, Madrid, 1966, I, pp. 99-110.

Chaplin, Margaret, «The episode of the robbers in the *Libre dels tres reys d'Orient*», *Bulletin of Hispanic Studies*, XLIV (1967), pp. 88-95.

De Cesare, Giovanni B., ed., *Libro de Apolonio*, Cisalpino-Goliardica (Seminario di Lingue e Letterature Iberiche, Università di Venezia, IV), Milán, 1974.

De Ley, Margo, «Provençal biographical tradition and the *Razón de amor*», *Journal of Hispanic Philology*, I (1976-1977), pp. 1-17.

Devoto, Daniel, Versión moderna y glosario de *Milagros de Nuestra Señora*, Castalia (Odres Nuevos), Valencia, 1957.

—, «Sentido y forma de la cántica *Eya velar*», *Bulletin Hispanique*, LXV (1963), pp. 206-237.

—, «Dos notas sobre el *Libro de Apolonio*», *Bulletin Hispanique*, LXXIV (1972), pp. 291-330.

—, «Berceo antes de 1780», *Revista de Archivos, Bibliotecas y Museos*, LXXIX (1976), pp. 767-833, y LXXX (1977), pp. 21-54.

De Vries, H., «Un conjunto estructural: el *Poema tríptico del nombre de Dios en la ley* (Tres nuevos poemas medievales, NRFH, XIV, 1960)», *Boletín de la Real Academia Española*, LI (1971), pp. 305-325.

Deyermond, A., «Mester es sen peccado», *Romanische Forschungen*, LXXVII (1965), pp. 111-116.

—, «Motivos folklóricos y técnica estructural en el *Libro de Apolonio*», *Filología*, XIII (1967-1968), pp. 121-149.

—, «¡Ay Jherusalem!, estrofa 22: *traductio* y tipología», en *Estudios ofrecidos a Emilio Alarcos Llorach*, vol. I, Universidad de Oviedo, 1977, pp. 283-290.

Dutton, Brian, «The profession of Gonzalo de Berceo and the Paris manuscript of the *Libro de Alexandre*», *Bulletin of Hispanic Studies*, XXXVII (1960), pp. 137-145.

—, «Some latinisms in the Spanish *mester de clerecía*», *Kentucky Romance Quarterly*, XIV (1967), pp. 45-60.

—, ed., *Gonzalo de Berceo, Obras completas*, Tamesis, Londres; I. *Vida de San Millán de la Cogolla*, 1967; II. *Milagros de Nuestra Señora*, 1971; III. *Duelo de la Virgen, Himnos, Loores de Nuestra Señora y Signos del Juicio Final*. 1975; IV. *Vida de Santo Domingo de Silos*, 1978

Dutton, Brian, «French influences in the Spanish *mester de clerecía*», en *Medieval studies in honor of Robert White Linker*, Castalia, Madrid, 1973, pp. 73-93.

—, «El reflejo de las literaturas romances en las obras de Gonzalo de Berceo», en *Studia Hispanica in honorem R. Lapesa*, vol. II, Gredos y Cátedra-Seminario Menéndez Pidal, Madrid, 1974, pp. 213-224.

—, «A chronology of the works of Gonzalo de Berceo», en *Medieval Hispanic studies presented to Rita Hamilton*, Tamesis, Londres, 1976, pp. 67-76.

Ferraresi, Alicia C. de, *De amor y poesía en la España medieval: prólogo a Juan Ruiz*, El Colegio de México, México, 1976, pp. 43-118.

García Blanco, Manuel, «La originalidad del *Libro de Apolonio*», *Revista de Ideas Estéticas*, III (1945), pp. 351-378.

Gariano, Carmelo, *Análisis estilístico de los Milagros de Nuestra Señora de Berceo*, Gredos, Madrid, 1965; 1971².

Giménez Resano, Gaudioso, *El mester poético de Gonzalo de Berceo*, Instituto de Estudios Riojanos (Centro de Estudios Gonzalo de Berceo, II), Logroño, 1976.

Gimeno Casalduero, Joaquín, «Berceo: composición y significado de la *Vida de Santo Domingo de Silos*», en *La creación literaria de la Edad Media y del Renacimiento*, Porrúa Turanzas, Madrid, 1977, pp. 3-17.

Guillén, Jorge, *Lenguaje y poesía*, Revista de Occidente, Madrid, 1962, cap. 1.

Gybbon-Monypenny, G. M., «The Spanish *mester de clerecía* and its intended public: concerning the validity as evidence of passages of direct address to the audience», en *Medieval studies presented to Eugène Vinaver*, Manchester University Press, 1965, pp. 230-244.

Jacob, Alfred, «The *Razón de amor* as Christian symbolism», *Hispanic Review*, XX (1952), pp. 282-301.

Kassier, Theodore L., «The rhetorical devices of the *Vida de Santa Maria Egipciaca*», *Anuario de Estudios Medievales*, VIII (1972-1973), pp. 467-480.

Koberstein, Gerhard, ed., *Estoria de San Millán*, Aschendorff, Münster Westfalen, 1964.

Lida de Malkiel, M. R., *La idea de la fama en la Edad Media castellana*, Fondo de Cultura Económica, México, 1952, pp. 167-197.

—, «Notas para el texto de la *Vida de Santa Oria*», *Romance Philology*, X (1956-1957), pp. 19-33.

—, «Datos para la leyenda de Alejandro en la Edad Media castellana», *Romance Philology*, XV (1961-1962), pp. 412-423; reimpr. en *La tradición clásica en España*, Ariel (Letras e Ideas: Maior, 4), Barcelona, 1975, páginas 177-197.

London, Gardiner H., «The *Razón de amor* and the *Denuestos del agua y el vino*: new readings and interpretations», *Romance Philology*, XIX (1965-1966), pp. 28-47.

Michael, Ian, «Estado actual de los estudios sobre el *Libro de Alexandre*», *Anuario de Estudios Medievales*, II (1965), pp. 581-595.

—, *The treatment of classical material in the «Libro de Alexandre»*, Manchester University Press, 1970.

Musgrave, J. C., «Tarsiana and *juglaría* in the *Libro de Apolonio*», en *Medieval Hispanic studies presented to Rita Hamilton*, Tamesis, Londres, 1976, pp. 129-138.

Nelson, Dana A., ed., *El libro de Alexandre*, Gredos, Madrid, en prensa.

Orduna, Germán, «El sistema paralelístico de la cántica *Eya velar*», en *Homenaje al Instituto de Filología Dr. Amado Alonso*, Buenos Aires, 1975, pp. 301-309.

Perry, T. Anthony, *Art and meaning in Berceo's «Vida de Santa Oria»*, Yale University Press (Yale Romanic Studies, 2.ª serie, XIX), New Haven, 1968.

Pescador del Hoyo, María del Carmen, ed., «Tres nuevos poemas medievales», *Nueva Revista de Filología Hispánica*, XIV (1960), pp. 242-247.

Rico, Francisco, *«Libro de Alexandre»*, en *El pequeño mundo del hombre. Varia fortuna de una idea en las letras españolas*, Castalia, Madrid, 1970, pp. 50-59.

—, «Orto y ocaso del mester de clerecía», ponencia en las *II Jornadas de Estudios Berceanos, Logroño, 21-22 de diciembre de 1977*, en prensa en *Cuadernos de investigación filológica*, Colegio Universitario de Logroño.

Rivas, Enrique de, «La razón secreta de la *Razón de amor*», *Anuario de Filología*, VI-VII (1967-1968), pp. 109-127; reimpr. en *Figuras y estrellas de las cosas*, Facultad de Humanidades y Educación, Universidad de Zulia (Monografías y Ensayos, XIV), Maracaibo, 1969, pp. 93-110.

Rozas, Juan M., «Composición literaria y visión del mundo: *El clérigo ignorante* de Berceo», en *Studia hispanica in honorem R. Lapesa*, Gredos y Cátedra-Seminario Menéndez Pidal, Madrid, 1975, III, pp. 431-451.

—, *Los milagros de Berceo, como libro y como género*, Universidad Nacional de Educación a Distancia, Cádiz, 1976.

Ruffinatto, Aldo, «Berceo agiografo e il suo pubblico», *Studi di Letteratura Spagnola*, 1968-1970, pp. 9-23.

—, *La lingua di Berceo: osservazioni sulla lingua dei manoscritti della «Vida de Santo Domingo de Silos»*, Istituto di Letteratura Spagnola e Ispano-Americana (Collana di Studi, XXVII), Pisa, 1974.

—, «Per una morfologia del racconto agiografico (*Sta. M. Egipciaca* vs. *S. Millán, Sto. Domingo e Sta. Oria*)», *Miscellanea di studi ispanici*, 1974, páginas 5-41.

Saavedra Molina, Julio, «El verso de clerecía», *Boletín de Filología*, Chile, VI (1950-1951), pp. 253-346.

Salvador Miguel, Nicasio, *El mester de clerecía*, La Muralla (Literatura Española en Imágenes, III), Madrid, 1973.

Sas, Louis F., *Vocabulario del «Libro de Alexandre»* (*Boletín de la Real Academia Española*, anejo XXXIV), Madrid, 1976.

Spitzer, Leo, «Razón de amor», *Romania*, LXXI (1950), pp. 145-165; reimpr. en *Sobre antigua poesía española*, Instituto de Literatura Española (Monografías y Estudios, I), Buenos Aires, 1962, pp. 41-58.

Suszynski, Olivia C., *The hagiographic-thaumaturgic art of Gonzalo de Berceo: «Vida de Santo Domingo de Silos»*, Hispam, Barcelona, 1976.

Tesauro, Pompilio, ed., *Martirio de San Lorenzo*, Liguori, Nápoles, 1971.

Uría Maqua, Isabel, ed., *El poema de Santa Oria*, Instituto de Estudios Riojanos (Centro de Estudios Gonzalo de Berceo, I), Logroño, 1976.

Weber de Kurlat, Frida, «Notas para la cronología y composición literaria de
las vidas de santos de Berceo», *Nueva Revista de Filología Hispánica*, XV
(1961), pp. 113-130.

Willis, Raymond S., «*Mester de clerecía:* a definition of the *Libro de Alexandre*», *Romance Philology*, X (1956-1957), pp. 212-224.

RAYMOND S. WILLIS

«MESTER DE CLERECÍA». EL *LIBRO DE ALEXANDRE*
Y LA TRADICIÓN DE LA CUADERNA VÍA

La expresión sintética «mester de clerecía», acuñada con palabras
que figuran dispersas en la segunda copla del *Libro de Alexandre*,
sirve desde hace tiempo para designar a un subgénero poético distin-
guible —aunque en modo alguno herméticamente aislado— de las
composiciones de los juglares españoles medievales. Pero un inconveniente de la tal expresión es que sus implicaciones genéricas han
oscurecido el significado concreto que las mismas palabras que la
componen tenían en su matriz poética; y es importante saber interpretar estas palabras de una manera precisa, ya que revelan qué es lo
que el autor del *Alexandre* entendía por su profesión o *mester*, y en
consecuencia qué pretendía hacer en su obra monumental. He aquí
su tan citado pasaje:

> Señores, se quisierdes mio serviçio prender,
> querríavos de grado servir de mio mester;
> deve de lo que sabe omne largo seer,
> se non podrié en culpa o en yerro caer.

> Mester traygo fermoso non es de joglaría,
> mester es sen pecado, ca es de clereçía,
> fablar curso rimado por la cuaderna vía,
> a sýlabas contadas, que es grant maestría. [...]

Raymond S. Willis, «*Mester de clerecía*: a definition of the *Libro de Alexandre*», *Romance Philology*, X (1956-1957), pp. 212-224 (212-214, 216, 218-
221, 223-224).

En otros lugares del poema comprobamos que *mester*, y su doblete culto *ministerio*, significaban para nuestro poeta, en su acepción más amplia, una especie de deber que tenían todos los hombres, cada cual según su condición, de dominar su «ciencia» y ponerla al servicio de algo, hacer de su vida un trabajo o menester. Un buen ejemplo de ello es el escultor Apeles, que acompaña a Alejandro, y de quien el poeta dice: «commo era Apelles clérigo bien letrado, / todo su ministerio tenié bien decorado» (copla 1.800). Y por el contexto vemos que este artista era tan sabio que podía representar las trayectorias de los cuerpos celestes, y las regiones de la Tierra junto con sus historias y sus caracteres distintivos. Además conocía la cronología universal e incluso redactó a manera de epitafio un oscuro acertijo en latín. [...] Por lo que al propio poeta se refiere, la idea que tiene el autor de que un *mester* es una obligación está bien clara. *Deve*, dice; y evidentemente su ministerio, como el del escultor, consiste en divulgar generosamente lo que sabe: «deve de lo que sabe omne largo seer»; en consecuencia su propósito es instruir.

Desde el principio, además, su *mester* se relaciona con *clerecía*. Ésta es evidentemente *lo que sabe*; y de nuevo importa averiguar el matiz peculiar que este término tenía para él, aparte de los sentidos generalizados que pudiera acarrear en el siglo XIII. La mejor aclaración aparece significativamente relacionada con Aristóteles. El poeta describe al príncipe Alejandro, a los doce años, conversando con el filósofo y exclamando: «Maestro, tú me crieste; por ti sé clerecía» (38), y añadiendo: «Assaz sé clereçía quanto me es mester, / fuera tú non yes omne que me pudies vençer» (39). Entonces el príncipe especifica la sustancia de su *clerecía* (40-45): gramática, lógica y retórica, o sea el *trivium*, seguido de la música y la astronomía del *quadrivium*. Ni la aritmética ni la geometría se mencionan para completar este último; pero en cambio se incluye la filosofía natural (historia natural), mientras la medicina, que procede de más altos estudios, eleva el número a siete. *Clerecía* para nuestro autor no es, pues, tan sólo erudición, sino algo íntimamente identificado con el *studium* de la escuela o universidad; y su valor se simboliza asociándolo con Aristóteles, el sabio supremo. [...]

Un análisis más profundo permite ver cómo se materializa este concepto del *mester* del sabio en tres niveles del poema: el puramente exterior o plano verbal; otro más profundo, que ofrece las derivaciones narrativas y descriptivas de la *gesta* o *materia*; y finalmente el núcleo, la verdadera esencia del mismo héroe, su contextura moral y sus hazañas. [En efecto, desde el inicio y a lo largo del entero *Alexandre*, el autor pone a contribución todas las técnicas de la retórica y la preceptiva, desde el empleo de tropos y figuras hasta el recurso a los principales modos de *dilatatio* o amplificación (perífrasis, comparación, apóstrofe, prosopopeya, etc.), complaciéndose incluso en subrayar cómo sigue las reglas: «La materia nos manda por fuerça de razón / avemos nós a fer una descripçión» (276).] La *clerecía* cala aún más hondo en la construcción, porque el contenido (al igual que la forma) de muchas de las suntuosas digresiones [que abarcan casi la mitad del *Libro*] se manifiesta, en el conjunto, casi como un compendio completo de las ramas de la *clerecía* enumeradas por el poeta, aunque no, sin embargo, de la *scientia* medieval en general, como a menudo se dice exageradamente. Observamos una tendencia arcaizante en favor de la gramática (o los escritos de poetas e historiadores) y de la filosofía natural, en detrimento de la dialéctica, la filosofía, la teología y las leyes, que tendían a destacar en mayor grado dentro de los estudios europeos a medida que avanzaba el siglo XIII. [...]

Pero la *clerecía* penetra todavía más hondo y se muestra como un componente fundamental del propio héroe, que en el curso de la narración despliega en palabras y obras su saber hermanado con sus proezas guerreras. [...] Que el autor español pintó conscientemente a su héroe de acuerdo con un modelo preconcebido es algo fuera de toda duda, ya que en el preámbulo se tomó la molestia de definir a un protagonista bifronte, mitad hombre de acción y mitad sabio: «El prínçep Alexandre que fue rey de Greçia, / que fue de grant esfuerço e de grant sapiençia» (6). Y el tema del saber regio se repite, a un nivel puramente verbal, de vez en cuando en el curso del poema. Al comienzo de la narración se dice que Alejandro «aprendié de las VII artes cada día lición ..., tant avié buen engeño e sotil coraçón / que uençió a los maestros a poca de sazón» (17); mediada la obra, el poeta dice: «El rey Alexandre, tesoro de proeza, / arca de sapiençia, exemplo de nobleza» (1.557); y hacia el final que «era el rey sabidor e bien letrado ..., era buen filósofo, maestro acabado» (2.160). Entre ambos lugares, otros interlocutores se hacen eco de la genuina naturaleza bifronte del rey. [...]

Todo esto no son más que reflejos superficiales de la *clerecía* constitutiva del protagonista, que también se manifiesta repetidamente en acción, [particularmente en la práctica del «fermoso fablar» y en el gusto por «los actores» (Alejandro llega a recitar «de cor» toda «la estoria de Troya» según «don Omero»), así como en la pasión por la cosmología y la *philosophia naturalis*]. Su conocimiento de la *natura* se traduce en ventajas prácticas, ideando estratagemas contra serpientes venenosas y avispas y murciélagos monstruosos que amenazan a sus tropas (2.161-2.162, 2.174-2.175). Construye una caja sumergible de cristal «por saber qué fazién los pescados» (2.306),.y se las ingenia para que unos grifos le lleven por los aires «por veyer tod'el mundo, cómmo yazié o quál era» (2.496); concibe el proyecto de cruzar el océano para «buscar algunas gentes de otro semejar» (2.269) y «saber el sol dó naçe, el Nilo ónde mana» (2.270), y justifica estos proyectos a sus hombres diciendo: «Quanto auemos uisto ante non lo sabiemos / se ál non apresiessemos en balde nós uiuiemos» (2.290).

A pesar de la manifiesta exaltación que hace el autor de la *clerecía* del mundo, se establece una importante limitación respecto al valor y al alcance del saber de Alejandro. El autor subordina el saber humano a una más alta verdad ética y religiosa; y con objeto de insistir aún más en este punto hace que la catástrofe del poema —el asesinato de Alejandro— se produzca precisamente como consecuencia de la incapacidad del héroe para comprender, cegado por su orgullo, que hay una sabiduría superior que trasciende a los conocimientos de este mundo. [...]

El poeta del *Alexandre*, tan consciente de su saber, es la antítesis de Berceo, quien aspiraba —aunque en modo alguno cayendo en una candidez de ignorante— a escribir en «román paladino, en el cual suele el pueblo fablar a su vecino»; sus pretensiones eran completamente distintas a las del piadoso y patriótico autor del *Poema de Fernán González*; su exhibición de *clerecía* se da a niveles mucho más profundos que en el *Libro de Apolonio*, que de hecho sólo reivindica una nueva técnica o «nueva maestría», no una prueba de la profesión del sabio. En el siglo siguiente, el *Libro del buen amor*, a pesar de sus reminiscencias ovidianas y de otros clásicos, nos instala en otro clima radicalmente distinto y se mofa de los que estudian «clerecía» y «en cabo saben poco» (c. 125); el erudito Pero López de Ayala no es en modo alguno un clérigo como nuestro autor; y, para no alargar la lista, el *Libro de la miseria de omne*, aunque plagia las pretensiones del poeta del *Alexandre* a la excelencia estilística, pretende, más que difundir altos saberes, vulgarizar el *De contemptu mundi* del papa Inocencio III, que, debido a estar escrito en latín, «non lo entiende todo omne sinon el que es letrado» (c. 3).

El *Libro de Alexandre* es un monumento de erudición peculiarísimo. En primer lugar, el tema del libro, la historia de Alejandro Magno, representaba una aportación nada desdeñable a la literatura culta de España; era algo grave y riguroso, «en escripto yaz esto, es cosa uerdadera» (2.161). El texto, que distinguimos del tema, se sujetaba a los cánones más eruditos de la poética y de la retórica, sin limitarse a utilizar tan sólo una métrica regular. Por su parte, el ornato comprende un considerable despliegue de las ramas del saber que el autor consideraba como tales. El héroe del poema tenía por modelo un arquetipo, no solamente de las virtudes regias tradicionales, como la justicia y el valor, sino también de los logros del sabio. Y el propio autor, en la medida en que su personalidad asoma por entre el velo de su arte, se muestra también como un celoso defensor del saber. En resumen, servir al prójimo del mejor modo posible como erudito, divulgar su *clerecía*, es lo que quería decir el autor del *Libro de Alexandre* cuando escribió esta afirmación hace setecientos años: «Querriauos de grado seruir de mio mester».

JORGE GUILLÉN

BERCEO: EL LENGUAJE DE LA REALIDAD TOTAI

Berceo, versificador, se atiene a un arte novísimo: el de la cuaderna vía. Por muy varios que surjan sus asuntos, irán todos ajustándose a versos de catorce sílabas, en grupos de cuatro versos, y cada grupo presentará cuatro veces la misma rima. Molde, por lo tanto, muy estricto.

> El viernes en la noche fasta la madrugada
> Sofrí grant amargura, noche negra e pesada,

Jorge Guillén, *Lenguaje y poesía*, Revista de Occidente, Madrid, 1962, cap. 1 (pp. 16-17, 20-21, 23-27, 36-38).

Clamando: fijo, fijo, ¿dó es vuestra posada?
Nunca cuydé veer la luz del alvorada.

Así se lamenta la Madre después de la Crucifixión, y su desgarramiento nos conmueve sin perder violencia, según un ritmo lento, monótono, grave. Las estrofas de Berceo van asentando una visión del mundo precisamente sobre cimientos de firmeza, de seguridad, y este ritmo contribuye a trasmitir lo que están manifestando las palabras. De esta suerte, el orden tan obvio de la cuaderna vía refleja paso a paso el orden continuo de la Creación bajo la mirada de Cristo y la Gloriosa. [...]

A los ojos —humildes— de Berceo, los seres muestran en algunas ocasiones su plenitud por contraste negativo: «Más blancas que las nieues que non son coçeadas». El poeta quiere ponderar la blancura de las tres palomas que tenían «en sus manos alzadas» las tres santas vírgenes Ágata, Olalia y Cecilia. Esa blancura celeste, perfecta, irreal ¿cómo podría ser imaginada sino en cuadro terrestre, imperfecto, real? Blancura de nieves cuando no han sido pisadas. El cotejo implícito entre los dos estados de la nieve hace brillar la blancura intacta de las palomas. [...]

El mundo de Berceo nos causa lo que Rafael Lapesa ha llamado muy acertadamente «sensación de inmediatez». Por muy lejos que se extienda el más allá —y a veces es la misma gloria de Dios— ese más allá es siempre un más acá, y la maravilla tan evidente se sitúa ahí, ahí mismo, tangible, para que la compartamos. Santa Oria otea en el cielo —donde está de visita, y con ella nosotros— unas «grandes compannas» y pregunta: «éstos ¿qué cosa son?». A la pregunta, hecha con el mismo giro de la frase corriente, se responde: «Todos éstos son mártires, vnas nobles personas». Desfile semejante a una procesión en una ciudad de Castilla. «Éstos ¿qué cosa son?» Son criaturas humanas, y están ahí muy próximas, dentro del ámbito grandioso del Paraíso, siempre terrenal y celestial. Esta presencia inmediata —nunca inferior al atractivo de lo ausente— no exige espacios cortos, objetos diminutos. El lector de hoy, amante de las comparaciones concretas que tanto abundan en esta poesía, gusta de aislar figuras, animales, frutos, cosas. «La cabeza colgada, triste, mano en massiella.» Es la Madre junto a la Cruz. Del bestiario hay que retener las serpientes. «Como tienen las bocas abiertas las serpientes.» Es en «los infiernos ardientes», entre los signos que predicen el Día del Juicio Final. Otra estampa: «El lino cabel fuego malo es de guardar». [...] Los objetos —quizá no descritos, sólo mencionados— forman parte de una amplitud donde todo es naturaleza viva y en trabazón y movimiento. La obra de Berceo se atiene al requisito de la gran poesía: todo se relaciona con todo. Aventuras de pecadores —o milagros; santas aventuras de Santo Domingo, San Millán, Santa Oria, San Lorenzo; vida y pasión de Cristo, vida y muerte de su Madre, Día del Juicio, la Gloria, la liturgia cristiana... El poeta nos conduce por tantos senderos sin salir del mismo lugar: la Creación. Recorrida como a pie, no nos parece enorme. Berceo, nunca desterrado, se siente sin cesar en su casa: la casa de Dios. [...] Todo es natural, prodigiosamente natural hasta en el cielo visitado por Oria, durante una pausa de su existencia terrestre. [...] Oria quiere saber de su maestra Urraca, que por allí debe de andar. En efecto, Urraca ya goza de la beatitud. Y entonces, como si aún habitasen un pueblecito castellano, aquellas santas Vírgenes gritan: «¡Urraca!». «Clamáronla por nombre las otras companneras.» Menos mal que Urraca oyó en seguida. «Respondiólis Urraca a las ueces primeras.» Urraca reconoce la voz, pero no consigue ver a su discípula porque se interpone mucha gente. «La az era muy luenga, eso la embargaua, / Que non podía uerla, ca en cabo estaua.» Y se nos pierde Urraca en la multitud como entre las apreturas de una fiesta por calles populosas. [...]

Llamar prosaica la lengua de Berceo adolece de impropiedad anacrónica, a no ser que «prosaísmo» pierda sus connotaciones negativas, y «prosa» abarque la unidad esencial de expresión que corresponde a la unidad esencial de concepción. A esta luz se ve la continua realidad total a través de un lenguaje continuo y, por eso, llano: el lenguaje de todos dirigido a todos, es decir, a los oyentes que en aquellos lugares de la Rioja se paran a seguir la recitación del clérigo, juglar también. El clérigo creyente cumple con su deber piadoso. El juglar consuma su obra con irreprochable congruencia. En estos albores de la poesía castellana, el idioma se mantiene al nivel más básico: común a la comunidad del público, y fiel a la esencia poética. Esencia alumbrada si se la nombra bien. Prevalece la mención directa, que no necesita de arrequives ni de transformaciones, porque la realidad así sentida es maravillosa. «Derramáronse todos como vna neblina», se dice de unos diablos que huyen: fuga ya por sí fantástica. El complemento «como una neblina» es excepcional.

«Las palabras son pocas, mas de seso cargadas.» [...] María Rosa Lida de Malkiel llama a Berceo «el más cuantioso latinizador que haya conocido la poesía castellana». Pero «no impresiona como latinizante» porque «no latiniza la sintaxis», sí «a manos llenas» el vocabulario. Escribir en «román paladino» no significa escribir vulgarmente. Ese lenguaje seglar, laico o lego —diríamos a lo Unamuno— es el lenguaje vivo, es decir, el prosaico-poético, el lenguaje del poema. Berceo abraza con él un mundo indivisible de su trasmundo.

BRIAN DUTTON

MÓVILES DE BERCEO

¿Escribía Berceo puramente *ars gratia artis*? Si la respuesta no es una afirmación total, en seguida surge una serie de problemas, que estriban todos en el móvil básico que impulsó a Berceo la composición de sus obras. Menéndez Pidal expresa una opinión generalmente aceptada, a saber, que Berceo quería servir de intermediario entre la ciencia de los clérigos y la ignorancia del vulgo. Saca sus materias de los tratados en latín de la biblioteca del monasterio de San Millán de la Cogolla, y compone con ellas sus obras en cuaderna vía, «sin que al poeta se le ocurra alterar en lo más mínimo el relato hagiográfico, sino sólo adornarlo con imágenes y fraseología nuevas...». Su público es en esencia el de los juglares, y para publicar sus obras, tendría que recurrir a los «habituales propagadores de toda literatura», y estos juglares devotos recitarían sus obras en las romerías de los santuarios.

[En cualquier caso, es necesario advertir que los santos cuyas vidas escribe Berceo están todos estrechamente vinculados al monasterio de San Millán de la Cogolla (en la Rioja, al sur de Nájera), donde el poeta se crió y verosímilmente ejerció como «notario» del

Brian Dutton, ed., *Vida de San Millán de la Cogolla*, en G. de Berceo, *Obras completas*, I, Tamesis, Londres, 1967 (pp. 163, 166, 168, 171-172, 174-175).

abad Juan Sánchez (1209-1253). Aparte custodiarse en el cenobio las reliquias del propio fundador y patrón, también Santo Domingo de Silos —nacido en Cañas, junto al «barrio de Berceo»— había sido monje y prior de San Millán, mientras Santa Oria —de la cercana Villavelayo— se hizo allí «emparedada» y fue sepultada en la peña detrás del monasterio. San Millán, por otro lado, está «al pie de Sant Lorent»; y las coplas que faltan al *Martirio de San Lorenzo* posiblemente contenían los milagros póstumos del Santo —como ocurre en los demás relatos hagiográficos de Berceo— y entre ellos había un portento que relacionaba a Lorenzo con San Millán y explicaba por qué se llama «de Sant Lorent» el pico que domina la región.] ¿Por qué, pues, se restringió Berceo a estos santos, sin escribir de otros santos de fama universal? Desde luego, no faltaban materias en la biblioteca de San Millán. Puesto que Berceo se limitaba a escribir las vidas de los santos emilianenses, podemos suponer, por ahora, que quería dar más publicidad a estos santos, y que los demás no le interesaban.

Las tres obras dedicadas a Nuestra Señora son, a primera vista, de interés e importancia universales. Sin embargo, tenemos razones bien fundadas para indicar que hasta estas obras tienen especial relación con San Millán de la Cogolla: [por ejemplo, no sólo la nueva iglesia de San Millán de Yuso estaba dedicada a la Virgen, sino que incluso a ella —y no a San Millán— se consagró el altar mayor.] En el claustro de Silos se halla la famosa imagen de Nuestra Señora de Marzo, y parece que había una imagen parecida en el claustro de Yuso, a la cual vendrían muchos peregrinos. Es a estos peregrinos a quienes se dirige Berceo en los *Milagros* (500): «Sennores e amigos, companna de prestar, / de que Dios se vos quiso traer a est logar...». Había, por lo tanto, una devoción particular a la Virgen en Yuso, y en razón de esta devoción Berceo compondría sus obras marianas. [...]

[A finales del siglo XII, por la competencia del gran número de nuevos centros de peregrinación, San Millán pasó por una etapa de declive. Los monjes supieron reparar las pérdidas —y con creces— por medio de una serie de documentos falsos forjados entre 1210 y 1250. La más significativa fue la falsificación del Privilegio de los Votos de San Millán, que se pretendía otorgado por Fernán González —en gratitud a la ayuda del Santo en la lucha contra los moros— para imponer a todos los pueblos de Castilla y a muchos de

Navarra la obligación de ofrecer un tributo anual al monasterio de la Cogolla. La parte culminante y más extensa de la *Vida de San Millán* («lo más granado» del poema, según el propio autor) es justamente una recreación de tal Privilegio. Ahí, Berceo abandona su fuente principal —la *Vita Beati Aemiliani* de San Braulio, que había venido siguiendo con bastante fidelidad— y relata la historia de los Votos desarrollando libremente los datos del Privilegio, insertando episodios dramáticos, armonizando tradiciones locales sobre Fernán González y la batalla de Simancas-Hacinas-Toro, con vistas a propagar la fama del Santo y del monasterio y urgir el pago del tributo. Ya en las primeras coplas habla claramente de las donaciones a San Millán («verá a dó embían los pueblos so aver») y señala que quien oiga «el dictado» que va a narrar no se lamentará «de dar las tres meajas» que supone el satisfacer los votos.]

En la copla 167, Berceo declara que los pagos debidos se especifican claramente en la fuente que emplea, a saber, el Privilegio de Fernán González, pero que, por alguna razón, las cosas han cambiado, y para mal: «Cada tierra qe deve, secund qe fue mandado, / dizlo el privilegio ond esto fue sacado— / mas non sé por qual guisa, ca todo es cambiado, / por qeqiera qe sea es mucho grand peccado». No sólo era pecado grave no pagar los votos, sino que éstos no se pagaban. Este no pagar se hace muy claro a continuación: «Frómesta del Camino, cerca es de Fitero, / Ferrera con sus villas, Avia, la del otero, / devién ocho casados envïar un carnero, / assín lo envïavan en el tiempo primero» (468). Los verbos en esta copla son imperfectos, del tiempo pasado, y la frase adverbial «en el tiempo primero» indica que las cosas no seguían como antes cuando escribía Berceo. El tiempo de los verbos cambia al presente en el verso 469*d*: «Amaya con sue tierra, Ibía otro tal, / devién dar cada casa un cobdo de sayal; / tierra de Valdevielsso, el un e êl otro val, / *deven* cada casado de lienço un cobdal». Berceo emplea el tiempo presente desde aquí en adelante para toda la lista de pagos debidos (coplas 470-474). Esta treta psicológica es muy hábil, pues Berceo familiariza, al principio, a su público con algo al parecer ya perdido en el pasado, para dar validez actual a lo que revela, cambiando el tiempo del verbo del imperfecto del pasado al presente. Continúa explicando que es difícil «en rimas acoplar» los nombres de todos los lugares que han de pagar, y que muchos de estos lugares ya están despoblados o entonces no se habían fundado, pero, a pesar de todo esto: «Granadas e menudas, por poblar e pobladas, / fueron en dar en esto todas pronuncïadas; / las qe non dan est voto, bien sean seguradas, / crean bien sines dubda qe fincan perjuradas» (477). Esta copla resume lo dicho en 365d, [«dizredes quil'retiene que faze gran peccado»], 464cd y 467. Los que no pagan los votos cometen un pecado grave, se exponen a ser descomulgados, y, para más, se hacen perjuros. La copla 478 introduce una amenaza de más consecuencias funestas: «Muchas veces udiemos dezir e retraer / que los qe esti voto quisieron retener / oviéronse por ello en cueta a veer, / tanto qe lo ovieron doblado a render». La copla 479 hace aún más hincapié en la necesidad de pagar los Votos: «Si estos votos fuessen lealment envïados, / estos santos preciosos serién nuestros pagados; / avriemos pan e vino, temporales temprados, / non seriemos com somos de tristicia menguados». El poeta se aprovecha aquí de las eternas preocupaciones de las comunidades agrícolas. Los votos no se pagan y por lo tanto hace mal tiempo y las cosechas son malas, ¡razones de mucha fuerza para los que vivían en una época que sacaba el 95 por 100 de su riqueza de la labranza! [...]

Miras parecidas —pero menos vocingleras— motivan la composición de la *Vida de Santo Domingo de Silos*. Esta obra debe su existencia al éxito tenido por su predecesora, la *Vida de San Millán*. Silos y San Millán tenían un pacto de cooperación y ayuda mutua, firmado en 1190 y renovado en 1236, como queda indicado. Sospecho que la renovación de esta *Carta de Hermandad* en 1236 fue la ocasión inspiradora de la vida del santo silense. En esta obra también tenemos indicaciones de que se proponía atraer a los peregrinos a Silos, como se ve claramente en las coplas 385-386, 755 y 773, pero ya faltan las súplicas directas, tales como las hallamos en la *Vida de San Millán*, de que se pague algún tributo. [...]

Mis conclusiones básicas, pues, son que la *Vida de San Millán*, como la forja del privilegio de Fernán González y de los otros documentos falsos sobre las traslaciones del santo, se debe primariamente a razones económicas, además de a los deseos de enseñar y deleitar que descubrimos en la *Vida de Santa María Egipciaca* y hasta en el *Libro de Alexandre*. Se diferencian las obras de Berceo por sus conexiones expresas con una localidad y sus santos, concentradas en San Millán de Suso. A medida que se suceden las cuatro vidas que compuso, los móviles económicos se van haciendo menos explícitos, pero siempre existen. A la luz de estas indicaciones, creo que Berceo escribía pensando en alguna forma de presentación oral, [bien en el monasterio, ante los grupos de peregrinos, bien en los centenares de dependencias de San Millán repartidas por Castilla y Navarra, donde monjes, hermanos legos o juglares asalariados recitarían sus relatos hagiográficos.] El gran público en que piensa afecta a su estilo. [...] Lo que se ha considerado como sus objetos, o sea, la instrucción y el entretenimiento de su público, son de hecho los medios que emplea para conseguir su objeto principal: la mayor nombradía de San Millán y la mayor prosperidad de su monasterio.

FRIDA WEBER DE KURLAT

LA COMPOSICIÓN LITERARIA
DE LAS VIDAS DE SANTOS DE BERCEO

De las tres vidas de santos escritas por Gonzalo de Berceo, las de Santa Oria, San Millán y Santo Domingo de Silos, esta última ocupa lugar central en el desarrollo de su obra y prominente por sus valores de estilo y composición. [...] La *Vida de Santa Oria* constituye un conjunto indiviso y breve frente a la equilibrada división tripartita de las otras vidas. [...] De acuerdo con la técnica del poeta medieval formado en la retórica heredada de la antigüedad clásica, y codificada, comentada, interpretada por sucesivas generaciones desde la edad oscura hasta el siglo XII, Berceo aplica a sus fuentes latinas el procedimiento de la *amplificatio*, y si ello es bien visible en la comparación fácilmente realizable entre la *Estoria de San Millán* y la *Vita Sancti Aemiliani* escrita por San Braulio de Zaragoza en el siglo VII, es más patente si se comparan entre sí las dos vidas de Santo Domingo y San Millán, aquélla de 777 cuartetas de cuaderna vía, ésta de sólo 489 cuartetas.

Frida Weber de Kurlat, «Notas para la cronología y la composición literaria de las vidas de santos de Berceo», *Nueva Revista de Filología Hispánica*, XV (1961), pp. 113-130 (113-119).

Ante todo, ambas vidas presentan en común una división tripartita perfectamente equilibrada: la primera parte relata la vida del santo, la segunda los milagros hechos en vida y el tránsito de la vida terrena a la de bienaventuranza, la tercera los milagros del santo después de la muerte. Tal división tripartita no se da en las vidas latinas que con minuciosa sujeción al contenido factual del relato sigue Berceo. [...] El sentido de esa división tripartita, su valor simbólico, se declara al terminar el libro segundo de la *Vida de Santo Domingo* (estrofas 533 ss.): «Señores e amigos, Dios sea end laudado, / el segundo libriello auemos acauado, / queremos començar otro a nuestro grado, / que sean tres los libros e vno el dictado. // Como son tres personas e vna Deidat, / que sean tres los libros, vna certanidat, / los libros que signifiquen la Sancta Trinidat, / la materia ungada la simple Deidat...» [...]

Semejante necesidad de puntualización y explicación está de acuerdo con el mayor desarrollo y pausa, con el tempo más lento de la *Vida de Santo Domingo,* y supone una conciencia artística que, si ya presidió la triple subdivisión de *San Millán,* aquí halla ocasión de expresar todo su sentido y carácter simbólico. Se podría objetar que en una primera obra (*Santo Domingo*) Berceo explicó el sentido de dicha subdivisión y en una segunda (*San Millán*) ya no tenía necesidad de hacerlo: creo, sin embargo, que el carácter explícito de estas estrofas está en consonancia con otros elementos de la composición que muestran a *Santo Domingo* como una amplificación de temas y modos más sucintamente tratados en *San Millán,* y ya sabemos que el arte medieval es el arte de la *amplificatio,* no de la *abbreviatio.* En los comienzos de ambas vidas —comparables por su equilibrio arquitectónico a ciertos grandes trípticos de la pintura religiosa— se presentan hechos semejantes: San Millán y Santo Domingo fueron de niños pastores de ovejas, luego su vocación los llevó a buscar la vida de soledad en el yermo, y justamente esos dos motivos se presentan tratados más esquemáticamente en *San Millán.* La vida de pastorcillo de San Millán ocupa cuatro estrofas (5-8); la de Santo Domingo, trece. Descontando las coplas 26-32, que sabemos tienen su antecedente en Grimaldo, [el hagiógrafo a quien sigue Berceo en el *Santo Domingo,*] las restantes nos muestran cómo un mismo autor puede decir las mismas cosas, ampliándolas:

Luego que fue criado que se podio mandar,
mandolo yr el padre las ouejas guardar.
Obedesçio el fijo, fue luego las curiar
con abito qual suelen los pastores usar.
Guardaua bien su grey como muy sabidor,
su cayado en la mano a la ley de pastor,
bien refiria al lobo e al mal robador;
las oueias con elli abian muy grant sauor.

(*San Millán*, 5-6)

Quando fue peonçillo que se podia mandar,
mando lo yr el padre las ouejas guardar;
obedesçio el fijo, ca non qujso peccar,
jxo con el ganado, pensolo de guiar.
Guiaua su ganado como faz buen pastor,
tan bien non lo faria alguno mas mayor,
non queria que entrasse en agena lauor:
las oueias con elli aujan muy grant sauor.

(*Santo Domingo*, 19-20)

El notable paralelismo muestra en *Santo Domingo* cierta tendencia a la expresión menos precisa (19c, 20c); luego, las estrofas 21-23
son en realidad desarrollo del último verso de la estrofa 20, y la 24
presenta a Dios como pastor (*a*, *b*) y como guarda del ganado de
Domingo, y termina en un verso paralelo al 6c de la *Estoria de San
Millán*: «El Pastor que no duerme en ninguna sazón, / que fizo los
auissos que non auen fondon, / guardaua el ganado de toda lesion, /
non fazia mal enello nin lobo nin ladron». La estrofa siguiente
vuelve a insistir en el cuidado que el pastorcillo da a su rebaño,
el cual, con la gracia de Dios, mejora cada día. En resumen, el mismo motivo básico permite ver claramente, para *Santo Domingo*, la
ampliación de lo ya dicho más sobriamente para *San Millán*, y de
la gran similitud de palabras y aun de hemistiquios o versos hay que
concluir que Berceo, al escribir la *Vida de Santo Domingo de Silos*,
tenía muy presente la *Estoria de sennor Sant Millán* y fue desarrollando ciertos elementos, sin duda impulsado por un original más
extenso y detallado.

Juan Manuel Rozas

PARA UNA CLASIFICACIÓN FUNCIONAL
DE LOS *MILAGROS DE NUESTRA SEÑORA*:
LOS MILAGROS DE LA CRISIS

La estructura de los milagros es la de un retablo o pórtico gótico
en el que caben siete planos en altura, [desde Cristo a María, los
ángeles (buenos y malos), los santos del cielo, los santos y sabios
de la tierra, el resto de los hombres y, en fin, el autor y sus oyentes o lectores.] Narrador y oyentes están dentro del retablo o pórtico, en una esquina, como los donantes de la pintura medieval, y
podemos verlos y hacernos la idea de que allí estamos también nosotros. Que ellos nos representan. A pesar de esos siete pisos, los dos
polos son muy distintos en su función y significado. María es el polo
central y estático, que expresa el dogma, *medianera de todas las
gracias*, madre de pecadores, es decir, el *asunto* de los milagros. Alrededor de este polo, girando en torno a él, dinámica, existencial,
argumentalmente, están los protagonistas humanos, a los cuales mi-
ramos insistentemente, pues con esta mirada atenta averiguamos
sobre nosotros mismos y sobre nuestro destino y comportamiento.
A veces, el comportamiento de María es muy activo, a veces, es más
pasivo. A veces, el problema de los agonistas es más bien pasivo,
otras veces es muy activo, conflictivo y existencial. La dinámica
María-hombre es la dialéctica *dogma-moral*. Pero estos términos
—sobre todo en milagros con poco aparato sobrenatural, en términos
literarios, con poco *deus ex machina*— pueden ser cambiados por
otros dos: *esperanza-existencia*. De esta forma, los milagros valen
para ejemplificar crisis humanas ante un mayor número de lectores
actuales, creyentes o no. En resumen: María es el centro del dogma;
el agonista lo es de la moral cristiana medieval; el lector u oyente,
medieval o no, de la existencia.

No se ha intentado una clasificación funcional de los milagros
berceanos. Con lo que llevamos visto creo posible hacer una clasi-

Juan Manuel Rozas, *Los milagros de Berceo, como libro y como género*,
Universidad Nacional de Educación a Distancia, Cádiz, 1976 (pp. 19-26).

ficación, de acuerdo con la relación *María-hombre*. Podemos hacer tres grandes grupos: los milagros en que María *premia y castiga* a los hombres; un segundo, que llamaremos *milagros del perdón*, en los que María logra salvar de la condenación a sus devotos; y un tercer grupo, el más importante, a mi juicio, que llamaremos milagros de *conversión o crisis*. [...] Todos éstos tienen una fuerte cohesión por medio de la crisis espiritual que sufren los personajes, todos ellos conflictivos y con una carga existencial dominante sobre el sentido doctrinal de los textos. María les ayuda decididamente a pasar ese conflicto, que, como veremos, es una crisis, en general, *de tejas abajo*, solucionable en gran parte o totalmente sin la ayuda de lo sobrenatural. [...] Estos seis milagros presentan una extensión y una envergadura, en general, mayores que la de los grupos anteriores. [...] Son seis historias que nos presentan seis pasiones radicales en el hombre y seis crisis hacia el bien, producidas con ayuda de la Virgen y tras grandes sinsabores físicos y morales. La ira, la gran pasión medieval, la de los nobles y poderosos, aparece en *La iglesia profanada*; el ansia de poder, en *Teófilo*; el amor, en *La abadesa encinta*; el alcoholismo, en *El clérigo embriagado*; la vanidad del mundo, en *La boda y la Virgen*, y la crisis profesional y vocacional, en *El clérigo ignorante*. Con respecto a los enemigos del alma del Catecismo se puede hacer con ellos tres claras parejas: *La iglesia profanada* y *El milagro de Teófilo* nos expresan pasiones demoníacas; *La abadesa* y *El clérigo embriagado*, pasiones carnales; *La boda y la Virgen* y *El clérigo ignorante*, pasiones mundanas. Mundo, demonio y carne, que aparecen prototípicamente medievales. Los héroes, los seis héroes de estas historias (aunque en uno el héroe esté representado por tres personajes paralelos) tienen todos unas características comunes, enlazadas a través de tres secuencias o funciones: 1.ª Su entrega a las pasiones del mundo. 2.ª La apreciación de las consecuencias que ese mal les trae y de la crisis que esta meditación conlleva. Hay en esta parte una inmensa soledad en todos ellos, un inmenso abandono en el que los seis son hermanos temáticamente y psicológicamente. 3.ª Una solución para su crisis, en general acompañada de penitencia, por medio de la cual y con ayuda de la Virgen se ven libres de sus tormentos físicos y psíquicos. [...]

El de *La abadesa preñada* es milagro largo, capaz de detallar todo un estado de ánimo de la abadesa, y tiene una gran proporción entre todas las partes, que se van estructurando como un pequeño drama en el que Berceo nos pinta un mundo que conoce muy bien, el de las rencillas y envidias conventuales. En efecto, el problema es doble, porque no sólo está en la crisis natural que sufre la abadesa al sentir que va a ser madre, dada su situación religiosa, sino, dando un paso más a esa crisis, también el enfrentamiento que se establece entre ella, que ha gobernado hasta entonces con dignidad y autoridad el convento, y una gran facción de las monjas que, entendiendo lo que pasa, buscan la revancha, llamando al obispo para que las visite y buscando que éste descubra el pecado de la abadesa. Berceo nos cuenta la parte escabrosa con un gran cuidado, por medio de una frase estereotipada en la poesía tradicional, que ha estudiado Daniel Devoto: «Pisó por su ventura yerva fuert enconada, / quando bien se catido fallóse embargada». Naturalmente es una imagen, porque Berceo no trata de explicarnos por medios mágicos este embarazo, y ni siquiera habla de instigación por parte del demonio en ese pecado, como hace el texto latino. Incluso, de todos es conocida la pintoresca descripción, tomada de la realidad, que hace de la mujer preñada, con las alusiones a las pecas y a la condición de primeriza de la abadesa. La Virgen le ayuda a dar a luz secretamente y —único detalle sobrenatural— manda a los ángeles que lleven al niño a un buen ermitaño. Pero el problema central sigue siendo su lucha contra la facción —Berceo tiene buen cuidado, contra el texto latino, de no implicar a todas las monjas— rebelde y vengativa, y la crisis se establece claramente en tres tiempos: antes de parir, en su rezo desesperado ante la Virgen y en el momento en que habla con el obispo, demostrando que no está embarazada. Una vez que ha vencido de sus enemigas, imponiendo la autoridad, se acusa ante el obispo y le cuenta todo lo sucedido. [...]

Es muy interesante [la actitud de María en *La boda y la Virgen*,] pues al ver que su devoto personaje, que sin duda tenía vocación religiosa, le abandona para casarse, Ella actúa como una mujer encelada, y poco antes de celebrarse la boda tiene un vivaz diálogo con él, al que llama *ervolado* —hechizado— con estas palabras: «Don fol malastrugado, torpe e enloquido, / ¿en qué roídos andas? ¿en qué eres caído? / Semejas ervolado, que as yervas bevido, / o que eres del blago de sant Martín tannido». Esta última frase, con la imagen hipotética de San Martín, golpeándole con su báculo, nos pinta un realísimo boxeador sonado, que oye ruidos. Ella lo remacha con imágenes bien mundanas de mística antropocéntrica realísima: «Assaz eras, varón, bien casado comigo, / yo mucho te quería como a buen amigo». Y acabará llevándoselo, con una actitud de diosa mitológica clásica, como una celosa Venus, lejos de allí, a un lugar desconocido. Sin embargo, lo que aquí vamos buscando, sobre todo, es la crisis de cada personaje. Y, en este caso, la crisis radicaba en que el protagonista se casaba sin amor, sólo por las presiones del mundo, concretadas en sus parientes, sólo por la vanidad de perpetuar una rica herencia en unos herederos directos. Se casa —como dice Berceo— movido por «la ley del sieglo», y fueron los parientes los que le buscaron una esposa que le convenía, y los que determinaron el día de su boda. Es lógica, pues, su crisis y su escapatoria final, dejando a las gentes de la comitiva y entrando en una iglesia a hablar con María. Después de las bodas, ricas y de gran alegría, vemos cómo preparan a los novios «lecho en que yoguiesen», y cómo él se escapa literalmente de los brazos de la novia y huye, en misteriosa huida, desapareciendo de su lugar mundano, tanto, que ni el propio narrador sabe qué fue de él exactamente. Quedando así un halo misterioso y pagano en toda la leyenda. Si algún milagro pudiera recibir el tratamiento del método de Propp [*Morfología del cuento*] con fruto, sería éste.

MANUEL ALVAR

CLERECÍA Y JUGLARÍA
EN LA *VIDA DE SANTA MARÍA EGIPCIACA*
Y EN EL *LIBRO DE LA INFANCIA Y MUERTE DE JESÚS*

Fuera de los textos en cuaderna vía, nuestra vieja poesía cuenta sólo con dos poemas hagiográficos; los dos conservados en un mismo códice y los dos, en muchos aspectos, con problemas afines: la *Vida*

Manuel Alvar, ed., *Poemas hagiográficos de carácter juglaresco,* Alcalá (Aula Magna: Textos, 11), Madrid, 1967 (pp. 9, 13-14, 18-20, 22, 44, 52-55), donde el autor resume o reproduce materiales de *Libro de la infancia y muerte de Jesús* (*Libre dels tres reys d'Orient*), CSIC (Clásicos Hispánicos), Madrid, 1965, y *Vida de Santa María Egipciaca,* 2 tomos, CSIC (Clásicos Hispánicos), Madrid, 1970-1972.

de Santa María Egipciaca, [compuesta ¿en la Rioja? en los albores del siglo XIII,] y el *Libro de la infancia y muerte de Jesús*, [que solía llamarse, muy inexactamente, *Libre dels tres Reys d'Orient*, y debió escribirse entre 1228 y 1260, en castellano con algún tímido rasgo oriental].

La tradición dentro de la cual se inscribe el *Libro* es la de los Evangelios apócrifos. De acuerdo con ella, dos temas cardinales orientan la narración: infancia y muerte de Jesús. Para que el poema se hubiera quedado en un sencillo canto mariano ha faltado la presencia activa de la Virgen en la última parte de la obra. Pero, así y todo, está claro cuál ha sido el propósito del autor: orientar su obra hacia las zonas marginales de la existencia de Cristo: por eso se explica tan bien la unidad rigurosa y sin fisuras que presenta el texto. Por eso no cabe hablar de partes, porque el autor ha ido sin vacilar desde el comienzo hasta el fin prescindiendo de lo sabido canónicamente y seleccionando sólo lo que daba rigor a la línea que se ha trazado. María no ha acabado de desplazar a la figura de Cristo, pero Cristo tampoco se ha impuesto: cuando María ha dejado de ser motivo literario, los dos ladrones han ocupado su lugar, sin que Jesús llegara a ser nunca la figura principal. Tal es, a mi modo de ver, el propósito del autor y el alcance de su poema: escribir un texto de apología mariana, aunque no haya cuajado en la última parte del *Libro*. [...] Hoy por hoy el *Libro* se presenta, [en la métrica, la lengua y] también en cuanto a su temática, con total independencia de las literaturas francesa y provenzal. Si la rebusca más allá de las fronteras ha sido estéril, no ocurre lo mismo al indagar en nuestra propia casa. [...]

Un poema hagiográfico, por muy poco sabio que nos parezca, siempre tiene motivación —cerca o lejos— de carácter culto. Además, es muy difícil que el poeta popular, al rimar el tema religioso, no se contamine de las fórmulas, ideas o espíritu con que la Iglesia celebra ese mismo tema. Creo que el *Libro* facilita un excelente testimonio: poema «muy vulgar» y, sin embargo, con un caudal de sabiduría que no es exclusivamente popular. Si a esto añadimos los cultismos de su vocabulario, tendremos que reconocer que la clerecía anduvo del brazo con los juglares en más ocasiones de las que recuerda el gran arcipreste. [...] Es indudable que el poeta del *Libro* tenía ante sus ojos los *Loores de Nuestra Señora* de Berceo. Basta cotejar los versos 39-44 con la estrofa 32:

A) *Libro*: «ofreçio *oro* / *porque era rey* poderoso».
   Berceo: «ofreçieron *oro porque era rey* de real natura».
B) *Libro*: «le dio *ençienso* / *que assi* era *derecho*».
   Berceo: «daban *ençiensso que essi* es *derechura*».
C) *Libro*: «*mirra* por dulçora / *por condir la mortal* corona».
   Berceo: «*mirra* para *condir la mortal* carnadura».

Las coincidencias son abrumadoras; se han calcado hasta los giros sintácticos. [...] Si establecer el nexo tiene un relativo valor para nuestra historia literaria, tiene mucho más saber que el mester de clerecía podía informar algunos aspectos de la poesía juglaresca. Para el conocimiento del *Libro* no deja de ser curioso —y acaso previsible— que la imitación recaiga precisamente sobre la exaltación mariana que son los *Loores de Nuestra Señora*. [...]

La *Vida de Santa María Egipciaca* no es un modelo de perfecciones; sin embargo, encierra valores [como algún paréntesis descriptivo que añade a su fuente francesa o como el propósito de alcanzar una cierta regularidad métrica,] y, sobre todo, demuestra ya una indudable maestría —con tantos yerros como queramos— en el ejercicio nada fácil de ser traductor. [...] Menéndez Pidal ha señalado un aspecto de la juglaría en nuestro poema (la llamada inicial al auditorio) y ha visto cómo este rasgo procede del original francés. El diálogo entre el poeta —o recitador— y el presunto público aparece en otras muchas ocasiones. Los 18 primeros versos del texto español son una paráfrasis, reiterada sin mucho acierto, de los 14 versos iniciales del poema francés; el traductor ha interpolado —justamente— los dos versos que encierran un cierto desdén contra las gestas: «Si escucharedes esta palabra / mas vos ualdra que huna fabla». Estamos, pues, ante un consciente mester de clérigos que estima —lo ha dicho Menéndez Pidal— su arte por el «provecho moral que procura a sus oyentes». Ahora bien, como en el caso de Berceo, el arte consciente del hagiógrafo se aproxima a su público para lograr eficacia con los ejemplos que expone. [Así, la *Vida* emplea recursos juglarescos como las llamadas de atención o las exposiciones directamente lanzadas a un auditor muy cercano, las referencias al espectáculo que era la recitación o alguna fórmula mostrativa: «Afevos ['heos'] María en el camino»...] En otras ocasiones repite los consabidos recursos de los poetas de clerecía; a saber: ampararse en el testimonio escrito («el ssu nombre es en escripto»; «como dize la escriptura») o deducir consecuencias morales («e nos mismos nos emendemos»; «todo omne que ouiere seny / responda diga amen, amen»). [...] Sobre un arte de clerecía (narración hagiográfica, sapiencia culta de adaptador, conocimientos de traductor, etc., etc.) se han superpuesto esos otros elementos de raigambre popular y que sirven para acercar las narraciones de los clérigos a la mentalidad de sus oyentes.

Leo Spitzer

UNIDAD Y SENTIDO DE LA *RAZÓN DE AMOR*

[El anónimo escolar que compuso *Razón de amor* ha legado a la crítica literaria un problema que parece escapar toda posibilidad de solución definitiva: el del sentido y unidad de su obra. Los 261 versos de la única versión que conocemos comienzan con la presentación del autor, culto, cosmopolita y cortés, y la promesa al auditorio de que escuchará una razón que alegrará los corazones, razón perfecta, hecha de amor y bien rimada. Inmediatamente después de este breve prólogo, empieza la narración. El protagonista del poema ve en un huerto dos vasos misteriosos, uno lleno de vino, otro de agua. Por el vergel pasa una fuente de eterna frescura; de ella bebe el viajero en la calurosa siesta de abril, y el agua parece inspirarle al canto y al amor. En ese momento, aparece una hermosísima doncella, cogiendo flores y de amor cantando. Ambos se reconocen, porque aunque no habiéndose visto nunca, se habían enviado mutuas prendas de amor. El reconocimiento culmina con un beso. Mientras hablan de sus amores la tarde pasa y llega la hora de la separación. Los enamorados se despiden prometiéndose fidelidad. La doncella se ha ido, y el clérigo amante, nuevamente solo, se siente desfallecer. Llega entonces una paloma que al entrar en el manzanar —de donde estaban suspensos, como frutos, los dos vasos— vierte el de agua sobre el de vino. En este punto, comienza el debate entre las personificaciones de ambos elementos. Se intercambian tradicionales insultos, y en agudo

Leo Spitzer, «Razón de amor», *Romania*, LXXI (1950), pp. 145-165; reimpr. en *Sobre antigua poesía española*, Instituto de Literatura Española (Monografías y Estudios, I), Buenos Aires, 1962, pp. 41-58 (44-48, 52-53).

conflicto, no parecen llegar a entendimiento alguno. Finalmente el Agua termina el debate al sentenciar: «que de agua fazen el bautismo, / e dize Dios que los que de agua fueren bautizados / fillos de Dios seran clamados / e llos que de agua non fueren bautizados / fillos de Dios non será[n] clamados». La pregunta se impone, ¿qué unidad puede haber —si la hay— entre la delicada escena de amor y el muy poco delicado debate?; y de existir tal unidad, ¿qué sentido tiene, entonces, el poema?] *

Me parece que lo que ha impedido a los críticos admitir [la *Razón de amor* como] una composición con unidad, es su tendencia a ver los géneros literarios como entidades fijas, separadas por muros infranqueables. No llegan a pensar que un poeta medieval pudo haber combinado un poema amoroso (digamos una *amorosa visione*) con un debate, sin tener necesariamente que, *ipso facto*, concluir en una quiebra artística o, al menos, en un gusto poco refinado del autor. [...] Ninguno de los críticos parece haber advertido el vínculo de ideas por el cual el motivo de los dos vasos (lleno el uno de vino, el otro de agua), que, por una parte anticipa el debate del vino y del agua, y por otra encuadra el episodio amoroso, está ligado a este último episodio. [...]

Hay una relación entre el debate del vino y del agua y la escena amorosa: la de la «sed», la sed que anhela la saciedad por bebidas refrescantes, y la sed de amor que se alivia en el goce sexual. Como Gide en *Nourritures terrestres*, nuestro autor medieval ha visto la unidad en la vida de los sentidos: una sed, una hambre invoca la otra. ¿No es acaso la misma «calentura» a la hora de la siesta, que hace que el poeta busque alivio en el fresco y oloroso huerto cerca de la fuente y que hace surgir justo a tiempo a la bella joven, apareciendo como en una visión apropiada al lugar de recreo? Él ha bebido un poco de agua fresca, ha cogido una flor, ha tenido deseos de cantar «fino amor», y he aquí que se acerca la *doncela* («Mas ui uenir una doncela; pues naçí, non ui tan bella»). ¿No hay en esta escena, al lado de la sed del cuerpo, una sed del alma, una sed amorosa, saciada juntamente con la del cuerpo? Y si nosotros siguiéramos esta dirección ¿no veríamos en la aventura amorosa, tal como nos ha sido relatada, representados los dos elementos característicos de todo amor, el deseo de pureza y la sensualidad, la castidad y el

---

* [El sumario anterior está tomado de Ferraresi [1976], pp. 43-44.]

éxtasis, que podemos identificar simbólicamente con el agua y el vino? En efecto, el joven clérigo y la doncella se amaban «a distancia», [y, como escribió Morel-Fatio, el descubridor del poema,] «habían cambiado presentes…, les es necesario a la bella y a su amigo el tiempo de examinarse atentamente para reconocerse por los dones recíprocos que se habían hecho y que, por feliz azar, llevan sobre sí. Por lo demás, recobran rápidamente el tiempo perdido, y es la señora quien comienza; deja caer su manto de la espalda, besa a su amante en la boca y en los ojos, y con tanta convicción que pierde el habla». En nuestra poesía, pues, un *amor de lunh*, género trovadoresco, es seguido por un desenlace francamente sexual. En los dísticos triunfantes, escritos en el estilo paralelístico de los *cantares de amigo*, la señora vierte su sentimiento de «dicha sexual» (130-134): «Dios señor, a ti loa[do], / quant conozco meu amado! / agora e tod bien [comigo] / quant conozco meo amigo»; subrayo el verbo *conozco*: «ahora conozco (en el sentido bíblico) mi amor». Antes amaba fiel, pura y lealmente, por las razones generales que motivan el amor en una doncella cortés (80 s.): «… Por que eres escolar… / Nunca odi de homme decir / que tanta bona manera ovo en si…». Después de la escena amorosa, conoce a su amante en su persona individual y en su carne. Pero ¿no hay cierta analogía, que el poeta se cuida de subrayar, por una parte entre el amor puro («platónico», trovadoresco) y el agua pura; por otra entre la experiencia sexual, embriagadora, y el vino? El sentimiento de melancolía que embarga al enamorado después de la partida de la bienamada, ¿no está relacionado con el deseo, descrito por el poeta (23-26), de tener siempre el vino «a mano»? (Siempre apreciamos más la falta del don extraordinario, de lo superfluo, que de lo estrictamente necesario.) De un modo general, en el mundo creado por Dios, el agua y el vino están en la misma relación que el amor puro y el amor sensual: son ambos dones de Dios.

Con su arte consumado el poeta nos muestra cómo los dos extremos se tocan y están unidos uno al otro: el poeta ha vuelto al huerto cerca de la fuente para apagar su sed, para beber *el agua*, pero, he aquí que el bienestar que se adueña de él, refrescado por el sorbo bebido en la fuente, llama a la fruición erótica, al delirio, *al vino*… La sutura entre estas dos escenas es estrecha e imperceptible, en el fondo se trata de una sola escena que se desarrolla de modo muy lógico y natural.

Y así llegamos al «marco» donde se sitúa el episodio amoroso: el motivo de los dos vasos. [...] Suspendidos en el aire entre los árboles, como el vaso del Graal, estos vasos han sido puestos allá por la dueña de casa para refrescar al amigo sediento, y permanecerán en esta posición sobrenatural durante todo el episodio amoroso, sobre las cabezas de los enamorados, hasta el momento en que la paloma llegue a «trastocar» la situación. Estamos pues, aquí, como en tantas obras medievales, en presencia de un plano sobrenatural, desarrollado por encima de una escena terrestre; en otros términos, hay ahí una lección que debe deducirse de los acontecimientos que tienen lugar en ese plano superior y que ha de superponerse a la que se infiera de la escena terrestre. Los dos vasos y la paloma pertenecen al decorado sobrenatural. [...] [La paloma] debe de ser una mensajera (el detalle de la campanilla atada al pie es significativo en este sentido), la mensajera de una verdad absoluta. Comunica su mensaje al poeta, no por palabras, sino por una acción simbólica que debe ejecutar. La inocente y pura paloma («tan blanca era como la niev del puerto»), tan discreta y púdica que no se atreve a bañarse en la fuente por la presencia del poeta, se contenta con entrar en el vaso lleno de agua y salir lo más rápidamente posible, después de haberse refrescado, sin poder evitar el vuelco del vaso y contribuir así involuntariamente a la mezcla de los dos líquidos. Así, el mensaje, la lección que enseña la paloma (por su acción involuntaria), es la voluntad de Venus: que los dos principios, el agua y el vino, se mezclen. La paloma, que no quería otra cosa que refrescarse en el agua como el joven clérigo —nótese la repetición de la palabra *esfriado* en ambas escenas—, ha provocado el «desastre», querido por poderes misteriosos, de la mezcla de los dos líquidos. He aquí la interpretación, destinada al poeta y al lector, de la escena amorosa: ¿no mostraría ésta el efecto saludable de la combinación de las dos variantes del Amor, de la pura y de la sensual, que el agua y el vino simbolizan? Así la acción en el plano superior (los dos vasos — la paloma que mezcla su contenido) se superpone a la escena terrestre, que, a su vez, aclara los dos principios opuestos. No hablaremos más de la escena de la paloma como de una «transición inhábil», sino como del punto culminante de la acción. Y el debate que sigue se ajustará perfectamente a la escena de la paloma: todo debate medieval ¿no se sirve del método dialéctico para conciliar los contrarios, justificar las polaridades, establecer —más allá de los principios adversarios en lucha— una síntesis del pensamiento? Aunque el vino y el agua disputen sin fin, aunque aleguen todos los *pro* y *contra* tradicionales (aun aquellos que se relacionan con la religión: el vino representando el sacramento de la comunión, el agua el del bautismo), queda en pie el hecho de que los dos elementos son igualmente necesarios al mundo, que necesita tanto de la santidad como del desvarío. [...]

Advertimos así la originalidad del poeta: no sólo es el único español que ha escrito una *amorosa visione*, sino que ha encontrado el medio de renovar el género, tan popular en España, del debate. Al debate del vino y del agua, ha superpuesto el de la Castidad y de la Lujuria.[1] [...] Comprendemos los argumentos del agua y el vino en el momento en que sabemos su causa ya juzgada, en el sentido de la *concordia discors*, de la armonía de los contrarios, principio universal.

---

1. ¿No hay acaso un tercer debate en nuestra poesía (el espíritu dialéctico tiene tendencia a proliferar), por lo menos en estado latente, o, más bien, resuelto por adelantado, entre el Clérigo y el Caballero, cuál es el mejor amante?: nuestro poeta hace proclamar, por la *doncela,* que es él, «que es clérigo, no caballero» (111). El testimonio de nuestro texto es importante, porque atestigua, al menos en estado de bosquejo, el motivo del clérigo cortés, comparado con el caballero cortés, en la literatura española. El envilecimiento posterior de este personaje ideal que llega a ser clérigo libertino (y de su amante, que se convierte en *manceba de abad*), tal como se muestra en *Elena y María*, no está todavía insinuado en nuestro texto.

5. LA PROSA EN LOS SIGLOS XIII Y XIV

La prosa literaria propiamente dicha, puesto que presupone un público letrado y con interés por los textos en romance, comienza en España relativamente tarde: mucho más, en efecto, que la épica o la lírica, difundidas (y al principio también compuestas) de forma oral; mucho más tarde que la prosa latina de autores hispanos, destinada al escaso público capaz de leer la lengua sabia. Las obras en prosa más antiguas que han llegado hasta nosotros en castellano o en dialectos estrechamente vinculados al castellano datan de finales del siglo XII y son breves anales o relaciones históricas no dispuestas en una secuencia narrativa, sino a modo de listas cronológicas. En el primer tercio del siglo XIII hacen su aparición obras más extensas y mejor organizadas. Tal desarrollo sigue a ciertos cambios políticos y culturales, y es, sin duda, un resultado de los mismos: la derrota de los almohades por Fernando III y la expansión castellana por Andalucía, la fundación de la primera universidad española en Palencia (cf. p. 127, más arriba) y los decretos del IV Concilio de Letrán, con su énfasis en la educación de los laicos. *La fazienda de Ultramar*, traducida probablemente de un texto latino del siglo XII, conjuga los temas bíblicos con una guía para los peregrinos a Tierra Santa. La *Semejança del mundo* es un tratado geográfico, donde la elaborada combinación de dos fuentes latinas anuncia los logros de Alfonso el Sabio. El *Liber regum*, conservado en versiones aragonesa y castellana (la primera se remonta al paso del siglo XII al XIII), constituye un claro progreso en relación a los anales, tanto en extensión como en método historiográfico, sin llegar ni con mucho a la altura de las crónicas hispano-latinas que «el Tudense» y «el Toledano» (el obispo Lucas de Túy y el arzobispo Rodrigo Ximénez de Rada) escribieron poco después. Hacia el final del reinado de Fernando III o en los inicios del de Alfonso X, hallamos los primeros ejemplos vernáculos de dos de los géneros principales de la prosa española de nuestro período: colecciones de *exempla* (cuentos ejemplares, a menudo engarzados dentro de un marco narrativo general) y muestras de literatura sapiencial (colecciones de *sententiae* o aforismos sabios, procedentes de los filósofos clásicos o de otras fuentes); se trata del *Libro de los engaños* y del *Calila e Digna* (traducciones de dos importantes colecciones orientales de *exempla*), así como del *Libro de los doze sabios*. La historiografía local produce por entonces la admirable *Crónica de la población de Ávila*.

Esas obras parecen haber sido empresas mayormente individuales, pero el reinado de Alfonso X (1252-1284) conoció un esfuerzo sostenido y en conjunto de gran éxito para producir un *corpus* organizado de prosa romance en el terreno de la historia, el derecho y las ciencias. Las obras científicas fueron traducidas o adaptadas del árabe; el equipo alfonsino seguía, así, el surco abierto por la escuela toledana de traductores del siglo XII, si bien los textos árabes no se vertían ya sólo al latín, como en el siglo XII, sino también y aun únicamente al castellano. A finales del reinado de Alfonso, aunque algunos de sus proyectos fundamentales no estaban terminados (así las dos obras históricas, la *Estoria de España* y la *General estoria*) y aunque el enciclopédico código legal de las *Siete partidas* quedaba sin promulgar, existía ya un *corpus* de prosa española mucho más amplio que todo cuanto se había producido antes de subir al trono el Rey Sabio. Además de su inmensa utilidad (por ejemplo, la *Estoria de España* constituyó la base de la historiografía española durante más de tres siglos), ese *corpus* contenía una prosa excelente (junto con muchas páginas inevitablemente pedestres). Y quizá lo más importante sea que sirvió para enriquecer la lengua en cuanto al léxico y extender de modo notable sus posibilidades sintácticas, fijando así el castellano como un vehículo natural para trabajos intelectuales de largo alcance.

El sucesor de Alfonso, su rebelde hijo Sancho IV, no compartía los intereses culturales de su progenitor, y el equipo alfonsino de sabios, traductores, escribas, etc., se dispersó rápidamente. Mas sería equivocado considerar la época de Sancho como un desierto cultural. Durante su reinado y el siguiente aparecieron nuevas obras de literatura ejemplar y sapiencial: *Barlaam y Josafat*, el *Lucidario*, los *Castigos y documentos del rey don Sancho*, los *Bocados de oro* y la *Historia de la donzella Teodor*, entre otras. A principios del siglo XIV, la literatura sapiencial, hasta entonces confinada básicamente a obras de origen oriental que incluían *sententiae* de la antigüedad clásica, tanteó un nuevo camino con los *Dichos de los Santos Padres*, de Pedro López de Baeza, quien utiliza el esquema tradicional para introducir materiales cristianos. A esta misma época pertenecen las primeras «novelas» españolas en prosa concebidas y presentadas como obras independientes (para la impropiedad del término «novela» aplicado a esos textos, véase el capítulo 9); e importa subrayar el adjetivo *independientes*, pues aquí, como en tantos otros terrenos, Alfonso el Sabio había señalado ya el camino, al incorporar a la *General estoria* narraciones 'novelescas' sobre Troya, Tebas, Alejandro Magno y, probablemente, Apolonio.

La primera mitad del siglo XIV vio también el desarollo de la historiografía, con jalones como la traducción de una obra árabe fundamental, la *Crónica del moro Rasis*, y la composición de la *Crónica general de España de 1344* (en portugués, vertida más tarde al castellano). La *Gran crónica de Alfonso XI* es ya digna de codearse con el retablo histórico del canciller Ayala, a caballo de dos épocas.

Del mismo modo que Alfonso X domina la prosa española en el siglo XIII, así Juan Manuel domina la del XIV. Este ambicioso y tortuoso aristócrata fue, como su tío Alfonso, tan activo en literatura como en política. En su obra más famosa, *El conde Lucanor*, combina una colección de *exempla* (escrita, al contrario que sus predecesores, con una aguda intención artística) con varias modalidades de literatura sapiencial. Es autor también de ensayos religiosos y socio-políticos (el más notable, el *Libro de los estados*), así como del fascinante ejercicio de autojustificación personal que es el *Libro de las armas*.

Las investigaciones de los últimos decenios nos han proporcionado una serie de útiles obras de carácter general acerca de la prosa de este período. El panorama de López Estrada [1974] es una notable introducción al tema, en especial si se usa junto a otros libros y artículos dedicados a aspectos más particulares. De excepcional valor será en su día la *Historia de la lengua española* de Menéndez Pidal, de la que hace poco [1972] se han publicado unas reveladoras páginas dedicadas a Alfonso el Sabio y don Juan Manuel. Aun sin insistir en el caso específico de las glosas en lengua vulgar insertas en códices latinos, magistralmente examinadas por Díaz y Díaz [1978], conviene realzar que la prosa romance coexistía con la latina, y hasta cierto punto, sobre todo en una primera época, dependía de ella; por lo mismo, el estudio de Rico sobre las letras latinas del siglo XII [1969] es importante para comprender la atmósfera en que surgió la prosa vernácula. Un aspecto de la cultura latina que tuvo una profunda influencia en la literatura en español, así como en otras lenguas europeas, es la retórica, si bien la creencia de que tal influencia se ejercía primariamente a través de las *artes poeticae* ha sido impugnada por Faulhaber [1972]. Este mismo crítico nos ha proporcionado también la base bibliográfica para un estudio más amplio y más firmemente cimentado de la retórica en la Península [1973]. La Iglesia era, desde luego, otra influencia dominante en la época, pero las formas en que sus directrices se hicieron sentir no se entendía sino de modo muy confuso hasta la publicación del convincente artículo de Lomax [1969], quien, junto a otros casos de repercusión del saber eclesiástico en las letras romances, señala la importancia del sermón, y sobre todo del sermón popular, tanto como género cuanto como factor determinante en la formación de otros géneros. En el mismo camino marcha el estudio reciente de Rico [1977], quien, aunque se ocupa sobre todo de Cataluña, se refiere también a Castilla, y a cuyo trabajo sirve de apéndice un sermón castellano editado por Pedro Cátedra, de quien se espera una obra de conjunto sobre la predicación en la Edad Media española, que habrá de dilatar notablemente nuestro conocimiento de este aspecto vital de la cultura del período. Conviene recordar, sin embargo, que no toda la Península estaba en aquellos momentos dominada por los cristianos, y que el árabe no dejó de influir incluso en la sintaxis de la prosa castellana, como demuestra Galmés de Fuentes [1955-1956].

Los estudiosos de las obras anteriores al *corpus* alfonsino se han dedicado de modo especial a la publicación de ediciones seguras, a veces con sustanciosas introducciones. En ese sentido, hay que resaltar la edición por Walsh [1975] de *El libro de los doze sabios*, trabajo casi impecable, con introducción y notas que constituyen un monumento de erudición. El reducido atractivo del texto no debe ocultar la magnitud del logro de Walsh, que le confirma como el más importante miembro de una brillante generación de medievalistas norteamericanos. Menos destacadas son otras ediciones de textos coetáneos, pero todas ellas tienen facetas de valor. La *Semejança del mundo* de Bull y Williams [1959] presenta paralelos los textos de los dos manuscritos conocidos entonces, a veces notoriamente divergentes; la misma técnica utilizan también Keller y Linker en su edición del *Calila e Digna* [1967], que ha sido criticada por no tener suficientemente en cuenta el original árabe. Bull y Williams estudian el vocabulario de la *Semejança*, con un método que mantendrá su valor incluso cuando su edición sea superada por otra que incorpore el tercer manuscrito, descubierto por Richard P. Kinkade. La edición del *Libro de los engaños* hecha por Keller [1959] no tiene sino una breve introducción, pero el interés del texto presentado radica en estar basado en el estadio primitivo y no en la versión corregida del único manuscrito conservado. Por lo general, las correcciones ofrecen una lectura preferible, pero teníamos ya ediciones (como la de González Palencia [1946]) que las reflejaban, y es bueno que se nos ofrezca la posibilidad de elegir. González Palencia editó no sólo el *Libro de los engaños*, sino también otros textos posteriores en la tradición del *Sendebar*, facilitando así las comparaciones. No abundan los análisis literarios de estas obras de la prosa temprana, aparte de las introducciones de algunas de las ediciones, pero el camino ha sido iniciado por Lacarra Ducay y Cacho Blecua [1977], quienes utilizan las técnicas de la narratología para ahondar en la estructura y la temática del *Libro de los engaños*, adelantando algunos resultados de la tesis doctoral (aún inédita) de Lacarra Ducay sobre la cuentística española del siglo XIII.

La *fazienda de Ultramar* merece una mención especial. M. Lazar [1965], que descubrió este interesante texto, publicándolo de manera apropiada (si bien susceptible de correcciones), afirma que se trata de una obra de mediados del siglo XII, y por lo tanto, del primer libro en prosa castellana. Tal datación no es plausible por razones tanto históricas como lingüísticas, dejando aparte el hecho de que un texto con fuertes caracteres aragoneses no puede calificarse tranquilamente de «castellano». Parece muy probable, en efecto, que se trate de una traducción del latín hecha en el siglo XIII, e incluso, como propone M. Requena [en prensa], interpolada con citas de una Biblia romanceada (a partir del original hebreo) y de otras fuentes afines. En todo caso, en el siglo XIII corrían ya versiones castellanas de la Biblia, que abrieron una tradición de incalculable influencia lingüística y literaria a lo largo de la Edad Media: Margherita Morreale ha dedicado al tema una valiosa serie de monografías sumamente especializadas, junto a un par de imprescindibles trabajos de síntesis [1960, 1969].

La vida de Alfonso X el Sabio, de gran interés por sí misma, es también un factor esencial para la comprensión de las obras del Rey, pues buena parte de la actividad intelectual del monarca parece responder a unas exigencias personales y políticas difíciles de afrontar de modo directo, sin mediaciones literarias. El extenso libro de Ballesteros-Beretta [1963] es de gran valor por su riqueza documental, si bien de uso incómodo, debido a la falta de índices. La trayectoria cultural de Alfonso está admirablemente tratada en dos aportaciones más breves: el artículo de Gonzalo Menéndez Pidal [1951] acerca de los métodos de trabajo del Rey (reparto de la tarea entre «trasladadores» y «ayuntadores», etapas de la producción, etc.), y la síntesis de Procter [1951] sobre el conjunto del quehacer alfonsí. La decisión de Alfonso de emplear principalmente el castellano pata sus libros de mayor empeño es ahora más inteligible gracias a varios trabajos de singular alcance: así, Hilty [1954] ha mostrado cómo se vincula la obra alfonsí a la anterior tradición de prosa romance; Lomax [1971] ha sugerido por qué el castellano —y no otro dialecto— llegó a convertirse en lengua «oficial» de la cancillería de Fernando III y su hijo; y Niederehe [1975] ha ofrecido una presentación sistemática del ideario lingüístico de Alfonso. E. Asensio [1976], por otra parte, ha opuesto sólidas razones a la tendencia de Américo Castro a sobrevalorar los ingredientes judíos en la preferencia de Alfonso por el castellano.

La *Estoria de España* (pues ése parece haber sido el título que le dio el Rey) fue publicada en 1906 por Ramón Menéndez Pidal con el rótulo de *Primera crónica general*, para distinguirla de las crónicas posteriores. Dicha edición fue reeditada medio siglo después [1955], con una extensa introducción y una valiosísima lista de fuentes de cada capítulo. Por desgracia, Catalán ha demostrado [1962] que fue un error que don Ramón basara su texto en la hermosa *versión regia*, ya que este códice en dos volúmenes, si bien en parte producto del *scriptorium* de Alfonso, es en su segunda mitad una compilación facticia del siglo XIV. Es la *versión vulgar* la que refleja el auténtico texto de esa segunda mitad, de suerte que se necesita con urgencia una nueva edición. Lo mismo ocurre con la *Crónica de veinte reyes*, cuya importancia fue puesta de manifiesto por Theodore Babbitt, hace ya más de cuarenta años y que ofrece la más antigua y fidedigna versión de una parte del texto alfonsino. Catalán [1963] se ha ocupado también de varios aspectos de la composición de la *Estoria de España*. Badía [1958-1959] y Lázaro [1961] han hecho esclarecedores análisis de la lengua y el estilo de la *Estoria*, a partir de la comparación con sus fuentes latinas; y Fraker [1978], dos fascinantes estudios temáticos de los capítulos dedicados a la historia de Roma, relacionándolos con la carrera política de Alfonso.

La *General estoria*, a causa de su extensión y del número de manuscritos existentes, no ha sido aún editada por completo, si bien los varios volúmenes publicados hasta ahora por Solalinde [1930 ss.] y sus continuadores en la Universidad de Wisconsin ofrecen ya un vasto material, que ha servido de base apropiada para el estudio de Lida de Malkiel [1958-1960] acerca del estilo e influencia de la obra, así como para el penetrante artículo de Kasten [1970], el resumen de fuentes preparado por Eisenberg [1973] y, de modo más significativo, el breve pero fundamental libro de Rico [1972] sobre temas, técnicas, fecha, género e ideas de la *General estoria*. El libro de Rico incluye también importantes páginas acerca de la historiografía medieval y del trasfondo intelectual del siglo XIII.

Las *Siete partidas* habían sido editadas en el siglo XIX, pero la valoración del texto se ha modificado por obra de Herriott [1951-1952] y de García Gallo [1951-1952]. El primero, que había descubierto que el manuscrito del Museo Británico de la *Primera partida* difería notablemente del texto impreso, se entregó a la tarea de sopesar la validez de las ediciones. Su más sorprendente hallazgo fue que el manuscrito del Museo Británico representa el estado original del texto y refleja los puntos de vista de Alfonso acerca de las leyes sucesorias, mientras que la versión impresa se basa en manuscritos que recogen las opiniones del rebelde Sancho. Tan vital códice ha sido editado recientemente por Arias Bonet [1975]. La relación de las *Siete partidas* con otras obras legales alfonsinas ha sido examinada por extenso por García Gallo, quien demuestra —frente a Procter y otros— que el *Espéculo* no es una refundición tardía de las *Partidas*, sino su primer borrador. Se precisa todavía una edición solvente del *Espéculo*, pero disponemos de la de un texto afín, el *Setenario*, hecha por Vanderford [1945].

De la mayor parte de las obras científicas del rey hay únicamente ediciones nada satisfactorias del siglo XIX, pero dos de ellas han sido publicadas de modo científico: el *Libro conplido en los judizios de las estrellas*, por Hilty [1954], con un prólogo muy rico, y el *Libro de las cruzes*, por Kasten y Kiddle [1961]. María Brey [1968] es autora de una excelente versión en español moderno de parte del *Lapidario*, con útil introducción. Fuente esencial de información para todo aquel que se interese por el contexto de las obras científicas de Alfonso es el libro de Millás Vallicrosa [1942] sobre los manuscritos de la catedral de Toledo, con pormenorizada descripción de cada texto.

Por lo que se refiere a las restantes obras alfonsinas, los *Libros de axedrez, dados e tablas* fueron bien editados por Steiger [1941]. El descubrimiento de la *Escala de Mahoma* en sus versiones latina y francesa (mientras el texto castellano sigue sin aparecer) y el estudio que Cerulli [1949] consagró al problema dieron fundamento estimable a las viejas teorías de Asín Palacios sobre las fuentes arábigo-españolas de *La divina comedia*; últimamente, la *Escala* ha merecido otro detenido examen por parte de Wunderli [1965]. Las *Cantigas de Santa María*, una de las obras más famosas de Alfonso, obviamente no caen dentro de los límites del presente capítulo, por tratarse de poemas en gallego, pero, en todo caso, se hace preciso mencionar la muy extensa, completa y autorizada bibliografía crítica de las *Cantigas* compilada por Snow [1977].

Es obvio que queda bastante por hacer en el campo de la prosa alfonsí. Varios textos han sido publicados de modo incompleto o inadecuado, y quedan lagunas que no se cubrirán en muchos años, pese a progresos tan importantes como la próxima edición en microficha de todos los libros conservados en manuscritos del *scriptorium* real, con concordancias y otros complementos, preparados en Wisconsin bajo la dirección de Lloyd A. Kasten y John Nitti. E incluso cuando dispongamos de todos los textos quedará abundante tarea en cuanto a fuentes, técnicas y otros aspectos.

La época de Sancho IV ha sido estudiada por Kinkade [1972] como un período literario con entidad propia, en un poco frecuente y afortunado intento de ofrecer el perfil cultural de un reinado. También en lo que se refiere a la prosa post-alfonsina, el esfuerzo investigador ha solido dedicarse a la tarea básica de preparar ediciones fiables. Son recientes y tienen informativas introducciones y notas la de Crombach [1971] de los *Boca-*

dos de oro, la de Kinkade [1968] del *Lucidario* y la de Mettmann [1962] de la *Historia de la donzella Teodor.* Otra edición reciente, esta vez de una obra totalmente olvidada, es la que Lomax ha dado de los *Dichos de los Santos Padres* [1972], las fuentes cristianas de cuyas *sententiae* obligan a una revisión de varias *idées reçues.* La edición de A. Rey [1952] de los *Castigos e documentos* es menos actual en su enfoque, pero útil todavía, y se espera con interés la de *Barlaam y Josafat* por Keller y Linker [en prensa], con prólogo en colaboración con Olga Impey. De nuevo, son raros los estudios literarios específicos de tales textos, pero Goldberg [1977] ha iniciado el camino con su estudio del retrato literario en los *Bocados de oro.*

La investigación sobre la historiografía del período está encabezada por Diego Catalán, cuyo volumen de 1962 no es de fácil lectura, por la densidad del detalle, pero, en todo caso, constituye una imprescindible obra de consulta, muy manejable gracias al buen índice. Catalán, con Andrés, ha preparado sendas ediciones de la *Crónica del moro Rasis* [1975] y de la *Crónica de 1344* [1971], que cumplen los requisitos más exigentes, con abundante documentación y completo aparato crítico. La obra histórica del siglo xiv (anterior a las de López de Ayala) que ofrece mayores atractivos al lector moderno posiblemente sea la *Gran crónica de Alfonso XI,* cuyo descubrimiento, valoración literaria e irreprochable edición son también méritos de Catalán [1955, 1976], quien, atendiendo además a otras crónicas postalfonsíes, ha iluminado la trayectoria que desemboca en el canciller Ayala, en un proceso de gradual viveza y colorido del relato [1969].

Andrés Giménez Soler publicó hace medio siglo una biografía de don Juan Manuel, con numerosos documentos, que ha servido de base a los investigadores para relacionar la turbulenta carrera política del autor con sus obras literarias, relación tan importante e interesante como en el caso de Alfonso el Sabio. Julio Valdeón es autor de un estudio más breve y metodológicamente diferente, donde con copiosas citas de las crónicas y de documentos se traza un cuadro de las tensiones sociales en que don Juan Manuel estuvo implicado (en *Studies* [1977], pp. 181-192). R. B. Tate, estudiando directamente la conexión entre vida y obra, muestra la influencia que las relaciones de Juan Manuel y su cuñado don Juan de Aragón tuvieron en la imagen que el escritor ofrece de la vida activa y de la contemplativa (*ibid.,* pp. 169-179).

Sturcken [1974] es autor de un panorama útil, serio y necesariamente breve de la obra de Juan Manuel. Varios artículos se ocupan de diferentes temas de aplicación general a sus obras. Quizá se debe a Peter N. Dunn el planteo más sorprendentemente original, al sugerir cómo don Juan utiliza la ficción para llevar orden a un mundo caótico, así como para imponer su personal punto de vista acerca de una sociedad en que se sentía utilizado por debajo de sus capacidades (en *Studies* [1977], pp. 53-67). Macpherson [1973] examina las opiniones de Juan Manuel sobre su propia obra, así como su modo de composición, desterrando algunos errores generalmente aceptados. De las «Tres notas» de Lida de Malkiel [1950-1951], quizá la más influyente ha sido la que destaca los lazos existentes entre el uso que Juan Manuel hace de los *exempla* y las técnicas de la predicación de los dominicos, pero no son menos reveladoras sus observaciones sobre el estilo y la actitud intelectual del autor. Germán Orduna muestra hábilmente que los *exempla* son fundamentales en el pensamiento de Juan Manuel, así como en su arte, excepto durante la primera época de su producción (en *Studies* [1977], pp. 19-42). Kenneth R. Scholberg traza un panorama muy completo de las imágenes utilizadas en la obra manuelina (*ibid.*, pp. 143-155). Por último, entre los estudios generales se cuentan dos obras de referencia: el glosario de Huerta Tejadas [1954 ss.] y la monumental bibliografía de Devoto [1972], que ofrece todo lo que anuncia su título y mucho más.

Necesidad indiscutible es una edición de las obras completas de Juan Manuel (casi completa, pero ya totalmente insatisfactoria es la de la Biblioteca de Autores Españoles, vol. LI). Tal tarea fue iniciada hace más de veinte años por Castro y Calvo y Riquer [1955], mas no pasó del primer tomo; existe, por fin, la esperanza de que tal necesidad quede cubierta con la edición crítica que proyecta J. M. Blecua, quien ya publicó diestramente el *Libro infinido* [1952] y una de las dos buenas ediciones recientes del *Conde Lucanor* de que disponemos [1969]. La otra ha sido cuidada por G. Orduna [1972] e incorpora las conclusiones de su anterior replanteamiento de los problemas del texto [1971]: Orduna muestra que Juan Manuel lo planeó como formado por un *Libro de enxiemplos* (parte I), un *Libro de proverbios* (partes II-IV) y una quinta parte autónoma, y apunta también que el que se ha juzgado primer prólogo del *Conde Lucanor* no forma parte de la obra, sino que se trata de una variante del prólogo general que Juan Manuel puso a sus escritos. La edición de Blecua es algo más precisa que la anterior, pero la introducción de Orduna parece preferible. Reinaldo Ayerbe-Chaux se propone acometer una edición crítica del *Lucanor*, tarea nunca intentada (sobre todo por los problemas que suscita la impresa en 1575 por Argote de Molina) y para cuya ejecución habrá que hacerse cargo de una monografía de Alberto Blecua [en prensa], tan capital por sus resultados concretos como por sus implicaciones metodológicas; A. Blecua, en efecto, estudia la transmisión textual de la obra como exponente de una tradición altamente contaminada y sometida a recreaciones de los copistas, donde la dificultad de ascender a las ramas altas del *stemma* obliga a optar por un manuscrito de base (el códice *S*) y a enmendarlo con el recurso ocasional a los demás. Por su parte, D. A. Flory defiende de modo muy convincente la reordenación de las máximas de la parte III (en *Studies* [1977], pp. 87-99).

No puede sorprender que *El conde Lucanor* haya atraído más atención que todas las demás obras del mismo autor. P. L. Barcia [1968] le ha dedicado un recomendable librito de conjunto, donde se halla un excelente análisis de la «joya» de la colección, el cuento del Deán de Santiago y el mago don Illán. El estudio crítico más notable se debe a Ayerbe-Chaux [1975], quien evita con habilidad los peligros que acechan al estudioso de una obra de la que conocemos pocas o ninguna fuente, y sí muchos textos paralelos; al respecto, Wallhead Munuera ha comparado tres cuentos con sus análogos árabes (en *Studies* [1977], pp. 101-107), y Tate [1972] ha ofrecido asimismo unas incitantes consideraciones. Devoto [1966] se ocupa también de la utilización que el autor hace de la materia tradicional. Gimeno Casalduero [1975] relaciona la estructura del *Conde Lucanor* con la estructura social, en tanto Vàrvaro [1964] analiza el marco narrativo del libro y John England muestra que la estructura de cada cuento —repetición seguida de contraste— deriva probablemente de fuentes orales (en *Studies* [1977], pp. 69-86). England [1974] prueba asimismo que Juan Manuel es autor del discutido *exemplo 51*, basándose en la lengua, perspectiva que podría aplicarse también con fruto a otros propósitos. Bobes [1975] ha aplicado a varios cuentos un enfoque estructuralista y semiológico. Harlan Sturm estudia la idea de la naturaleza del hombre, en tanto individuo, a lo largo del *Conde Lucanor* (en los *Studies* [1977], pp. 157-167); y en el trabajo más influyente acerca del tema último de la obra, Macpherson [1970-1971] establece las bases teóricas sobre las cuales Juan Manuel combina el «llevar adelante su pro» con la salvación eterna.

Las restantes obras de Juan Manuel han recibido poca atención, relativamente hablando, si bien existe una excelente edición crítica del *Libro de los estados*, hecha por Tate y Macpherson [1974]. Menos ambiciosa pero al fin correcta es la de Grismer [1958] en la *Crónica abreviada*, obra que Diego Catalán relaciona con la tradición alfonsí y utiliza como testimonio de la evolución literaria del autor (en *Studies* [1977], páginas 17-51).

Algunos de los asuntos sacados a colación en las publicaciones recientes despertarán sin duda una creciente atención. Así, las estructuras y procedimientos narrativos del *Conde Lucanor*, la posibilidad de una edición crítica, la relación entre vida y obra en don Juan Manuel, los temas del *Conde Lucanor* y la cuestión de si sus fuentes son escritas o bien orales.

BIBLIOGRAFÍA

Arias Bonet, Juan A., ed., *Primera partida según el manuscrito Add. 20.787 del British Museum*, Universidad, Valladolid, 1975.

Asensio, Eugenio, *La España imaginada de Américo Castro*, El Albir, Barcelona, 1976.

Ayerbe-Chaux, Reinaldo, *«El conde Lucanor»: materia tradicional y originalidad creadora*, Porrúa Turanzas, Madrid, 1975.

Badía Margarit, Antonio M., «La frase de la *Primera crónica general* en relación con sus fuentes latinas: avance de un trabajo de conjunto», *Revista de Filología Española*, XLII (1958-1959), pp. 179-210.

Ballesteros-Beretta, Antonio, *Alfonso X el Sabio*, CSIC, Murcia, y Salvat, Barcelona, 1963.

Barcia, Pedro L., *Análisis de «El conde Lucanor»*, Centro Editor de América Latina (Enciclopedia Literaria, 27), Buenos Aires, 1968.

Blecua, Alberto, *La transmisión textual de «El conde Lucanor»*, Universidad Autónoma de Barcelona (Publicaciones del Seminario de Literatura Medieval y Humanística), Bellaterra, en prensa.

Blecua, José M., ed., Don Juan Manuel, *Libro infinido y Tratado de la Asunción*, Universidad (Colección Filológica, II), Granada, 1952.

—, ed., *El conde Lucanor*, Clásicos Castalia, Madrid, 1969.

Bobes Naves, María del Carmen, «Sintaxis narrativa en algunos *ensienplos* de *El conde Lucanor*», *Prohemio*, VI (1975), pp. 257-276.

Brey Mariño, María, trad., *Lapidario*, Castalia (Odres Nuevos), Madrid, 1968.

Bull, William E., y Harry F. Williams, eds., *Semeiança del mundo: a medieval description of the world*, University of California (Publications in Modern Philology, LI), Berkeley, 1959.

Castro y Calvo, José M., y Martín de Riquer, eds., *Obras de don Juan Manuel*, CSIC (Clásicos Hispánicos), Barcelona, 1955.

Catalán, Diego, *Un prosista anónimo del siglo XIV*, Universidad de La Laguna, Canarias, 1955.

—, *De Alfonso X al Conde de Barcelos: cuatro estudios sobre el nacimiento de la historiografía romance en Castilla y Portugal*, Seminario Menéndez Pidal y Gredos, Madrid, 1962.

—, «El taller histórico alfonsí: métodos y problemas en el trabajo compilatorio», *Romania*, LXXXIV (1963), pp. 354-375.

—, «Poesía y novela en la historiografía castellana de los siglos XIII y XIV», *Mélanges offerts à Rita Lejeune*, J. Duculot, Gembloux, 1969, I, pp. 423-441.

—, ed., *Gran crónica de Alfonso XI*, Seminario Menéndez Pidal y Gredos (Fuentes Cronísticas de la Historia de España, IV), Madrid, 1976, 2 vols.

— y María Soledad de Andrés, eds., *Crónica general de España de 1344*, Seminario Menéndez Pidal y Gredos (Fuentes Cronísticas de la Historia de España, II), Madrid, 1971.

— —, eds., *Crónica del moro Rasis, versión del «Ajbār mulūk al-Andalus» de*

Ahmad ibn Muhammad ibn Mūsà al-Rāzī, 889-955, romanzada para el rey don Dionís de Portugal hacia 1300 por Mahomad, alarife, y Gil Pérez, clérigo de don Perianes Porçel, Seminario Menéndez Pidal y Gredos (Fuentes Cronísticas de la Historia de España, III), Madrid, 1975.

Cerulli, Enrico, *Il «Libro della Scala» e la questione delle fonti arabo-spagnole della «Divina Commedia»*, Biblioteca Apostolica Vaticana (Studi e Testi, 150), Ciudad del Vaticano, 1949.

Crombach, Mechthild, ed., *Bocados de oro: kritische ausgabe des altspanischen Textes*, Romanisches Seminar der Univ. (Romanistische Versuche und Vorarbeiten, XXXVII), Bonn, 1971.

Devoto, Daniel, «Cuatro notas sobre la materia tradicional en don Juan Manuel», *Bulletin Hispanique*, LXVIII (1966), pp. 187-215; 2.ª versión de tres de las notas en *Textos y contextos: estudios sobre la tradición*, Gredos, Madrid, 1974, pp. 112-149.

—, *Introducción al estudio de Don Juan Manuel y en particular de «El conde Lucanor»: una bibliografía*, Castalia, Madrid, 1972.

Díaz y Díaz, M. C., *Las primeras glosas hispánicas*, Universidad Autónoma de Barcelona (Publicaciones del Seminario de Literatura Medieval y Humanística), Bellaterra, 1978.

Eisenberg, Daniel, «The *General estoria*: sources and source treatment», *Zeitschrift für romanische Philologie*, LXXXIX (1973), pp. 206-227.

England, John, «*Exemplo* 51 of *El conde Lucanor*: the problem of authorship», *Bulletin of Hispanic Studies*, LI (1974), pp. 16-27.

Faulhaber, Charles, *Latin rhetorical theory in thirteenth and fourteenth century Castile*, University of California (Publications in Modern Philology, CIII), Berkeley, 1972.

—, «Retóricas clásicas y medievales en bibliotecas castellanas», *Ábaco*, IV (1973), pp. 151-300.

Fraker, Charles F., «The *Fet des romains* and the *Primera crónica general*», *Hispanic Review*, XLVI (1978), pp. 192-220.

—, «Alfonso X, the Empire, and the *Primera crónica*», *Bulletin of Hispanic Studies*, LV (1978), pp. 95-102.

Galmés de Fuentes, Álvaro, «Influencias sintácticas y estilísticas del árabe en la prosa medieval castellana», *Boletín de la Real Academia Española*, XXXV (1955), pp. 231-275 y 415-451; XXXVI (1956), pp. 65-131 y 255-307.

García Gallo, Alfonso, «*El Libro de las leyes* de Alfonso el Sabio: Del *Espéculo* a las *Partidas*», *Anuario de Historia del Derecho Español*, XXI-XXII (1951-1952), pp. 345-528.

Gimeno Casalduero, Joaquín, «*El Conde Lucanor*: composición y significado», *Nueva Revista de Filología Hispánica*, XXIV (1975), pp. 101-112; reimpr. en *La creación literaria de la Edad Media y del Renacimiento*, Porrúa Turanzas, Madrid, 1977, pp. 19-34.

Goldberg, Harriet, «Moslem and Spanish Christian literary portraiture», *Hispanic Review*, XLV (1977), pp. 311-326.

González Palencia, Ángel, ed., *Versiones castellanas del «Sendebar»*, CSIC, Madrid, 1946.

Grismer, Raymond L., y Mildred B., eds., *Crónica abreviada*, Burgess, Minneapolis, 1958.

Herriott, J. Homer, «The validity of the printed editions of the *Primera partida*», *Romance Philology*, V (1951-1952), pp. 165-174.

Hilty, Gerold, ed., *El libro conplido en los iudizios de las estrellas*, Real Academia Española, Madrid, 1954.

Huerta Tejadas, Félix, «Vocabulario de las obras de don Juan Manuel, 1282-1348», *Boletín de la Real Academia Española*, XXXIV (1954), XXXV (1955) y XXXVI (1956).

Kasten, Lloyd A., «The utilization of the *Historia regum Britanniae* by Alfonso X», *Hispanic Review*, XXXVIII, 5 (noviembre 1970: *Studies in Memory of Ramón Menéndez Pidal*), pp. 97-114.

— y Lawrence B. Kiddle, eds., *Libro de las cruzes*, CSIC, Madrid, 1961.

Keller, John E., ed., *El libro de los engaños*, 2.ª ed., University of North Carolina (Studies in the Romance Languages and Literatures, XX), Chapel Hill, 1959.

— y Robert W. Linker, eds., *El libro de Calila e Digna*, CSIC (Clásicos Hispánicos), Madrid, 1967.

— —, eds., *Barlaam y Josafat*, CSIC (Clásicos Hispánicos), Madrid, en prensa.

Kinkade, Richard P., ed., *Los «Lucidarios» españoles*, Gredos, Madrid, 1968.

—, «El reinado de Sancho IV: puente literario entre Alfonso el Sabio y Juan Manuel», *Publications of the Modern Language Association*, LXXXVII (1972), pp. 1.039-1.051.

Lacarra Ducay, María J., y Juan M. Cacho Blecua, «El marco narrativo del *Sendebar*», en *Homenaje a Don José María Lacarra de Miquel*, Universidad, Zaragoza, 1977, pp. 223-243.

Lazar, Moshé, ed., *La fazienda de Ultra Mar: biblia romanceada et itinéraire biblique en prose castillane du XII° siècle*, Universidad (Acta Salmanticensia, Filosofía y Letras, XVIII, 2), Salamanca, 1965.

Lázaro Carreter, Fernando, «Sobre el *modus interpretandi* alfonsí», *Ibérida*, VI (1961), pp. 97-114.

Lida de Malkiel, María Rosa, «Tres notas sobre don Juan Manuel», *Romance Philology*, IV (1950-1951), pp. 155-194; reimpr. en *Estudios de literatura española y comparada*, EUDEBA, Buenos Aires, 1966, pp. 92-133.

—, «La *General estoria*: notas literarias y filológicas», *Romance Philology*, XII (1958-1959), pp. 111-142, y XIII (1959-1960), pp. 1-30.

Lomax, Derek W., «The Lateran reforms and Spanish literature», *Iberoromania*, I (1969), pp. 299-313.

—, «La lengua oficial de Castilla», *Actele celui de-al XII-lea Congres International de Lingvistică și Filologie Romanică*, II Académie de la R.S.R., Bucarest, 1971, pp. 411-417.

—, ed., «Pedro López de Baeza, *Dichos de los santos padres* (siglo XIV)», en *Miscelánea de textos medievales*, I, CSIC y Universidad, Barcelona, 1972, pp. 147-178.

López Estrada, Francisco, *La prosa medieval (Orígenes - s. XIV)*, La Muralla (Literatura Española en Imágenes, VI), Madrid, 1974.

Macpherson, Ian, «'Dios y el mundo': the didacticism of *El conde Lucanor*», *Romance Philology*, XXIV (1970-1971), pp. 26-38.

—, «Don Juan Manuel: the literary process», *Studies in Philology*, LXX (1973), pp. 1-18.

—, ed., *Juan Manuel Studies*, Tamesis, Londres, 1977.

Menéndez Pidal, Gonzalo, «Cómo trabajaron las escuelas alfonsíes», *Nueva Revista de Filología Hispánica*, V (1951), pp. 363-380.

Menéndez Pidal, Ramón, ed., *Primera crónica general de España que mandó componer Alfonso el Sabio y se continuaba bajo Sancho IV en 1289*, 2.ª ed., Seminario Menéndez Pidal y Gredos, Madrid, 1955, 2 vols.

—, «De Alfonso a los dos Juanes. Auge y culminación del didactismo (1252-1370)», *Studia Hispanica in honorem R. Lapesa*, I, Seminario Menéndez Pidal y Gredos, Madrid, 1972, pp. 63-83.

Mettmann, Walter, ed., *La historia de la donzella Teodor: ein spanisches Volksbuch arabischen Ursprungs*, Akademie der Wissenschaften und der Literatur, Maguncia, 1962.

Millás Vallicrosa, José M., *Las traducciones orientales en los manuscritos de la Biblioteca Catedral de Toledo*, CSIC, Madrid, 1942.

Morreale, Margherita, «Apuntes bibliográficos para la iniciación al estudio de las traducciones bíblicas medievales en castellano», *Sefarad*, XX (1960), pp. 66-109.

—, «Vernacular scriptures in Spain», en *The Cambridge History of the Bible*, II, ed. G. W. H. Lampe, II, University Press, Cambridge, 1969, páginas 465-491.

Niederehe, H.-J., *Die Sprachauffassung Alfons des Weisen. Studien zur Sprach- und Wissenschaftgeschichte*, Max Niemeyer, Tubinga, 1975.

Orduna, Germán, «Notas para una edición crítica del *Libro del conde Lucanor et de Patronio*», *Boletín de la Real Academia Española*, LI (1971), pp. 493-511.

—, ed., *Libro del conde Lucanor et de Patronio*, Huemul, Buenos Aires, 1972.

Procter, Evelyn S., *Alfonso X of Castile, Patron of literature and learning*, Clarendon, Oxford, 1951.

Requena, Miguel, «Génesis de *La fazienda de Ultramar*», *Anuario de Estudios Medievales*, en prensa.

Rey, Agapito, ed., *Castigos e documentos para bien vivir ordenados por el rey don Sancho IV*, Indiana University (Humanities Series, XXIV), Bloomington, 1952.

Rico, Francisco, «Las letras latinas del siglo XII en Galicia, León y Castilla», *Ábaco*, II (1969), pp. 9-91.

—, *Alfonso el Sabio y la «General estoria»*, Ariel, Barcelona, 1972.

—, *Predicación y literatura en la España medieval*, Universidad Nacional de Educación a Distancia, Cádiz, 1977.

Snow, J. T., *The poetry of Alfonso X, el Sabio: a critical bibliography*, Grant & Cutler (Research Bibliographies and Checklists, XIX), Londres, 1977.

Solalinde, Antonio G., ed., *General estoria*, I, Centro de Estudios Históricos, Madrid, 1930; en colaboración con Lloyd A. Kasten y Victor R. B. Oelschläger, *General estoria*, II, CSIC, Madrid, 1957-1961, 2 vols.

Steiger, Arnald, ed., *Libros de axedrez, dados e tablas*, Droz (Romanica Helvetica, X), Zurich, 1941.

Studies [1977] = *Juan Manuel Studies*, ed. Ian Macpherson, Tamesis, Londres, 1977.

Sturcken, H. Tracy, *Don Juan Manuel*, Twayne (Twayne's World Authors Series, CCCIII), Nueva York, 1974.

Tate, R. B., «Don Juan Manuel and his sources: *Ejemplos* 48, 28, 1», en *Studia Hispanica in honorem R. Lapesa*, I, Seminario Menéndez Pidal y Gredos, Madrid, 1972, pp. 549-561.

— y I. R. Macpherson, eds., *Libro de los estados*, Clarendon, Oxford, 1974.

Vanderford, Kenneth H., ed., *Setenario*, Instituto de Filología, Buenos Aires, 1945.

Vàrvaro, Alberto, «La cornice del *Conde Lucanor*», en *Studi di letteratura spagnola*, ed. Carmelo Samonà, Università-Società Filologica Romana, Roma, 1964, pp. 187-195.

Walsh, John K., ed., *El libro de los doze sabios, o Tractado de la nobleza y lealtad (ca. 1237)*, Real Academia Española (anejo XXIX al *Boletín*), Madrid, 1975.

Wunderli, Peter, *Études sur le «Livre de l'eschiele Mahomet»*, Winterthur, 1965.

DEREK W. LOMAX

REFORMA DE LA IGLESIA Y LITERATURA DIDÁCTICA: SERMONES, EJEMPLOS Y SENTENCIAS

La reforma religiosa de la Iglesia se había iniciado en el siglo XI, bajo la dirección del papa Gregorio VII, y en su origen había tenido tres objetivos: el refuerzo de la autoridad papal dentro de la Iglesia, la organización de una cruzada que reconquistase las tierras dominadas por los musulmanes desde el 640, y, por fin, el más importante, la reforma moral del clero. En el siglo XII este movimiento había obtenido notables éxitos; la autoridad del papa había aumentado enormemente, y de un modo paralelo habían conocido un gran incremento la administración eclesiástica y el derecho canónico; diversos territorios habían sido reconquistados a los musulmanes (Sicilia, la España central y parte de Siria); y se habían logrado ciertos progresos en el intento de aminorar la simonía, el concubinato y la ignorancia del clero. Sin embargo, hacia el año 1200 el impulso parecía estar agotándose: los musulmanes habían conseguido las victorias de Hattin y Alarcos; la autoridad de los reyes sobre el clero era todavía una realidad en Inglaterra, España y otros países; el crecimiento de la burocracia pontificia había engendrado anticlericalismo; la Cristiandad se veía amenazada por los cátaros, el materialismo y las doctrinas apocalípticas, y los intentos de reformar la moral del clero iban disminuyendo de un modo progresivo.

No obstante, a pesar de las apariencias de estancamiento, las fuerzas de la Cristiandad se revigorizaron muchísimo a partir del

Derek W. Lomax, «The Lateran reforms and Spanish literature», *Iberoromania*, I (1969), pp. 299-313 (300-304, 308-309).

año 1200. Una serie de enérgicos papas dedicaron la gran maquinaria de la administración de la Iglesia a la resolución del problema; san Francisco encauzó los afanes de quienes aspiraban a una religión más evangélica hacia la predicación, las misiones de ultramar y la asistencia a los pobres en los barrios miserables de las ciudades; santo Domingo organizó a sus frailes con los mismos propósitos; se fundaron nuevas escuelas y universidades para formar un clero más culto y eficaz; y, uniendo los decretos a la vigilancia, se procedió a un sistemático intento de conseguir que el clero y los seglares vivieran de un modo mucho más acorde con los principios de la religión y de la moral; finalmente, todo ello pasó a formar parte de un nuevo código de derecho canónico.

El primero y más importante de los guías de este movimiento de reforma y revitalización cristianas fue Inocencio III, quien en 1215 trató de sistematizarlo convocando un concilio ecuménico: [el IV Concilio de Letrán, a cuyo arrimo —incluso en las materias no explícitamente reguladas en los cánones que aprobó— se produjo] todo un movimiento de reforma de la Iglesia y de educación religiosa de las masas que se extendió a casi todos los países europeos, y por medio de los misioneros, a muchos otros, desde Marruecos a China. Naturalmente, ello tuvo enormes consecuencias de todo orden para la cultura cristiana, y de un modo especial en la mayoría de los géneros literarios. [...]

Los obispos españoles acudieron al IV Concilio de Letrán encabezados por Rodrigo Ximénez de Rada, arzobispo de Toledo, [...] conocieron los decretos lateranos, y es muy posible que los pusieran en práctica sin promulgarlos específicamente. Las visitas de obispos y arcedianos a las parroquias, la institución de las vicarías, la administración de los sacramentos, la fundación de escuelas y universidades y la extensión de las nuevas órdenes religiosas fueron hechos que se produjeron tanto en Castilla como en otros lugares, a partir de 1215 y durante medio siglo. El impulso de reforma religiosa se desarrolló durante los reinados de Fernando III y Alfonso X, aunque sólo a partir aproximadamente de 1290 empezó a dar frutos realmente considerables, al completarse la implantación en las tierras del sur, menguar la influencia real en las cuestiones eclesiásticas y reunirse con mayor frecuencia concilios y sínodos.

¿De qué manera todo ese movimiento de educación religiosa se reflejó en las obras escritas que han llegado hasta nosotros? El medio más importante de adoctrinar a los seglares era, desde luego, el sermón. [...] Los sermones solían pronunciarse en lengua vulgar si se dirigían a un auditorio laico, pero se traducían al latín, ya en su totalidad ya en forma compendiada, si se ponían por escrito; ocasionalmente conservamos alguna que otra homilía en castellano, tal como se había pronunciado. [...] Hacia el año 1400 fue haciéndose más frecuente el poner por escrito los sermones en lengua vulgar, y así tenemos los casos de un sermón de Pedro de Luna, de los sermones de san Vicente Ferrer y del *Vençimiento del mundo*. Sin embargo, con esta última obra nos apartamos ya del auténtico sermón que se predica, y pasamos a la obra meramente escrita, ideada para ser leída, quizá por partes, como una lectura piadosa, y nos encaminamos hacia la obra maestra del género, el *Arcipreste de Talavera*, de Alonso Martínez de Toledo, quien, fueran cuales fuesen las fuentes que utiliza, las encaja todas enérgicamente dentro del marco de un sermón contra la lujuria, aunque se trataba de un sermón verosímilmente pensado para ser leído, en silencio para uno mismo o en voz alta a un grupo de oyentes, pero suponemos que no pronunciado por un predicador que como tal se dirige a sus fieles. La intención, la estructura, el lenguaje coloquial y el realismo general, todo sitúa a esta obra sin lugar a dudas dentro de la tradición del sermón; pero sus detalladas descripciones y caricaturas, por ejemplo, de las mujeres chismosas, eran más propias de los sermones que se predicaban desde el púlpito que de los que se destinaban a leerse. [...]

El predicador necesitaba recopilaciones de historias de las que pudiera extraer relatos que ilustraran sus temas, y si bien al principio recurrió principalmente a narraciones cristianas, procedentes de la Biblia, los Padres de la Iglesia y las vidas de santos, no tardó en incorporarse la antigüedad pagana —Esopo, Valerio Máximo, Ovidio y, a nuestro propósito, el *Physiologus*—, y desde comienzos del siglo XII, historias traducidas del árabe. Estas recopilaciones son sobradamente conocidas —la *Disciplina clericalis*, el *Speculum laicorum*, etc.—, hay muchos ejemplares de tales obras latinas en las bibliotecas españolas, y evidentemente fueron usadas por predicadores y escritores didácticos como don Juan Manuel, incluso antes de que se emprendieran posteriores traducciones al castellano. Algunas se tradujeron directamente del árabe al español, como el *Sendebar* o el *Kalila e Digna*, en otros casos del latín al castellano, como el *Libro de los gatos* o el *Espéculo de los legos*, y algunas parecen haber sido sacadas directamente por un autor español de recopilaciones anteriores, como sucede con Clemente Sánchez de Vercial, cuyo *Libro de los exemplos por a.b.c.* reúne 438 relatos que proceden de obras anteriores, dispuestos por orden alfabético de epígrafes como Avaricia, Blasfemia, Castidad, etc.

En estas obras puede apreciarse una evolución que tiene varias fases. Por lo común empiezan siendo libros de consulta escritos por clérigos para clérigos, como indica el título de *Disciplina clericalis* o se ve en los antiguos sermones compuestos por abades como san Bernardo para sus monjes; más tarde son adaptados por unos clérigos para seglares, con el objeto de ofrecérselos en forma de sermones o tal vez de lecturas piadosas, como ocurre en el *Libro de los exemplos*; y finalmente sufren dos cambios completamente distintos: por una parte, el elemento de diversión del relato en algunos casos llega a eclipsar el propósito didáctico (y no es necesario recordar aquí las disputas a que ha dado pie la cuestión de las intenciones del *Libro de buen amor*); por otra parte, hay seglares que empiezan a escribir la misma clase de obras para seglares; y así tenemos el ejemplo clarísimo de don Juan Manuel, en cuyo *Conde Lucanor* lo que se hace, evidentemente, es reunir una colección de *exempla*, tomándolos de los manuales de predicadores, y extraer de ellos enseñanzas morales que puedan ser provechosas para seglares menos instruidos que el autor.

[Problema distinto se planteaba a quienes pretendían] utilizar el otro género de literatura didáctica traducida del árabe en el siglo XIII: las recopilaciones de sentencias como las *Flores de filosofía*, el *Poridad de poridades* y el *Libro de los buenos proverbios*. Éstas proporcionaban materiales útiles para los moralistas cristianos, pero (al igual que las más explosivas traducciones de Aristóteles y de Averroes) se trataba de enseñanzas peligrosas para los cristianos occidentales. La moral que preconizan está lejos del Cristianismo, e incluso del Islam; tras una fachada de frecuentes referencias a Dios y a la virtud, el enfoque es egoísta y materialista, refleja los ideales del bazar más que los de la mezquita y procede de un pasado pagano y probablemente preislámico; y, por ahí, presentaba un grave problema a los clérigos que se proponían incorporar estas traducciones a la tradición cultural de la Cristiandad. En el caso de los *exempla*, el problema no era demasiado difícil: cualquier predicador diestro en la exégesis podía sacar lo que necesitara de esos relatos e infundirles la moral más apropiada a sus intenciones. Pero en el caso de las recopilaciones de sentencias morales, eso era casi imposible: el valor de las sentencias consistía precisamente en el hecho de que expresaban de una manera concisa y eficaz una determinada enseñanza moral; y si la enseñanza no servía, las sentencias eran inútiles. Cualquier predicador podía valerse de una sentencia de un modo más o menos casual, pero era mucho más difícil adaptar todo un libro a la mentalidad cristiana o a una intención literaria compatible con la doctrina del cristianismo. Es evidente que las *Flores de filosofía*, por ejemplo, están relacionadas con otras recopilaciones, como los *Bocados de oro* y el *Libro de los cien capítulos*; y ambos se quedan en el mismo nivel moral acristiano de las *Flores*. También pueden incorporarse a la novela del *Caballero Cifar*, como consejos que da el rey pagano de Mentón a sus hijos. Pero cuando tienen que usarse como consejos específicamente cristianos, entonces requieren una adaptación. Y esto fue lo que hizo Pedro López de Baeza en sus *Dichos de Santos Padres*. Baeza era comendador de Mohernando, en la Orden de Santiago, y escribió su obra, a manera de una guía espiritual, para el maestre y los freiles (o miembros) de su Orden, copiando muy de cerca las *Flores*, pero adaptando su contenido con toda claridad al espíritu cristiano, insistiendo en la devoción a Jesucristo, en el valor de la vida religiosa, la castidad, la pobreza y la obediencia. Aquí la adaptación es evidente; no sucede lo mismo con don Juan Manuel, quien se dedica a acumular *sententiae* de las *Flores* y de otras obras en los últimos libros de *El conde Lucanor*. Y las *sententiae* procedentes de recopilaciones de este tipo se encuentran también en innumerables muestras de la literatura didáctica al final de la Edad Media, hasta *La Celestina* e incluso después.

RAMÓN MENÉNDEZ PIDAL

LA PROSA DE ALFONSO EL SABIO
EN LA *PRIMERA CRÓNICA GENERAL*

La *Primera crónica general*,[1] que tantas novedades internas nos ofrece, trae consigo un cambio total en la manera de escribir la historia. La sequedad en las crónicas latinas de los siglos anteriores era extrema. Algún trozo retórico en san Isidoro; reminiscencias fraseológicas de Salustio, en la Historia Silense; una cierta elegancia y a veces austera elevación, en el Toledano, es todo lo más que podemos hallar, y es cosa muy extraordinaria. En general, todas las crónicas españolas en lengua latina se expresan en un estilo tan escueto, tan pobre, que en su rápido relato se limitan a una brevísima y desarticulada enumeración de reyes sucesivos, a una muy seca enumeración de victorias, desastres, rebeliones y calamidades públicas ocurridas en cada reinado, con la más absoluta inatención para todo lo íntimo y palpitante de los sucesos. Su breve y descarnada narración contrasta lastimosamente con la abundancia informativa, el vivo detallismo, el encanto anecdótico, la riqueza de observación y el íntimo interés que sabe ofrecernos la historiografía árabe.

La *Crónica general* representa en este sentido un radical cam-

Ramón Menéndez Pidal, ed., *Primera crónica general de España que mandó componer Alfonso el Sabio y se continuaba bajo Sancho IV en 1289*, 2.ª ed., Seminario Menéndez Pidal y Gredos, Madrid, 1955, 2 vols., pp. XLIX-LII.

1. [Como ha mostrado Diego Catalán, «el taller historiográfico alfonsí, ni en vida de Alfonso X, ni después de muerto el Rey Sabio, llegó a concluir la proyectada *Estoria de España*. [...] La *Primera Crónica General de España* editada por Menéndez Pidal no puede identificarse con la *Estoria de España* de Alfonso X, aunque en líneas generales sea su más directo representante. En la cámara regia castellana debieron, según creo, quedar atesorados, conjuntamente, códices y cuadernos de trabajo del taller alfonsí que contenían, bien secciones ya concluidas de la *Estoria de España*, bien fragmentos aún en curso de elaboración (unos ya bastante avanzados, otros en las etapas iniciales de la construcción); aprovechando esos materiales, pero sin continuar el inconcluso trabajo compilatorio, el formador de la *Primera crónica general* trató de componer una historia de España sin soluciones de continuidad». Citamos el resumen de Catalán [1963], pp. 357-358.]

bio. Mira la historia como vida pasada que es preciso hacer sentir y comprender, tanto que frecuentemente, al realizar este concepto, somete los textos que le sirven de fuente a una amplificación arbitraria con objeto de dar algún toque animado. El ejemplo más simple y rudimentario de este procedimiento lo hallamos cuando el Toledano o el Tudense emplean el verbo *obiit* para anotar la muerte de un personaje, y la crónica suele traducir: «adoleció et finó», no faltando, sin duda, a la exactitud histórica al añadir la noticia de la última enfermedad. Pero el compilador no vacila en arriesgarse cuando juzga que, tan necesario como la enfermedad para la muerte, es el toreo para los deportes, y hallando en Paulo Orosio la noticia de que el emperador Cómodo gustaba de luchar con fieras en el circo: *in amphitheatro feris sese frecuenter obiecit*, amplifica esas sencillas palabras en este largo párrafo: «salie en ell amphiteatro a las bestias fieras et *a los toros a lidiar con ellos et a matarlos*, cuemo otro montero qualquiere, que son fechos que no convienen a emperador ni a rey ni a otro princep ni a ningun omne bueno». Cuanto más el hecho impresiona la imaginación del compilador, más añade éste pormenores narrativos arbitrarios, a fin de infundir al relato mayor viveza y eficacia. El nuevo estilo historiográfico en lengua vulgar impone una interpretación expresivista de las fuentes latinas.

Además de la amplificación explicativa, la hallamos otras veces retórica, de discursos y elogios, de reflexiones moralizadoras. [...] Abunda también la amplificación con carácter de comentario, que, como puede suponerse, es muchas veces aventurado. El compilador, tratándose de fuentes latinas, expone con amplitud, y a menudo interpreta y borda el texto que sigue; no *traduce*, sino que *deduce*, y esto no sólo en los textos lacónicos de suyo, sino en todos, hasta en los poéticos, como sucede cuando traslada los versos de Ovidio o de Lucano, que a veces se dilatan desmesuradamente. Hay por parte del compilador el deseo de no desperdiciar el más mínimo matiz embebido en el significado de las prestigiosas palabras latinas que traduce. Tratándose de fuentes romances, esta tendencia ya apenas se observa. Las fuentes juglarescas más bien se acortan en vez de ser ampliadas. La amplificación depende del grado de consideración y estima con que es mirado el texto que se copia.

Verdad es que el criterio literario, a que generalmente obedece la amplificación, ya quedaba bien satisfecho por la mera admisión de las obras juglarescas en la crónica. Pero, además, con la admisión de las gestas, la crónica llega a compensarnos de la inferioridad que hemos señalado en la historiografía cristiana respecto de la musulmana. Pues en la poesía heroica se refleja más viva que en la historia, y más bella, la imagen del pasado, no sólo en su color y exterioridad, sino en su espíritu mismo; sin la epopeya, ignoraría·mos, con muchas costumbres, ritos y formas de vida, muchas ma· neras de pensar y de sentir, que nos dan a conocer la antigua civi· lización medieval mejor que cualquier producción histórica de la época. Así la *Crónica general*, acogiendo en sus folios las escenas más famosas de la epopeya, no sólo salva esta importante manifes· tación poética del olvido casi total en que cayó, sino que hace llegar a nuestros ojos un reflejo brillante de vida pasada; trae a nuestros oídos el eco lejano, pero aún distinto y claro, del fragor vital, de los impulsos y pasiones que animaron a las generaciones muertas. Al· fonso X, al dilatar el curso de la narración histórica, halló en los relatos épicos la principal guía y estímulo, al par que en los poetas de la antigüedad. En la prosificación cronística de esos poetas y esos juglares se hallan las primeras páginas de prosa que con decidida intención literaria se escribieron en lengua española.

Sabemos que el Rey Sabio intervenía en la redacción de las obras que mandaba componer. En 1276, al frente del *Libro de las estrellas de la ochava esfera* se nos dice del rey: «et tolló las razones que entendió eran sobejanas et dobladas, et que non eran en castellano drecho, et puso las otras que entendió que complian, et quanto en el lenguage endreçolo él por sise». Alfonso se preocupaba, pues, de dos cualidades principalmente: la concisión y el purismo. [...] Certera preocupación literaria revela el esforzarse por alcanzar «el castellano derecho», la propiedad castellana, cuando no existía una arraigada tradición prosística en Castilla, y esmerarse en suprimir toda expresión superflua o reiterada, cuando la lengua no rimada carece de cultivo y cuando domina la sintaxis de coordinación.

Por lo demás, la crónica manifiesta muy variamente su tendencia artística. Su prosa dócil se moldea sobre los desmedidos versos de los juglares castellanos, lo mismo que sobre los decadentes hexáme· tros de Lucano, sobre los apasionados dísticos de Ovidio, sobre la traducción de la retórica poesía de Al-Uacaxí, rebosante en los vio· lentos simbolismos de la poética árabe. Así, esa prosa tiene el gran encanto de ser un reflejo multicolor de las más elevadas corrientes de arte y de cultura que se dejaban sentir entre las generaciones viejas y nuevas conviventes en la corte castellana durante los dos reinados de Alfonso X y de Sancho IV.

Y esa variedad se manifiesta más espontánea y fresca por no haber todavía una verdadera fuerza tradicional en el cultivo del idioma que pudiese coartar la libre adaptación a los diferentes modelos y la iniciativa particular de cada uno de los compiladores.[2] No era la primera vez que se aplicaba el romance a la prosa historial, pero sólo se había usado en traducciones sin originalidad o en obras de escasa significación. Alfonso X, al planear y realizar el importante esfuerzo de una primera construcción histórica en lenguaje vulgar, puede decirse que también crea la forma externa de la misma, dando nacimiento a la prosa literaria castellana, que desde el comienzo se revela como la primera entre las otras vulgares de la península.

La crónica presenta a nuestro estudio un vocabulario rico, en toda su pureza abolenga, poco enturbiado en su limpidez originaria por latinismos y extranjerismos; presenta a la vez una construcción sintáctica que, aun no sabiendo triunfar de la inhabilidad primeriza, admiraba por su concisión al principal estilista de una generación

2. [Conviene recordar que en el segundo período del quehacer alfonsí (1269-1284), cuando se producen los libros de mayor valor y originalidad, como la *Estoria de España* y la *General estoria*, «en la elaboración de estas obras intervienen, según varias notas que se hallan en los manuscritos, primeramente los *trasladadores*, o traductores, que hacían la traducción de los libros seleccionados; vienen luego los *ayuntadores*, o compiladores, encargados de compaginar los textos traducidos y elaborar una nueva exposición de la materia; por último actúan los *capituladores* que dividen la obra en sus partes expositivas y las rotulan. Según esas mismas notas informativas, la participación del rey en esos trabajos no es escasa: Alfonso X idea la obra que debe emprenderse, ordena el acopio de los libros necesarios, puntualiza el personal destinado a la traducción o composición de cada tratado, y caso necesario, dispone la retraducción o la reelaboración, cuando no le satisface el trabajo de sus colaboradores. Pero además de esta intervención puramente externa a la obra, tenemos también noticia de una intervención más directa e interna: selecciona de entre los libros acopiados los que estima mejores y más verdaderos para la elaboración del tratado en proyecto; señala el plan que ha de seguirse en el mismo; una vez compuesta la obra, añade lo que juzga de interés, suprime razones y pasajes que considera superfluos, y finalmente enmienda por sí mismo el lenguaje». Todas las operaciones que así resume don Ramón, p. XVI, están documentadas en el esencial estudio de Gonzalo Menéndez Pidal [1951], de quien se toma también el separar en dos épocas (1250-1260, 1269-1284) la actividad literaria del Rey Sabio.]

posterior, a don Juan Manuel; en suma, un material amplio y vario, marcado con el interesante sello de una época que es, a la vez, de orígenes y de activa transición de la lengua oficial.

FRANCISCO RICO

PASADO Y PRESENTE EN LA *GENERAL ESTORIA*

De lo mayúsculo a lo minúsculo, de las grandes ideas que la animan a la pauta analística que la estructura, pasando por las abundantes explicaciones que proporciona sobre el cómputo de los tiempos, la crónica universal alfonsí da pruebas de un firme «sentido de la historia». Sin duda ese sentido no coincide por entero con el nuestro; pero ello de ningún modo implica que la obra testimonie la menor «voluntad de abolir el tiempo y el cambio», voluntad demasiadas veces atribuida gratuitamente a todo el pensamiento medieval. No puede afirmarse lisa y llanamente que Alfonso sea incapaz de «guardar distancia» ante la Antigüedad y de «verla como cosa distinta y conclusa», ni que «las limitaciones de su época» le impidan «reconstruir otros tiempos, otras costumbres, otras leyes u otro orden social y religioso distinto del suyo». [De hecho], si algo hay evidente en la *General estoria*, es el sostenido esfuerzo por reconstruir a todo propósito la vida de antaño y subrayar su heterogeneidad respecto a la contemporánea; de ahí las fórmulas tan menudeadas: «era estonces en uso», «en el tiempo antiguo tal costumbre solié seer», «tal era la costumbre», «tal costumbre era en aquella sazón», etc., etc. [...] El estudioso, por otra parte, debe andar con cuidado al indicar los «anacronismos» de la *General estoria*, para no cometerlos él mismo. Puede sorprender, así, el aserto de que entre los hijos de Júpiter abundaron los *«condes* de muy gran guisa»; pero en las *Partidas* se descubrirá que «conde» vale sencilla-

Francisco Rico, *Alfonso el Sabio y la «General estoria»*, Ariel, Barcelona, 1972, pp. 85-88, 91, 93, 95-96, 117-120.

mente 'cortesano de alto rango'. [...] Porque a Alfonso le agrada ofrecer un punto de cotejo con las realidades del siglo XIII, pero, al hacerlo, realza tanto las semejanzas como las disparidades. [...] Así, comenta, la «medida "gomor", et ell "assario" que dize Jose-pho, *puede seer como* la medida que dizen en Castilla "celemín", o aun menos»; «e por estos panes "lugana" suelen dezir en el lenguaje de Castiella "crespillos", e algunos dizen que les *podemos otrossi dezir* "bonnuelos"», etc. No contento con las cautelas por el estilo, Alfonso llega a ser aún más tajante e introducir el cotejo en forma explícitamente negativa: «E este sacrificio *non semeia* a las cofra-días que los buenos omnes e las buenas mugeres fazen agora en Castiella...».

Gracias a ese planteamiento la *General estoria* se convierte a menudo en espejo de la España del siglo XIII. Por sus páginas desfi-la una abigarrada caravana: los leprosos que piden limosna haciendo sonar las tablillas; el maestro que repasa una lección ante los alum-nos, en espera de preguntas; los que hacen promesa de recluirse en el claustro por unos años; los peregrinos a Santiago, Rocamador, Santa María de Salas, Roma, Jerusalem; los devotos «que comiendan sus bestias a Sant Antón, e los ganados a Sant Pastor e las gargan-tas a Sant Blas, quando espina o hueso les fiere í, o alguna exida»; los imagineros, que tallan y venden, y los artesanos que hacen fili-granas de «orebzia» u orfebrería; los agonizantes, en el lecho de muerte, y tantos más. Así se evocan los vestidos de novia y los duelos, las reyertas entre los moros y los convites de las cofradías castellanas, «los arcos e los caualiellos e los otros estrumentos de las alegrías de la fiesta de Sant Johan e de Sant Pedro, que dizen de los arcos e la pala»; el bautizo de las naves, las cantigas de escarnio y las de encomio, la doma de los caballos de combate, la escritura «de los godos ..., a la que llaman agora letra toledana, e es antigua, e non qual la que agora fazen», y cantidad de otros deliciosos particulares. Si a todo ello se suman los frecuentes comentarios sobre la moral, la religión o la sociedad, habrá que conceder que el enfoque desde un hoy, desde un aquí y un ahora, aparte no atentar contra el sentido de la historia, enriquece sobremanera la obra alfonsí pre-cisamente en tanto tal historia: no ya mera crónica o registro, sino cabal y jugosa historia. [...]

De esa relación vital, familiar, con el mundo antiguo hay en las dos primeras partes de la *General estoria* un par de testimonios indudables, precisamente en los dos únicos lugares (aparte la introducción) en que se menciona el nombre de Alfonso. Cuenta la crónica, así, de Cícrops (es decir, Cécrope), rey de Atenas y restaurador de los buenos saberes, y señala que por entonces floreció Ixión, «el que primero falló manera de armar cavallero pora sobre cavallo, e de la primera vez que esto fizo armó cient cavalleros desta guisa ..., e púsol el rey Cícrops a aquellos cavalleros e díxoles "centauros", que quiere dezir tanto como cient armados, e assí ovieron nombre dallí delant quantos daquel linage ovieron». Pues bien, la institución de la caballería centáurica, en tal marco, inmediatamente transporta al rey a la época del repartimiento de Sevilla, ciudad en que había establecido «estudios e escuelas generales» (al igual que Cícrops «reffizo los estudios» en Atenas) y en la que constituyó y heredó a doscientos caballeros de linaje. Para él, cierto, la creación de los centauros ocurrió «a la manera que el muy noble e muy alto el dezeno don Alfonso, rey de Castiella, de Toledo, de León e del Andaluzía, que compuso esta *Estoria*, que en la muy noble cibdad de Sevilla, que a onrra de Dios e de Sancta María e del muy noble e muy sancto rey don Fernando, su padre (que escogió allí la su sepultura e metió allí el su cuerpo), que estableció dozientas caballerías que dio o dozientos cavalleros que las oviessen pora siempre, ellos e los sus primeros fijos herederos, e otrossí, dend adelant, todos los sus a esta guisa por linage, porque guarden el cuerpo del rey don Fernando, su padre, e la villa, e sean ellos ricos e abondados, e llámanlos a todos en uno "los dozientos", e a[l] uno dellos en su cabo "dozenteno", e a dos "dozentenos", e aun assí a los otros fasta somo de la cuenta toda cumplida, e a un de los sus donadíos "dozentía", e a más "dozentías"». Alfonso, pues, se siente en línea con Cícrops e Ixión, y no deja de insinuar que es capaz de competir con ellos y sobrepujarlos: los centauros quedan chicos ante los «dozientos» de Sevilla, y el rey recibe en consecuencia mayor honra.

En tales condiciones, claro está que el conocimiento de los hechos de los antiguos no podía ser para él la satisfacción de una mera curiosidad arqueológica, sino una experiencia rica en resonancias personales. No en vano (como tantos, desde Grecia) tenía la historia por maestra de la vida y no en vano pensaba llevar la crónica desde el principio del mundo hasta su tiempo: la materia historiable constituía un solo bloque y comportaba una unidad de significado; y en ese ámbito unitario el cotejo de pasado y presente resultaba cosa obligada, sin menoscabo de conceder tanto relieve a las diferencias como a las analogías.

La conexión con el orbe clásico y mitológico era título de nobleza, fuente de legitimidad y forma de realzar la valía del país propio en el concierto de los pueblos, en lo antiguo igual que en lo moderno. Rodrigo Jiménez de Rada (a zaga de Al-Razí) había buscado ese enlace trayendo a Hércules a España e inventándole un compañero, Hispán, a quien el heroico dios confió el gobierno de la Península; y a Hispán atribuye el Toledano, entre otros méritos, la construcción del Acueducto de Segovia. Pero Alfonso va más allá y busca asumir tal conexión no ya con palabras, sino con hechos: halla el monumento en estado ruinoso y se muestra digno sucesor de Hispán mandándolo restaurar. El camarada de Hércules «fizo ý [en Segovia] aquella puente que es ý agora —por do viniesse el agua a la villa—, que se yva ya destruyendo, e el rey don Alfonso fízola refazer e adobar, que viniesse el agua por ella a la villa commo solía, ca avía ya grand tiempo que non venié por y». Pues «aquella puente» es también símbolo y cifra de la relación de Alfonso con la Antigüedad: del antaño distante, pero comunicado con la actualidad, por el acueducto de la historia, fluyen las aguas que sustentan y animan el hogaño.

María Rosa Lida de Malkiel

LA INDIVIDUALIDAD DE DON JUAN MANUEL

Apenas podría mentarse autor didáctico medieval que muestre más despego que don Juan Manuel a la venerada Antigüedad grecoromana ni menos gana de lucir su saber de clerecía. Basta comparar sus escritos con los de Alfonso el Sabio y con obras de su mismo

M. R. Lida de Malkiel, «Tres notas sobre don Juan Manuel», *Romance Philology*, IV (1950-1951), pp. 155-194; reimpr. en *Estudios de literatura española y comparada*, EUDEBA, Buenos Aires, 1966, pp. 92-133 (111, 118-119, 128-133).

género didáctico tales como los *Castigos e documentos* y el *Libro de los enxenplos por a.b.c.*, para omitir libros de más clara intención amena, como el *Apolonio*, el *Alexandre*, el *Libro de buen amor*, el *Caballero Cifar*, y se destacará más ese rechazo que no puede ser casual. [...] Poco amigo de autorizarse con libros ajenos y de ejemplificar sus enseñanzas con casos y figuras de la venerable Antigüedad, como es la práctica más frecuente de ejemplarios y obras didácticas, don Juan Manuel prefiere menudear referencias a sus propias obras e ilustrar sus enseñanzas con personajes y sucesos contemporáneos: sus enemigos Álvar Núñez de Castro y Garcilasso de la Vega son modelo de necia fe en agorerías y de fin desastrado (*El conde Lucanor*, XLV); un dicho jocoso del prelado gallego don Roy Padrón ilustra los reparos a la educación a los hijos de los infantes (*Libro de los estados*, LXXXV). Cabalmente, uno de los peculiares rasgos del *Libro de los estados* es cómo, a pesar de lo abstracto del tema y de lo tradicional del marco, el autor no puede hacerse a un lado y, a partir del cap. XX de la primera parte, aparece y reaparece sin cesar como modelo, como autoridad, como fuente. [...] También en *El conde Lucanor*, además del Conde y de Patronio, encontramos al autor, quien se asoma al final de cada ejemplo a dar su señoril vistobueno: «Et entendiendo don Johán que estos exiemplos eran muy buenos, fízolos escribir en este libro», etc. Patronio en la quinta parte elogia por extremo a su señor el «libro que don Johán fizo a que llaman *de los estados*», al que complementa expresamente más adelante. Al comienzo de la segunda parte el autor anuncia que adoptará dicción más oscura por complacer a su amigo don Jaime de Jérica; pero al comienzo de la quinta, Patronio se rebela ante esta complacencia, y decide cambiar de estilo y tema: «Et pues tantas cosas son escriptas en este libro sotiles e oscuras e abreviadas, por talante que don Johán hovo de complir talante con don Jayme, digo vos que non quiero fablar ya en este libro de enxiemplos nin de proverbios, mas fablaré un poco en otra cosa que es muy más aprovechosa». Tal intrusión del autor en el plano de la ficción o, mejor, tal interferencia de planos diversos dentro de la creación artística sugiere de inmediato el *Libro de buen amor*, en el que el moralista depone a veces su papel magistral para sumarse a la regocijada comparsa o identificarse con uno de los personajes. [...]

Es fácil ver que don Juan Manuel está muy persuadido del valor intrínseco de su creación literaria y que da gran importancia a su perfección formal. No contento con señalar lo provechoso de sus escritos, insiste en sus bellezas de estilo [...] y debate teóricamente en numerosos pasajes el pro y el contra de la concisión que recomendaban las normas retóricas y la amplitud que él parece preferir como de mayor eficacia didáctica. La conocida aprensión por los yerros de los copistas emana cabalmente de esta conciencia de la forma exquisita y personal con la que parecerían enlazarse también dos aspectos por los que la obra de don Juan Manuel diverge del grueso de la literatura medieval de Berceo a Santillana. Uno de ellos es su curioso empeño de borrar toda huella de «taller», de omitir toda referencia a fuentes, a fin de presentar su obra como parto original, fruto de su experiencia y no de sus lecturas. Recuérdese cómo insiste en que el *Libro infinido* es «de cosas que yo prové et vi», que en el *Libro de la caça* «fizo escrivir lo que él vio e oyó», dejándolos de intento «infinidos» para anotar las futuras experiencias, según procedería Ginés de Pasamonte; cómo abona con su propio ejemplo las enseñanzas del *Libro de los estados* y cómo presenta en *El conde Lucanor* los cuentos tradicionales cual casos concretos acontecidos en su círculo personal o, cuando menos, en su nación. [...] El otro aspecto fuertemente individualista de la obra de don Juan Manuel se revela en su lenguaje. Fiel a la pauta de Alfonso el Sabio, muestra don Juan Manuel aun más clara conciencia de la autonomía lingüística del castellano y de su fondo patrimonial, y ésa es presumiblemente la razón que le mueve a eliminar las huellas ostensibles del latín que había estudiado, aunque una que otra vez, cuando quiere alzar el estilo en pasajes no narrativos ni estrictamente didácticos, se percibe su tentativa de reproducir en el romance el movimiento emotivo (apóstrofe, interrogación retórica) y la variación (anáfora, quiasmo, repetición, frase paralelística) que preconizaban como estilo ornamental las *artes dictaminis*. Ya las ingeniosas variaciones —tan laboriosamente justificadas y explicadas— de las partes segunda, tercera y cuarta de *El conde Lucanor* revelan una consciente avidez de experimentación estilística nada común en la literatura medieval castellana. [...]

[Desde diversos ángulos, el estudio de don Juan Manuel muestra la imagen de] un hombre en hondo enlace intelectual con ciertas corrientes de pensamiento que, en su época, predominan en la clase culta de toda Europa, y a las que debe sus ideas sociales y religiosas, la técnica escolástica de su exposición doctrinal, su orientación de escritor didáctico para el vulgo, muchos temas y algún procedimiento de su narración. La otra componente de esa fisonomía es una individualidad tan asombrosa como para romper los obstáculos que la convención literaria de la época oponía a la expresión de lo personal, sobre todo en prosa didáctica, y tal ruptura le lleva a más de un desvío o un delicado compromiso con su tendencia universalista antes señalada: en lugar del proverbio alineado en compilaciones abstractas, presenta el refrán artísticamente utilizado como punto de partida de un relato; en lugar de alarde de doctas autoridades, sistemática supresión (excepto unos poquísimos textos, casi todos devotos) de lo libresco a la par de su utilización sistemática, y transformación de cuanto no sea medieval y actual en aparente experiencia concreta y cercana. Y análogamente en lo lingüístico: en lugar de echar mano del latín como auxiliar léxico, supresión de latinismos aunque, a la vez, imitación del ornamento estilístico latino. Sin duda, todo gran artista es la resultante de la interferencia entre el universal «espíritu de sus tiempos» y de su propia intransferible individualidad. Pero dentro de la Edad Media, poco favorable al cultivo y a la expresión de lo personal —de ahí la enorme proporción de obras anónimas—, don Juan Manuel permite vislumbrar con excepcional claridad las coordenadas de su universalismo y de su individualidad.

IAN MACPHERSON

LOS CUENTOS DE UN GRAN SEÑOR: LA DOCTRINA DE *EL CONDE LUCANOR*

[Una y otra vez apunta don Juan Manuel los objetivos didácticos de *El conde Lucanor*. Así, por ejemplo, declara en la segunda parte: «fablaré en este libro en las cosas que yo entiendo que los omnes se pueden aprovechar para *salvamiento de las almas* e *apro-*

Ian Macpherson, «'Dios y el mundo': the didacticism of *El conde Lucanor*», *Romance Philology*, XXIV (1970-1971), pp. 26-38 (27, 29-30, 32, 35-37).

vechamiento de sus cuerpos et mantenimiento de sus onras e de sus estados».] Al lector se le ofrecen dos cosas por el precio de una, y a primera vista los dos objetivos pueden parecer incompatibles: la busca de un logro material en la tierra y la humilde preparación para la vida futura no suelen juzgarse conciliables. [...] Los cuentos, con sus introducciones y sus moralejas, ilustran diferentes aspectos de este problema central; de ninguno de ellos puede decirse que plantee el problema delimitándolo como algo coherente, pero en su conjunto, cuando estas historias se consideran de un modo global, ofrecen una rotunda respuesta, un punto de vista coherente sobre el sentido y propósito de la misión del noble, tal como la entendía don Juan Manuel.

El lector avanza en la comprensión gracias a su propio esfuerzo, orientándose a medida que lee, hasta que llega a un punto, ya cerca del final, en el que puede ensamblar la totalidad de lo que ha ido descubriendo, aunque don Juan Manuel acaba por ayudarle atando muchos de los cabos sueltos en el *exemplo* más largo del libro, que según Patronio será el último, y en el que Patronio tiene más cosas que decir que en ningún otro. Es el Exemplo 50: «De lo que contesçió a Saladín con una dueña, muger de un su vasallo». En el cuento, Saladino, sultán de Babilonia, trata de seducir a la esposa de uno de sus vasallos. Ella quiere ganar tiempo, y le impone como condición que consiga averiguar cuál es la mayor virtud que puede tener el hombre, prometiéndole sus favores si vuelve de esta búsqueda con la respuesta adecuada. Tras las habituales vicisitudes, Saladino retorna de sus viajes diciéndole que la respuesta es «la vergüenza», y entonces la fiel esposa le pide que renuncie a sus propósitos, que atentan contra la esencia de esta virtud. Saladino acepta la lección y el honor de la dama queda a salvo. En la introducción del cuento, el conde Lucanor, como de costumbre, formula su pregunta a Patronio, y halaga a su consejero ponderando su «entendimiento». Patronio dice al conde que comete un gran error al halagarle de aquel modo [y, antes de iniciar el relato, le ofrece una suerte de compendio de las principales lecciones diseminadas a lo largo del libro]. A un hombre hay que juzgarle por las obras que hace «a Dios e al mundo», y Patronio les concede igual importancia. Aquel cuyas buenas obras son «para este mundo» (es decir, para impresionar a los demás) está equivocándose y «él sufrirá mucho mal sin fin»; pero Patronio también afirma que el hombre que se vuelve de espaldas al mundo y sólo fija sus ojos en el «serviçio de Dios», aunque haya elegido «la mejor parte», tampoco ha dado con la respuesta perfecta. Lo mejor, según Patronio, es «guardar entreamas las carreras, que son lo de Dios et del mundo»; una es inútil sin la otra, y los dos requisitos fundamentales que necesita el hombre para seguir esta «carrera» son «entendimiento» y «buenas obras». Y así mismo entre estas observaciones hay otras dos ideas de las que se ha ocupado copiosamente en el curso de la obra: la idea de la «fama» —«muchos parescen que fazen buenas obras, et [non] son buenas» (consiguen una reputación de bondad, pero en realidad no son buenos)— y la dificultad que existe para «cognoscer los homnes quáles son en sí», es decir, para conocer y reconocer a los hombres tal como son, a pesar de la hipocresía y del engaño con que frecuentemente disimulan sus verdaderos propósitos.

Acerca de «Dios y el mundo», don Juan Manuel se explica claramente. Los problemas de la humanidad no le conciernen; se limita a los suyos propios, en los que se reconocerán los nobles españoles que son sus iguales. Un hombre que por el azar de su nacimiento se ve convertido en gobernante y en guerrero, y que tiene que trabajar constantemente en este mundo para conseguir sus fines, que son acrecentar su poderío, su honor, su situación y su hacienda, ¿cómo puede conciliar la busca de estos triunfos materiales con una auténtica preocupación por la salvación de su alma? Según don Juan Manuel, la respuesta a tal pregunta es no ocuparse tan sólo de uno de los dos aspectos excluyendo el otro, sino aceptar su «estado», la función que desempeña en el mundo y que le ha sido otorgada por Dios, para ser lo que es y vivir en conformidad con su situación. Justificarse ante uno mismo, afirma, es justificarse a los ojos de los demás y a los ojos de Dios.

[Para un gran señor, así, importa mucho velar por «las cosas que tañen a la fama».] Igualmente esencial para un buen gobernante es la capacidad de «cognoscer los homnes quáles son en sí». Este tema ocupa una gran parte del conjunto de la obra, y don Juan Manuel vuelve a él más tarde en el capítulo final de *El libro infinido*. Casi un tercio de los relatos ejemplares de la obra tratan de los conflictos de un gobernante cuando se enfrenta con alguien que dice profesarle amistad. El gobernante, según don Juan Manuel, tiene que aprender a distinguir, descubriendo qué hay detrás de cada profesión de amistad y sabiendo cómo y cuándo poner a prueba a cada uno. Dentro de esta temática, la situación arquetípica que da origen a un cuento es la del raposo y el cuervo (Exemplo 5), historia en la que el conde tiene que habérselas con un adulador que le propone obrar de un modo que beneficiará materialmente al amo de Patronio; Patronio aplica su «entendimiento» a la situación [y el «entendimiento» es otra de las dotes más ponderadas y mejor ejemplificadas en la obra], deduce que detrás de la oferta se oculta un engaño y cuenta entonces una historia de engaño para que ilustre al conde.

[Toda una serie de *exemplos* insiste en las «buenas obras» que debe realizar el caballero y gobernante, con «buena voluntad» o «buena intención».] La única manera segura en la que un gobernante puede «salvar el alma guardando vuestro estado e vuestra onra» es hacer la guerra a los infieles: así no solamente hará buenas obras, sino que también, como el rey Ricardo de Inglaterra (en el Exemplo 3), las hará de tal modo que sean visibles al mundo entero. Los maldicientes serán acallados, y el noble seguirá de este modo el principio ideal propuesto por Patronio en el Exemplo 50: «guardar entreamas las carreras, que son lo de Dios e del mundo». Este principio se ejemplariza con la historia del conde de Provenza (Exemplo 25), que deseaba ganar «la gloria del Paraýso, faziendo tales obras que fuessen a grand su onra et del su estado»; con este objeto parte para Tierra Santa «en serviçio de Dios». Los dos cuentos en los que interviene el conde Fernán González (Exemplos 16 y 37) insisten en la necesidad de vencer la lasitud y la holganza para ponerse al servicio de Dios: en ambos casos Fernán González es presentado como un modelo de valor y de actividad, y la admiración de don Juan Manuel por estas virtudes es manifiesta. [...]

A mi juicio *El conde Lucanor* proporciona abundantes pruebas de que ha de considerarse como un intento por parte del autor de justificar razonadamente un modo de vida al que estaba entregado por entero. Don Juan Manuel era noble y guerrero, y al propio tiempo estaba íntimamente relacionado con la orden de santo Domingo; en *El conde Lucanor* hay muchos indicios que apuntan hacia la conclusión de que era muy consciente de la dificultad de conciliar estas dos cosas, y también muy preocupado por conseguir esta conciliación, por lo menos en una medida que él juzgara satisfactoria. Don Juan saca a colación el argumento tomista del amor de sí mismo: un hombre tiene que ser lo que es, lo que Dios ha hecho de él. Si en el mundo ha nacido en el «estado» de noble y de guerrero, su deber para sí mismo, para los que dependen de él, para sus iguales y para Dios, es ser un buen noble y un buen guerrero. *El conde Lucanor* nos ofrece una útil guía para ser todas esas cosas y añade unas historias ilustrativas para dorar la píldora, pero insiste constantemente en que no bastan por sí mismas; la «buena voluntad», «buena entención», «entendimiento» y «buenas obras» (que en el caso del guerrero Don Juan Manuel interpreta como la cruzada contra los infieles) también son necesarios si hay que servir a Dios al mismo tiempo que al mundo.

Este enfoque subraya la solidez y la coherencia de *El conde Lucanor* como justificación personal y obra didáctica, pero también pone de relieve sus limitaciones. Es difícil considerar el libro, según en su prólogo sugiere el autor que debería hacerse, como dirigido a «gentes que non fuessen muy letrados nin muy sabidores», a no ser que con ello se esté aludiendo a sus iguales; porque don Juan Manuel se interesa solamente por su propio «estado». Las enseñanzas de *El conde Lucanor* están hechas a medida de la nobleza española. El libro les previene contra la mediocridad, la indolencia, la autosatisfacción, la tontería, el engaño de que pueden ser víctimas; se propone enseñarles discreción y criterio, sus deberes para consigo mismos, su patria y su Dios; insta a cada uno de ellos para que sea un «caballero de Dios»: y debido a todo ello la obra es en buena parte un típico producto de su tiempo. Las limitaciones sociales y geográficas de *El conde Lucanor* son grandes: a la postre, nos las habemos con un compendio a la hechura del noble español del siglo XIV.

REINALDO AYERBE-CHAUX y PEDRO L. BARCIA

DON ILLÁN Y EL DEÁN DE SANTIAGO:
PARA EL COMENTARIO DEL EJEMPLO XI
DE *EL CONDE LUCANOR*

1. [El Ejemplo XI de *El conde Lucanor*, «De lo que contesció
a un deán de Sanctiago con don Yllán, el grand maestro de Toledo»,
combina dos temas básicos]: 1) el tema de la ingratitud del discípulo para con su maestro después de obtener la dignidad episcopal;
2) el tema de la ilusión mágica en que el maestro hace que el discípulo se vea hecho emperador y de pronto, al negarse a reconocer a
aquel a quien todo lo debe, vuelve a la pobreza de su realidad primera.* El texto más antiguo del primer grupo es el de Vicente de
Beauvais, en el *Speculum morale*, del año 1244. Pero casi contemporáneo suyo es el ejemplo de Étienne de Bourbon, solamente unos
seis o diez años posterior, quizá mejor conocido por don Juan Manuel, y que recoge palabra por palabra el texto del *Speculum morale*
con unas pequeñas variantes de dos o tres términos. En ambos se
trata de un discípulo que se lamenta de la ceguedad de los obispos
de Francia que no elevan a su gran maestro de literatura a la dignidad
episcopal. Hecho obispo, llama a sus sobrinos a ocupar los cargos
eclesiásticos, dejando en el anonimato a su maestro. Éste se le presenta al prelado en una procesión llevando dos antorchas encendi-
das a pleno día para disipar la ceguedad que ha caído sobre él al
igual que los demás obispos. [...] Aquí, pues, está no sólo la ingratitud, sino el nepotismo que don Juan Manuel va a presentar en

1. Reinaldo Ayerbe-Chaux, «*El conde Lucanor*»: *materia tradicional* y
originalidad creadora, Porrúa Turanzas, Madrid, 1975, pp. 99-101.
2. Pedro L. Barcia, *Análisis de «El conde Lucanor»*, Centro Editor de
América Latina (Enciclopedia Literaria, 27), Buenos Aires, 1968, pp. 50-57.

---

* [Daniel Devoto [1972], p. 382, indicó que los dos elementos principales del Ejemplo XI «son la *prueba de la ingratitud* y la ilusión mágica o,
más precisamente, el *tiempo mágico*», cuyos dos aspectos corresponden a otros
tantos motivos folklóricos: los 'años que parecen días' y los 'momentos que
parecen años'.]

forma gradual con tanta maestría: el deanazgo de Santiago para un hermano, el arzobispado para «un su tío, hermano de su padre», el obispado francés para un tío por parte de la madre «omne bueno ançiano». Y a medida que decrece la cortesía inicial del discípulo, va creciendo la queja de don Illán. [...] En lo referente al segundo tema, [sólo el texto contenido en el repertorio de Jean Gobi], el *Scala coeli*, es contemporáneo de don Juan Manuel. Los [análogos de la *Summa praedicantium*] de John Bromyard, que lo trae dos veces en la forma más breve, y el *Promptuarium exemplorum* de Jean Hérolt son posteriores, aquél en unos treinta o cuarenta años y éste del siglo xv. El único texto realmente anterior es la *Tabula exemplorum*, del cual procede, sobre todo, el *Scala coeli*, posible fuente de algún otro cuento del *Lucanor*. Los elementos esenciales que usa don Juan Manuel ya están allí. Se trata de un nigromante a quien el discípulo ofrece muchos bienes: «Sabe que cierto nigromante tenía un discípulo que le prometía muchos bienes». [...] Lo hace emperador, y Hérolt especifica más tarde que se trata de Constantinopla. Las tierras que le pide el maestro las cambia el *Scala coeli* en beneficios vacantes: «al cual rogaba el maestro que le cumpliese lo prometido porque muchos beneficios estaban vacantes». Para librarse de cumplir sus promesas el emperador pretende no conocer al peticionario, quien entonces le dice: «Yo soy aquel que os dio todo esto y he aquí que ahora os lo quito todo». Sólo en Hérolt (qué lástima, un testimonio tardío) aparecen los mensajeros y soldados para hacerlo emperador: «Y vinieron primero a él unos mensajeros y después unos soldados que se lo llevaron y lo hicieron emperador y le ofrendaban sus tierras». Son un eco de los nuncios que llegan a la cueva de don Illán procedentes de Santiago y que indican probablemente la existencia de una versión que incluía este elemento y que pudo haber conocido don Juan Manuel. Ese elemento mágico tan breve y tan simple de los ejemplarios es el que elabora don Juan Manuel.

2. La acción del cuento se desarrolla en un mismo sitio, aunque figuradamente en muchos. Importa de una manera especial el lugar de la acción, pues su simple mención sirve para crear ambiente y atmósfera especial. Toledo era por entonces, y lo fue hasta los siglos xv y xvi, famosa por las leyendas y versiones que circulaban acerca de sus cuevas o casas de encantamiento, verdaderas aulas de

artes mágicas; compartía esta dignidad con Salamanca, también famosa por su cueva. Aludir a Toledo era rozar un mundo de misterios subterráneos y extraños encantamientos; por esto bastaba la simple mención del sitio toledano para ambientar la acción y, sin duda, para sugerir al lector la espectación de algún hecho insólito. [...]

Ya hay un claro enfrentamiento entre el deán atropellado y ambicioso (querría la magia como instrumento de poder) y el hombre reposado que es don Illán, acostumbrado al largo estudio (estaba leyendo en una cámara muy apartado). Esa paciencia se reflejará en el soportar las sucesivas vanas promesas del deán, hasta la ruptura final que se produce sólo cuando se está en el límite de las posibilidades. Otro rasgo típico del maestro es ese casi burgués gusto por el yantar tranquilo, sin preocupaciones (*primo mangiare...*) y ese disponer él la materia de la cena, que es donde estriba su secreto. [...] Todo el relato con sus acaecimientos está planeado desde dentro de la persona del protagonista: las peculiares notas distintivas morales de un hombre dan nacimiento a la acción que se narra. No bien plantea el deán sus intenciones, don Illán comienza a leer la ingratitud en el espíritu de su supuestamente sumiso y agradecido discípulo: «que se recelaba que, de que él hobiesse aprendido dél aquello que él quería saber, que non le faría tanto bien como él le prometía». Pero don Illán no le enrostra al deán su caso personal —hombre de buena posición que podía llegar a gran estado—, sino que se refiere a una posibilidad, pues está experimentado, a una generalidad de casos: «los homes que grand estado tienen, de que todo lo suyo han librado a su voluntad, olvidan mucho aína lo que otrie ha fecho por ellos» (que no es sino la «moralidad» anticipada del *enxiemplo*). [...] Conversan y pasa el tiempo, «desque hobieron yantado fasta que fue hora de cena», y deciden bajar a la cámara privada de don Illán, el cual conduce gentilmente de la mano a su visitante. Repárese que la hora de la cena está inminente, mas, antes de encerrarse en el estudio, el dueño de casa llama a una sirvienta y le dice que apareje unas perdices para la cena de esa noche, pero que no las comience a asar hasta que se lo ordene. Ha sido introducido con toda naturalidad el resorte que desatará el nudo de la acción: nada más propio que aderezar la cena con qué honrar dignamente al nuevo discípulo. Hacen el descenso «por una escalera de piedra muy bien labrada» hasta una cámara profunda: «parescía que estaban tan baxos que passaba el río de Tajo por cima de ellos». [...]

En toda la narración no hay diálogo directo, todo está dicho en discurso indirecto de tercera persona. La acción tiene una marcha lineal que caracteriza a Juan Manuel, marcha que no altera con reflexiones colaterales ni irrupciones moralizadoras: esto viene al cabo; por esta razón la «estoria» puede vivir, vive, independientemente como pura materia narrativa. Podrá apreciarse en cada detalle cómo el autor va preparando cuidadosamente las situaciones, con notable sentido de la dosificación de los elementos. El descenso a la cámara subterránea es una manera de aislarse de la realidad inmediata y penetrar en un nuevo ámbito; es el ingreso al mundo de la magia, que comenzará a operar activamente una vez que los personajes se han aposentado para estudiar la nigromancia. [...] Comienzan a llegar las mensajerías que en número de cinco van irrumpiendo sucesivamente en la narración; cada entrada supone un escalón más en el ascenso jerárquico del deán: arzobispo de Toledo, obispo de Tolosa, cardenal, Papa; los tres primeros mandaderos traen, aparentemente, noticias del mundo exterior al subterráneo, como si lo que anotician sea tiempo paralelo de lo que sucede en la cueva; hay una gradación de medidas temporales que van en aumento progresivo: tres o cuatro días, siete u ocho días, «un tiempo», dos años. La sucesión temporal va pareja con la espacial, no hay saltos, hay una perfecta dosificación; un arte de gobernada lentitud en el proceso asegura el efecto final. [...]

En la andadura del hilo narrativo ayudan de manera peculiar las que a veces son escollo cuentístico: las conjunciones ilativas, «et ... et». El polisíndeton sintáctico coadyuva a esta idea de sucesión enumerativa. La repetición de situaciones similares (los mensajeros, las elecciones, los pedidos de don Illán, las negativas del deán), van edificando por acumulación el clima creciente del relato. [...] La paciencia de don Illán se va colmando a medida que verifica su intuición inicial del desagradecimiento del que sube; el deán es el elemento ascendente del cuento, Illán es el pedido constante, que en todos los grados y estados que alcanza su discípulo reclama la promesa, y, al tiempo, testimonio eficaz de contraste del incumplimiento desagradecido. Y en esa ascensión la relación entre ambos se va poniendo más tensa: a medida que más consigue en poder el deán, más fuerte reclama Illán. Las fórmulas que en principio usa el discípulo para denegarle la solicitud son casi inobjetables e irrecusables, dada su cortesía: «quel rogaba quel quisiesse consentir» y al final «le dixo que non lo afincasse tanto», pues ya les es cargoso el reclamo. Y por fin, ante aquella insistencia, «retrayéndol cuántas cosas le prometiera et que nunca le había complido ninguna, [don Illán terminó] diziéndol que aquello que recelara él la primera vegada que con él fablara» se estaba cumpliendo. Y el círculo se cierra. La ingratitud llega al máximo, el supuesto Papa trata a su maestro de «hereje» y «encantador», amenazándole con meterlo en la cárcel por vivir del arte de la nigromancia. Y, además, le niega a Illán, que regresa a su Toledo, vianda para el camino. «Estonce don Illán dixo al Papa que, pues ál ['otra cosa'] non tenía de comer, que se habría de tornar a las perdizes que mandara assar aquella noche, et llamó a la muger et díxol que assase las perdizes.» Y al conjuro mágico de la mención de las perdices «fallóse el Papa en Toledo deán de Sanctiago», mudo y avergonzado en su primera condición. El elemento que sirve para unir ambos mundos, el mágico y el real son las perdices; este elemento opera como resorte o espoleta que vuelca la acción, escamoteando en un segundo años y ciudades. [...] Un toque final de ironía sutil matiza graciosamente el relato: don Illán, buen comedor según se ha visto, juzga indigno al deán de su parte en las perdices y lo despide cortésmente. [...] No hay en el relato ni seres fantásticos, ni conjuros extraños en lenguas incomprensibles, ni gestos rituales, ni siquiera hay insólitos alambiques y retortas en la cámara subterránea, tan sólo libros, en los que el gran maestro aprendió sin duda a leer el alma de los hombres, como tal vez sirva a los hombres a leer y leerse en *El conde Lucanor*. La narración posee una perfecta unidad orgánica, hábilmente estructurada y sopesada. Por eso, todo privado de excepcionalidad, tan burgués en gran parte, tan cotidiano, tan sin gestos ornamentales, el efecto de la convivencia de los dos mundos con sus tiempos y espacios resulta tan efectivo y original.

Diego Catalán

ENTRE ALFONSO EL SABIO Y EL CANCILLER AYALA: POESÍA, NOVELA Y SENTIDO ARTÍSTICO EN LAS CRÓNICAS CASTELLANAS

1. Cuando Alfonso X (con anterioridad a 1270) emprende, con recursos regios, la compilación de una nueva historia de España, hacía pocos años que el docto arzobispo toledano don Rodrigo Ximénez de Rada había concluido su síntesis historiográfica (1246). El rey rara vez considera discutible la autoridad del arzobispo, cuya obra utiliza como espina dorsal de su nueva compilación; pero la *Estoria de España* alfonsí descansa sobre una concepción de la historia tan diversa, que debemos considerar a Alfonso como el iniciador de una nueva edad en la historiografía española. Ante todo, la decisión tomada por Alfonso de abandonar el latín en sus obras científicas y entronizar como lengua de la nueva cultura laica el castellano, fue un paso decisivo en el proceso de secularización y vulgarización de la historia nacional. La *Estoria de España* alfonsí no quedó confinada a un público restringido de eruditos (como solía acontecer con las obras latinas anteriores), sino que vino a ser leída, durante siglos, por todo español de mediana cultura (reyes y caballeros, clérigos y burgueses), contribuyendo así a moldear la conciencia nacional de las sucesivas generaciones en «los cinco reinos de España». [...] Frente a la historia latinoeclesiástica anterior, que sólo atendía a la Monarquía y a la Iglesia, la nueva historia enciclopédica en lengua romance se interesa por los hechos todos de las generaciones pasadas: junto a los príncipes seculares y los altos dignatarios de la Iglesia, desfilan ahora por el tablado histórico multitud de personajes menos encumbrados; la escueta enumeración de victorias, derrotas, rebeliones castigadas, fun-

---

1. Diego Catalán, «Poesía y novela en la historiografía castellana de los siglos XIII y XIV», *Mélanges offerts à Rita Lejeune*, J. Duculot, Gembloux, 1969, vol. I, pp. 423-441 (426-428, 430-433).

2. —, *Un prosista anónimo del siglo XIV*, Universidad de La Laguna, Canarias, 1955, pp. 39-40, 47-48, 58-60, 131-132.

daciones piadosas y calamidades públicas, que satisfacía a los historiadores en lengua latina, se ve enriquecida con abundantes escenas en que la vida bulle y en que los actores piensan y sienten a nuestra vista.

Una novedad particular, de extraordinaria importancia para el ulterior desarrollo de la historiografía, fue la prosificación *in extenso* de las fuentes poéticas. La utilización de la historia juglaresca por la historiografía erudita no fue invención de Alfonso X: en mayor o menor grado, directa o indirectamente, los historiadores en latín venían haciéndose eco de las leyendas tradicionales. Pero sólo ahora, en la compilación alfonsí, los poemas fueron incorporados a la historia en toda su extensión narrativa, episodio tras episodio, desechando sólo las escenas o detalles que no contenían información «histórica». [...] La amplia acogida dispensada en la *Estoria de España* a las narraciones épicas de más noble abolengo tuvo consecuencias imprevisibles para Alfonso X y sus colaboradores: la elevación de los cantares de gesta a la categoría de autoridades historiográficas quedó institucionalizada, mientras la prudente desconfianza con que los compiladores y correctores de la *Estoria de España* citaban siempre el testimonio de los juglares fue puesta completamente de lado. La nueva generación de cronistas refundidores de la *Crónica general* llegará al extremo de preferir las invenciones novelescas de la épica decadente, al testimonio de la historiografía en latín. Con la incorporación de estas fábulas poéticas a la historia nacional, el oficio de «estoriador» perdió, en seguida, toda seriedad científica: los cronistas de los últimos años del siglo XIII y primeros del XIV abandonaron la tradicional fidelidad a las fuentes, a lo escrito, y se creyeron autorizados a refundir la historia cronística con la misma libertad con que los juglares innovaban la historia versificada.

En esta rapidísima transformación sufrida por la *Crónica general de España* jugó, a mi parecer, un papel decisivo cierto monje [de San Pedro de Cardeña] que novelizó la biografía del Cid e hizo pasar su relato fabuloso por traducción de una *Estoria del Cid* compuesta en arábigo por Abenalfarax (Ibn al-Faraŷ), el alguacil histórico del Cid en Valencia. [...] Esta narración novelesca fue incorporada a la *Crónica general*, a pesar de que su extensión desequilibraba la estructura del reinado de Alfonso VI. [...] El contraste estilístico entre esta sección de la crónica y las procedentes de los talleres historiográficos alfonsíes se refuerza por la libertad con que el monje caradignense construyó su relato a partir de los materiales épicos y pseudoeruditos que manejaba: [principalmente, una refundición del *Cantar del Cid* y cierta *Leyenda de Cardeña*, fantasioso relato semihagiográfico sobre las postrimerías y los maravillosos hechos póstumos del Cid.] P. E. Russell ha puesto de relieve cómo el autor de la *Estoria del Cid* va racionalizando sistemáticamente todos los hechos asombrosos contados por [esa] *Leyenda* cidiana semihagiográfica inventada [asimismo] en Cardeña; esta curiosa actitud se manifiesta también, a mi parecer, en los pasajes de procedencia épica. Sírvanos de ejemplo el famoso episodio del león. El *Mio Cid* del siglo XII daba comienzo al cantar de la afrenta de Corpes con una escena en que los infantes de Carrión quedan «enbaídos», moralmente maltrechos, ante toda la corte cidiana:

> En Valencia sedí   mio Cid con todos los sos,
> con elle amos sos yernos   ifantes de Carrión;
> yazies en un escaño,   durmie el Campeador,
> mala sobrevienta,   sabed, que les cuntio:
> salios de la red   e desatos el leon;
> en grant miedo se vieron   los del Campeador..., etc.

El episodio cómico tiene la función de poner de relieve la cobardía de los yernos del Cid, momentos antes de que la pacífica posesión del señorío valenciano venga a ser amenazada por el desembarco de Búcar («Ellos en esto estando... / fuerças de Marruecos Valençia vienen çercar»). El cronista trata de racionalizar el episodio. Primero considera necesario aludir a la existencia de «el leon» con anterioridad a su irrupción en la corte: «El Cid avié un león que era fecho muy grant et muy fuerte, et guardávanle tres omnes; et aquel león estava en una casa en que avié un grant corral». Después se preocupa de explicar el cómo y el por qué se escapa, y su aparición ante toda la corte del Cid. Para ello, anticipa las nuevas del desembarco de Búcar y supone que el Cid tiene con todos los suyos un consejo en el alcázar, antes de adormecerse en su escaño. Seguidamente explica: «Los omnes que guardavan el león avién dexado una cuerda colgada por ol davan de comer et eran ydos al palacio por oýr aquellas nuevas que dizién de los moros, et dexaron la puerta del corral abierta. Et el león travósse por aquella cuerda, et subió suso; et commo falló la puerta del corral abierta, enderesçó para el palaçio do el Cid estava con todas aquellas conpannas...» No sabemos qué modificaciones habría introducido la refundición del *Mio Cid* en el comienzo del cantar de Corpes, pero me parece evidente que la razonada exposición cronística no se aparta aquí del viejo *Mio Cid* por seguir invenciones poéticas nuevas, sino a causa de una preocupación por aumentar la credibilidad del episodio análoga a la señalada por P. E. Russell en los pasajes de la leyenda monacal. [...] La incorporación a la *Crónica general de España* de esta larga novela sobre el Cid introdujo en la obra alfonsí un desequilibrio estructural y estilístico que facilitó extraordinariamente la evolución de la historia nacional hacia formas cada vez más anoveladas.

2. [En la *Gran crónica de Alfonso XI* (¿entre 1376 y 1379?), la atención del anónimo autor] por todo detalle histórico que realce la viveza de su narración se detiene a veces en la pintura del escenario natural de los hechos. El paisaje, claro está, tiene razón de ser para el cronista de Alfonso XI sólo en cuanto sirve de marco realizador de la empresa militar que describe, pero no por ello dejan sus pinturas de tener valor literario. [Valga como muestra esta] descripción del mundo que se abre ante los ojos del caminante, al descorrerse la niebla entre la que marchaba indeciso:

alçaron sus tiendas e su real ... e cavalgaron los christianos con una niebla muy escura que fazíe e fueron assí toda la mañana, hasta que se tiró toda aquella escuridad e el sol salió, e desque se fue alçando, quebrantó su fuerça a la gran niebla que fazíe e el día esclaresçió, assí que los christianos ovieron muy grand plazer e devisaron la tierra de cada parte e, con sus pendones tendidos, abrieron grandes caminos. E assí llegaron hasta la mar (CCCXXI). [...]

El revolucionario estilo del cronista alfonsí nos actualiza, por ejemplo, la triste situación en que se encontraban los sitiados de Gibraltar por culpa del alcalde malversador:

llegaron a tan grand fambre que comían los cueros de los escudos cozidos, e otrosí las cinturas de cuero que tenían, e las pieças de los çapatos cozidas, e las bainas de las espadas e quantos cueros podían haver todos los comían; e las ratas e los gatos e perros no quedó en toda la villa uno que ellos pudiessen haver y aun las fojas de los arboles comían. E todo esto passavan por hazer lealtad, e cierto los de dentro hizieron como buenos e muy leales; mas del alcaide no digo nada, que dezían que antes que el castillo fuese cercado vendió el pan que tenía para bastecimiento (CXXXVI).

El hambre de los sitiados era circunstancia que se daba comúnmente y, sin embargo, descripciones semejantes a ésta sólo las hallamos en la historiografía anterior cuando el cronista cristiano sigue una fuente árabe (como en el cerco de Valencia por el Cid de la *Crónica general*) o cuando resume una tradición poética, como en la *Crónica general de 1344*, donde el episodio del hambre forma la parte central de un relato bastante fantástico, y muy redondeado, sobre la lealtad menospreciada de un alcaide: «el alcalde que tenía Aguiar defendiólo muy bien siete años (!) ... e en cabo ... fallesçióle el mantenimiento e la gente, ca unos morían e otros foían de fanbre; e de tal guisa, que fincó el alcaide solo en el castillo e defendiólo, e comía las bestias e los cueros e los ratos e todas las otras que podía aver e aun las yervas ...». La poesía romancística posterior recurrirá también a este tema, cuando un mensajero moro habla con brevedad intuitiva a su rey de la triste situación de Antequera: «manjar que tus moros comen / cueros de vaca cocida». Es, en suma, éste un rasgo más bien literario que cronístico. [...]

Es en los 33 capítulos que dedica la *Gran crónica* a la historia puramente africana donde quizá se siente el historiador más atraído por el interés detallista de carácter anecdótico. [Ocurre así, por caso, cuando] se trata del rey de Sujulmencia que, derrotado en el campo de batalla, llega como desconocido a una provincia apartada de su reino, donde una viuda le recibe de criado:

Estando este rey en casa de aquella vieja viuda, non como rey mas como home vil, la vieja le dixo: —Yo quiero ir a otra parte do he menester, e tu queda e guarda mi casa que non fagan aí ningún enojo, e quando yo viniere con mis hijos, fallaremos el ayantar fecho. E el rey le dixo que así lo haríe. E fuese la vieja e dexó al rey a la lumbre. E desque la vieja fue salida de su casa, vino el rey a cuidar en su menos ventura e cómo fuera vencido en el campo de Gemente e cayó en él un tal pensamiento que fue desacordado del seso e olvidósele el mandado de la vieja. E quando llegó la mora, falló al rey estar cuidando y la lumbre muerta, e torno muy sañudamente contra el rey e dixóle en algarabía: —Ladrón malo que Dios te maldiga, ¿por qué no fezistes lo que yo te mandé? Dexaste morir la lumbre e vernán agora mis hijos e no fallarán la lumbre fecha nin el ayantar guisado; e pues ansí lo havedes hecho, hazed agora fuego, si no en mal punto aquí venistes. E el rey que esto oyó ovo verguença e metiólo a riso e abaxóse por soplar la lumbre e no la podíe soplar con riso que havíe de lo que la vieja le havía dicho. E quando esto vió la mora diole con el caço de la olla en la cabeça e díxole que era de alguna tierra mala que no sabía fazer la candela (CCXXII).

La escena, profundamente trágica, se halla tratada con un suave sentimentalismo: los más amargos frutos de la realidad se depuran con técnica «cervantina» en una agridulce ironía.

En su enjuiciamiento de la obra historiográfica de Pero López de Ayala, Menéndez Pelayo [escribiendo medio siglo antes del descubrimiento de la *Grán crónica de Alfonso XI*] destacó como rasgo sobresaliente lleno de novedad «los diversos artificios dramáticos» a que el historiador recurre para dar vida a sus personajes: «el uso frecuente del diálogo, la interpolación de epístolas, las arengas breves, las profecías de Merlín, etc.». [Pero el texto ahora aparecido no cede en riqueza al propio canciller Ayala:] comentarios del historiador, arengas, consejos, mensajes, cartas, diálogos, plegarias, profecías, llenan las páginas de la *Gran crónica*; el historiador de Alfonso XI no desdeñó ningún «artificio dramático» que contribuyese a plasmar con mayor viveza la realidad fugitiva en el escenario de la historia. En fin, si el canciller nos admira con su fría impasibilidad de historiador, nuestro cronista, en cambio, más humano, se dejó arrastrar por la pasión del relato, viviendo la historia mientras la narraba, y consiguió así transmitir a la posteridad un relato palpitante de vida. Este dramatismo, junto con el detalle pormenorista y exuberante, hacen de la *Gran crónica de Alfonso XI* una obra única en la historiografía cristiana, pues nos da una visión tan completa y de bulto de la época, que aún hoy gozamos reviviéndola.

6. EL «LIBRO DE BUEN AMOR» Y LA POESÍA DEL SIGLO XIV

La poesía castellana del siglo XIV tiene su máximo exponente en el *Libro de buen amor*, cuyo autor se nos presenta como «Juan Ruiz, arcipreste de Hita», y a quien se ha propuesto identificar con varios 'Juan Ruiz' o 'Rodríguez' de la primera mitad del Trescientos (y últimamente sobre todo, con un cierto 'Juan Rodríguez de Cisneros'). El *Libro* es extenso (sobreviven 1.728 estrofas —otras se han perdido—, con un prólogo en prosa) y de una variedad patente en todos los planos: contenido (*exempla*, narraciones amorosas, encuentros con serranas, una batalla burlesca, lírica religiosa, elementos didácticos, un planto), forma métrica (la *cuaderna vía* alterna con piezas líricas), tono (serio, paródico, devoto, ambivalente). Conservamos tres códices y algunos fragmentos. Es opinión común que dos de los manuscritos parecen representar la primera versión del *Libro*, compilada en 1330 (si bien muchas de sus partes podrían haberse compuesto independientemente en fecha anterior); el tercer manuscrito (el de Salamanca) correspondería entonces a la versión de 1343, más extensa. Nos las habemos con una obra de estructura esencialmente autobiográfica (el narrador y comentador es también el protagonista principal en la mayor parte de los episodios), pero nos consta que esa autobiografía es ficticia: en la tradición literaria europea se hallan las fuentes literarias o muy próximos análogos de casi todos sus elementos. La parodia es uno de los rasgos capitales en la técnica del autor, y a menudo resulta difícil determinar hasta dónde llega la seriedad de sus frecuentes exhortaciones morales, especialmente porque el «buen amor» del título parece tener significados diferentes en varios lugares del texto.

Otros poemas de la época, aunque un tanto oscurecidos por el *Libro de buen amor*, distan de ser desdeñables. No olvidemos que es el siglo de los últimos cantares de gesta (véase capítulo 3) y de los primeros romances (capítulo 7). Hacia finales de la centuria aparece una tradición de lírica castellana culta, ya ininterrumpida (capítulo 8). Además de varias obras en cuadernavía (capítulo 4), existen tres extensos poemas de especial interés y considerable valor estético. El primero en el tiempo, después del *Libro de buen amor*, es el *Poema de Alfonso XI* (1348), de Rodrigo Yáñez, en unos 10.000 octosílabos. De tono predominantemente heroico, abarca el reinado de Alfonso XI hasta 1344, año en que se detiene el único manuscrito conocido (y quizás el texto original). Junto a la gran viveza en las descripciones de batallas, llaman la atención el uso de la profecía como recurso estructural, la crítica social y la presentación romántica —pero quizá también con una cierta incomodidad— de los amores adúlteros del Rey con Leonor de Guzmán. Además de en fuentes históricas, Yáñez se apoya en las tradiciones de la épica y de la cuaderna vía.

Durante el turbulento reinado del sucesor de Alfonso XI, Pedro I el Cruel, aparecen los *Proverbios morales* del rabí Šem Ṭob ibn Arduṭiel ben Isaac, conocido en castellano como Santob de Carrión. Al margen de esa única obra en romance, Santob escribió varias en hebreo (incluso uno de los manuscritos de los *Proverbios* se conserva en grafía hebrea). Único escritor medieval español de importancia que al propio tiempo es una figura significativa de la literatura judía, la impronta de ésta es claramente visible tanto en las ideas como en el estilo de los *Proverbios*, inmersos —como indica el título— en el dominio de la literatura sapiencial, pero sin duda más cuidadosamente estructurados que la mayor parte de las obras del género. La nota dominante es la melancolía, bien a tono con la época.

La melancolía permea también el otro gran poema del siglo XIV, el *Rimado de palacio*, de Pero López de Ayala (1332-1407), canciller de Castilla. Pese a algunas vicisitudes (capturado en combate en dos ocasiones, pasó algún tiempo en las cárceles portuguesas), la carrera política de Ayala fue notablemente próspera, pero su cambio de bando durante la guerra civil entre Pedro I y Enrique de Trastámara parece haberlo atormentado largamente. Si en las crónicas (véase capítulo 10) quiso reescribir la historia para justificar la traición a su rey, en el *Rimado* reacciona adoptando un punto de vista pesimista y austero sobre la vida pública y la naturaleza humana. Como el *Libro de buen amor*, el *Rimado* tiene carácter misceláneo, y algunas partes parecen anteriores a la composición del poema como un todo.

Los estudios modernos sobre el *Libro de buen amor* comienzan con las *Recherches* de Félix Lecoy, publicadas en 1938 y reeditadas en 1974 con un nutrido suplemento bibliográfico. Hacia 1900 habían aparecido algunos trabajos valiosos (un penetrante ensayo de Menéndez Pidal y una cuidada edición paleográfica del manuscrito de Salamanca llevada a cabo por Jean Ducamin), y en 1934 vio la luz un imprescindible artículo de Leo Spitzer (que, sin embargo, no llegó a tiempo de ser aprovechado en las *Recherches*); pero la base adecuada para la apreciación crítica se hizo esperar hasta que Lecoy consolidó y desarrolló de modo notable lo que se sabía acerca de las fuentes del *Libro*. Durante los pasados cuarenta años se han estudiado casi todos los aspectos del *Libro*, a menudo en gran detalle, pero es notable que pocas de las conclusiones de Lecoy se hayan visto controvertidas.

Otra necesidad básica era disponer de un texto de confianza. Hasta hace no muchos años había que optar entre la agotadísima edición de Ducamin —en la que las lecciones de los otros manuscritos y fragmentos debían rastrearse con cierta fatiga en las notas a pie de página— y la muy personal de Cejador en «Clásicos Castellanos». De improviso, en un trienio, aparecieron tres ediciones de importancia. La primera, de G. Chiarini [1964], fundada en la convicción de que conocemos una sola versión del *Libro de buen amor*, es sin duda una auténtica y rigurosa edición crítica, el mayor avance en la crítica textual del *Libro de buen amor* desde Ducamin. De Corominas [1967] se hubiera esperado una edición mucho mejor, debido a sus conocimientos lingüísticos y a disponer del texto de Chiarini; y, de hecho, sí mejoró en algunos aspectos la edición del erudito italiano, pero la suya está viciada por los innumerables cambios arbitrarios con los que pretende regularizar la métrica. El valor fundamental del trabajo de Corominas reside en sus abundantes notas lingüísticas y, de manera menos sólida, literarias. De modo semejante, conservan todo su valor las observaciones literarias de M. R. Lida en su edición parcial [1940], incluso cuando trabajos más recientes han superado ya en gran medida sus contribuciones al establecimiento del texto. Entre la de Chiarini y la de Corominas apareció la edición de Criado de Val y Naylor [1965], inexplicablemente llamada «crítica»; en realidad, se trata de una edición paleográfica de todos los manuscritos y fragmentos, hecha con alto grado de exactitud y organizada de modo que permite comparar fácilmente los varios textos. Es, por tanto, un instrumento indispensable para el investigador. La segunda edición añade los fragmentos descubiertos recientemente. Criado y Naylor han publicado después [1976] un texto lujosamente ilustrado, para el lector no especialista; tampoco en este caso se trata de una edición crítica —pese a su título—, mas parece incorporar lecturas basadas en estudios ecdóticos. Lo mismo cabe decir de la edición de Willis [1972], quien, como Criado y Naylor [1976], ofrece un prólogo valioso y prescinde de notas, aunque sí da una útil versión en prosa inglesa. Glosas literarias de la más alta calidad son las de Joset [1974], en la mejor edición realizada hasta la fecha: por vez primera, los lectores disponen de un excelente texto, con introducción y notas que constituyen una guía copiosa, sensata y puesta al día. Complemento esencial de toda edición es una concordancia; existen cuatro del *Libro de buen amor*, pero las más útiles y accesibles son la de Criado-Naylor-García Antezana [1972] y la de Mignani-Di Cesare-Jones [1977].

La gran divergencia que existe entre los códices de Toledo y de Gayoso, por un lado, y el de Salamanca, por otro, condujo a Menéndez Pidal a concluir, a principios de siglo, que Juan Ruiz había hecho dos redacciones del *Libro*: una en 1330 y otra en 1343. La hipótesis fue aceptada con muy escasas excepciones, hasta ser objeto del ataque frontal de Chiarini, cuya teoría se ha visto apoyada por Macrí [1969] y, con argumentos más persuasivos, por Macchi [1968]. Otros eruditos se han atenido a la opinión de Menéndez Pidal, y, así, Gybbon-Monypenny [1962] ha procurado precisar el alcance y sentido de la versión de 1343 (cf. también Willis [1963-1964], Catalán-Petersen [1970] y Riquer [1969]). Una posición intermedia adopta Joset, quien ofrece razones convincentes para dudar de algunas de las ideas manejadas por los partidarios de la teoría de las dos redacciones. A grandes rasgos, puede apuntarse que quienes enfocan el problema estrictamente desde el punto de vista de la ecdótica defienden la existencia de una única versión, mientras quienes creen en la realidad de las dos redacciones atienden más bien a vincularlas con determinadas interpretaciones artísticas o biográficas sugeridas por las divergencias del códice de Salamanca frente a los otros manuscritos.

Sobre la cuestión del autor, se ha producido un cambio repentino. Hasta hace poco, distintos críticos (por ej., Criado [1960], pp. 158-159) apuntaban que tanto el nombre de Juan Ruiz como el título de Arcipreste de Hita podían ser simples ficciones literarias. Ahora, algunos documentos han llevado a Sáez y a Trenchs (*Actas*, pp. 365-368) a proponer la identificación de Juan Ruiz con un Juan Rodríguez de Cisneros, hijo ilegítimo de una pareja de cristianos cautivos en territorio musulmán. No se ha hallado ningún testimonio que muestre que Rodríguez de Cisneros —cuya carrera eclesiástica, por lo demás, es bien conocida— fue arcipreste de Hita, y esa atractiva teoría está por tanto sin demostrar. Filgueira Valverde ha insinuado (*Actas*, pp. 369-370) otra identificación, esta vez con un «Johan Rodrigues» que fue maestro de canto en el monasterio burgalés de Las Huelgas. También aquí falta una prueba decisiva, pero la sugerencia de Filgueira —compatible con la de Sáez-Trenchs— tiene asimismo sus atractivos.

La cuestión de la autoría es de particular interés a causa del planteo autobiográfico del poema: frecuentemente (y pese a ocasionales negaciones) el protagonista se identifica con el narrador. Se trata, como indicábamos, de una autobiografía ficticia (cf. Spitzer [1946]), pero un punto sigue controvertiéndose: ¿las menciones de la *presión* se refieren a un encarcelamiento real del poeta? Dámaso Alonso asegura lisa y llanamente que sí, pero la base de tal creencia, ya magistralmente refutada por Spitzer [1934], fue de nuevo rechazada con gran erudición e impecable lógica por Lida de Malkiel [1959]. La hipótesis para mí más incitante, a pesar de alguna dificultad lingüística, es la de Moffatt [1950], según el cual *presión* no significa 'cárcel', sino 'sufrimiento' (cf. también Sola, *Actas*, pp. 343-349). La idea de que la descripción del protagonista por Trotaconventos refleja efectivamente al autor —tan aceptada en el pasado como la del encarcelamiento— ha sido por fin destruida por Dunn (*Studies*, pp. 79-93), quien demuestra que procede de una larga tradición literaria y médica. Otra tradición —la de los arciprestes en la literatura— que puede servir para explicar el modo en que el poeta se presenta a sí mismo ha sido estudiada por Toro-Garland (*Actas*, pp. 327-336) y por Webber (*ibid.*, pp. 337-342). La tradición literaria explica no sólo aspectos individuales del protagonista del *Libro* (véase ahora Rico [1978]), sino también todo el esquema autobiográfico. Gybbon-Monypenny [1957] ha individuado un género cortesano anteriormente no reconocido como tal, la pseudoautobiografía erótica, y arguye de modo convincente que en el *Libro* se parodia dicho género. Ese hallazgo debe ahora relacionarse con la demostración hecha por Rico [1967] de la influencia de las 'autobiografías' medievales de Ovidio, que culminan en el poema pseudo-ovidiano *De vetula*, muy próximo al *Buen amor*; y debe aún unirse al importante papel que desempeñan las anécdotas autobiográficas en el sermón popular. Esas tres tradiciones del medievo europeo aparecen convergiendo y fecundándose mutuamente en el planteo autobiográfico del *Libro*. Como veremos, ha habido intentos de explicar el mismo fenómeno como producto de influencias árabes o hebreas, pero el trasfondo europeo da una explicación suficiente.

Lecoy mostró que las fuentes y los análogos de las varias partes del *Libro* se encuentran siempre en la tradición europea. Monografías más recientes han complementado sus hallazgos, modificándolos en algún detalle, al tiempo que confirmando el esquema general. Así, Lida [1941] propuso varias nuevas fuentes; Laurence (*Studies*, pp. 159-176) trata de los análogos de la batalla de Don Carnal y Doña Cuaresma y muestra que se entronca con la parodia goliárdica de una procesión de Pascua; Gybbon-Monypenny (*ibid.*, pp. 123-147) hace una detallada comparación del episodio de Doña Endrina con el *Pamphilus* que le sirve de modelo.

Pese a la tradición europea de la que surgen las diferentes partes del *Libro*, algunos críticos creen en su *mudejarismo*, es decir, lo consideran como una mezcla de tradiciones cristianas y árabes (o judías). El más eminente defensor de esta teoría fue Américo Castro [1952, 1954]. Su idea de que el *Libro* está inspirado en *El collar de la paloma* de Ibn Ḥazm es ya poco seguida; aceptación relativamente mayor merece su teoría general de que la influencia árabe subyace a rasgos tales como la ambivalencia y el prominente autobiografismo del *Libro*. Dámaso Alonso [1958] suscitó una instructiva discusión sobre la posible presencia de rasgos árabes en el retrato de la dama ideal pintada por Juan Ruiz. Kinkade [1974] considera el sufismo como fuente de la influencia islámica, mas los elementos en que se basa son de dudosa validez. Martínez Ruiz (*Actas*, pp. 187-201) ofrece un útil panorama de la cuestión, con especial hincapié en los aspectos lingüísticos. Ha habido siempre una inverosimilitud fundamental en la hipótesis «mudéjar»: ¿por qué el poeta iba a tomar todos sus materiales de la tradición cristiana occidental y la estructura básica de su obra de la tradición árabe? En cierto sentido, la combinación es enteramente posible, pero siempre ha resultado dificultoso el imaginarse las circunstancias que la hubieron podido motivar. La identificación que ahora hacen Sáez-Trenchs del poeta con Juan Rodríguez de Cisneros, si fuera correcta, proporcionaría esas circunstancias: un autor nacido y criado en territorio musulmán, trasladado a Castilla cuando tenía unos diez años de edad, podría haber asimilado profundamente las estructuras narrativas árabes, y después, sin embargo, hallar sus fuentes literarias específicas en la educación cristiana. No por ello sería necesario aceptar la teoría de Castro, pero si Sáez-Trenchs están en lo cierto, al menos habría una posibilidad al respecto. El problema del autor, sin embargo, no afecta a la idea de Lida de Malkiel [1959, 1961], de acuerdo con la cual la estructura básica del *Libro* sería la de las *maqāmāt* hispano-hebreas, con una particular influencia del *Libro de las delicias*. La crítica que hace de la teoría de Castro está bien fundada, pero la lista de semejanzas que propone entre la obra castellana y las hebreas no es suficientemente sólida como para superar la dificultad antes aludida: que las varias partes del *Libro* se entroncan uniformemente con la tradición europea occidental.

El contorno social e histórico del *Libro* ha recibido, por fortuna, una atención creciente. Criado [1960; *Actas*, pp. 447-455] estudia la historia y la composición social de la Hita medieval, así como la geografía del *Libro* [1960]. Cantera (*Actas*, pp. 439-446) analiza la judería de Hita. Douglas Gifford (*ibid.*, pp. 129-138) examina un aspecto diferente del ambiente social del *Libro*: las actividades de las alcahuetas en la vida medieval. Por último, Jacques Joset investiga la función del dinero en el *Libro* en un fascinante trabajo que se basa en datos tanto literarios como históricos (*ibid.*, pp. 139-157).

La educación y las preocupaciones eclesiásticas del poeta forman una parte igualmente importante de su contexto. Rita Hamilton (*Studies*, pp. 149-157) muestra que el pasaje relativo a la confesión, lejos de ser un ejercicio académico, está motivado por cierta rivalidad económica existente en el seno de la Iglesia medieval; otro aspecto de la competencia entre el clero secular y el regular, complicado en esta ocasión con la rivalidad de los juglares, es estudiado por Kinkade (*Actas*, pp. 115-128). El prólogo en prosa, en forma de sermón erudito, es de ardua lectura; por ello, el análisis que Chapman hace de su estructura, contenido y estilo (*Studies*, pp. 29-51) resulta de especial utilidad. Entre los estudios de los pasajes claramente didácticos, merece destacarse el de Ricard sobre las armas del cristiano (*Actas*, pp. 95-103), con progresos en relación a lo dicho por Lecoy.

El sentido general del *Libro* ha sido muy discutido, y la dificultad de los críticos en llegar a un acuerdo puede atribuirse en buena parte al talento que el poeta tiene para la parodia, así como a su evidente gusto por la ambivalencia. Tras la fundamental explicación de Spitzer [1934], Gybbon-Monypenny [1957; 1962; *Studies*, pp. 123-147] arguye de modo coherente, desde diversos enfoques, que el *Libro* es una obra firmemente didáctica; otro tanto dice, de modo diferente, pero también con mucha coherencia, Lida de Malkiel [1941; 1959; 1961]. A la misma conclusión llega Michael en su estudio sobre los cuentos populares del *Libro* (*Studies*, pp. 177-218). Otros cuatro trabajos de tendencia semejante son más vulnerables a causa de lo limitado del tema de que se ocupan: Guzmán [1963] sostiene que el *Libro* es un aviso para las mujeres, mas pasa por alto partes que no parecen apoyar su tesis; Roger M. Walker (*Studies*, pp. 231-252) nota una creciente insistencia en la muerte y en el arrepentimiento conforme avanza el *Libro*, pero en ocasiones seguramente simplifica en exceso la estructura de la obra; Myers [1972] examina la estructura de modo más minucioso, pero tampoco cabal; y Hart [1959] analiza varias partes del *Libro* aplicando las técnicas de la exégesis alegórica —aplicación intelectualmente poderosa, pero a menudo errónea—. El rechazo de la hipótesis central del estudio de Hart (que él mismo repudia desde hace largo tiempo) no debe ocultar sus muchos y valiosos vislumbres críticos. Un punto de vista muy diferente acerca del sentido del *Libro* es el de Castro [1952], que ve en él una desbordada maniᵉfestación de alegría vital, idea en buena parte corroborada por un perceptivo análisis de Lapesa [1967]. A conclusiones semejantes llegan Catalán y Petersen [1970] tras un análisis de la estructura: el hecho de que al mismo tiempo Walker utilizase idéntico método y llegase a resultados opuestos, indica el peligro que acecha a todo intento de hallar un mensaje unívoco en esta proteica obra. Debemos decir, sin embargo, que las dos interpretaciones básicas del *Libro* se hallan menos separadas de lo que estaban hacia 1940: hoy, el desacuerdo existe sobre todo entre quienes lo ven como una obra didáctica con un importante elemento de humor subversivo, y quienes lo consideran como obra cómica y paródica con un considerable contenido didáctico.

A causa de su título y del modo en que el poeta lo explica, el significado de «buen amor» es central en toda discusión sobre el propósito de la obra. Hasta hace poco se pensaba que la frase citada era rara fuera del *Libro*, pero Brian Dutton (*Studies*, pp. 95-121) atestigua buen número de apariciones del sintagma en textos medievales, tanto en castellano como en otras lenguas. Más en general, Ferraresi [1976] estudia con gran finura la tradición del amor en el *Libro* y en algunos de sus predecesores, Márquez [1965] remite la doctrina erótica del poema a modelos árabes y Cantarino (*Actas*, pp. 78-83) se ocupa de la conducta cortesana y no cortesana del protagonista (vid. aún Sobejano [1963]).

También la estructura, como hemos visto, se halla íntimamente relacionada con el sentido del *Libro*, al menos para algunos críticos. Además de Walker y Myers, en una vertiente de la argumentación sobre el didactismo del *Libro*, y de Catalán-Petersen, por otro lado, Segre [1970] insiste en la inseparabilidad de ambos aspectos, estructura y sentido. Lo mismo hace, de otra manera, Leo [1958], quien niega la existencia de una estructura única o de un mensaje coherente, pero sostiene (no demasiado convincentemente) que una gran parte del *Libro* debía integrarse en un proyecto de epopeya burlesca: el *Libro de Trotaconventos*. Del problema de la estructura se ha ocupado más recientemente Nepaulsingh [1977].

La mayoría de los críticos modernos ha concedido alguna atención al estilo del *Libro* (las páginas de Lida [1941] son especialmente valiosas), pero quienes se han dedicado a ello con mayor amplitud han sido Leo [1958], Zahareas [1965] y Beltrán [1977], en sus respectivos libros. Zahareas destaca por su sensibilidad y perspicacia, pese a varias faltas de erudición. Impey [1975], por su parte, se ocupa con éxito de un aspecto por lo general desatendido por otros críticos, los ideales estilísticos de Juan Ruiz, y F. Ynduráin subraya bien varios procedimientos constructivos del Arcipreste (*Actas*, pp. 217-231). Uno de los rasgos más importantes del estilo del poeta está en las imágenes que emplea; dos recientes tesis doctorales, que serán publicadas tras una revisión, tratan de forma muy apropiada de este asunto: la de Gail A. Phillips (Londres, 1973) y la de Dayle Seidenspinner de Núñez (Stanford, 1977). La lengua del *Libro*, en especial su aspecto léxico, se revisa por extenso en las notas de la edición de Corominas, así como en las densas acotaciones de Morreale [1963; 1967-1968; 1969-1971]. Un problema lingüístico todavía no resuelto es el planteado por el leonesismo de por lo menos algunos manuscritos: ¿tenía el castellano de Juan Ruiz rasgos leoneses?

Otro asunto relacionado con el estilo, el de la versificación, fue tratado durante largo tiempo de manera un tanto mecánica, pero dos artículos recientes abren nuevas perspectivas al respecto: Adams escribe acerca de las consecuencias artísticas que tiene la manipulación que el poeta hace de la rima (*Studies*, pp. 1-28), y H. G. Jones ofrece un cuidadoso estudio de las rimas anómalas (*Actas*, pp. 211-216).

Uno de los rasgos más distintivos del *Libro* es el entusiasmo del autor por la parodia. Yo mismo he trazado un panorama de los elementos paródicos, tanto fundamentales como incidentales (*Studies*, pp. 53-78); Zahareas examina también y en detalle algunos de esos elementos. Más detenidamente todavía analiza Green [1958; 1969] la parodia de las horas canónicas, y Michalski la de la hagiografía en varios lugares del *Libro* (*Actas*, pp. 57-77). Con todo, la más sorprendente y original aportación será, con probabilidad, el estudio próximo a aparecer de J. K. Walsh, quien ve el *Libro* como una parodia de la tradición de la *cuaderna vía*, y en especial del sistema formular. Una de las parodias más extensas e interesantes es la serie de las cuatro serranillas, cuya relación con la *pastourelle* es ya bien conocida. R. B. Tate (*Studies*, pp. 219-229) pone de relieve la individualidad de cada una de las serranillas, quizá subestimando su lugar dentro de la serie. Borello [1968] es autor de un excelente trabajo sobre estos poemas, así como sobre la bibliografía pertinente, y Burke [1975] los sitúa en el contexto del calendario litúrgico.

Un asunto que con razón recibe una atención creciente es el de las relaciones del *Libro* con las artes no literarias, sobre todo con la música y las artes visuales. De lo primero se ocupan Ferrán (*Actas*, pp. 391-397) y Perales de la Cal (*ibid.*, pp. 398-406; véase también Filgueira Valverde, *ibid.*, pp. 369-370). En cuanto a lo segundo, la cuestión fue iniciada de modo muy interesante por Zahareas, seguido después por Isabel Mateo (*ibid.*, pp. 483-487). Este tipo de relaciones necesitan mayor estudio, como ocurre con otros varios aspectos del *Libro*: así, la identidad de Juan Ruiz, la función de la retórica y el origen del conocimiento que de ella tiene el Arcipreste, o la relación entre estructuras y temas del *Buen amor*.

El *Poema de Alfonso XI* ha sido editado por Ten Cate [1956], con un texto paleográfico y otro supuestamente crítico. La diferencia entre ambos no es muy grande, y si bien es una edición útil, tienen buena parte de razón las críticas que de ella ha hecho Diego Catalán en diferentes ocasiones. Catalán [1953] publicó un breve estudio general sobre el *Poema*, y después se ha interesado preferentemente en las relaciones del texto con la historiografía de ese mismo reinado, en particular con la *Crónica* y la *Gran crónica de Alfonso XI*. En cierto momento, Catalán consideró que de la *Gran crónica* procedían tanto la *Crónica* como el *Poema*, pero en sus últimos trabajos (véase capítulo 5) concede prioridad a la *Crónica*. Se necesita con urgencia un análisis detallado de la deuda del *Poema* con la *Crónica*; solamente después de ello podrá hacerse un estudio sistemático del estilo del *Poema*.

El primer intento serio de edición de los *Proverbios morales* de Šem Ṭob fue el de González Llubera [1947; 1950-1951]. Sus puntos de vista acerca de la lengua del poema fueron atacados por Alarcos Llorach [1951], pero, en todo caso, la edición de 1947 siguió pareciendo definitiva hasta que López Grigera [1976] descubrió y publicó un nuevo manuscrito. Se necesita ahora una edición crítica que tenga en cuenta todos los códices, así como la teoría de García Calvo [1974] sobre la estructura del poema y su consiguiente (y quizás excesivamente radical) reordenación de estrofas. Joset [1973] se fija en el original sistema ético de la obra, y Polit [1974] estudia algunos rasgos estilísticos y conceptuales, en lo que esperamos sea una introducción a un estudio más extenso. Estilo e ideas habían sido considerados anteriormente por Castro [1948] en tanto indicadores del judaísmo del poeta; por su parte, Klausner [1965] sitúa, de modo bien interesante, los *Proverbios* en el contexto de los debates políticos y teológicos que se sostenían en las sinagogas castellanas del siglo XIV. Cuando se escriben estas líneas, Shepard [1978] acaba de publicar el primer estudio de conjunto de Šem Ṭob y de sus obras hebreas y castellanas.

El *Rimado de palacio* de López de Ayala podía consultarse desde hacía largo tiempo en la transcripción paleográfica que A. F. Kuersteiner hizo de los dos manuscritos y los dos fragmentos existentes, pero su edición, indispensable para los investigadores, no era apropiada para los lectores no especializados. La antología de Kenneth Adams [1971] sirvió para remediar parcialmente tal laguna, finalmente subsanada por la excelente edición crítica de Joset [1978]. Acaba de ver la luz otra edición, preparada por Michel Garcia [1978], muy rica desde el punto de vista textual, pero con una proclividad cercana a la de Corominas a regularizar la métrica a cada paso. Los trabajos de Joset y Garcia habrán de contrastarse en breve con la edición que J. L. Coy tiene lista para la imprenta. La primera mitad del *Rimado*, que adopta la estructura de una confesión, ha sido estudiada por Strong [1969], quien también analiza [1976] los poemas líricos incluidos en el texto, para concluir que las oraciones tienen una nota más aguda de autenticidad personal. La última parte del *Rimado* es una adaptación de los *Moralia* sobre el Libro de Job de San Gregorio Magno; Coy [1976-1977] estudia el proceso de adaptación llevado a cabo por López de Ayala. Otro aspecto de la piedad del autor es analizado por Kinkade [1972], que se ocupa de la influencia que la Orden de San Jerónimo tuvo en sus obras. De modo poco prudente, Ayala ha sido considerado en ocasiones como precursor de los estilos poéticos del siglo xv e incluso del Renacimiento, pero el estudio de sus relaciones con los poetas más jóvenes del *Cancionero de Baena* demuestra que éstos consideraban a Ayala como un escritor ya viejo y conservador (vid. Gimeno Casalduero [1965] y Joset [1975]). Esa cuestión parece ya resuelta, pero la publicación de las ediciones de Joset y de Garcia debiera alentar otros análisis literarios del *Rimado*. También puede ser fructífero un examen comparativo más detenido de las actitudes manifestadas por Ayala en su *Rimado* y en sus crónicas. Para ambos quehaceres habrá que tomar en cuenta muchas observaciones de la excelente semblanza del Canciller que hizo Rafael Lapesa [1949].

BIBLIOGRAFÍA

Actas=Criado de Val [1973].

Adams, Kenneth, ed., Pero López de Ayala, *Rimado de palacio*, Anaya, Salamanca, 1971.

Alarcos Llorach, Emilio, «La lengua de los *Proverbios morales* de don Sem Tob», *Revista de Filología Española*, XXXV (1951), pp. 249-309.

Alonso, Dámaso, «La cárcel del Arcipreste», *Cuadernos Hispanoamericanos*, XXX (1957), pp. 165-177.

—, «La bella de Juan Ruiz, toda problemas», *De los siglos oscuros al de Oro*, Gredos, Madrid, 1958, pp. 86-99.

Beltrán, Luis, *Razones de buen amor: oposiciones y convergencias en el libro del Arcipreste de Hita*, Fundación March y Castalia (Colección Pensamiento Literario Español, V), Madrid, 1977.

Borello, Rodolfo A., «Las serranas del Arcipreste: estado de la cuestión», *Cuadernos de Filología*, Valparaíso, I (1968), pp. 11-25.

Burke, James F., «Juan Ruiz, the *serranas*, and the rites of Spring», *Journal of Medieval and Renaissance Studies*, V (1975), pp. 13-35.

Castro, Américo, *España en su historia: cristianos, moros y judíos*, Losada, Buenos Aires, 1948, cap. 14; refundido en *La realidad histórica de España*, Porrúa, México, 1954.

—, «El *Libro de buen amor* del Arcipreste de Hita», *Comparative Literature*, IV (1952), pp. 193-213.

Catalán Menéndez-Pidal, Diego, *Poema de Alfonso XI: fuentes, dialecto, estilo*, Gredos, Madrid, 1953.

— y Suzy Petersen, «Aunque omne non goste la pera del peral (Sobre la 'sentencia' de Juan Ruiz y la de su *Buen amor*)», *Hispanic Review*, XXXVIII, n.° 5 (noviembre 1970: *Studies in Memory of Ramón Menéndez Pidal*), pp. 56-96.

Chiarini, Giorgio, ed., Juan Ruiz, *Libro de buen amor: edizione critica*, Riccardo Ricciardi (Documenti di Filologia, VIII), Milán, 1964.

Corominas, Joan, ed., Juan Ruiz, *Libro de buen amor: edición crítica*, Gredos, Madrid, 1967.

Coy, José Luis, «'Busco por que lea algunt libro notado': De las notas de los *Morales* al texto del *Rimado de palacio*», *Romance Philology*, XXX (1976-1977), pp. 454-469.

Criado de Val, Manuel, *Teoría de Castilla la Nueva: la dualidad castellana en los orígenes del español*, Gredos, Madrid, 1960, pp. 157-252 y 267-269.

—, ed., *El Arcipreste de Hita: el libro, el autor, la tierra, la época. Actas del I Congreso Internacional sobre el Arcipreste de Hita*, SERESA, Barcelona, 1973.

— y Eric W. Naylor, eds., *Libro de buen amor: edición crítica*, CSIC (Clásicos Hispánicos), Madrid, 1965; 2.ª ed., 1972.

—, eds., *Libro de buen amor: edición crítica y artística*, Aguilar, Madrid, 1976.

— y Jorge García Antezana, *Glosario de la edición crítica*, SERESA, Barcelona, 1972.

Ferraresi, Alicia C. de, *De amor y poesía en la España medieval: prólogo a Juan Ruiz*, El Colegio de México (Estudios de Lingüística y Literatura, IV), México, 1976.

Garcia, Michel, ed., Pero López de Ayala, *«Libro de poemas» o «Rimado de palacio»*, Gredos, Madrid, 1978, 2 vols.

García Calvo, Agustín, ed., Sem Tob, *Glosas de sabiduría o proverbios morales y otras rimas*, Alianza, Madrid, 1974.

Gimeno Casalduero, Joaquín, «Pero López de Ayala y el cambio poético de Castilla a comienzos del siglo XV», *Hispanic Review*, XXXIII (1965), pp. 1-14; ampliado en *Estructura y diseño en la literatura castellana medieval*, Porrúa Turanzas, Madrid, 1975, pp. 143-161.

González Llubera, Ignacio, ed., Sem Tob, *Proverbios morales*, University Press, Cambridge, 1947.

—, «A transcription of ms C of Santob de Carrión's *Proverbios morales*», *Romance Philology*, IV (1950-1951), pp. 217-256.

Green, Otis H., «On Juan Ruiz's parody of the canonical hours», *Hispanic Review*, XXVI (1958), pp. 12-34.

—, «Risa medieval: el *Libro de buen amor*», en *España y la tradición occidental*, Gredos, Madrid, 1969, I, pp. 44-93.

Guzmán, Jorge, *Una constante didáctico-moral del «Libro de buen amor»* (State University of Iowa Studies in Spanish Language and Literature, XIV), México, 1963.

Gybbon-Monypenny, G. B., «Autobiography in the *Libro de buen amor* in the light of some literary comparisons», *Bulletin of Hispanic Studies*, XXXIV (1957), pp. 63-78.

—, «The two versions of the *Libro de buen amor*: the extent and nature of the author's revision», *Bulletin of Hispanic Studies*, XXXIX (1962), pp. 205-221.

—, «Estado actual de los estudios sobre el *Libro de buen amor*», *Anuario de Estudios Medievales*, III (1966), pp. 575-609.

—, ed., *«Libro de buen amor» Studies*, Tamesis, Londres, 1970.

Hart, Thomas R., *La alegoría en el «Libro de buen amor»*, Revista de Occidente, Madrid, 1959.

Impey, Olga T., «*Parvitas* y *brevitas* en el *Libro de buen amor*», *Kentucky Romance Quarterly*, XXII (1975), pp. 193-207.

Joset, Jacques, «Opposition et réversibilité des valeurs dans les *Proverbios morales*: approche du système de pensée de Santob de Carrión», *Hommage au Prof. Maurice Delbouille* (=*Marche Romane*, 1973, numéro special), pp. 177-189.

—, ed., Arcipreste de Hita, *Libro de buen amor*, Espasa-Calpe (Clásicos Castellanos, XIV y XVII), Madrid, 1974.

—, «Pero López de Ayala dans le *Cancionero de Baena*», *Le Moyen Âge*, LXXXI (1975), pp. 475-497.

—, ed., P. López de Ayala, *Libro rimado de palacio*, Alhambra, Madrid, 1978, 2 vols.

Kinkade, Richard P., «Pero López de Ayala and the Order of St. Jerome», *Symposium*, XXVI (1972), pp. 161-180.

—, «Arabic mysticism and the *Libro de buen amor*», en *Estudios literarios de hispanistas norteamericanos dedicados a Helmut Hatzfeld con motivo de su 80 aniversario*, Hispam, Barcelona, 1974, pp. 51-70.

Klausner, Joel H., «The historic and social milieu of Santob's *Proverbios morales*», *Hispania* (EE.UU.), XLVIII (1965), pp. 783-789.

Lapesa, Rafael, «El canciller Pero López de Ayala», en G. Díaz-Plaja, ed., *Historia general de las literaturas hispánicas*, I, Barna, Barcelona, 1949, pp. 493-515.

—, «El tema de la muerte en el *Libro de buen amor*», en *De la Edad Media a nuestros días*, Gredos, Madrid, 1967, pp. 53-75.

Lecoy, Félix, *Recherches sur le «Libro de buen amor» de Juan Ruiz, archiprêtre de Hita*, 2.ª ed., con suplemento por A. D. Deyermond, Gregg International, Farnborough, 1974.

Leo, Ulrich, *Zur dichterischen Originalität des Arcipreste de Hita*, Klostermann (Analecta Romanica, VI), Francfort, 1958.

Lida [de Malkiel], María Rosa, «Notas para la interpretación, influencia, fuentes y texto del *Libro de buen amor*», *Revista de Filología Hispánica*, II (1940), pp. 105-150; reimpr. en [1973], pp. 153-202.

—, ed., *Libro de buen amor: selección*, Losada, Buenos Aires, 1941; reimpr. en [1973], pp. 1-148.

—, «Nuevas notas para la interpretación del *Libro de buen amor*», *Nueva Revista de Filología Hispánica*, XIII (1959), pp. 17-82; reimpr. en *Estudios de literatura española y comparada*, EUDEBA, Buenos Aires, 1966, pp. 14-91, y en [1973], pp. 205-287.

—, *Two Spanish masterpieces: the «Book of good love» and the «Celestina»*, University of Illinois Press (Illinois Studies in Language and Literature, XLIX), Urbana, 1961; trad. cast.: *Dos obras maestras españolas*, EUDEBA, Buenos Aires, 1966.

—, *Juan Ruiz: selección del «Libro de buen amor» y estudios críticos*, EUDEBA, Buenos Aires, 1973.

López Grigera, Luisa, «Un nuevo códice de los *Proverbios morales* de Sem Tob», *Boletín de la Real Academia Española*, LVI (1976), pp. 221-281.

Macchi, G., «La tradizione manoscritta del *Libro de buen amor*», *Cultura Neolatina*, XXVIII (1968), pp. 264-298.

Macrí, O., *Ensayo de métrica sintagmática*, Gredos, Madrid, 1969.

Márquez Villanueva, F., «El buen amor», *Revista de Occidente*, n.º 9 (1965), pp. 269-291.

Mignani, Rigo, Mario A. Di Cesare y George F. Jones, *A concordance to Juan Ruiz, «Libro de buen amor»*, SUNY Press, Albany, 1977.

Moffatt, Lucius G., «The imprisonment of the Archpriest», *Hispania* (EE.UU.), XXXIII (1950), pp. 321-327.

Morreale, Margherita, «Apuntes para un comentario literal del *Libro de buen amor*», *Boletín de la Real Academia Española*, XLIII (1963), pp. 249-371.

—, «Más apuntes para un comentario literal del *Libro de buen amor*, con otras observaciones al margen de la reciente edición de G. Chiarini», *Boletín de la Real Academia Española*, XLVII (1967), pp. 213-286 y 417-497; XLVIII (1968), pp. 117-144.

—, «Más apuntes para un comentario literal del *Libro de buen amor*, suge ridos por la edición de Joan Corominas», *Hispanic Review*, XXXVII (1969), pp. 131-163; XXXIX (1971), pp. 271-313.

Myers, Oliver T., «Symmetry of form in the *Libro de buen amor*», *Philological Quarterly*, LI (1972), pp. 74-84.

Nepaulsingh, Colbert, «The structure of the *Libro de buen amor*», *Neophilologus*, LXI (1977), pp. 58-73.

Polit, Carlos E., *La originalidad expresiva de Sem Tob*, Department of Spanish & Portuguese, Indiana University (J. M. Hill Monograph Series, I), Bloomington, 1974.

Rico, Francisco, «Sobre el origen de la autobiografía en el *Libro de buen amor*», *Anuario de Estudios Medievales*, IV (1967), pp. 301-325.

—, «Escritura y ejemplaridad del *yo* medieval: acotaciones al *Libro de buen amor*», comunicación al Coloquio *Escritura y ejemplaridad en la literatura española medieval* (Casa de Velázquez, Madrid, 28 febrero 1978), por aparecer en *Mélanges de la Casa de Velázquez*.

Riquer, M. de, «La Cuaresma del Arcipreste de Hita y el problema de la doble redacción del *Libro de buen amor*», *Mélanges offerts à R. Lejeune*, Gembloux, 1969, I, pp. 511-521.

Segre, Cesare, «Los artificios estructurales del *Libro de buen amor*», en *Crítica bajo control*, Planeta, Barcelona, 1970, pp. 285-291.

Shepard, Sanford, *Shem Tov, his world and his words*, Ediciones Universal, Miami, 1978.

Sobejano, Gonzalo, «Escolios al 'buen amor' de Juan Ruiz», *Studia philologica. Homenaje a Dámaso Alonso*, III, Gredos, Madrid, 1963, pp. 431-458.

Spitzer, Leo, «Zur Auffassung der Kunst des Arcipreste de Hita», *Zeitschrift für romanische Philologie*, LIV (1934), pp. 237-270; trad. cast.: «En torno al arte del Arcipreste de Hita», en *Lingüística e historia literaria*, Gredos, Madrid, 1955, pp. 103-160.

—, «Note on the poetic and the empirical 'I' in medieval authors», *Traditio,*

IV (1946), pp. 414-422; trad. cast. en su libro *Estilo y estructura en la literatura española*, Crítica, Barcelona, 1979, vol. I.

Strong, E. B., «The *Rimado de palacio*: López de Ayala's rimed confession», *Hispanic Review*, XXXVII (1969), pp. 439-451.

—, «Some features of the prayers and lyrics in the *Rimado de palacio*», *Forum for Modern Language Studies*, XII (1976), pp. 156-162.

Studies = Gybbon-Monypenny [1970].

Ten Cate, Yo, ed., *El poema de Alfonso XI*, CSIC (*Revista de Filología Española*, anejo LXV), Madrid, 1956.

Willis, Raymond S., «Two Trotaconventos», *Romance Philology*, XVII (1963-1964), pp. 353-362.

—, ed., *Libro de buen amor: with introduction and English paraphrase*, University Press, Princeton, 1972.

Zahareas, Anthony N., *The art of Juan Ruiz, Archpriest of Hita*, Estudios de Literatura Española, Madrid, 1965.

FÉLIX LECOY

ELEMENTOS ESTRUCTURALES
EN EL *LIBRO DE BUEN AMOR*

Quien lee de punta a cabo el *Libro de buen amor,* sin ideas pre-
concebidas, advierte inmediatamente que lo esencial de la obra está
constituido por dos cuerpos de relatos independientes, pero que tienen, cada cual por su lado, una unidad de concepción y de desarrollo
muy acusada, uno porque es la adaptación de una obra extranjera,
concebida a su vez de forma unitaria, el otro porque es el fruto de
una elaboración muy hábil y muy afortunada de Juan Ruiz. El primero de estos relatos es la adaptación del *Pamphilus,* que se extiende desde la copla 680 a la copla 891, el otro es el conjunto que
agrupa «*La pelea que ovo don Carnal con la Quaresma*» (con la
digresión sobre la confesión de don Carnal), el *Triunfo grotesco de
don Carnal* y el *Triunfo del Amor* (con las disertaciones que se incorporan a estos episodios: discusión sobre la preeminencia amorosa
de los caballeros, de los monjes o de las monjas, episodio de la tienda
y de los meses). Este segundo bloque se extiende desde la copla
1.067 a la 1.314: baste recordar que su propósito es cantar el retorno de la alegría después del período de tristeza y de mortifica-
ción de la Cuaresma, y que se eleva hasta la entusiástica glorificación de la primavera, del amor y de la vida.

En torno a estos dos episodios centrales se agrupa un cierto
número de episodios menos importantes y que les sirven en cierto

Félix Lecoy, *Recherches sur le «Libro de buen amor» de Juan Ruiz, archiprêtre de Hita,* 2.ª ed., con suplemento por A. D. Deyermond, Gregg International, Farnborough, 1974, pp. 352, 356-360.

modo de satélites: algunos sólo ocupan unos pocos versos, por ejemplo el intento de seducción de la mora (1.508-1.512); otros, por el contrario, rivalizan en extensión con los dos desarrollos principales, por ejemplo, la historia de los amores con la monja doña Garoça (1.332-1.507 = 176 coplas), o el debate con el Amor (181-575 = 395 coplas). De estos episodios, unos son relatos de experiencias amorosas, otros disertaciones morales.

[En el segundo núcleo], el poema sigue, a partir de la copla 950, una línea trazada por mano bastante firme, línea por otra parte ideal, e incluso simbólica, no real ni sugerida por hechos reales. Valga la expresión, estamos ante una especie de ciclo litúrgico del amor, que se adapta fielmente al ritmo de las estaciones y del tiempo. Al principio, la primera salida del poeta, después del invierno, cuando apunta la primavera (945) y la nieve cubre aún la cima de los montes. En la montaña, a las primeras solicitaciones de la savia amorosa, hay diversas aventuras groseras, que son como primicias de placeres más delicados. Luego llega el tiempo de la gran penitencia. Pero pronto el retorno de los dos grandes «emperadores» del mundo (1.211a), el Amor y don Carnal, vuelve a iniciar la era de los goces y del placer. El poeta, ayudado por Trotaconventos, se lanza por la senda del amor, para seguirla con diversa fortuna, hasta el momento en que la muerte, al arrebatarle a su aliada, le recuerda la terrible realidad: es forzoso pensar en retirarse. Entonces el poeta nos deja, no sin que en el momento de su partida nos dedique un último rasgo jocundo, y el poema termina con esta impresión final.

La primera parte de la obra es más simple de composición; el hilo que une sus diferentes elementos es menos sutil, más fácil de descubrir. En primer lugar hay que dejar de lado el comienzo, hasta la copla 70, comienzo que no es más que un largo preámbulo: aquí encontramos una plegaria a Dios, un prefacio en prosa que expone las intenciones del poeta, una nueva invocación a Dios, el anuncio de la obra con la firma del autor, dos composiciones en honor de la Virgen y la afirmación de que, a pesar de su apariencia jocosa, el *Libro de buen amor* es una obra grave. El poema propiamente dicho empieza en la copla 71, y la parte que ahora estudiamos se extiende hasta la copla 909. Aquí a nuestro juicio hay que ver la historia estilizada de un aprendizaje amoroso, con sus fracasos iniciales, la adquisición progresiva de una sólida experiencia y la aventura iniciadora, primer éxito del héroe que le convierte en maestro consumado en el arte de amar. Los sinsabores iniciales son las tres primeras tentativas del poeta que se nos cuentan al principio (77-104, 105-122, 166-180), y en los que no queda en postura muy airosa; la experiencia amorosa, cuya falta tanto echa de menos cuando hace sus primeras armas, es el fruto de las lecciones que le dispensa generosamente el Amor (181-575); en cuanto a la dichosa aventura que le hace pasar del ejército de los desventurados al campo de los favorecidos, es la historia de sus amores con doña Endrina, la adaptación en lengua vulgar del *Pamphilus de amore* (580-891). Este esquema se adorna con desarrollos o indicaciones que se insertan sin dificultad a lo largo de la línea principal. Así encontramos, después de la desventura de doña Endrina, una moralización destinada a las jóvenes imprudentes (892-909). Entre su segundo y su tercer fracaso, el poeta, a fin de disculpar su obstinación, introduce una disertación sobre el carácter ineluctable del destino que su estrella impone a cada hombre; y como él ha nacido bajo el signo de Venus, justifica sus afirmaciones con el cuento del rey Alcaraz y de sus cinco astrólogos (123-165). Finalmente Juan Ruiz tuvo la fecunda idea de presentarnos al Amor dando personalmente, por medio de un sueño, sus lecciones al héroe, haciendo que se entable una larga discusión entre el alumno indócil y el complaciente maestro. Valiéndose de este procedimiento introdujo en su poema una violenta requisitoria contra el Amor y una sombría pintura de los estragos que causan los pecados capitales.

Así, pues, esta primera parte nos ofrece, a la manera de una especie de tríptico, un primer grupo de aventuras en las que el héroe sólo conoce fracasos; un núcleo central donde, en el curso de una dura controversia, el enamorado que hasta entonces no ha tenido ningún éxito, abandona sus prevenciones contra el Amor y se convierte en su discípulo obediente; y una última parte en la que se ponen en práctica los consejos del dios y vemos los frutos que de este modo se consiguen. [...]

Por lo tanto, es posible seguir, desde las primeras coplas del *Libro de buen amor* hasta el final, una especie de hilo conductor que anuda entre sí los diferentes episodios, como una fabulación que sirvió de falsilla al autor. No obstante, hay que guardarse mucho de atribuir a esta distribución de los desarrollos —muy pensada y deliberada, en modo alguno accidental o fortuita— un valor que está lejos de tener. En primer lugar, éste es un plan que en una proporción muy grande resulta algo exterior a la obra. [...] El orden que reina en ese conjunto, que establece la sucesión de los diferentes fragmentos, es un orden impuesto desde fuera. En él no se advierte la presencia invisible de esa idea central que en las obras sólidamente estructuradas determina a su vez cada uno de sus elementos, y vincula entre sí, de una manera enérgica y necesaria, las partes que constituyen el edificio. Este orden no es, en el mejor de los casos, más que un cómodo sistema de presentación que permite reunir en un haz —en un ramillete, si se prefiere decirlo así—, para que luzcan lo mejor posible, unas piezas que no tienen más unidad que la de haber sido concebidas y realizadas por una fuerte personalidad dotada de un vigoroso temperamento. [...] Por otra parte, la fabulación del *Libro de buen amor,* a pesar de la presencia de un personaje central, héroe de todas las aventuras, personaje que habla en primera persona y se identifica constantemente con el poeta, esta fabulación, decía, no es una fabulación real, ni siquiera una fabulación que aspire a producir la ilusión de la realidad, y no acertamos a explicarnos la aberración de ciertos críticos que creyeron ver en el *Libro de buen amor* el recuerdo o la elaboración literaria de aventuras que sucedieron al autor. Esta fabulación es completamente ideal, ideal en la medida en que se combinó sin la menor preocupación por la verosimilitud en el encadenamiento, aunque tampoco sin desdeñarla, con el único propósito de hacer sensible una idea y una enseñanza.

LEO SPITZER

«YO, JUAN RUIZ»: PERSONALIDAD E IMPERSONALIDAD EN EL ARTE DEL ARCIPRESTE DE HITA

Tiene, naturalmente, el *Libro de buen amor* forma autobiográfica; pero de que la narración esté en primera persona no se sigue

Leo Spitzer, «Zur Auffassung der Kunst des Arciprese de Hita», *Zeitschrift für romanische Philologie»,* LIV (1934), pp. 237-270; trad. cast.: «En torno al arte del arcipreste de Hita», *Lingüística e historia literaria,* Gredos, Madrid, 1955, pp. 133-138, 142-143, 146-153, 156.

que el autor haya vivido personalmente todo cuanto nos cuenta. El yo de las confesiones personales, que arrancan de Rousseau y Goethe, nada tiene que ver con el yo de un poeta medieval, que se presenta a sí mismo como representante de todos los seres humanos (copla 76: «E yo, porque so ome, como otro, pecador, / ove de las mugeres a vezes grand amor...»), que vive cuanto el mundo encierra y elige el bien. Su experiencia es, desde luego, colectiva, por muy «personal» que parezca —y pueda ser (como en Dante). El que el poeta haga mención de sí mismo y del año en que terminó su obra no encierra más carácter 'personal' que los títulos y pie de imprenta de las cubiertas de nuestros libros modernos. Expresamente dice: «Diréla [la estoria de doña Endrina] por dar ensyemplo, non porque a mí avino» (909). Que se siga creyendo todavía en la realidad de la prisión del Arcipreste [...] me parece punto menos que increíble. [...] Deberíase haber prestado atención a la indicación de Appel de que la expresión «en la presión» significa 'en la prisión terrena' (por contraposición al 'cielo') y que la noticia del final de códice de Salamanca corre a cuenta del copista. Se llegó a interpretar un pasaje de significado meramente teológico como éste:

> Señor Dios, que a los jodíos, pueblo de *perdición*,
> sacaste de cabtivo *del poder de Faraón*,
> a Daniel sacaste *del poço de Babilón*:
> saca a mí coytado desta mala presión (c. 1)

(con un demostrativo, como en la expresión bíblica *in hac valle lacrimarum*) en el sentido de una prisión personal del poeta, sólo para satisfacer el afán sensacionalista de biógrafos husmeadores. [...] Considérese la coincidencia de las expresiones entre «sacaste de cabtivo» y «libra a mí, Dios mío, desta presión do yago» y los pasajes [de varios poetas provenzales que se refieren a la 'prisión de la vida terrena, del pecado', con frases como] «deslieura'm de preiso» y «en caitivier jac e en pena», susceptibles solamente de interpretación espiritual. En el pasaje de los loores de Nuestra Señora [donde el Arcipreste se dice «en presión, syn merescer», y se confiesa «pecador errado» (1674)], queda claro a qué clase de prisión se refiere el poeta por un pasaje paralelo de otra canción en honor de la Virgen: «Folgura e salvaçión / del *lynage umanal*, / que tiraste la tristura / e perdimiento, / que por *nuestro* esquivo mal / el diablo suçio tal / con su obla engañosa / *en carçel peligrosa* / ya ponía» (1666). [...] Nada rastreamos en verdad de la «persona práctica» del Arcipreste, sino sólo de su suerte común con toda la humanidad como consecuencia del pecado original que todos contraemos. En el juicio de Menéndez Pidal sobre el *Libro de buen amor*, que considera con razón como «un vasto cancionero, engastado en una biografía humorística», yo recalcaría especialmente el término «humorística», con lo que lo biográfico pasa a segundo término y se reduce a la categoría de recurso técnico. [...]

Lo que principalmente sorprende al lector moderno es la manera, impersonal y general, de un poeta, cuya fuerza estriba en la visión viva de lo humano. Siendo verdad lo que escribe Menéndez y Pelayo «... traduce con tal brío que parece original», no podemos comprender sin más ese temperamento enamorado de lo individual y concreto, al servicio de una intención didáctica generalizadora. [En efecto, el propósito docente de Juan Ruiz se hace visible por doquiera: en el recurso a la cuadernavía, de tradición doctrinal; en la continua invocación de autoridades, en las fábulas o en los proverbios, usados sobre todo para cerrar la estrofa y gracias a los cuales el tema particular y concreto de que se trata queda inserto en un campo completamente distinto, incardinado en otras relaciones universales, porque el proverbio con sus tendencias moralizadoras ahoga lo personal dentro de lo general. Igual designio ejemplar revela la tipificación de los personajes, desde el propio arcipreste hasta la alcahueta. A ésta, por ejemplo,] la vemos aparecer primero en su función exclusivamente de mensajera (436, «a la muger que enbiares»; 437, «la tu mensajera»); se nos presenta después elegida de entre todo un grupo de mujeres parecidas, a las que se designa con el partitivo (438, 440, «toma de unas viejas»); desaparece luego confundida en la descripción de un tipo de profesión corriente (439, «son muy grandes maestras aquestas paviotas») para reaparecer —y aún aquí, por lo demás, a título de ejemplar logrado de una especie— como una individualidad (443, «De aquestas viejas todas ésta es la mejor»...) y desembocar finalmente en la descripción de la dama (446, «en la cama muy loca, en la casa muy cuerda»). Es significativo que en 441 el nombre de «trotaconventos» aparezca primero como apelativo («Estas trotaconventos fazen muchas baratas»), [...] hasta que finalmente en el diálogo con doña

Endrina (738, 845) frente a «diz la vieja» aparece «Dixo T:otacon-ventos» como una asociada real e individual (permaneciendo así y todo mensajera; 868: «Vínome Trotaconventos alegre con el man-dado»). En 912 se dice otra vez «busqué trotaconventos» (en sen-tido general: «que éstas son comienço para el santo pasaje»; en con-traposición a un tercero: «non busqué otro Ferrand García», 913) y aquí la tercera recibe también su nombre de pila, «Urraca» (914), nombre por lo demás vulgarísimo como el de Ferrand García; y otra vez en 1.317, hablando de ella el enamorado, emplea la deno-minación semiapelativa («fyz llamar Trotaconventos la mi vieja sa-bida...»), y la dama con quien ejercita su oficio, la llama por el nombre propio, «Urraca», en 1.325, 1.326. Al morir la tercera, el poeta (que se presenta como amante) recuerda sólo su función pro-fesional (1.518, «Porque Trotaconventos ya non anda nin trota», con una explicación etimológica de su nombre), y en la elegía tiene aproximadamente «mi Trotaconventos» (1.569, 1.571) el mismo va-lor apelativo que «mi leal verdadera». En su epitafio aparece otra vez su verdadero nombre propio, «Urraca». [...] No se debería quizás hablar de la Trotaconventos (de la Trotaconventos del episo-dio de doña Endrina), pues no se diferencia de las terceras descritas anteriormente y su transformación de nombre común en nombre propio se realiza ante nuestras miradas, sino, todo lo más, de una Urraca que, a pesar de todo, sigue siendo siempre trotaconventos (con minúscula). Asistimos al fenómeno en que lo genérico-profesio-nal cristaliza en un individuo típico y representativo. [...]

¿Por qué en todas las historias de amor suceden siempre las mismas cosas, por qué el enamorado pretende las damas más dis-tintas empleando siempre los mismos medios —envío de una ter-cera o de un tercero, de canciones amorosas, etc.—, por qué las historias amorosas no están ordenadas conforme a un determinado principio psicológico de selección? Porque precisamente para nues-tro autor no es importante lo psicológico; nos pinta una y otra vez nuevas ilustraciones del *loco amor*; ve un reino, valga la expresión, estático de seducción terrena; y el estado estacionario, el moverse sin salir de un sitio, la repetición de los mismos rasgos guardan rela-ción con el hecho de que las historias amorosas particulares no se enhebren en un hilo psicológico, sino que se insertan en sentido radial en torno a una verdad central y autoritaria: cada narración simboliza en el fondo la verdad única. [...] ¿Qué es, pues, lo característico de este poeta tan chapado a lo medieval? Evidentemente su brío, su genio de expositor y narrador. Posee las dotes mímicas del juglar, que sabe multiplicar su personalidad y desempeñar, en un alarde de virtuosismo, los papeles más dispares y que, aun allí donde propiamente sólo pretende presentar un tipo general, lo viste de rasgos concretos. El actor, por mucho que quiera representar un tipo como tal, pone en él mucho de su yo empírico, de su propia personalidad individual; y Juan Ruiz es precisamente un actor de personalidad impresionante al servicio de un arte impersonal.

ALICIA C. DE FERRARESI

LA AMBIGÜEDAD DEL «BUEN AMOR»

Tal vez no haya en el libro razón más difícil de descubrir que el mismo *buen amor*. La crítica reciente ha estudiado con fortuna la compleja naturaleza semántica del término. ¿Qué significaba o qué había significado hasta entonces esta expresión? Desde muy temprano fue usada en la lírica provenzal como sinónimo del *fin amor* de los trovadores y, a la zaga de ellos, así la usaron también poetas franceses e italianos. Era ésta, pues, una acepción bien establecida dentro de la tradición del amor cortés en la Europa romance, incluyendo, por cierto, España.

Cuando, hacia la segunda mitad del siglo XIII, entra en crisis el sistema de valores del *fin amors, buen amor* pierde esta claridad semántica. Al romperse la ecuación *fin amors* = «buen amor», los límites del significado de este último se hacen cada vez más difíciles de deslindar. Así para Matfre Ermengaud, *bona amors* es tanto «amor de Deus, amor de bens temporals, amor de mascle e fembra, amor de son enfant», y lo único que queda en claro es que ha de excluir la lujuria. [...] Mucho ha cambiado el sistema de valores amatorios

Alicia C. de Ferraresi, *De amor y poesía en la España medieval: prólogo a Juan Ruiz*, El Colegio de México (Estudios de Lingüística y Literatura, IV), México, 1976, pp. 163-170, 175-176.

desde los trovadores antiguos al autor del *Breviari d'amor*. Si para el trovador del siglo XII era el beso gracia ennoblecedora, en las *Leys d'amor*, de mediados del siglo XIV, podía ser cosa deshonesta y ocasión de pecado. La condena al amor de los trovadores no fue cuestión que se diera solamente en tratados de moralistas. El mismo amor que los poetas habían enaltecido como fuente de nobleza, virtud y «joi», es considerado libertino y pecaminoso hacia fines del siglo XIII. En tanto «buen amor» fuese el amor de los trovadores al servicio de la dama cortés, bien podía ser para muchos, amor condenable. Y no es de sorprender que entre burlas y veras lo condene Juan Ruiz. [...]

Señala acertadamente O. H. Green [1969] cómo se repiten en el libro muchos de los tópicos del amor cortés, entre ellos los aspectos ennoblecedores del amor: «Muchas noblezas ha en el que a dueñas sirve; / loçano, fablador, en ser franco se abive» (155). Pero sería de discutir si en las estrofas siguientes es el amor entendido como «fuente de virtud»:

> el amor faz sotil al omne que es rudo,
> fazle fablar fermoso al que antes es mudo,
> al omne que es covarde fazlo muy atrevudo,
> al perezoso faz ser presto e agudo,
>
> al mançebo mantiene mucho en mancebez,
> e al viejo perder faz mucho la vejez;
> faz blanco e fermoso del negro como pez,
> lo que una nuez non val amor le da gran prez (156-157).

Es indudable que toca aquí el poeta muchos de los lugares comunes de la loa típica al *fin amor*, tal la mención a la eterna juventud del enamorado. Pero la sutileza y el «fablar fermoso» son alabanzas muy ambiguas y que bien pueden apuntar al engaño propio del quehacer amatorio, ya que engañar y enamorar están indisolublemente unidos en la obra de Juan Ruiz. El último verso de la estrofa 157 indica sin ambigüedad alguna cuál es la verdadera naturaleza de la transformación operada por el amor, hecha más explícita aún en las estrofas siguientes:

> el que es enamorado, por muy feo que sea,
> otrossí su amiga, maguer sea muy fea,

el uno e el otro non ha cosa que vea
que tan bien le paresca nin que tanto desea;

el bavieca, el torpe, el necio e el pobre
a su amiga bueno parece e ricoombre,
mas noble que los otros; por ende todo ombre
como un amor pierde luego otro amor cobre (158-159).

No es éste amor que ennoblece, haciendo bueno y virtuoso al que antes no lo había sido; es el suyo poder engañador: hacer parecer lo que no es. La esencia de este amor es la mentira; y bien claro lo dice el poeta: «Una tacha le fallo al amor poderoso ... es ésta: que el amor siempre fabla mintroso» (161). No se habla aquí, por lo tanto, del amor como fuente de virtud. Lo que se hace es introducir un bien conocido tópico del amor cortés y comenzar a quitarle, muy al modo de nuestro poeta, la halagüeña corteza para llegar al meollo: «lo que semeja no es» (162). [...]

La falta de toda alusión en el libro de Juan Ruiz a la natural meta amorosa —o sea, a la propagación de la especie— dentro de la ortodoxia aristotélico-tomista, así como de acuerdo a las doctrinas de Ermengaud [en el *Breviari d'amor*] y de Jean de Meun [en el *Roman de la Rose*], y la insistencia de nuestro poeta en el placer como esencia y fin del amor, ayudan parcialmente a aclarar la necesidad de presentar este «buen amor» con máxima ambigüedad. Bajo el disfraz del «fin amor», del «buen amor» convencional y pretendidamente ennoblecedor, yace *cupiditas*. El «buen amor» es mal amor; la dualidad se da, naturalmente, sólo en el orden de la palabra, es decir, de la apariencia.

Si en nuestro libro «buen amor» puede ser mal amor, que «siempre fabla mintroso», si el amante es un engañado hacedor de engaños, es maestra en mentiras la imprescindible tercera:

¡Ay viejas pitofleras, malapressas seades!
El mundo revolviendo a todos engañades,
mintiendo, aponiendo, deziendo vanidades,
a los necios fazedes las mentiras verdades (784).

De estas viejas que revuelven el mundo, como revuelve el mundo el amor loco, es epítome ejemplar Trotaconventos, quien quiere ser llamada «buen amor», «ca de la buena palabra págase la vezindat»

(932). Pocas dudas caben, entonces, de la naturaleza de este «buen amor». Nada podría ser más irónico que el identificar el «buen amor» con el personaje que encarna la seducción y el engaño amoroso en actividad tortuosa y picaresca (y es sabido [cf. copla 933] que por amor a ella así se llama el libro): [...] la alcahueta, quien hace del engaño amoroso su profesión. Y lo hace por dinero, cuando es sabido que el «fin amor» condena absolutamente la venalidad, como bien lo dice el Arcipreste al referirse a su libro (1630): «ca no ha grado nin gracia el buen amor comprado». Al encarnar el «buen amor» en Trotaconventos se descubre el propósito del poeta en revelación punzante: el buen amor es loco amor.

Pero la ambigüedad de la expresión va más allá de la engañosa connotación del epíteto. Porque si «buen amor» es loco amor humano en el sentido de un devaluado amor cortés, es también muy cierto lo que señala Brian Dutton [en *Actas*, pp. 99-101], cuando alude a otra tradición literaria en la cual buen amor es el amor mutuo entre el hombre y Dios. Este es indudablemente el significado que Juan Ruiz da a la expresión en el prólogo en prosa: «desea omne el buen amor de Dios». [...] Aunque implique simplificar el problema semántico en cuestión podemos, sin desvirtuar su compleja naturaleza, partir de las premisas siguientes: hacia la época de Juan Ruiz, «buen amor» en el sentido de un devaluado amor cortés, es falso y engañoso, y por lo tanto, es loco amor. Dentro de otra tradición literaria buen amor es el verdadero amor, tanto más cuanto se le considera amor entre hombre y Dios; y en este sentido es el único amor que merece ser llamado bueno. [...]

Pero no nos engañemos y creamos ver en Juan Ruiz un clérigo tristemente desengañado, cuyo único propósito es desenmascarar la vanidad del amor loco. Genio superlativamente cómico y burlón, naturalmente habrá «algunas burlas aquí a enxerir» (45b). Y bien nos previene que no nos ocurra «como al dotor de Grecia», [quien, en el primer ejemplo del *Libro* (44-69), se engaña por no advertir que los lenguajes humanos son ambiguos: como ambiguo es el «buen amor».] Muerta Trotaconventos, sigue el protagonista su carrera de frustraciones, y sin detenerse podría continuar en este tiovivo una ronda que es siempre la misma. Mil aventuras más podrían agregarse a la última, ya que del loco amor no hay escapatoria humana. La recurrente frustración amorosa, tan fácil de ser sublimada en tragedia, se hace cómico espectáculo en irrefrenable burla, del loco amor, de los locos amantes y del intento mismo de salvarlos por medios didácticos o doctrinales:

> Buena propiedad ha, doquiera que se lea,
> que si lo oyere alguno que tenga mujer fea,
> o si mujer lo oyere que su omne vil sea
> fazer a Dios servicio en punto lo desea (1627).

Esto es nada menos que parodia del *topos* de buenas intenciones, tan frecuente en la literatura didáctica. El paralelo con el comienzo puede hallarse en aquel burlón «entiende bien mi libro y avrás dueña garrida». Quien la busque no ha de encontrar aquí *vademecum* eficaz, como tampoco ha de hallar en el libro vía de conversión religiosa, a no ser que, falto de «fembra plazentera» o de hombre viril, no tenga otro remedio. La causa de la supuesta conversión es del más bajo materialismo. No es abandono del placer por el espíritu, sino fuga en lo devoto por obligada carencia de placer. Es ésta la última pirueta magistral de este gran prestidigitador de burlas. Justo es que declare, tanto al principio como al final, que su libro «de juego e de burla es chico breviario» (1.632b). No tan breve, y en verdad, harto complejo.

María Rosa Lida de Malkiel

EL ESTILO DE JUAN RUIZ Y LA CONSTRUCCIÓN DEL EPISODIO DE DOÑA GAROZA

1. La diversidad esencial del poeta, maestro y bufón en uno, conciliador del mester culto y del vulgar, no puede menos de trascender

1. María Rosa Lida de Malkiel, ed., *Libro de buen amor: selección*, Losada, Buenos Aires, 1941; reimpr. en *Juan Ruiz: selección del «Libro de buen amor» y estudios críticos*, EUDEBA, Buenos Aires, 1973, pp. 12-13, 15-18, 21, 23-24.

2. —, «Nuevas notas para la interpretación del *Libro de buen amor*», *Nueva Revista de Filología Hispánica*, XII (1959), pp. 17-82; reimpr. *ibidem*, pp. 205-287 (258-263).

a su expresión estilística: el *Buen amor* ofrece un estilo sabio cuya retórica es más rica que la de Berceo y la del *Alexandre*, como es más rica la calidad de su saber, y, junto a tal medio erudito y en transición difícil de graduar, presenta un estilo popular que es probablemente su más fecunda novedad.

Retórica. La obediencia a las normas de la retórica, elemento común de la enseñanza medieval, estrecha la vinculación de Juan Ruiz con toda la clerecía europea y explica la presencia de unas mismas características en toda la literatura de la época. La que fácilmente predomina en el *Libro* es la variación retórica (reflejo estilístico de la ejemplificación doctrinal) en todas sus formas; así la amplificación «en los hechos» —según la vieja nomenclatura—; por ejemplo, la enumeración de las prendas de doña Endrina (581 ss.) o de don Hurón (1.620-1.621), las penas del enamorado (607), las propiedades del dinero (490 ss.), los funestos efectos del vino (544 siguientes). Añádase la enumeración de máximas, la de ejemplos y comparaciones que en sí constituyen las páginas más conocidas de Juan Ruiz (18 ss. sobre el contraste entre sentido y apariencia, 616 ss. sobre la eficacia del arte, 1.607 ss. sobre el valor de las dueñas chicas). No menos varia es la amplificación «en las palabras» que culmina en los apodos de la mensajera (924 ss.) y cuya forma más frecuente es la acumulación de sinónimos, generalmente dispuestos en parejas: «Nós' me tira, nós' me parte, no me suelta, no me deja» (662*b*). [...] Tal reduplicación no afecta solamente al léxico; también las frases desfilan en series parejas u opuestas, por influencia directa de la prosa bíblica cuyos ejes estilísticos son, como es sabido, la antítesis y el paralelismo. Sirva de ejemplo la súplica de notable color retórico que dirigen las ranas a don Júpiter:

> Señor, señor, acórrenos, tú que matas y sanas;
> el rey que tú nos diste por nuestras voces vanas,
> danos muy malas tardes y peores mañanas.
>
> Su vientre nos sotierra, su pico nos estraga,
> de dos en dos nos come, nos abarca y nos astraga;
> señor, tú nos defiende; señor, tú ya nos paga;
> danos la tu ayuda, tira de nos tu plaga (203-204). [...]

Lenguaje popular. En las páginas del *Libro* aparece por primera vez en la literatura española la imagen artística del habla viva, interesada en actuar sobre el oyente para conciliarse su voluntad, no en instruir su entendimiento ni en deleitar su sensibilidad. De ese primordial fin activo emanan usos sintácticos peculiares, como el dativo ético: «no *te* sepa que amas a otra mujer alguna» (564*b*), «la llaga no se *me* deja a mí catar ni ver» (589*a*), y las oraciones coordenadas sin conjunción: «¿Es aquél? ¿No es aquél? Él me semeja, yo lo siento; / a la fe, aquél es don Melón, yo lo conozco, lo viento» (873*cd*). Al orden abstracto del discurso gramatical sucede el orden vivo del interés momentáneo, que modela los frecuentes casos de anticipación del complemento y de anacoluto: «Emplazóla por fuero el lobo a la comadre» (323*a*); «Toda mujer los ama hombres apercibidos» (630*a*)... A la misma causa se debe que la frase enunciativa ceda el lugar ante la interrogativa, la admirativa, la imperativa, la desiderativa: basten las coplas 1.500-1.501 de entre la muchedumbre de casos que se podría enumerar. Los versos del Arcipreste cuyos modelos latinos conocemos revelan claramente cómo ha vitalizado la frase declarativa del original. La *Convocatio sacerdotum* decía: «Non Malotam deseram dum me durat vita». Juan Ruiz vierte: «¿Que yo deje Orabuena, la que cobré antaño?» (1.698). Análogamente, el *Liber Pamphili* anunciaba: «Haec tibi nostra domus poma nucesque dabit; / vix erit iste meus sine fructibus angulus usquam»; mientras su imitación exclama: «y daros he ¡ay qué nueces! / Nunca está mi tienda sin fruta a las lozanas, / muchas peras y duraznos ¡qué cidras y qué manzanas! / ¡Qué castañas, qué piñones y qué muchas avellanas!» (861-862) [...]

Además de la repetición de colorido retórico, puede señalarse en el *Libro* la repetición familiar que guarda toda la vivacidad del coloquio («O bien lo hagamos, o bien lo dejad», 838*c*; «decíanme: haló, haló», 1.360*c*; «me dice: traile, traile», 1.466*b*; «Amigo, valme, valme», 1.467*b*). Todos los medios de dar énfasis a la palabra se acumulan para traducir la mira interesada del habla viva. [...] No igualado hasta los días de Fernando de Rojas y Juan del Encina, y gran motivo de lucimiento sin duda para la mímica juglaresca, es su diálogo, recreación admirable de la conversación popular. En el episodio de doña Endrina, adaptación narrativa de un original de forma dramática, uno de los grandes aciertos de Juan Ruiz es la réplica ágil en que fragmenta las tiradas retóricas de los interlocutores. Quizás el diálogo es superior aún en los amores con doña Garoza:

Dijom' quel' preguntara: «¿Cuál fue la tu venida?
¿cómo te va, mi vieja? ¿cómo pasas tu vida?»
«Señora», diz la vieja, «así, comunal vida.
Desque me partí de vos a un arcipreste sirvo...»
Dijol' doña Garoza: «¿Envióte él a mí?»
Díjele: «No, señora; yo me lo comedí» (1.343-1.346).

Junto a tan rápido dramatismo, la intención didáctica esencial del poeta se vale de la sabiduría tradicional anónima para expresarse en clave popular; el *Libro* incluye, por consiguiente, un copioso refranero, quizás el más antiguo en lengua española, que transmitió a los siglos siguientes el caudal heredado al par que no pocas sentencias propias.

Visión concreta. Dentro de la uniformidad de inspiración y estilo que imprime a la clerecía medieval su cultura intereuropea, el *Buen amor* se muestra españolísimo, pues su esencial virtud poética coincide con el atributo primero de la literatura española, o sea, la visión concreta de la realidad, patente en autores tan diversos como santa Teresa, Cervantes y Góngora. [...] Gracias a su sentido de lo concreto, Juan Ruiz actualiza un género que por esencia no cuida sino de la lección moral aplicable en todo lugar y momento: en sus manos la fábula se carga de usos e instituciones contemporáneos. En el primer ejemplo del *Libro*, el león, al descargar su golpe sobre el lobo, alza la mano como para bendecir la mesa (86); como las comadres del Arcipreste de Talavera, la corneja compuesta con galas ajenas va a lucirlas a la iglesia, lo que sugiere un risueño comentario: «Hermosa, y no de suyo, fuese para la igleja: / *algunas hacen esto que hizo la corneja*» (286cd). El león goloso exige del caballo el besamanos en señal de vasallaje (298d); el lobo como alto dignatario en visita de inspección es invitado a cantar en la misa y a bautizar a los recién nacidos (776); ante la raposa mortecina desfilan varios gremios (1.415 ss.) que utilizan para sus prácticas distintas partes del animalejo. [...]

Ya es clásica la designación de «comedia humana» aplicada al *Libro*; por sus coplas desfilan retratados con concisión nada medieval todos los estados, todos los oficios, todas las condiciones: el «gran emperante», precedido de pendones de oro y seda, resplandeciente con su noble corona, su mucho séquito, su tienda suntuosa, el estrépito de sus juglares (1.242 ss.); el arzobispo en toda su vistosa dignidad: «Pues que el arzobispo bendicho y consagrado / de palio y de blago ['báculo'] y de mitra honrado» (1.149*ab*); el doctor (en teología) que guarda en fea letra su alto saber (18*b*) y acude a la disputación vestido de paños de gran valía (53*a*); el juez que nunca se sienta de balde (323*d*), que guiña el ojo al juego del dinero (499*d*), que no halla culpable al ladrón si le entrega buen presente (1.461) y le envía a la horca cuando no hay cohecho (1.464*d*), que se deja sobornar a competencia por las dos partes («Presentan al alcalde cuál salmón y cuál trucha, / cuál copa, cuál taza en poridad aducha; / ármanse zancadilla en esta falsa lucha», 342*bcd*), y que declara gravemente al dictar sentencia: «Dios ante los mis ojos y no ruego ni pecho» ['tributo'] (351*d*). Los caballeros son amigos de jugar con dados falseados, prontos en acudir a la paga y tardos en defender la frontera (1.253 ss.), según informa la clase social inmediatamente inferior, los hidalgos o escuderos, caracterizados a su vez como fanfarrones ruidosos (1.255*c*). El mercader artero (443*c*) y de palabra lisonjera (514*d*) se enzarza con el comprador en apasionado regateo (615) y descuida la casa por mejorar la hacienda en tierras lejanas (477*b*); el ladrón entra «de noche, a lo escuro» (1.192*a*), echa pan envenenado al perro guardián (175), se libra de la cárcel mientras tiene con qué sobornar al juez (1.462) y acaba su carrera consumando sus bodas con la horca (1.455*d*). Vemos desfilar también el matarife arremangado, cuchillo en mano, el cabello recogido en la cofia y vistiendo túnica blanca con largas cintas que ondean al viento como rabo de galgo (1.216 ss.); el labrador, cuya ciencia conoce tan menudamente el Arcipreste, que los motivos tomados del trabajo del campo, de la huerta, del molino, de la granja, de la viña, son demasiado extensos y numerosos para reproducirlos aquí; el juglar cazurro de tambor tan desacordado como rebuzno de asno (894 ss.); el juglar que con vanidad de artista cree su canto superior al de todos sus rivales (1.440), los que alegran la cena de don Carnal, como alegraban por los años del Arcipreste la de los reyes y grandes señores, y acuden adonde hay bodas (1.315*d*) y regocijos (1.243*d*) llenando los valles con el eco de sus músicas (1.245*d*); y un sinfín de oficios más.

2. Prodigiosamente dotado de intuición concreta, de talento para dar vida a los personajes y evocar la conversación menuda, Juan Ruiz puede crear una situación de apariencia dramática, pero no pue-

de estructurar dramáticamente una historia en sus varias peripecias, y tan cierto es esto que, cuando topa en el *Pamphilus* con una verdadera comedia, no la reconoce y la envuelve en narración. Su forma de enfrentar personajes es el debate, sin acción ni persuasión verdadera, bien que lo anima y varía con todo el vivaz atractivo de su arte. [...] El episodio de doña Endrina, por circunstancias externas tales como el escandalizar menos a los mojigatos que el galanteo monjil, el derivar de una fuente conocida y sus contactos con *La Celestina*, ha sido mucho más estudiado que el de doña Garoza (coplas 1.332-1.507), pero éste merece toda atención, pues constituye una muestra más independiente del arte del Arcipreste. Su ambiente no está sugerido menos concretamente que el de aquélla: en la primera plática, Trotaconventos menciona la dieta de agua, legumbres y pescado, las sayas de estameña, muestras de pobreza y austeridad conventual frente a los regalos del mundo (1.392 ss.); en la segunda, contrapone entre apiadada y burlona el tedio del convento —largos rezos, canto, lectura y riñas— al juego y risas del mundo (1.396 ss.), y una observación del narrador pinta con graciosa diferenciación el ansia con que monjas y frailes frívolos buscan respectivamente la distracción de locutorio y refectorio (1.399). La protagonista está trazada con la misma técnica que los restantes personajes del *Libro*, o sea, comienza por desprenderse de una situación general, como ilustración típica de una categoría humana, de acuerdo con el inherente didactismo de la obra, y se vivifica actuando, hasta casi rozar la individualización. Trotaconventos es al comienzo una de «estas trotaconventos» (441), una «destas que venden joyas» (699), pero después de introducirse vendiendo joyas en casa de doña Endrina y de trotar con sus mensajes por el convento de doña Garoza, entre otras empresas, recibe en el apasionado Planto y epitafio «una fe de vida», para usar la feliz expresión de don Américo Castro [1954]. Doña Endrina nace como la «dueña falaguera» que ha de ser piedra de toque de los castigos de don Amor (578), reuniendo todas las perfecciones de la dama ideal (581 ss.); pronto el desarrollo del relato la muestra menos linajuda, menos rica, menos retraída de lo que el paradigma asienta y con fisonomía mucho más concreta y animada. Análogamente, doña Garoza, que surge de la recomendación de la vieja de amar «alguna monja», de esas aficionadas al galanteo, a las golosinas y al buen vino (1.332 ss.), se perfila en sus pocas y breves actuaciones como un personaje de rasgos muy netos y muy distintos de los afirmados en su «definición» genética. Y, como en el caso de Trotaconventos y doña Endrina, también en el de doña Garoza (en árabe 'desposada'), el nombre significativo encierra la esencia del personaje: bajo la cubierta del nombre 'infiel' se esconde la fiel desposada del Señor; tras la apariencia de devaneo mundano, la conducta intachable; bajo el «hábito e velo prieto», la blanca rosa (1.500*b*).

Pues si Trotaconventos confirma, particularizándolos, los conceptos generales que le dan nacimiento, y si doña Endrina los modifica al particularizarlos, doña Garoza cobra existencia concreta desmintiéndolos en una línea quebrada de constantes sorpresas, que estructura el episodio en la forma más detenida y compleja del zigzagueo humorístico grato a Juan Ruiz. Dicha quebrada comienza en la copla 1.256, al presentar en general a las monjas como livianas y falsas, y rubricar la sátira encareciendo por boca del narrador su disolución, pues inmediatamente, cuando don Amor se queja en particular de las monjas toledanas, quedan éstas ensalzadas por su devoción, caridad y austeridad (1.307 ss.). Tras la aventura de la bella devota (1.321 ss.) —que en cierto modo sirve de preludio a la de doña Garoza—, Trotaconventos, escarmentada, aconseja amar «alguna monja», ya que su amor no se malogrará por casamiento o por indiscreción; apoya el consejo en un sarcástico panegírico de sus ventajas y habilidades (1.340 *cd*: «más saben e más valen sus moças cozineras / para el amor todo, que dueñas de sueras»), y se ofrece a abrir trato con una monja conocida suya. Como la bella devota, la monja entabla coloquio familiar con la vieja, pero el poeta advierte (1.347*a*): «era de buena vyda, non de fecho lyviano», y muy lejos de mostrarse fácil, según lo han hecho esperar las promesas de la medianera, inicia el largo debate por fábulas. Por otra parte —nuevo zigzag—, el tono amistoso de la monja y sus excusas (1.344-1.346, 1.368) inducen al lector, predispuesto por tanta copla satírica, a creer que sus resistencia no será cosa mayor, y lo confirma en tal presunción el que doña Garoza, como la frágil doña Endrina (764*d*), encargue a la mensajera volver luego. En la segunda visita, Trotaconventos, más osada, se mofa de la vida monjil y, como queda dicho, el autor intercala una copla maligna sobre frailes golosos y monjas galantes que es natural aplicar al caso particular en cuestión. Pero —primera sorpresa— doña Garoza responde mucho más re-suelta que la víspera (1.423), al punto de que la medianera se reduce a reclamar para su protegido no más del saludo que por cortesía no puede negarse ni a un «chato pastor» (1.452 cd, 1.480c). Doña Garoza pide entonces el retrato verbal del Arcipreste, y condesciende a hablarle, aunque no la primera y no a solas. Pero Trotaconventos sale de esta visita tan esperanzada como de la visita a la bella devota (cf. 1.328 y 1.394), y el poeta acumula versos que crean la impresión de que las prevenciones y dilaciones sólo servirán para realzar «la buena cima» (1.498d) de la conquista amorosa. La entrevista de los dos amantes comienza con un verso solemne (1.499a: «En el nombre de Dios fuy a misa de mañana», que a la luz de los siguientes parece irrisión sacrílega), con las breves notas descriptivas de la hermosa monja, con la piedad mundana por el sacrificio de su vocación, con el deseo destacado por la plena conciencia del pecador, por la formulación directa y triunfal del amor correspondido (1.499 ss.). Pero un vuelco súbito pone en salvo el primer verso de la entrevista, nada sacrílego en verdad: doña Garoza, la desposada del Señor, es tan fiel a Dios y tan respetada en consecuencia por su «mandado e leal amador», como la bella devota, una vez casada, se excusa y es excusada de su enamorado (1.330), y la anunciada «buena çima» es el «lynpio amor» (1.503c), de veras contraído «en nombre de Dios». Y, por último, un nuevo viraje vuelve a brindar una generalización burlona sobre las monjas, a tono con las ya señaladas y sobre todo en irónico contrapunto con el panegírico que encabeza el episodio. Ya se ve que lo distintivo de esta arquitectura es encaminar al lector en una dirección para sorprenderle inmediatamente con la opuesta, y en este caso, el más largo y elaborado de los que presenta el Libro, la sorpresa gira entre la categoría general y el personaje particular, cuya reacción la desmiente. Esta curiosa relación perdura en La Celestina y funciona allí como uno de los más delicados resortes en la creación de los caracteres.

Américo Castro

DON SANTOB DE CARRIÓN

Don Santob invadió con su lírica hispano-hebraica la literatura de Castilla, como poco antes el Arcipreste de Hita con su poesía de inspiración islámico-cristiana. Pero el Arcipreste aún necesitaba apoyarse en narraciones, descripciones o sucesos para disparar su impulso creador, mientras que don Santob nos da ya una realidad poética, con un sentimiento objetivado en ella y sin enlace con ningún humano suceso:

> Cuando es seca la rosa, que ya su sazón sale,
> queda el agua olorosa, rosada, que más vale.

Las rosas y las flores nunca antes fueron poetizadas por sí mismas; se alude a ellas en la *Razón de amor,* que no es castellana: «Otras tantas yerbas ý avía, / que sol'nombrar no las sabría»; o aparecen en Berceo como un fenómeno físico, elemental y sin acento humano: «Daban olor sobejo las flores bien olientes». Esta rosa de don Santob vive mientras muere, gracias a la esencia deslizante y migratoria que le infundió una imaginación oriental; nuestra melancólica simpatía la acompaña en su extinción, aunque por dicha su no ser vale más que su ser, y renace en seguida como invisible fragancia. El aspecto visible se ha desvanecido en olor, como un drama diminuto en torno al morir y al resurgir. Fue, por consiguiente, un judío el primero que tradujo a hermosas palabras castellanas una vivencia poética sin suceso y externo. Su rosa se limita a existir en un «hortus conclusus», lindo y chiquito, en donde conviven el sentimiento, que le presta realidad, la expresión de esa vivencia y nada más. [...]

La poesía hispano-hebrea era inseparable de la tradición musulmana en cuanto a temas y estilo, si bien la primera es más grave

Américo Castro, *España en su historia: cristianos, moros y judíos,* Losada, Buenos Aires, 1948, cap. 14; refundido en *La realidad histórica de España,* Porrúa, México, 1954, pp. 525-528, 530-531.

y más refrenada, y deja oír muy a menudo el eco profundo y solemne de la desesperación de Israel. Ciertos temas en la poesía de don Santob, son, sin embargo, claramente árabes. Con una segura audacia de que Juan Ruiz aún no era capaz, dice el judío palentino:

> En sueño una fermosa   [yo] besava una vegada,
> estando muy medrosa   de los de su posada;
> fallé boca sabrosa,   saliva muy temprada:
> non vi tan dulce cosa,   mas agra a la dexada (vs. 63-66).

En tiempo de Alonso el Onceno, un judío ya se atrevía a expresarse en el lenguaje de Castilla, lo que antes no fue posible: la amargura de no ser real lo gozado en sueños. El Arcipreste aún tenía que cerner púdicamente las salacidades de sus modelos musulmanes; Santob rompe por primera vez los diques que venían conteniendo los embates de aquella poesía. El enamorarse en sueños es uno de los temas de Ibn Ḥazm, el cual refiere cómo alguien se prendó en sueños de una muchacha esclava: «y al despertarme, noté que mi corazón se había ido tras ella». La alusión a la saliva prestaría un matiz libidinoso a una poesía occidental, antes y ahora; pero en la literatura árabe se trata de un lugar común perfectamente normal. [...]

Las virtudes más preciadas por Santob son de tipo intelectual y puramente mundanas: «Mesura, franqueza,   discrición y saber, / cordura e llaneza,   e vergüenza tener» (1.007-1.008). Por su estima de la inteligencia llega Santob a valorar la relación entre los hombres y a dar a sus *Proverbios* un aire de llano y suelto humanismo, sin parejo en la Castilla cristiana del siglo XIV: «Por ende no falleçe   plazer de conpañía / de sabios: siempre creçe   e va a mejoría. / Plaze a onbre con ellos,   e a ellos con él; / entiende él a ellos,   ellos tanbién a él. / Por eso la compaña   de amigo entendudo, / alegría tamaña   non pued aver en mundo» (1.015-1.020). Junto al hombre, válido por sí, aparece, por vez primera en español, el tema del hombre pesado o «latoso»: «Onbre que pesado es / ... a tal, nin por ruego,   non querría fablar, / cuanto más tras mi fuego   escuchar su parlar» (1.071-1.074). «Yo querría más yazer solo en la montaña ... a peligro de sierpes, / e non entre conpaña   de onbres pesados, torpes ... / Cierto es par de muerte   la soledad, mas tal / compañía y tan fuerte,   estar solo más val» (1.116-1.132). [...] Los versos de Santob son el único texto anterior al siglo xv con alguna referencia a temas filosóficos; pero el horizonte de este intelectual continuaba siendo el Oriente, y no la Europa cristiana: «La saeta lança   fasta un cierto fito, / e la letra alcança   de Burgos a Egipto / ... La saeta non llega   sinon al que es presente; / la escritura llega   tanbién al de Oriente» (943-950). Se confirma así la idea de que el hispano-judío se interesaba poco por la comunidad internacional cuyo verbo fue el latín, lo cual contribuía a reforzar el aislamiento y particularismo de la España cristiana. [...]

Como buen hispano-hebreo islamizado, no podía Santob dejar de mezclar algo de la misma persona con la abstracta moralidad de sus *Proverbios.* El poeta incluye en su moralizar la angustia y la incertidumbre de quien sabe estar escribiendo para lectores adversos, los cuales pondrán en cuestión la autoridad del sermoneador para dirigirse a ellos. Un cristiano no hubiera sentido la urgencia de justificarse:

Por nascer en el espino   la rosa, yo no siento
que pierde, nin el buen vino   por salir del sarmiento.
Non val el açor menos   por nascer en vil nío,
nin los enxenplos buenos   por los dezir judío (137-140).

Actitud defensiva de un preocupado; es curioso que fuera esta estrofa personal, del azor y el nido, la única que recordara el Marqués de Santillana al mencionar a don Santob en su célebre carta histórico-literaria. El judío sentía ejemplificarse en su misma vida el conflicto entre la conciencia de su valía y la resistencia social a reconocerla; tal inquietud fomentaba el sentimiento puntilloso de la honra y del hidalguismo. Santob es el primer español, nótese bien, que habla del escozor de quien se siente mal colocado entre sus projimos:

Tres viven, yo diría,   *en cuydado profundo,*
de los que más debría   dolerse todo el mundo.
Fidalgo que mester   ha al hombre villano,
e con mengua, meter   se viene so su mano;
—¡*fidalgo de natura,*   usado de franqueza,
e trajol la ventura   a mano de vileza!—
E *justo* que, mandado   de señor torticerc,
ha de fazer forçado;   e el otro tercero:

Sabio que ha por premia   de servir señor nescio;
toda otra lazeria   ante ésta non ha prescio (797-806).

Del ánimo de los hispano-hebreos brotó, por vez primera, la expresión del sentimiento de la «negra honra» y la violenta crítica social, fundidas en la eterna figura del Escudero del *Lazarillo,* obra también de un judío. Ningún cristiano, en los siglos XIV y XV, experimentó la necesidad de hurgar en semejantes resquemores ni de escribir como Santob en los pasajes citados, de acuerdo, por otra parte, con cuanto ya conocemos sobre la importancia concedida en las aljamas a la limpieza de sangre y al honor identificado con la opinión.

JACQUES JOSET

LA COMPOSICIÓN DEL *RIMADO DE PALACIO*: ESCRITURA Y POLÍTICA EN PERO LÓPEZ DE AYALA

La lectura del *Libro rimado del palaçio* enseña, de inmediato, una ley de composición básica, que es la alternancia entre *experiencia* y *doctrina.* Del lado de la *experiencia,* colocaremos los *exempla* y los trozos de forma autobiográfica, sin pronunciarnos sobre el carácter real o ficticio de éstos. El conjunto doctrinal viene formado por toda clase de consejos generales, de sermones dirigidos a todos, de sentencias y glosas de éstas. Dicha estructura alternativa es perfectamente visible en la «primera parte» del *Libro* (1-921) y se sobrepone a la secuencia 'confesión de los pecados' — 'acusación contra la sociedad', justificada a su vez por la sentencia: «mas quien quiere corregir a otro de sofrimiento / primero en sí mesmo deve poner escarmiento» (1.010*cd*). La ley de alternancia *experiencia-doctrina* se verifica al nivel global de la obra. En efecto, las coplas 1-921 corresponden, globalmente, al informe que da un hombre so-

Jacques Joset, ed., P. López de Ayala, *Libro rimado de palacio,* Alhambra, Madrid, 1978, vol. I, pp. 23-29.

bre su vida, y las coplas 922 y siguientes, [dedicadas a la adaptación de los *Morales* de San Gregorio, bello comentario al Libro de Job], corresponden a la doctrina fundada en la experiencia. La exposición del cuerpo doctrinal sigue al discurso autobiográfico no sólo en el orden de composición, sino también en la cronología vital del autor: «Quando yo algunt tienpo m' fallo más espaçiado, / busco por dónde lea algunt libro notado» (922*ab*). El orden de la secuencia se ciñe, pues, al curso de la vida de Ayala, hombre de acción primero, y luego, ya viejo, hombre de meditación. Literariamente, el proceso no ofrece sino ventajas: el poeta llama primero la atención del lector mediante un discurso muy vivo, animado y de tono personal, antes de pronunciar un sermón más pesado.

Ahora bien, la doctrina que, *a posteriori*, justifica la experiencia realza la omnipotencia divina y la sumisión del hombre a los decretos del Señor. La traducción político-social del mensaje de Job es clara: el gobernado ha de someterse al gobernante sin discusión. Pero como el gobernante es hombre, tendrá que actuar dentro de los límites de las leyes divinas. Esta doctrina, que hoy llamaríamos reaccionaria y que quizá lo fuera ya para algunos contemporáneos de Ayala, recomienda la paciencia a los gobernados y la humildad cristiana a los gobernantes.

«Paciencia» es una palabra clave de la historia de Job. Es también el concepto que une experiencia y doctrina en el *Libro rimado del palaçio*. Lo dice, con insistencia, el mismo poeta, al principio de su versión de los *Morales*: «Ca segunt que ya dixe, non se puede mostrar / la su grant paçïençia salvo en su logar, / quando quexas e males a omne van tentar, / ca en la buena andança non se sabe el pesar» (930). [...] Don Pero López da a entender que, así como fue paciente Job el miserable, él mismo tuvo que practicar esta virtud en las «tribulaciones» de su vida, por ejemplo, cuando estuvo encarcelado. También en la felicidad Ayala tiene la misma actitud que Job. Dice aquél: «Non podría yo atanto a Dios agradesçer / quantos bienes resçibo sin yo lo meresçer» (923*ab*). Y Job: «'Bendicho', dixo, 'sea el tu nombre, Señor: / Tú me lo diste todo, sin ser meresçedor'» (938*ab*). [...] El canciller tiende, pues, a asimilarse a Job, convirtiéndolo en ideal de vida cristiana. Job es el modelo y Pero López el que lo copia. Poco importa si en su vida real el canciller no fue, según parece, un Job reencarnado. Lo que más nos interesa es la plasmación literaria de su sueño, las similitudes que uno establece entre su vida reescrita y la del héroe que quiere imitar, las relaciones entre experiencia y doctrina y las justificaciones de aquélla por ésta. [...] Así, pues, el *Libro rimado del palaçio* es una obra orgánica que posee una «unidad» profunda. No, por supuesto, ese tipo de organización literaria que responde a normas clásicas, sino a un modo de pensar típicamente medieval.

Para tratar de entender mejor este pensamiento, y dada la índole «comprometida» de la poesía de Ayala, es útil situarlo en su contorno histórico inmediato. Ya la sencilla biografía del canciller, por estar estrechamente vinculada con la historia de España, es fuente de información; pero esta vida, a su vez, se inscribe en un marco más amplio que quisiéramos esbozar, siquiera a grandes rasgos. La época del canciller es, en realidad, un episodio bien negro de la historia de España. Se sitúa, más o menos, entre la epidemia de peste de 1348 y la crisis económica que empieza hacia 1380. El relato de su vida pública está determinado por tres acontecimientos catastróficos para España y Europa: las guerras civiles, la intervención de Castilla en la guerra de los Cien Años y el cisma de la Iglesia. La victoria de los Trastámaras no significa la paz civil. Durante los reinados de Enrique II y Juan I, dos partidos nobiliarios se enfrentan. El premio de la lucha entre la nobleza de sangre real y la nobleza nueva, generalmente originaria del norte de la península, es el poder central. Enrique III escoge su bando y, a partir de 1395, deja campo abierto a los nobles que, efectivamente, ocupaban los puestos administrativos. Pero López forma parte de la clase ascendente. Su nombramiento como canciller mayor, en 1398, es muy simbólico de la victoria de la nueva nobleza. La economía castellana del siglo XIV es esencialmente ganadera y se caracteriza por la expansión de la mesta. El desarrollo de los puertos cantábricos, el único elemento positivo en este panorama, no impide las dificultades económicas de finales de siglo, que en 1391 provocaron las matanzas de judíos en toda la península.

Crisis política y social, crisis de la sociedad europea, crisis religiosa, crisis económica y monetaria, crisis racial, nada falta, ni siquiera la crisis institucional que supone el cambio de una monarquía legítima por otra, desde el principio, usurpadora. En medio de estas tremendas dificultades, unos cuantos individuos tratan de afirmar su personalidad en tanto miembros de una clase social y en tanto *yo* dentro de la misma. Así, Pero López de Ayala escoge dos caminos de salvación, el camino de la política activa y el de la escritura.

Por la escritura, toma conciencia el canciller de su situación en el mundo y, en ella, define sus responsabilidades con la sociedad. La experiencia justifica la escritura y ésta implica la confesión de los pecados sociales, por más que el *yo* que habla no sea realmente autobiográfico, sino representativo de toda una clase: «e puedo fablar en esto, ca en ello tove que ver» (354*d*); «Por los nuestros pecados en esto fallesçemos: / los que cargo de justiçia en algunt logar tenemos, / si algunt tienpo acaesçe que alguno enforquemos, / esto es porque es pobre o que loados seremos» (350). Escindido entre el ideal que le propone su modelo Job y las necesidades que le impone su pertenencia a cierto sector activista de la nobleza, no puede Ayala sino expresar su malestar, que, si bien se concreta en las fórmulas tópicas del menosprecio de corte, ha de tomarse en serio: «Grant tienpo de mi vida pasé mal despendiendo / señores terrenales con grant cura serviendo; / agora ya lo veo e lo vo entendiendo / que quien ý más trabaja más [se] irá perdiendo» (423). [...]

Sumergido en el mundo y acosado por él, López de Ayala se ve obligado a forjarse una doctrina política. Aquí está la gran paradoja: este hombre, que se aprovechó con el cambio de dinastía y que pertenece a la clase social en ascensión, recurre a los conceptos más tradicionales del poder, acude a las *Partidas* y al *De regimine principum* de Egidio Romano, y entresaca sentencias políticas del comentario gregoriano al Libro de Job, subrayando, cada vez que puede, su carácter conservador. Tal contradicción nos enseña, en todo caso, la prudencia cuando nos acercamos a los textos con criterio sociológico. En realidad, si no fundó el canciller un ideario político nuevo, es que no podía, no tanto por falta de recursos intelectuales, sino por el peso de la tradición anterior que impedía cualquier búsqueda en este campo. Y, quizá, porque, inconscientemente, sentía el canciller que una nueva ideología no podía sino volverse contra la nueva clase en el poder.

De ahí que los conceptos más trillados del pensamiento político de aquellos tiempos reaparezcan, con insistencia, en el *Libro rimado del palaçio*. Así, el de *mesura*, verdadero eje de la ética medieval: «Buena es la mesura e el buen atenpramiento, / ca si uno subió alto, cayeron más de çiento, / por ende en privança se guarde con buen tiento, / ca el amor de señores mudable es como viento»

(684). O bien la reiteración obsesiva del tema de la *justicia*, campo reservado a la clase pudiente y misión primordial del rey, según todos los tratados políticos de la Edad Media: «Si los que justiçia han en el regno de usar / non fuesen poderosos nin toviesen logar, / non avría escarmiento, ni s' querrían guardar / los malos de los yerros en que quieren pecar» (593). De ahí, también, la mirada lúcida del canciller sobre los estamentos sociales que no se conforman con los preceptos del ideario político. Ataca a todos, hasta a los caballeros y al clero, hasta al mismo rey. Se trata de los trozos satíricos del *Libro rimado del palaçio*, probablemente los más conocidos y comentados de la obra poética de Ayala, aunque, para entenderlos bien, no conviene aislarlos, sino ubicarlos en el contexto de *experiencia* y *doctrina* que delineamos.

7. EL ROMANCERO

La mayoría de los países de Europa ha tenido una floreciente tradición de *baladas* (es decir, 'breves cantares lírico-narrativos, con frecuencia de estructura estrófica'), y en algunos todavía sobreviven baladas orales, aunque la sociedad urbana, los medios de comunicación de masas y la educación moderna probablemente contribuirán a hacerlas desaparecer en un futuro no muy lejano. La tradición romanceril hispánica es poco común por su calidad, su amplia aceptación social, su larga vida y su influencia en otros géneros literarios. Con todo, se trata de una diferencia de grado, no de género: no debemos olvidar que el romancero hispánico es el ejemplo supremo de un fenómeno de ámbito europeo.

Los romances viejos fueron compuestos y difundidos oralmente, de modo que resulta arduo fijar su cronología. Es fácil clasificarlos en tres grandes grupos: *históricos* (nacidos directamente al arrimo de un suceso histórico), *épicos* y *literarios* (procedentes de un cantar de gesta o de otra fuente ya elaborada literariamente, aunque versen sobre algún motivo con realidad histórica) y *novelescos* o *de aventuras* (a menudo vinculados a un inmenso repertorio internacional de leyendas y relatos emocionantes). Pero sólo el primer grupo ofrece elementos para la datación. Como los romances históricos tienen un propósito inmediato —por lo general político—, hay que suponer que se compusieron justamente al calor del hecho histórico a que se refieren; el más antiguo que se conserva trata de la rebelión del prior Fernán Rodríguez en 1328. Las guerras civiles de mediados del siglo XIV dieron lugar a una serie de romances propagandísticos; ésa es también la época en que parece iniciarse otro gran linaje de romances históricos, los *fronterizos*: el suceso más temprano que se toca en éstos es el sitio de Baeza (1368), pero en general nos llevan al siglo XV. Los romances literarios y novelescos normalmente no pueden fecharse de igual manera. Es probable, pues, que no lleguemos a saber nunca si los primeros romances españoles derivaron de la épica y ofrecieron así un modelo para los históricos y después para los novelescos, o si en verdad los primeros son los romances históricos del siglo XIV. La métrica del romance está sin duda muy próxima a la de la épica (versos asonantes de dieciséis sílabas, con cesura muy clara, que los resuelve en dos octosílabos; algunos de los primeros romances tienen más de una asonancia). Ello indica verosímilmente el origen épico de la forma, pero no ocurre necesariamente lo mismo con el contenido.

Con escasas excepciones, los romances no aparecen por escrito hasta la segunda mitad del siglo XV, cuando los poetas cortesanos comenzaron a interesarse por este género popular. En el XVI se publican amplias colecciones, los *cancioneros de romances,* que fueron hasta hace poco la fuente principal para el conocimiento de la tradición romanceril hispánica. Muchos textos parecen haber sido abreviados a fines del siglo XV y en el XVI, a causa de los cambios producidos en las modas musicales (y quizá también en el gusto poético: durante algún tiempo, la brevedad fue el ideal estético de los círculos cortesanos) e incluso a causa de las conveniencias prácticas de los impresores. Tal hecho tuvo a menudo como resultado un incremento de la calidad poética; Menéndez Pidal habla del «saber callar a tiempo». El estilo de los romances fue cambiando de modo gradual, si bien no lo suficiente como para justificar, a este respecto, la habitual distinción entre *romances viejos y romances juglarescos.* A finales del siglo XVI, sin embargo, era obvio que se había producido un cambio fundamental e irreversible: con el *romancero nuevo* terminaba el período 'clásico' del romance tradicional, y en buena medida se separaban los caminos de lo culto y lo popular.[1] Los poetas cultos se apoderaron de la forma del romance para sus propios propósitos, componiendo *romances artísticos* que jamás podrían confundirse con los tradicionales (Góngora, Quevedo, Rivas, García Lorca), mientras el pueblo, especialmente en las zonas rurales, continuaba cantando los romances viejos. Esta continua tradición oral, que nos transmite muchas variantes de romances de los siglos XV y XVI, se encuentra no sólo en la Península Ibérica, sino también en Hispanoamérica, las islas del Atlántico y las comunidades sefardíes dispersas por cuatro continentes.

Sumamente valiosa fue la tarea de recogida y estudio de los romances realizada en el siglo XIX por Manuel Milá y Fontanals, Menéndez Pelayo y los investigadores alemanes Ferdinand Joseph Wolf y Conrad Hofmann. Pero el estudio moderno del romancero comenzó en 1900, en Burgo de Osma, cuando Ramón Menéndez Pidal y su esposa doña María Goyri, en viaje de novios, escucharon a una lavandera cantar el romance de la *Muerte del príncipe don Juan,* compuesto en 1497 y

---

1. Para el *romancero nuevo,* véase *Historia y crítica de la literatura española,* II, 10, y III, *s.v.*

cuya existencia se desconocía. El descubrimiento de que la tradición oral seguía viva en Castilla impulsó un esfuerzo inmediato y sostenido para recoger el mayor número posible de textos, y la investigación traspasó pronto los límites de la Península. El otro gran hallazgo hecho después fue que los judíos sefardíes, descendientes de los desterrados de España en 1492 y de los conversos refugiados después, guardaban un espléndido tesoro de romances de la época de la expulsión (una buena antología de propósito divulgador se debe a M. Alvar [1966]). Los romances sefardíes son notables tanto por su conservadurismo (mantienen, así, *El conde Arnaldos* en su forma extensa) como por los cambios que al propio tiempo introducen, no sólo lingüísticos, sino también ideológicos: por ejemplo, para eliminar los elementos cristianos (Armistead y Silverman [1965]).

Don Ramón y sus colaboradores recogieron muchos miles de textos, la mayor parte de los cuales, depositada en el Archivo Menéndez Pidal de Madrid, espera aún la publicación. Sobre el contenido del Archivo proporcionan información útil Samuel G. Armistead, respecto al material sefardí, y Diego Catalán, para el peninsular (*Coloquio*, pp. 23-30 y 85-94). Por otro lado, Armistead [1977], gracias a su magnífico catálogo, ha hecho accesible por primera vez todo el contenido de la sección sefardí. Tomándolos de manuscritos y de raros impresos, Armistead y Silverman han publicado muchos romances sefardíes de los Balkanes [1971a; 1971b] y del Egeo [1962], tradición extinguida en su forma oral a raíz de las matanzas de la Segunda Guerra Mundial; a los textos acompañan importantes estudios, incluyendo un valiosísimo elemento, demasiado desatendido comúnmente en las investigaciones sobre el romancero español: índices de motivos folklóricos. Silverman (*Coloquio*, pp. 31-38) presenta algunas de las investigaciones conducentes a la formación de ésas y futuras colecciones; para Andalucía una labor semejante corresponde a Manuel Alvar (*ibid.*, pp. 95-116), cuya larga atención al romancero culmina por ahora en un sugestivo volumen misceláneo [1970]. Una de las pocas colecciones que puede rivalizar con los volúmenes sefardíes de Armistead-Silverman en riqueza de material, si no en aparato científico, es la de los romances orales de Canarias (Catalán [1969b]). Particularmente valiosa y bien comentada es asimismo la serie de romances judeo-españoles recogidos en Marruecos por Bénichou [1968b].

Hacia el final de la vida de Menéndez Pidal, el seminario fundado en honor suyo en la Universidad de Madrid comenzó a publicar, bajo el título general de *Romancero tradicional* (Menéndez Pidal y otros [1957 ss.]), los textos que don Ramón y su mujer habían recopilado durante más de medio siglo, complementándolos con ayuda de otras fuentes. Los dos primeros volúmenes incluían principalmente piezas tradicionales conocidas por textos de los siglos xv y xvi, agregándoles otros antiguos romances cultos de tema similar; pero desde el tercer tomo entraron largamente los textos orales modernos, que dan una extraordinaria envergadura a los volúmenes dedicados a los romances de tema odiseico (vols. 3-5), de *Gerineldo* (6-8), *La dama y el pastor* (10-11) y de tipo rústico (9). Esta serie, en que trabajan equipos de jóvenes investigadores españoles y norteamericanos bajo la dirección de Diego Catalán, constituye ya la obra básica e indispensable para los textos del romancero.

Los trabajos realizados durante los últimos veinticinco años han modificado algunas de las conclusiones a que se llegaba en las dos obras clásicas sobre el romancero, la de Entwistle [1939] y la de Menéndez Pidal [1953], las cuales, pese a todo, continúan siendo puntos de partida esenciales. El libro de Entwistle examinó las características generales de la balada europea en su conjunto, situando la tradición española en ese marco, mientras que el tratado sistemático de Menéndez Pidal trazó la historia del género en el ámbito hispánico, señalando sus rasgos distintivos (cf. también Horrent [1970]). Sólo teniendo en cuenta la tarea de ambos investigadores se hace posible llegar a un punto de vista equilibrado (como el de Di Stefano [1973] en la introducción a su excelente antología; otra buena selección, muy amplia y anotada, se debe a Alcina Franch [1969]). El panorama de la historia temprana del romancero que dio Menéndez Pidal (vid. también el volumen póstumo [1973] de sus escritos al respecto) ha sido ampliado y modificado por Catalán [1969a], que ha demostrado la existencia de romances históricos en el primer tercio del siglo xiv y descubierto restos de algunos a favor de Pedro el Cruel durante la guerra civil con Enrique de Trastámara. Digna de reseña es también la aportación de MacKay [1976], quien, utilizando sus conocimientos históricos, aclara el trasfondo social de los romances fronterizos y de su público originario.

Siempre se ha admitido que el romance es un género fundamentalmente oral: oral en gran parte de su transmisión y oral —al menos en las primeras etapas— en su composición. Se presta, pues, particularmente a ser analizado desde la perspectiva del estilo formular, siguiendo el camino trazado por Milman Parry y Albert B. Lord para la épica (véase capítulo 3). Webber [1951] ofreció un prometedor arranque, continuado más lentamente por otros investigadores. El siguiente paso considerable lo dio Beatie [1964] al examinar la composición formular-oral de los romances carolingios del siglo xvi, con resultados tanto más llamativos cuanto que Menéndez Pidal opinaba que esos romances juglarescos se compusieron por escrito. Los hallazgos de Beatie fueron confirmados (tácitamente) por Ochrymowycz [1975], esfumándose así una de las razones básicas para distinguir firmemente los romances *viejos* de los *juglarescos*. Por otra parte, Norton y Wilson [1969] muestran que algunos de los cambios entre los varios textos de un mismo romance, atribuidos por Menéndez Pidal a la transmisión oral, son en verdad el resultado de la necesidad tipográfica de incluir los romances en el espacio de un pliego suelto (las observaciones de Norton y Wilson están formuladas de modo muy cauto, pero sus implicaciones se expresan más rotundamente en la reseña de Keith Whinnom, *Bulletin of Hispanic Studies*, XLVII, 1970, pp. 150-153). La interacción de la tradición oral y de la escrita, que ya cabe contemplar como un rasgo fundamental de la épica española medieval, parece ser también de importancia en el romancero: tal conclusión está sólidamente avalada, en especial, por las exhaustivas exploraciones bibliográficas de Rodríguez-Moñino [1970, 1973], el primero en llamar la atención sobre el papel vital de la imprenta en la pervivencia de la poesía en la memoria del pueblo.

Además de sus rasgos formulares, han sido estudiados varios otros aspectos estilísticos del romancero. Lapesa [1964] coteja magistralmente la lengua de las gestas con la de los romances de tema épico; Catalán [1970-1971] insiste en el equilibrio entre memoria e improvisación; Miletich [1974-1975] recoge el interés de Entwistle por el comparatismo y le da un nuevo giro con el análisis de las repeticiones y otros recursos dilatorios en romances españoles y en baladas eslavas. La cuestión de los tiempos fluctuantes, tan intrigante en el romancero como en la epopeya (véase arriba, pp. 91, 116), es tratada de modo inteligente por Szertics [1967], Sandmann [1974] y Chevalier [1971], este último basándose en tres textos que estudia en detalle. Al conocimiento de la métrica del romancero ha hecho una contribución sustancial Navarro Tomás [1973] al clasificar las modalidades del octosílabo.

Sólo en los últimos tiempos se ha desarrollado de modo sistemático la crítica específicamente literaria del romancero. Quizá la aportación más importante hasta ahora sea la de Bénichou [1968a], que analiza textos antiguos y modernos como poemas con plenitud de derechos. Dos de los capítulos más extensos y logrados de su libro están dedicados a romances que también han atraído la atención de otros críticos: *Abenámar* (pp. 61-92; véase Spitzer [1945]) y *Helo, helo, por do viene*, sobre la huida de Búcar perseguido por el Cid (pp. 125-159; véase Di Stefano [1967] y [1973], pp. 87, 360-368; Horrent [1973]). Catalán [1970], como Bénichou, contrasta críticamente los textos antiguos y los modernos, y se ocupa también de ciertas adaptaciones cultas de romances tradicionales. Wilson [1958] trata con gran finura y don evocador los temas trágicos del romancero, y Smith [1972] muestra que los romances viejos distan mucho de ser tan severamente virtuosos como sostiene la crítica española tradicional. En cuanto a romances concretos, quizá sea *El conde* (o *infante*) *Arnaldos* el que haya recibido más atención (vid. Huber [1968]), aunque con frecuencia excesivamente aplicada a probar tal o cual tesis: Spitzer [1955-1956] investiga su trasfondo folklórico; Hauf y Aguirre [1969] amplían tal enfoque para dilucidar su simbolismo erótico (con lo cual dan algún apoyo a Smith); Hart [1957], de modo no forzosamente incompatible con los citados artículos, propone una interpretación religiosa de la versión más extensa del romance (que ha sobrevivido únicamente en la tradición sefardí). M. R. Lida [1941] comenta con elegancia y erudición la trayectoria de *La misa de amor*, y a Eugenio Asensio [1954] se debe una magistral ilustración de cómo en *Fontefrida* convergen diversos elementos de abolengo principalmente lírico. En *Moraima* y *El prisionero*, Aguirre [1972] analiza los aspectos folklóricos y simbólicos que Hauf y él mismo habían asediado en *El conde Arnaldos*, y utiliza las glosas de los poetas cancioneriles de fines del siglo xv para confirmar sus interpretaciones. En polémica con el «método geográfico» pidaliano (cf. M. Pidal, Catalán, Galmés [1954]), Devoto busca el «contenido latente» y los arquetipos colectivos perdurables en las varias recreaciones de los romances, y ofrece, por ejemplo, fascinantes interpretaciones de *A cazar va el caballero* [1960]. El libro de Mancini sobre *El conde Alarcos* [1959] se ocupa del tema, estilo y relación de la pieza con los libros de caballerías. Entwistle [1941, 1950] estudia las versiones antiguas y modernas de *El conde Dirlos*, así como de sus análogos extranjeros, y demuestra la dependencia última del romance con respecto a la *Odisea*. Dronke [1977] escudriña sagazmente los precedentes y la singularidad de *Gaiferos*; De Chasca [1955] traza un análisis formal de *Álora la bien cercada*; Avalle-Arce [1966] esclarece hábilmente los romances de Bernal Francés, histórico capitán de los Reyes Católicos; Horrent [1974, pp. 157-194] define con exactitud la posición de *En Santa Gadea de Burgos* respecto al ciclo épico del Cid, mientras Cummins [1970] estudia la evolución poética de un romance en la tradición de la gesta de *Los siete infantes de Lara*. Los mencionados no son, en modo alguno, los únicos ensayos críticos sobre romances concretos, pero sin duda se cuentan entre los mejores y de más seguro valor metodológico.

El descubrimiento en la tradición oral de muchas nuevas variantes de los romances conocidos, en coincidencia con la aparición de pujantes escuelas críticas, constituye un desafío de importancia considerable para los estudiosos del romancero. ¿Hasta qué punto es posible aplicar las técnicas de la poética a un abanico tal de variantes? ¿Es posible hacer generalizaciones críticas válidas acerca del romancero oral a partir de una serie de estudios de detalle? Tales problemas y otros más subyacen o, a veces, son tratados frontalmente en la obra de Catalán [cf., por ejemplo, 1970, y el importante trabajo de 1978] y en varias ponencias presentadas en el I Coloquio Internacional sobre el romancero oral: Catalán esboza un panorama de la crítica reciente y trata del proceso de la creación poética (*Coloquio*, pp. 153-166 y 181-206); Petersen informa de un intento de fijar principios estructurales (*ibid.*, pp. 167-180); A. Sánchez Romeralo se ocupa de las conexiones existentes entre el romance y la tradición lírica (*ibid.*, pp. 207-232), asunto considerado más por largo en el libro de Díaz Roig [1976]; Di Stefano, en fin, hace una juiciosa reseña de los problemas planteados en las ponencias del Coloquio (*ibid.*, pp. 277-296).

Una tendencia notoria desde la celebración del mencionado Coloquio, en 1971, es la de utilizar cada vez más las computadoras para la clasificación de las variantes y las familias de textos, que después son sometidos a un detallado análisis semiótico por los investigadores que trabajan bajo la dirección de Catalán. El sistema ofrece ventajas, pero también peligros: el análisis detallado de cada uno de los miles de textos manejados puede ser tarea tan larga y abrumadora, que acabe por canalizar todos los recursos disponibles hacia una empresa en última instancia estéril. Sin embargo, quizás este punto de vista sea demasiado pesimista, y desde luego es cierto que el proyecto romanceril del Seminario Menéndez Pidal, dirigido por Catalán, ha dado ya frutos de enorme importancia. En efecto, Catalán, como Armistead, es una de las grandes figuras en la moderna investigación del romancero. En cualquier caso, mucho queda por hacer: es preciso catalogar el material no sefardí del Archivo Menéndez Pidal; la tarea de recoger romances de la moribunda tradición oral no sólo no ha terminado, sino que cada vez es más urgente; muchos de los romances más importantes esperan todavía un estudio literario adecuado; es necesario explorar más y más los contactos que existen entre el romancero y la tradición lírica; es posible, en fin, que el problema de la cronología pueda ser parcialmente resuelto gracias a nuevos descubrimientos.

BIBLIOGRAFÍA

Aguirre, J. M., «Moraima y el prisionero», en *Studies of the Spanish and Portuguese Ballad,* ed. N. D. Shergold, Tamesis, Londres, 1972, pp. 53-72.

Alcina Franch, Juan, ed., *Romancero antiguo,* Juventud, Barcelona, 1969, 2 vols.

Alvar, Manuel, ed., *Poesía tradicional de los judíos españoles,* Porrúa («Sepan cuantos...», 43), México, 1966.

—, *El Romancero. Tradicionalidad y pervivencia,* Planeta, Barcelona, 1970.

Armistead, Samuel G., *El romancero judeo-español en el Archivo Menéndez*

Pidal (*Catálogo-índice de romances y canciones*), Cátedra-Seminario Menéndez Pidal, Madrid, 1977, 3 vols.

— y Joseph H. Silverman, eds., *Diez romances hispánicos en un manuscrito sefardí de la Isla de Rodas*, Istituto di Letteratura Spagnola e Ispano-Americana dell'Università (Pubblicazioni, III), Pisa, 1962.

— —, «Christian elements and de-christianization in the Sephardic *Romancero*», en *Collected studies in honour of Américo Castro's eightieth year*, Lincombe Lodge Research Library, Oxford, 1965, pp. 21-38.

— —, eds., *The Judeo-Spanish chapbooks of Yacob Abraham Yoná*, University of California Press (Folk Literature of the Sephardic Jews, I), Berkeley, 1971.

— — y Biljana Šljivić-Šimšić, eds., *Judeo-Spanish ballads from Bosnia*, University of Pennsylvania (Publications in Folklore and Folklife, IV), Filadelfia, 1971.

Asensio, Eugenio, «*Fonte frida*, o encuentro del romance con la canción de mayo», *Nueva Revista de Filología Hispánica*, VIII (1954), pp. 365-388; revisado en *Poética y realidad en el cancionero peninsular de la Edad Media*, Gredos, Madrid, 1957, pp. 241-277.

Avalle-Arce, Juan Bautista, «Bernal Francés y su romance», *Anuario de Estudios Medievales*, III (1966), pp. 327-391; revisado en *Temas hispánicos medievales*, Gredos, Madrid, 1974, pp. 135-232.

Beatie, Bruce A., «Oral-traditional composition in the Spanish *Romancero* of the sixteenth century», *Journal of the Folklore Institute*, I (1964), páginas 92-113.

Bénichou, Paul, *Creación poética en el romancero tradicional*, Gredos, Madrid, 1968.

—, *Romancero judeo-español de Marruecos*, Castalia, Madrid, 1968.

Catalán, Diego, *Siete siglos de romancero (historia y poesía)*, Gredos, Madrid, 1969.

—, ed., *La flor de la Marañuela: Romancero general de las Islas Canarias*, Seminario Menéndez Pidal y Gredos, Madrid, 1969, 2 vols.

—, *Por campos del romancero (Estudios sobre la tradición oral moderna)*, Gredos, Madrid, 1970.

—, «Memoria e invención en el Romancero de tradición oral», *Romance Philology*, XXIV (1970-1971), 1-25 y 441-463.

—, «Los modos de producción y 'reproducción' del texto literario y la noción de apertura», *Homenaje a Julio Caro Baroja*, Centro de Investigaciones Sociológicas, Madrid, 1978, pp. 245-270.

— y Samuel G. Armistead, eds., *El romancero en la tradición oral moderna: 1.er Coloquio Internacional*, Cátedra-Seminario Menéndez Pidal, Madrid, 1973.

Chevalier, Jean-Claude, «Architecture temporelle du *Romancero tradicional*», *Bulletin Hispanique*, LXXIII (1971), pp. 50-103.

Coloquio=Catalán y Armistead [1973].

Cummins, John G., «The creative process in the ballad 'Pártese el moro Alicante'», *Forum for Modern Language Studies*, VI (1970), pp. 368-381.

De Chasca, Edmund, «*Alora la bien cercada*: un romance modelo», en *Es-*

tructura y forma en «El poema de Mio Cid», State University of Iowa Press y Patria (State University of Iowa Studies in Spanish Language and Literature, IX), Iowa City y México, 1955, pp. 147-154.

Devoto, Daniel, «El mal cazador», en *Studia philologica. Homenaje ofrecido a Dámaso Alonso*, I, Gredos, Madrid, 1960, pp. 481-491.

Díaz Roig, Mercedes, *El Romancero y la lírica popular moderna*, El Colegio de México, México, 1976.

Di Stefano, Giuseppe, *Sincronia e diacronia nel Romanzero*, Università di Pisa, Pisa, 1967.

—, ed., *El Romancero*, Narcea, Madrid, 1973.

Dronke, P., «Waltharius-Gaiferos», en Ursula & Peter Dronke, *Barbara et antiquissima carmina*, Universidad Autónoma de Barcelona (Publicaciones del Seminario de Literatura Medieval y Humanística), Bellaterra, Barcelona, 1977, pp. 27-65.

Entwistle, William J., *European Balladry*, Clarendon, Oxford, 1939; 2.ª ed., 1951.

—, «El conde Dirlos», *Medium Aevum*, X (1941), pp. 1-14.

—, «La *Odisea*, fuente del romance del *Conde Dirlos*», en *Estudios dedicados a Menéndez Pidal*, I, CSIC, Madrid, 1950, pp. 265-273.

Hart, Thomas R., «El conde Arnaldos and the medieval scriptural tradition», *Modern Language Notes*, LXXII (1957), pp. 281-285.

Hauf, Alberto, y J. M. Aguirre, «El simbolismo mágico-erótico de *El infante Arnaldos*», *Romanische Forschungen*, LXXXI (1969), pp. 89-118.

Horrent, J., «Traits distinctifs du romancero espagnol», *Marche Romane*, XX (1970), pp. 29-38.

—, «Sur deux romances cidiens», *Marche Romane*, n.º spécial (1973), pp. 79-88.

—, *Historia y poesía en torno al «Cantar del Cid»*, Ariel (Letras e Ideas: Maior, 2), Barcelona, 1974.

Huber, Konrad, «Romance del *Conde Arnaldos*», *Vox Romanica*, XXVII (1968), pp. 138-160.

Lapesa, Rafael, «La lengua de la poesía épica en los cantares de gesta y en el Romancero viejo», *Anuario de Letras*, IV (1964), pp. 5-24; reimpr. en *De la Edad Media a nuestros días. Estudios de historia literaria*, Gredos, Madrid, 1967, pp. 9-28.

Lida [de Malkiel], M.ª Rosa, «El romance de la *Misa de amor*», *Revista de Filología Hispánica*, III (1941), pp. 24-42.

MacKay, Angus, «The ballad and the frontier in late mediaeval Spain», *Bulletin of Hispanic Studies*, LIII (1976), pp. 15-33.

Mancini, Guido, *La romanza del conde Alarcos: note per una interpretazione*, Goliardica (Studi e Testi, XVI), Pisa, 1959.

Menéndez Pidal, Ramón, *Romancero hispánico (Hispano-portugués, americano y sefardí). Teoría e historia*, Espasa-Calpe, Madrid, 1953, 2 vols.; 2.ª ed., 1968.

—, *Estudios sobre el Romancero*, Espasa-Calpe, Madrid, 1973.

—, D. Catalán y A. Galmés, *Cómo vive un romance. Dos ensayos sobre tradicionalidad*, CSIC (anejo LX de la *Revista de Filología Española*), Madrid, 1954.

Menéndez Pidal, Ramón y otros, eds., *Romancero tradicional de las lenguas hispánicas (español-portugués-catalán-sefardí)*. *Colección de textos y notas de María Goyri y R. Menéndez Pidal*, Seminario Menéndez Pidal y Gredos, Madrid, 1957 ss. (11 vols. publicados hasta 1978).

Miletich, John S., «Narrative style in Spanish and Slavic traditional narrative poetry: implications for the study of the Romance epic», *Olifant*, II (1974-1975), pp. 109-128.

Navarro Tomás, T., «El octosílabo y sus modalidades», en *Los poetas en sus versos*, Ariel (Letras e Ideas: Maior, 1), Barcelona, 1973.

Norton, F. J., y Edward M. Wilson, *Two Spanish verse chap-books: «Romance de Amadis» (c. 1515-19), «Juyzio hallado y trobado» (c. 1510): a facsimile edition with bibliographical and textual studies*, University Press, Cambridge, 1969.

Ochrymowycz, Orest R., *Aspects of oral style in the «Romances juglarescos» of the Carolingian Cycle*, University of Iowa (Studies in Spanish Language and Literature, XVII), Iowa City, 1975.

Rodríguez-Moñino, Antonio, *Diccionario bibliográfico de pliegos sueltos poéticos (siglo dieciséis)*, Castalia, Madrid, 1970.

—, *Manual bibliográfico de Cancioneros y Romanceros (siglo XVI)*, Castalia, Madrid, 1973, 2 vols.

Sandmann, Manfred, «La 'mezcla de los tiempos narrativos' en el Romancero viejo», *Romanistisches Jahrbuch*, XXV (1974), pp. 278-293.

Smith, C. C., «On the ethos of the *Romancero viejo*», en *Studies of the Spanish and Portuguese ballad*, ed. N. D. Shergold, Tamesis, Londres, 1972, pp. 5-24.

Spitzer, Leo, «El romance de *Abenámar*», *Asomante*, I (1945), pp. 7-29; reimpr. en *Sobre antigua poesía española*, Instituto de Literatura Española, Universidad de Buenos Aires (Monografías y Estudios, I), Buenos Aires, 1962, pp. 59-84, y en *Estilo y estructura en la literatura española*, Crítica (Filología, 7), Barcelona, 1979, I.

—, «The folkloristic pre-stage of the Spanish *romance Conde Arnaldos*», *Hispanic Review*, XXIII (1955), pp. 173-187; XXIV (1956), pp. 64-66; trad. cast. en *Sobre antigua poesía española*, pp. 85-103, y en *Estilo y estructura en la literatura española*, I.

Szertics, Joseph, *Tiempo y verbo en el romancero viejo*, Gredos, Madrid, 1967.

Webber, Ruth House, *Formulistic diction in the Spanish ballad*, University of California (Publications in Modern Philology, XXXIV, 2), Berkeley, 1951.

Wilson, Edward M., *Tragic themes in Spanish ballads*, Hispanic Council (Diamante, VIII), Londres, 1958; trad. cast. en su libro *Entre las jarchas y Cernuda. Constantes y variables en la poesía española*, Ariel (Letras e Ideas: Maior, 10), Barcelona, 1977, pp. 107-130.

Ramón Menéndez Pidal

EL ESTILO TRADICIONAL DEL ROMANCERO

Al ser asimilado por la colectividad un canto, la tradición poe-
tizante imprime en él sus caracteres específicos, que en los casos
de más feliz acierto podemos reducir a cuatro. *Esencialidad, intensidad.* El trabajo tradicional es una continua selección, comenzando
por la selección inicial, cuando el gusto popular escoge entre muchos
un canto, lo aprende y lo repite, sintiendo en él algo propio. Después, al repetirlo, va eliminando del texto primitivo las partes poco
afortunadas; tal vez añade algún rasgo que estima necesario; y en
esta busca de sencillez y viveza, el romance gana una esencial intensidad. [...] *Naturalidad.* En el continuo operar de las variantes
—selección incesable, aceptación, repulsa, retoque—, el canto poe-
mático llega a amoldarse a la más natural manera de la colectividad;
nada queda que no responda al modo expresivo de más espontánea
eficacia; ninguna artificiosidad que empañe la pura emoción. *Intuición; liricidad, dramatismo.* El estilo épico tradicional no gusta de
la narración trabada; tiende a una visión intuitiva, instantánea, inmediata. Cuando prolonga una relación de sucesos, desarticula sus partes con transiciones bruscas, pues suprime selectivamente todo lo
narrativo inesencial; introduce en cambio tonalidades líricas emotivas,
reiteraciones, enumeraciones simétricas, exclamaciones. Por eso desde
el siglo pasado se califica ese estilo narrativo de baladas o romances
con el adjetivo de «épico-lírico» o «lírico-épico». Verdad es que tam-

Ramón Menéndez Pidal, *Romancero hispánico (Hispano-portugués, americano y sefardí). Teoría e historia,* Espasa-Calpe, Madrid, 1953, I, pp. 59-61,
63-65, 69-72, 74-75, 77, 79.

bién las baladas manejan mucho el diálogo con otros recursos dramáticos, de modo que tanto pueden decirse impregnadas de dramatismo como de liricidad. Usan del uno y de la otra para sustituir la narración discursiva, propia de la épica, mediante una visión directa, rápida y viva, del suceso que tratan; por eso pudiéramos adoptar con ventaja la denominación de estilo «épico-intuitivo». [...] *Impersonalidad*; *arte intemporal*. Cuando el proceso asimilatorio llega felizmente a su término, el estilo se libera de cuantos elementos personales y ambientales lleva consigo la creación de todo autor. La poetización individual, siempre agitada, siempre revuelta entre la multitud de los accidentes particulares y efímeros propios del momento actual, se decanta límpida y pura bajo la acción sedimentadora de la tradición. Cualquier deseo de novedad se extingue. El poeta inicial y los refundidores sucesivos se desvanecen; toda personalidad de autor desaparece sumergida en la colectividad. El autor se llama Ninguno o Legión. [...]

Al dar breve idea del estilo romancístico, tomando como base la tradición antigua por más originaria y más original, observamos que [lo más corriente en los romances tradicionales viejos] es que la narración se anime y actualice mezclando buena parte de diálogo, sin que abarque una sucesión larga de sucesos, sino un evento único, aunque desenvuelto en incidentes varios, como el de *Todas las gentes dormían* (La linda Melisenda) o el de *Las bodas de doña Lambra*. [...]

En general, los romances que en las colecciones del siglo XVI desarrollan una acción larga, circunstanciada, con muchos incidentes, no son tradicionales, sino simplemente popularizados y de estilo juglaresco, enormemente largos algunos de ellos, como *El conde Claros* (412 octosílabos), *El conde Dirlos* (1.366 octosílabos), *El conde Alarcos* (428 octosílabos) y otros, después acortados considerablemente cuando llegaron a hacerse tradicionales. [...] En cambio, gozaban gran aprecio entre los colectores los romances-diálogo, en que la narración era suprimida y la escena o la situación se desarrollaba toda en forma de diálogo, una serie de discursos directos sin ningún verso de unión que advierta quién habla ni quién responde: *Buen conde Fernán González* (dos interlocuciones, 38 octosílabos); *Durandarte, Durandarte* (dos interlocuciones, 22 octosílabos); *Afuera, afuera Rodrigo* (cuatro interlocuciones, 34 versos); *Abenámar* (seis interlocuciones, 46 octosílabos). [...]

La escena o situación presentada en los romances tradicionales no se narra objetiva y discursivamente, sino que se actualiza ante los ojos. [Las descripciones son escasas (salvo en algunos romances fronterizos) y, en cambio, se tiende a actualizar los sucesos con recursos sugestivos ya utilizados en la épica: el apóstrofe encabezado con el verbo *ver* («Viérades moros y moras   todos huir al castillo»), la reiteración del adverbio demostrativo *he* («Helo, helo por do viene...») o la presentación con el adverbio *ya* («Ya cabalga Diego Ordóñez», «Ya se salen de Castilla»).] Pero el romancero no se limita a los procedimientos que hallamos usados en las gestas, sino que emplea otros muchos. Varios romances principian con la sensación recibida por el narrador, que se considera presente al suceso, usando la primera persona gramatical del verbo *ver* u *oír*: «Junto al muro de Zamora   vide un caballero erguido...» (Cerco de Zamora) [...] Abundan romances que ponen el relato en boca del protagonista y comienzan con el pronombre de primera persona: *Yo me partiera de Francia* (La Aparición); *Yo me era mora Moraima*; *Yo salí de la mi tierra* (Alfonso el Sabio). [...] Otras veces el comienzo consiste en el artificio de convertir la narración en apóstrofe impersonal, dirigido por el romance mismo al protagonista:

¡Cuán traidor eres, Marquillos,   cuán traidor de corazón!,
por dormir con tu señora   habías muerto a tu señor. [...]

El lugar de la acción es personificado mediante un apóstrofe con el que dan comienzo otros romances:

Alora, la bien cercada,   tú que estás en par del río,
cercóte el Adelantado   una mañana en domingo ...

Son romances fronterizos, para los cuales el lugar tiene especial valor afectivo. [...]
La principal diferencia entre la exposición épica y la épico-intuitiva consiste en que ésta, ejercitando la selección eliminadora, tiende a prescindir de preliminares, incidentes y desenlace, para destacar sólo una situación elegida, o una rápida serie de sucesos nuclearios. Se entra en materia sin exponer antecedentes de la acción, *in medias res*:

Con cartas sus mensajeros   el rey al Carpio envió;
Bernaldo, como es discreto,   de traición se receló;
las cartas echó en el suelo   y al mensajero habló ...

No se dice quién es el rey ni quién es Bernaldo, ni la causa del enojo de éste, y sólo fugazmente lo declaran las alusiones deslizadas en el resto del romance. El oyente antiguo podía suplir el conjunto inexpresado, pues recordaría la leyenda de Bernardo, que trágicamente consagra su vida hazañosa a lograr la libertad de su padre, sin conseguirla; pero si no recordaba nada de esto, basta la decisión de ese Bernaldo que sabe imponer mesura al rey injusto.

Puede olvidarse la leyenda que sirve de apoyo. El romance se basta a sí mismo; busca en su concisión la totalidad de su ser. No sólo se niega a dar antecedente ninguno de los personajes que presenta, sino que a veces ni nombre les quiere dar: «el infante vengador» (*Helo, helo*) que asombra con su venganza a la corte imperial, o bien «la niña» que atractiva y burlona juguetea con el tímido caballero (*De Francia partió la niña*), son protagonistas innominados, cuyo único nombre es su aventura. [...]

En otra ocasión he expuesto cómo el admirado romance del *Conde Arnaldos,* tenido con razón por prototipo superior de baladas, es una versión trunca, cuyo afortunado corte final fue ensayado por varios modos en diferentes versiones del siglo XVI; los colectores de entonces no [quisieron nunca recogerlo] en su versión completa, la cual sólo nos es conocida gracias a la tradición sefardí moderna. Esta versión entera, desechada por los romancistas antiguos, es, sin duda, un buen romance de aventura marítima, pero no alcanza la eficiencia poética que tan notablemente distingue a la versión trunca. En ella la simple fragmentación es un poderoso acto creador, desbordamiento de lirismo que infunde en los versos viejos una poesía nueva de incalculable virtualidad.

El fragmentismo en el romancero de los siglos XV y XVI, aparte su significación estética, es a la vez efecto histórico de la gran boga que precisamente entonces tenían los romances épico-nacionales y carolingios, donde se exponía una escena famosa, aislada de un vasto conjunto épico, y necesariamente incompleta, sin principio ni fin. Estos trozos famosos predisponían al público para gustar el éxito de la escena particular en sí misma, prescindiendo de antecedentes y complementos. [...]

El verismo, consustancial a la epopeya primitiva, va disminuyendo en el curso de las refundiciones sucesivas de los poemas antiguos, y en las partes más evolucionadas del romancero disminuye también, pero no en las más originarias. [...] La irrealidad, que da encanto al relato rápido y vivo de muchos romances, es por lo común simple ruptura de la habitual concatenación en los móviles humanos y en las contingencias con que ellos se enfrentan. Esto se ve con la mayor claridad comparado el relato bien trabado de un fragmento de gesta en la forma intuitiva de un romance heroico derivado; los cambios más violentos realizados en el romance no son sino huida de la pesada, insoportable, lógica narrativa, gusto de lo inmotivado, lo misterioso, lo fantástico. [...]

La principal figura retórica usada en el estilo tradicional es la repetición. El lirismo gusta remansarse reiterando sus efusiones. Esa reiteración, común a toda la lírica en general, es sin duda lo que más distingue el estilo épico-lírico de los romances respecto al estilo propiamente épico de las gestas. Como pormenor bien visible puede señalarse la repetición exclamativa [...]: «¡*Velá, velá*, veladores!...; *Afuera, afuera*, buen rey...; ¡*Macho rucio, macho rucio*, muermo te quiera matar!». (en el romance del Prior de San Juan). Muchos romances comienzan con una repetición así: *Afuera, afuera, Rodrigo*; *Compañero, compañero*; *Moro alcaide, Moro alcaide*; *Río Verde, Río Verde*, etc.; hasta cuando la repetición no es exclamativa, sino simplemente narrativa, caso bien notable:

> *A caza* iban, *a caza*,   los cazadores del rey,
> ni fallaban ellos caza,   ni fallaban qué traer ..

GIUSEPPE DI STEFANO

LOS TEMAS DEL ROMANCERO

Es extraordinaria la variedad de motivos que a través del género romancístico han encontrado expresión literaria. Acaso ya en los orígenes del romancero estuvieron trazadas muchas de sus direcciones temáticas; pero, si queremos ceñirnos a fechas ciertas de transcripción de textos en manuscritos, tendremos que considerar

Giuseppe Di Stefano, ed., *El romancero*, Narcea, Madrid, 1973, pp. 47-53.

como más antiguos los temas líricos y trovadorescos relacionados
con la balada europea. Teniendo en cuenta también las fechas hipo-
téticas, habrá que considerar como más cercanos al origen del género
los romances llamados «noticieros» y quizá también los que derivan
sus argumentos de la contemporánea poesía épica española. De todas formas, antes de finalizar el siglo xv la amplia gama temática
del romancero español está ya atestiguada de manera directa.

La difusión de noticias importantes para el destino político y
social de la comunidad fue, según algunos críticos, el móvil práctico que dio vida a las epopeyas nacionales. Esa función «noticiera»,
que se aplicó lo mismo a grandes hechos históricos que a sucesos
relativos a personas particulares cuando tenían gran resonancia especialmente por sus consecuencias trágicas, se supone que pasó de los
cantares a los más cortos romances, dando lugar a una cadena casi
ininterrumpida que va desde los sucesos de los Infantes de Lara y
del Cid Campeador, a través de las luchas del reinado de Pedro el
Cruel, de la guerra con los moros granadinos, de la expansión mediterránea de la Corona de Aragón, de la batalla de Lepanto, hasta los
eventos de la última guerra civil, que produjo un brillante romancero: de epopeya de las clases dominadoras a epopeya de las clases
subalternas.

El romancero sobre temas épicos nacionales y extranjeros surge
en directo contacto con los géneros literarios que ya trataban aquella
materia: los cantares españoles y los derivados de los franceses, las
novelas en prosa y las crónicas generales y particulares de héroes y
reyes. Los temas cortesanos en estilo cancioneril los encontramos en
los últimos decenios del siglo xv. Pero poética e ideología cortesanas
se expresan también a través de modalidades narrativas más llanas
y populares, en esa amplia sección del romancero que se suele deno-
minar «novelesco», donde más se advierte la influencia de temas
baladísticos europeos. Los romances religiosos no abundan y bien
pocos se han popularizado. El conjunto del romancero es esencialmente profano, son pasiones netamente humanas y terrenales las
que en él se debaten, e incluso podemos decir que falta un sentido
de lo trascendente, y con muy contadas excepciones falta también
la expresión de un sentimiento religioso que vaya más allá de alguna fórmula usual.

Si por encima de la anterior repartición temática quisiéramos
percibir cuáles son los móviles pasionales que más recorren este

ancho campo de destellos de humanas inquietudes abiertamente expresadas, tendríamos que señalar en primer lugar el sentimiento amoroso en sus manifestaciones más variadas, desde el erotismo un tanto pícaro y despreocupado hasta la sombría tragedia conyugal, simbolizadas casi siempre en personajes femeninos, verdaderos protagonistas del romancero y cuyos emblemas veríamos por un lado en Melisenda y por otro en la mujer de Alarcos: la una exalta sus deseos por el conde Ayuelos hasta conseguir satisfacerlos con el engaño, la otra ve interrumpido un amor conyugal casto y prolífico con un acto violento aniquilador, inspirado por una infanta que impone sobre Alarcos derechos adquiridos en amoríos juveniles. Los mismos que Urraca recuerda a Rodrigo (en *Afuera, afuera, Rodrigo*) y que él traicionó con un matrimonio por interés. En los dos últimos casos nos encontramos ante situaciones que hoy se definirían «triangulares» y que podemos seguir ejemplificando con el *Romance de doña Isabel de Liar*, amante del rey mandada matar por la reina (recordemos una analogía con el *Romance del conde Alarcos*, en el motivo de los hijos que se quedan huérfanos). Opuesta es la situación en el *Romance de doña María de Padilla*, donde es la concubina del rey la que determina la muerte de la reina. Adulterio pasajero y sin dramas, provocado y gozado en un momento de sensualidad juguetona, es el del *Romance de doña Ginebra*; menos frívolo y con un desarrollo evocador de tragedia clásica es otro adulterio afortunado, el del *Romance de Landarico*, que se concluye con la muerte violenta del rey engañado. El castigo del cónyuge adúltero prevalece y lo encontramos en el *Romance de Blancaniña*, en el de *Bernal Francés*, y en el de *don Tristán*; una variante es el castigo del amante traidor (*Romance de Mariana*), que puede resolverse también de manera no cruenta, con un desamor apaciblemente expresado como en el *Romance de Durandarte*. Deseos de amores nuevos canta la malcasada en los textos que empiezan «Bodas se hazen en Francia», y «La bella malmaridada»; en cambio son rechazados con firmeza por las protagonistas de los textos cuyos comienzos son «Caballero de lexas tierras», «Nuño Vero, Nuño Vero» y «Fonte frida, Fonte frida». Menos afortunadas las que padecen la violencia masculina, como la protagonista del *Romance de Lucrecia romana*, o la mora Moraima del romance homónimo o la Cava en el que empieza «Amores trata Rodrigo». Análogo es el motivo de la esposa raptada en tierra de moros y buscada por el marido, que se presenta en los romances de *Moriana,* de *Julianesa* y de *Gaiferos libertador de Melisenda.* Con más frecuencia el móvil erótico encuentra expresión en relatos de amores furtivos por encima de las convenciones sociales, en los que actúan infantas y damas alegremente despreocupadas —la Melisenda a que aludíamos— y caballeros osados, como el emblemático conde Claros; hallamos a la princesa que seduce a Gerineldo el «paje del rey tan querido», a Rosaflorida que envía mensajes de amor al desconocido Montesinos, a la infanta que queda encinta y huye con el amante, a Claraniña que se concede al conde Claros, a la niña que se entrega feliz a un caballero (*Esa guirnalda de rosas*), a Vergilios que deja preñada a una alta dama de la corte, al escudero que consigue pasar una noche con Galiarda y al día siguiente se alaba en la corte, etc. En medio de tanto desarreglo sano y vital, hay algún rey que intenta guardar su honra y moralizar, encarcelando y conminando penas capitales, pero resignándose al final a matrimonios reparadores en los que Enilde se casa con su Gerineldo, Melisenda con su Ayuelos, Claros con Claraniña, Vergilios con doña Isabel, etc., mientras «arzobispos y perlados» bendicen tantos «yerros por amores». Yerros que no siempre acaban felizmente, como enseñan las historias de los padres de Bernardo del Carpio (*En los reinos de León*), de Gaiferos (*Estábase la condesa, Vámonos —dijo—, mi tío*), de Montesinos (*Cata Francia, Montesinos*): es la típica desventura de la niñez del héroe, dentro de la más auténtica tradición de la novela caballeresca. Si alguno de estos amores se malogra antes que dé comienzo, no será por culpa de la dama, sino por ineptitud del caballero, como en el *Romance de Rosa fresca*, en el de la *Hija del rey de Francia*, en el de *La infantina* y en el de *La dama y el rústico pastor*. En este texto el reacio villano no se rinde ni ante la detallada descripción que de los tesoros de su propio cuerpo le hace la generosa dama; descripción que volvemos a encontrar con variantes en el texto que empieza «De la luna tengo quexa» y en el de *La bella en misa*. Incluyendo en esta larga serie [el buen número] de composiciones que cantan el amor con el ropaje conceptual y formal de la poesía cancioneril, suman [una alta cifra y se cuentan] entre los más hermosos y difundidos, los romances vinculados a un tema y a una manera de tratarlo que guardan estrechas relaciones con la producción novelística y poética de la sociedad literaria cortesana de la tardía Edad Media, que así expresa sus concepciones mundanas bajo formas de estilización popularizante.

Otra serie de textos se agrupa alrededor de un motivo típico de la épica medieval, el del conflicto rey-vasallo, siendo regularmente el segundo el que goza de los favores del cantor y del público, a los cuales se presenta como ejemplo de independencia frente a una autoridad caprichosa o injusta. Un muestrario de conductas incorrectas por parte del soberano son los romances que empiezan «Válasme Nuestra Señora», «Don García de Padilla», «Yo me estava allá en Coimbra», «Quéxome de vos, el rey», «En las almenas de Toro», «Con cartas y mensajeros», «Castellanos y leoneses», «Buen conde Fernán González», «Por las riberas de Arlança», «Cavalga Diego Laínez». Además de provocar rebeldía en los vasallos, las actuaciones reales se vuelven perjudiciales y catastróficas para el mismo reino: ejemplares son los romances del rey don Rodrigo «el que perdió España», a los que añadimos «Por los campos de Xerez» y «Paseábase el rey moro». Entramos así en el gran tema de la «caída de príncipes», al cual pertenece también el romance del último rey de Navarra (*Los aires andan contrarios*), construido en forma de lamentación. Este esquema gozó de fortuna en el romancero, sobre todo para cantar desgracias de personajes reales: basta recordar los tres romances «aragoneses» que empiezan «Mirava de Campoviejo», «Emperatrizes y reinas» y «Retraída estaba la reina», y los «troyanos» de *Policena* y de *La reina troyana*. Si a todos estos textos sumamos los del cerco de Baza, el de Abenámar y el que empieza «Alburquerque, Alburquerque», obtendremos una galería de soberanos y príncipes retratados en momentos muy poco halagüeños para su conducta, o de fatal desgracia y fracaso; existen textos de inspiración por así decir positiva, explícita o implícitamente encomiásticos, pero son los menos logrados desde el punto de vista artístico y los que menos popularidad han tenido. En este fenómeno confluyen a la vez el gusto, no sólo mayoritario, por los asuntos trágicos y, por tanto, más ricos de efectos, una ideología más feudal que monárquica heredada de la épica medieval y los reflejos de una tradición didascálica todavía vigente en el siglo XV.

Rafael Lapesa

TIEMPOS VERBALES Y MODOS NARRATIVOS EN LOS CANTARES DE GESTA Y EN EL ROMANCERO VIEJO

En la épica no hemos de ver sólo tradición y hieratismo; junto a ellos se daban histrionismo y vivificación. Era preciso animar el relato, lograr que el auditorio imaginara como presentes los personajes y hechos de que se le hablaba. En otra ocasión he estudiado cómo los juglares aprovechaban la función señaladora del demostrativo con fines actualizadores y de evocación, empleándolo con preferencia al artículo, menos eficaz. Razones parecidas favorecieron una especial libertad en el uso de los tiempos verbales [en las gestas y en los romances].

En toda narración extensa hay el peligro de que los hechos, enhebrados en el hilo de su acontecer, se sucedan con monotonía abrumadora. Para evitarlo, puesto que todos son pretéritos, no hay más remedio que variar el punto de mira, presentándolos desde diferentes distancias y con distintas perspectivas. Desde la antigüedad grecolatina se reconocía que la *translatio temporum*, sustituyendo formas verbales de pasado por otras de presente, era un procedimiento recomendable para vivificar el relato. Los poetas medievales sabían y practicaban este recurso con frecuente vaivén:

> Esto la niña *dixo* e *tornós* pora su casa.
> Ya lo *vede* el Cid que del rey non avié gracia.
> *Partiós* de la puerta, por Burgos *aguijava*,
> *llegó* a Sancta María, luego *descavalga*,
> *fincó* los inojos, de coraçón *rogava*.

(*Cid*, 49-53)

Rafael Lapesa, «La lengua de la poesía épica en los cantares de gesta y en el Romancero viejo», *Anuario de Letras*, IV (1964), pp. 5-24; reimpr. en *De la Edad Media a nuestros días. Estudios de historia literaria*, Gredos, Madrid, 1967, pp. 9-28 (17-22).

Igual en el Romancero:

> ¡Santa Fe, cuán bien *pareces*   en los campos de Granada!
> que en ti *están* duques y condes,   muchos señores de salva;
> en ti *estaba* el buen Maestre   que *dicen* de Calatrava,
> este a quien *temen* los moros,   *esos* moros de Granada,
> y aquese que los *corría*   picándolos con su lanza...
> y *después de bien corrida*   *da* la vuelta por Granada.

Los cambios de enfoque eran muy variados, pero no caprichosos. Stephen Gilman [cf. cap. 3] ha hecho patente que en el *Cantar de Mio Cid* responden a un sistema estilístico peculiar, en el que intervienen diversos factores: significado de cada acción o acaecimiento en el desarrollo de los hechos; sujeto protagonista o secundario, individual o colectivo; clase de la acción verbal; contenido semántico del verbo, etc. [...]

Los juglares hacían con la situación y desarrollo temporales de los hechos lo que los operadores de cine hacen hoy con imágenes y espacios mediante el juego de primeros planos. Una pasajera identificación del momento en que la acción había ocurrido con el momento en que se recitaba el relato, permitía mostrar lo pasado como futuro: «Exa ora el buen rey oít lo que *dirade*» (*Cantar de Roncesvalles*, 33); «Allí fabló el conde Arnaldos,   bien oiréis lo que *dirá*». Sin salir del pretérito, cabía enunciar los hechos situándolos en la absoluta objetividad de su acaecer, sin conexión alguna con el momento presente: para eso estaban las formas del pretérito indefinido. Cabía también valerse del imperfecto para acompañar el desarrollo de las acciones y describirlas en su duración. O, usando el perfecto compuesto, darlas como inmediatas al presente, o como subsistentes en sus consecuencias. Los saltos de una perspectiva a otra eran incesantes:

> Mio Cid de lo que *vidié* mucho *era* pagado;
> ifantes de Carrión bien *an cavalgado*.
> *Tórnanse* con las dueñas, a Valençia *an entrado*;
> ricas *fueron* las bodas en el alcáçer ondrado.
>
>   (*Cid*, 2.245-2.248)

> Si mucho *madruga* el rey,   el conde no *dormía*, no;
> el conde *partió* de Burgos   y el rey *partió* de León.

> *Venido se han* a juntar   al vado de Carrión,
> y a la pasada del río   *movieron* una quistión ...
>
> (*Castellanos y leoneses*)

Hasta los pluscuamperfectos, atados por su significación esencial de prioridad respecto a un pasado, entraban en el caleidoscopio gracias a la agilidad mental del poeta. La imaginación del juglar no llevaba el mismo paso que los hechos contados. Mientras en la sucesión de acciones el momento *n* precedía al momento *o* y éste al *p* o *x*, el poeta saltaba de *n* a *x* y desde *x* veía como anteriores a *o* y *p*, por lo que los representaba en pluscuamperfecto:

> *Cavalgó* Minaya, el espada en la mano...,
> a los que *alcança va*los delibrando.
> Mío Cid Roy Díaz, el que en buen ora nasco,
> al rey Fáriz tres colpes le *avié dado*;
> los dos le *fallen* y el únol *ha tomado*.
>
> (*Cid*, 756-761)

> Las palabras no son dichas,   la carta camino *va*:
> mensajero que la *lleva*   *dado la había* a su padre.
>
> (*En Burgos está el buen rey*) [...]

Nos queda por ver uno de los giros más peculiares del Romancero en el empleo de los tiempos verbales: cuando las palabras de los personajes se reproducen en discurso directo, frecuentemente encontramos en ellas el imperfecto o el condicional donde serían normales el presente o el futuro. Así el caballero Durandarte, a la hora de morir, dice a su amada Belerma, ausente en la dulce Francia:

> No me pesa de mi muerte   aunque temprano me llama,
> mas pésame que de verte   y de servirte *dejaba* ...

Véase el diálogo entre Abenámar y el rey don Juan:

> —... Por tanto pregunta, rey,   que la verdad te *diría*.
> —Yo te agradezco, Abenámar,   aquesa tu cortesía.
> ¿Qué castillos *son* aquellos?   ¡Altos *son* y *relucían*!
> —El Alhambra *era*, señor,   y la otra la mezquita;
> los otros los Alixares,   labrados a maravilla.
> El moro que los *labraba*   cien doblas *ganaba* al día,
> y el día que no los *labra*   otras tantas se *perdía*. [...]

Se ha atribuido este uso del imperfecto a la facilidad que las terminaciones -*aba* e -*ía* daban para las rimas, y es cierto que en muchos romances juglarescos y en los cronísticos del siglo XVI abundan ejemplos donde es preciso admitir tal causa. Pero el imperfecto se da también fuera de las rimas, y es muy discutible que éstas sean el único punto de partida; también podría pensarse que el discurso directo adoptó por contagio el tiempo del relato. De todos modos es preciso reconocer que los poetas del Romancero, al menos en estos ejemplos insignes, no usaban el imperfecto buscando simplemente asonantes facilitones ni obedeciendo sin más a la inercia contaminadora, sino con evidente sentido artístico del lenguaje. Intuyeron que el imperfecto por presente desrealiza palabras y hechos, colocándolos en una atmósfera indecisa entre lo actual y lo caducado o lo que no llega a ser. Con el «dejaba» del romántico Durandarte, el inminente cumplimiento de un destino inexorable parece perder crudeza. Con el «relucían» del romance de Abenámar, los palacios granadinos quedan flotando entre la realidad y la ilusión, envueltos por neblinas de ensueño.

SEMINARIO MENÉNDEZ PIDAL

UN ROMANCE ÉPICO:
LAS QUEJAS DE DOÑA LAMBRA

Se publicó este romance en el llamado *Cancionero sin año*, Amberes, Martín Nucio, hacia 1547, fol. 163 v. Antes aparece el romance en un

Ramón Menéndez Pidal y otros, eds., *Romancero tradicional de las lenguas hispánicas (español-portugués-catalán-sefardí)*. *Colección de textos y notas de María Goyri y R. Menéndez Pidal*, Seminario Menéndez Pidal y Gredos, Madrid, 1963, II, pp. 122-129. «Al Romancero de los Infantes de Salas o de Lara dedicó Menéndez Pidal un capítulo de su primer libro *La leyenda de los infantes de Lara*, Madrid, 1898, pp. 81-117. A partir de estas páginas y de otras muchas de ese trabajo relacionadas indirectamente con los romances, Diego Catalán y Álvaro Galmés prepararon en 1949-1950 el nuevo Romancero de los Infantes de Salas, dando en él cabida a las múltiples versiones y anotaciones acumuladas con los años. Desde el trabajo pionero de fines del siglo pa-

pliego suelto anterior a 1540, glosado por Luis de Peralta. Fue reimpreso en la *Silva de varios romances (primera parte)*, Zaragoza, Esteban de Nájera, 1550, fol. 86. En la edición del *Cancionero de 1550* [también impreso por M. Nucio] va unido al romance *A Catalatrava la vieja*.

—Yo me estava en Barvadillo,   en essa mi heredad;
2 mal me quieren en Castilla   los que me avían de aguardar;
   los hijos de doña Sancha   mal amenazado me an,
4 que me cortarían las faldas   por vergonçoso lugar,
   y cevarían sus halcones   dentro de mi palomar,
6 y me forçarían mis damas,   casadas y por casar;
   matáronme un cozinero   so faldas del mi brial;
8 Si desto no me vengáis,   yo mora me iré a tornar.
   Allí habló don Rodrigo,   bien oyréis lo que dirá:
10 —Calledes, la mi señora,   vós no digades atal,
   de los Infantes de Salas   yo vos pienso de vengar;
12 telilla les tengo ordida   bien gela cuido tramar,
   que nascidos y por nascer,   dello tengan que contar.

—2 de guardar, *Silva*. —6 forzarán, *Silva*. —11 *Falta en la 'Silva'*. —11 Lara, eds. *posteriores del Canc.* —12 urdida, *Silva*. —13 *En la 'Silva' falta* que; d. tendrán q., *Silva*.

ORIGEN DEL ROMANCE. Este romance parece un fragmento épico casi sin evolucionar, recién desgajado de la *Gesta de los infantes*. Comienza exabrupto, sin que se sepa quién habla, con las quejas de doña Lambra; después sigue un verso introductorio, más épico que épico-lírico: *Allí habló don Rodrigo, bien oiréis lo que dirá*, y la respuesta de Ruy Velázquez: *Calledes, la mi señora*... La versión del *Cancionero sin año* muestra, sin embargo, un verso inicial evidentemente romancístico: *Yo me estava en Barbadillo, en essa mi heredad*, que en la gesta no tendría razón de ser, ya que las quejas se dan en el mismo Barbadillo; pero tal verso es de añadidura reciente,

sado, las ideas de Menéndez Pidal sobre toda una serie de problemas relacionados con la Leyenda de los Infantes han sufrido cambios y variaciones; tanto la Introducción como los estudios dedicados a los romances más interesantes se benefician de esa renovación de puntos de vista, y en su redacción de 1950 por mano de Diego Catalán representan la opinión actual de Menéndez Pidal sobre la materia. Posteriormente, en 1957 y 1961-1962, José Caso, María Josefa Canellada de Zamora-Vicente y Diego Catalán arreglaron algunos detalles de este Romancero con ocasión de su lenta impresión» (pp. VI-VII).

pues aún durante el siglo XVI convivía junto a esta forma del romance, recogida en el *Cancionero sin año* [y ya hacia 1500 evocada por Diego de San Pedro], otra que carecía de él. Melchor de Santa Cruz, a propósito de un dicho jocoso que cuenta en su *Floresta española* (1574), dice: «Hay un romance antiguo que comiença *Mal me quieren en Castilla...*, etc.»; y el testimonio de Santa Cruz es corroborado por Gil Vicente, quien ya en 1523 hace cantar a un «Escudeiro» en la *Farsa de Inês Pereira* «o romance de *Mal me quieren en Castilla*».

Las crónicas, aunque abrevian sobremanera las quejas épicas, según a un relato histórico convenía, ofrecen suficientes puntos de contacto para que no podamos dudar de la procedencia del romance. La *Primera crónica general,* reflejo del Cantar viejo del siglo XIII, cuenta que después de las bodas de Ruy Velázquez con doña Lambra, los Infantes acompañaron a su tía a Barbadillo. Doña Lambra hace que un criado suyo afrente a Gonzalo González, arrojándole al rostro un cohombro lleno de sangre. Los Infantes se dirigen hacia el ofensor, el cual huye, refugiándose bajo el manto de doña Lambra. Los Infantes quieren matar al vasallo de su tía, pero ésta le ampara: «Ellos fueron entonçes pora ella, et tomáronle por fuerça el omne que tenie so el manto, et matárongele í luego delante, assí que nol pudo ella deffender, ni aun otro ninguno por ella; et de las feridas que davan en él, cayó de la sangre por las tocas et los paños della, de guissa que toda fue ensangrentada». Los Infantes abandonan Barbadillo y se dirigen a Salas, su heredad. Doña Lambra hace poner un escaño en medio del corral, cubierto de paños negros como para muerto, y durante tres días llora sobre él, rompiendo sus vestidos y llamándose viuda desamparada. Ruy Velázquez viene de Burgos y en el camino recibe noticias de lo ocurrido. «Doña Llanbla, quando vio a don Rodrigo entrar por el palacio, fuesse pora él toda rascada et llorando mucho de los ojos, et echóse a sus pies pidiendo merçed quel pesasse mucho de la desonrra que avié reçebida de sus sobrinos, et que por Dios et por su mesura quel diesse ende derecho. Et dixol don Rodrigo: —Doña Lambla, non vos pese, ca yo vos prometo que tal derecho vos dé ende que todo el mundo avrá dello que dezir.» Compárese especialmente la respuesta de don Rodrigo en el romance: «Calledes la mi señora ... dello tengan que contar».

El Segundo Cantar de los Infantes, ampliamente prosificado en la *Crónica de 1344,* no nos es conocido en la parte de las quejas, pues el cronista no se molestó aquí en modificar el texto de la *Primera crónica*, pero sabemos que el pasaje épico estaba asonantado en *ae*, como el romance, gracias al resumen que nos da la *Interpolación a la Crónica General*, que también conocía la Segunda gesta: «—Ruégovos, don Rodrigo, que vos pese de mi male e de vuestra desonrra, que vuestros sobrinos a vós e a mí nos han fecho tan *male*. E don Rodrigo díxole: —Non curedes, doña Lanbra, non tomedes más *pesare*, que si yo bibo e no muero, yo vos entiendo dar vengança de que todo el mundo *fable*». En otro pasaje la propia *Interpolación a la Crónica General* nos revela lo abreviadas que están en las crónicas las quejas épicas: en la carta de Ruy Velázquez a Almanzor, don Rodrigo refiere la afrenta de Barbadillo con algunos pormenores que el prosificador omitió en la escena de las quejas, pero que con toda evidencia se hallaban en su modelo épico: «... quebrantáronme mi casa, mataron so el manto de mi muger un ome mi vasallo, desonrraron a mi muger por que gelo defendía, forçáronle las doncellas fijas dalgo que con ella estavan, fizieron otras cosas que escrevir vos non podría». En el romance: «... y me forçarían mis damas,   casadas y por casar; / matáronme un cozinero   so faldas de mi brial».

OBSERVACIONES. La amenaza de cortar las faldas *por vergonzoso lugar* corresponde a la costumbre de la Edad Media de imponer este castigo infamante a las rameras. [...] Y *cevarían sus halcones dentro de mi palomar*: para la mejor comprensión de esta amenaza hay que tener en cuenta que el *derecho del palomar* solía ser en la Edad Media un privilegio feudal sólo concedido a hijosdalgo o monasterios. [...] *Si desto no me vengáis, yo mora me iré a tornar*: al renegar de Mahoma, que los moros de nuestro romancero hacen tan frecuentemente, corresponde en boca de los cristianos la amenaza de tornarse moro de despecho (cf. los romances *Compañero, compañero* y *Asentado está Gayferos*). [...]

VIDA TRADICIONAL; ÉXITO. Sólo conocemos una versión independiente del romance, la publicada en el *Cancionero sin año*. Los arcaísmos en el lenguaje de esta versión (*gela* y *vos*, las segundas personas *calledes* y *digades*, la terminación verbal *-ia* contada por una sílaba, etc.) indican que Martín Nucio tomó el romance para su *Cancionero* de un texto antiguo escrito y no directamente de la tradición oral. [...] Nuestro romance, por su carácter de fragmento, sólo explicable teniendo en cuenta el conjunto épico de donde había sido desgajado, fue después absorbido por otro romance más completo e incorporado en la edición de 1550 del *Cancionero* como parte final de la versión allí publicada del largo romance sobre *Las bodas de doña Lambra*. En cuanto al contenido de las quejas épicas no sólo nos es conocido por el romance-fragmento *Yo me estando en Barbadillo*, sino también por el largo romance de *Las bodas de doña Lambra*, que en su versión *Ya se salen de Castilla*, [además de notables variantes en los versos comunes], incluye algunos versos de indudable abolengo épico que faltan en nuestro romance.

Las *quejas de doña Lambra* fue uno de los romances más repetidos en el Siglo de Oro. [...] En la corte de Carlos V, los hijos de doña Sancha estaban en la memoria de todos por su singular amenaza de cortar las faldas a doña Lambra; el bufón del emperador, don Francesillo de Zúñiga, al narrar burlescamente un suceso de 1524, dice: «Teresa Jiménez, visagüela de doña Jimena Gómez, mujer del Cid Ruy Diaz, hija de los hijos de doña Sancha, que dizen *mal amenazado me han*». [...] En el siglo XVII la amenaza de cortar las faldas «por vergonzoso lugar» fue repetida una y otra vez, llegando a hacerse proverbial: [Mateo Alemán, Lope de Vega, Cervantes y otros a menudo la citan humorísticamente.] La popularidad de las quejas de doña Lambra hizo que se incorporasen al romance cidiano en que Jimena pide justicia al rey, en la versión *Día era de los reyes*.

Paul Bénichou

ABENÁMAR, O LA LIBERTAD CREADORA

El romance, como es sabido, refiere un diálogo del rey don Juan con el moro Abenámar: el rey hace preguntas sobre las torres que ve relucir a lo lejos en Granada, y el moro le contesta nombrando y ensalzando la Alhambra y otros monumentos granadinos. Se admite

Paul Bénichou, *Creación poética en el romancero tradicional*, Gredos, Madrid, 1968, pp. 61-92 (61-62, 69, 70-71, 85-86, 89-92).

generalmente que esa escena recuerda poéticamente el encuentro histórico de Juan II con un moro granadino frente a la ciudad.[1] [...] Todas las versiones tienen en común un núcleo central de unos quince versos, que refiere las preguntas del rey sobre Granada, y la contestación de Abenámar, y luego el diálogo del rey con la ciudad misma. [...] Esta parte principal del romance muestra un grado de poetización excepcional aun en el romancero viejo: la alabanza de las maravillas de Granada y, sobre todo, el diálogo del rey con la ciudad codiciada nos llevan a un mundo muy distinto del de los relatos épicos o históricos; simbolizan, con medios muy ajenos a la tradición narrativa, el deseo de los reyes castellanos, intenso y frustrado, frente a la Granada mora, y aún más allá, si se quiere, la impenetrabilidad mutua de los dos mundos, cristiano y moro. Estos versos no representan un episodio particular de la reconquista; convierten en poesía un modo de sentir cristiano que existió durante un siglo. [...]

Un rey de Castilla llega por primera vez a Granada; la admira, la desea; pide a un moro el nombre de sus monumentos («¿qué castillos son aquellos? ¡altos son y relucían!»). Pero el romance —ésa es su originalidad fundamental— no ve en Juan II solamente

---

1. [El «moro de la morería» puede ser el príncipe Abenalmao, que en 1431, al pie de la sierra de Elvira, ofreció sus servicios a Juan II, en particular con vistas a que le ayudara a obtener el trono de Granada; puede ser otro Abenámar histórico; «y, para decirlo todo, igual puede ser un interlocutor inventado, un moro imaginario que surgió, con su nombre granadino, frente al rey de Castilla, en el proceso de elaboración del romance. Cada cual elegirá la hipótesis que más le guste; no veo, hasta ahora, que se pueda excluir ninguna de ellas con argumentos decisivos. El solo nombre de Abenámar, siendo tan incierta la realidad histórica del personaje, y un dato tan vago como la conversación de don Juan con un moro frente a Granada, no bastan para obligarnos a leer el romance como recuerdo o celebración de un episodio preciso de la historia de España. El rey don Juan que descubre y desea a Granada, si se quiere determinar su identidad histórica, sólo puede ser Juan II, en su campaña de 1431. Pero, nombre aparte, el romance se podría aplicar igual a Enrique IV o a Fernando el Católico. Y el moro con quien habla el rey está todavía menos individualizado; no sabemos quién es, y no deseamos saberlo; ni siquiera se nos presenta como príncipe o caballero granadino. Abenámar no es, en ningún grado, un personaje histórico; su única función en el poema es revelar, como moro, la excelencia sin par de la ciudad y exaltar el deseo del rey. El romance, pues, sólo describe una situación general, la de los reyes de Castilla con relación a la Granada mora» (P. Bénichou).]

un rey de Castilla que emprende una operación militar; el rey es
otra cosa más; un hombre que desea poseer algo maravilloso y teme
no lograrlo. La pregunta del rey se tiene que entender como pregunta de amante, intimidado y a la vez ardiente en su deseo; quiere
saber los nombres de la amada, cosa tan importante en un amor
nuevo, primer contacto, comienzo de posesión. [...] El moro que,
con sus informaciones, va a satisfacer ese primer deseo tiene que
participar del encanto de la ciudad deseada; algo tiene que haber en
él que lo haga admirable y lejano como ella: eso significan las «grandes señales» del día en que nació («estaba la mar en calma, la luna
estaba crecida», etc.), día solemne, como el momento mismo del
romance. Ese moro, además, no puede ser enemigo del amante a
quien acepta informar: de ahí ese día de nacimiento tan sereno, que
lo ennoblece, haciéndole ajeno a la hostilidad de moros y cristianos,
y sincero hasta con el rey de Castilla. Es moro, sabe lo que vale
Granada, y en lo que dice de ella no falta cierto matiz de orgullo;
sin embargo, habla con cortesía y no burla el deseo del rey. Ese moro
misterioso media entre el rey castellano y Granada. [...]

Después del primer contacto, solemne e inquieto, del rey castellano con su informador moro, relajada la tensión por un momento
en un cambio de palabras corteses [cf. p. 276], surgen uno tras otro
los nombres de las muchas maravillas de Granada. Bastan los nombres («el Alhambra», «la Mezquita», etc.); de las cosas que designan
se dice muy poco; sólo se insiste en su valor único, usando para ello
superlativos formularios; y claro está que esos superlativos gastados
(«a maravilla», «que par no tenía», «de gran valía») convienen aquí
mucho más que una descripción o caracterización de los monumentos,
que distraerían la atención de lo esencial. La única precisión que
aparece aquí se refiere a los Alixares, pero no a su aspecto ni a su
forma, sino a circunstancias maravillosas de su edificación: primero
el sueldo fantástico —otra hipérbole, no muy original—, y luego la
vida peligrosa de su constructor: «El moro que los labraba cien
doblas ganaba al día, / y el día que no los labra otras tantas se
perdía». [Otra versión busca exaltar, con la tragedia del arquitecto,
el prestigio del edificio: «Desque los tuvo labrados, el rey le quitó
la vida, / porque no labre otros tales al rey del Andalucía».]

Ya sabe don Juan lo que sospechaba desde el principio. La ciudad que acaba de descubrir es única entre todas las ciudades: la
intuición de lo maravilloso y el deseo se unen, se exaltan uno a otro

en esa aventura, como en tantas otras de la tradición medieval, y de pronto surge el grito: «—Si tú quisieses, Granada,   contigo me casaría». Esa figura, si bien es común, según nos dicen, en la poesía árabe, no lo es, por cierto, en la castellana. Aquí produce, sin duda alguna, un efecto de sorpresa; el verso descubre lo que sólo oscuramente se adivinaba: que el tema del poema es amoroso al mismo tiempo que guerrero; mejor dicho, simboliza una situación de guerra en términos de amor. Lo que el romance rememora es cómo los reyes de Castilla estuvieron proyectando conquistar a Granada sin lograrlo; lo que dice es cómo una mujer deseada queda fuera del alcance del deseo. Don Juan ofrece regalos, tratando de igualar con sus dones la excelencia de Granada; él también cita, no sin orgullo, nombres prestigiosos, Córdoba y Sevilla, y, sin embargo, sabe que lo que ofrece no vale lo que desea. A la emoción del rey responde, pues, la ironía de Granada («casada soy, rey don Juan,   casada soy, que no viuda»): el «casada soy» es respuesta muy usada en tales circunstancias, y «que no viuda» no es mera repetición, sino evocación, algo más agresiva, del temible marido. En las versiones de Amberes, [cancioneros *sin año*, de 1550 y posteriores], esa alusión se hace más precisa en el verso siguiente: «El moro que a mí me tiene   bien defenderme querría»; en Pérez de Hita, [*Guerras civiles de Granada*, 1595], en cambio, sólo se alude al amor del moro por su esposa: «El moro que a mí me tiene   muy grande bien me quería»; esa respuesta es menos provocante para el guerrero, y mucho más para el amante. Nótese que Granada no dice explícitamente que quiere al moro, sino que el moro la quiere; sin embargo, no parece hablar como mujer oprimida y resignada, sino al contrario como esposa feliz que burla el deseo de un forastero. Se ha dicho a menudo, con mucha razón, que en el romancero fronterizo abundan los poemas que relatan acontecimientos guerreros desde el punto de vista del enemigo moro; pero en los ejemplos más conocidos se trata de derrotas moras; no conozco otro caso en que se celebre y poetice, como en la versión Pérez de Hita de *Abenámar*, el fracaso de un rey castellano. Eso se hubiera admitido con dificultad si el romance no se situara en un plan algo distinto del de la pura guerra entre hombres. Por eso hay que darle todo su valor a la metáfora central del poema: la Granada-mujer no es sólo una forma de hablar; el rey castellano codicia y quiere conquistar la esposa del enemigo. Ahora bien, se admiten de parte de la amada, de acuerdo con toda la tradición novelesca, pruebas y humillaciones que, impuestas por el rival masculino, serían deshonrosas. Así se hace posible el admirable final, a la vez amargo y gracioso, de *Abenámar* en la versión de las *Guerras civiles*. No ofende la negativa de una mujer, y siempre deja lugar a alguna esperanza, mientras no implique aversión o desprecio, que aquí, por cierto, no existen en ninguna forma. La reserva de Granada-mujer tiene su misterio. 'El moro me defenderá', 'el moro me quiere': esas expresiones pueden no significar más que: 'no es tan fácil mi conquista como crees tú'. La respuesta distante de la amada puede incluso sugerir que el porvenir dependerá de las pruebas de amor y valentía que dé el pretendiente al medirse con el esposo.

Terminaremos aquí el estudio de tan notable poema. Lo hemos elegido como ejemplo de intensa poetización en el romancero viejo. Un tono del todo distinto del tono épico, un tipo de elaboración altamente creador, una libertad excepcional de invención en los detalles y reinterpretación en el conjunto del relato, una audacia rara en el manejo poético de lo irracional hacen de *Abenámar* la muestra más convincente de la originalidad del romancero desde sus comienzos. Si se juzga por ese ejemplo, el romancero viejo parece haber sido, más que nada, poesía nueva.

EUGENIO ASENSIO

EL DISEÑO DE *FONTE FRIDA*

El romance fue una forma imperialista. Desbordando los asuntos heroicos a que debe la solera invadió las zonas limítrofes de la poesía. Lenguaje y tonalidad se plegaron paulatinamente al avance de la emoción. Y en la lucha con temas rebeldes al tradicional idioma de la epopeya, al dieciseisílabo fue adquiriendo segura conciencia de

Eugenio Asensio, «*Fonte frida*, o encuentro del romance con la canción de mayo», *Nueva Revista de Filología Hispánica*, VIII (1954), pp. 365-388; revisado en *Poética y realidad en el cancionero peninsular de la Edad Media*, Gredos, Madrid, 1957, pp. 241-277 (243-247, 262-263, 266-268, 270-271).

sus enormes capacidades expresivas. Junto con los motivos líricos se apropió una serie de formas y fórmulas. Me imagino al romance en plena minoridad atraído por dos tentaciones: la de explotar la veta simbólica y moral, los recursos retóricos de la cultura clerical; y la de asimilar la simple estrategia de la lírica popular. Cedió seguramente con mesura a las dos tentaciones. Y ningún romance viejo ejemplifica, a mi ver, la confluencia de la cultura clerical y de la canción comunal con tan bella eficacia como el misterioso romance de *Fonte frida*. [...] Cuatro son las versiones anteriores a 1550 que conservamos. [La más célebre es la ya glosada por Tapia en el *Cancionero General*, Valencia, 1511]:

>   Fonte frida, fonte frida,   fonte frida y con amor,
> 2 do todas las auezicas   van tomar consolación,
>   si no es la tortolica   qu'está biuda y con dolor;
> 4 por allí fuera passar   el traydor del ruyseñor;
>   las palabras que le dize   llenas son de trayción:
> 6 Si tú quisiesses, señora,   yo sería tu seruidor.
>   Vete d'ay, enemigo,   malo, falso, engañador,
> 8 que ni poso en ramo verde,   ni en prado que tenga flor:
>   que si ell agua hallo clara,   turbia la beuía yo;
> 10 que no quiero auer marido,   porque hijos no haya, no;
>   no quiero plazer con ellos,   ni menos consolación.
> 12 Déxame, triste enemigo,   malo, falso, mal traydor,
>   que no quiero ser tu amiga,   ni casar contigo, no.

El poema enaltece la castidad de la viuda que, fiel a su primer marido, rehúsa la tentación del segundo matrimonio. Moviliza tres motivos muy difundidos a fines de la Edad Media: *a*) la tórtola del *Physiologus*; [1] *b*) el ruiseñor donjuanesco de las canciones amorosas,

---

1. [«*Fonte frida* enlaza dos motivos populares con un tercero —la tórtola viuda—, oriundo de la cultura clerical. El *Physiologus* (o *Naturalista*), título con que designamos al autor y al libro de donde sale el ave viuda, ha sido uno de los grandes manantiales del simbolismo cristiano. [...] Fue compilado en el siglo IV por un cristiano de lengua griega en Alejandría. En forma seca, a modo de cartilla, enumera las propiedades o naturas de cuarenta y ocho animales, plantas y piedras. Cada *natura*, imagen de Cristo, la Iglesia o el diablo, brinda al hombre una provechosa enseñanza. En muchos siglos de elucubración, exegetas y moralistas alambicaron hasta lo increíble las sutiles lecciones que, tras el velo transparente de la alegoría, daban al hombre las criaturas. Estas alegorías, reunidas en bestiarios, plantarios y lapidarios, eran estu-

muy divulgado en Francia y no ignorado en España; *c*) la *fonte frida*, símbolo arraigado en la lírica popular,[2] que sin violencia se fundía con la fuente del amor de las leyendas y la poesía culta. [...] *Fonte frida* exalta la monogamia, la lealtad al esposo difunto frente a las tentaciones de Mayo, que convida a la tórtola a renovar el amor como se renuevan frondas, flores y nidos. El ruiseñor, en medio del brillante cortejo primaveral, palidece un poco y la fuente del amor avanza a primer plano.

El capítulo de *Physiologus* referente a la tórtola fue compuesto probablemente por un hereje de la secta de los *encratitas*, los cuales no admitían la ruptura de la unión conyugal ni siquiera después de la muerte. Nuestro poema se contenta con enaltecer la casta viudedad, pero no discute la licitud del segundo matrimonio. Combina armoniosamente sus tres motivos en un diseño que sigue la línea de la pastorela, más bien que la tradición de la disputa entre animales. El debate entre dos animales constituye una de las formas favorecidas por el folklore y la fábula. Ya en los *Carmina cantabriqiensia* [hacia 1050] las estrofas sáficas de *Vestiunt silue* oponían el júbilo del ruiseñor al gemido de la tórtola: «Hic turtur gemit ..., hic laeta sedit philomela frondis». Más frecuente era contrastar el canto gozoso del ruiseñor con la tediosa seriedad del búho, como en el poema inglés *The owl and the nightingale*, culminación de perdidos diálogos latinos *De bubone et philomela*. *Fonte frida* sigue

---

diadas por la clerecía medieval y transportadas al mor humno por los poetas cortesanos. [...] El poeta de *Fonte frida* atribuye al pájaro dos propiedades inesperadas que no he logrado rastrear en la tradición anterior y supongo son recamo de su fantasía sobre el cañamazo heredado: primero, que no se posa en prado florido; segundo, que huye del agua fría además del agua clara. Creo que ambas le han sido sugeridas por las canciones de Mayo, cuya sensualidad e incitación al nuevo amor servirán para contrastar y realzar la casta lealtad de la tórtola» (E. Asensio).]

2. [Véase arriba, pp. 78-82. Escribe además E. Asensio: «El arcaísmo verbal es consustancial a los ritos mágicos, que perderían su fuerza al variar: en ellos la letra no mata, eterniza. Las canciones populares o popularizantes, conscientes de que el encanto va ligado a la palabra, han mantenido la *fonte* sin diptongar. Tal ocurre [en algunas antiguas piezas tradicionales (cf. p. 79), que también dan la forma *frida* para el adjetivo.] A la aureola de hechicería y encanto que envuelve a la *fonte frida*, vinculada a ceremonias como las de Mayo y los baños mágicos, se debe muy probablemente (a lo menos en parte) el mantenimiento tardío de tan vetusta fonética».]

otros derroteros: los de la pastorela. Ésta se iniciaba con una descripción de la naturaleza, en que se puntualizaba el lugar del encuentro y una caracterización de la pastora. Venía luego un coloquio entre el caminante enamoradizo, que requebraba y solicitaba, y la pastora que a menudo rechazaba la oferta afirmando su castidad o fidelidad. Este dechado, con más o menos modificaciones, sirvió de pauta al poeta, el cual, como en la pastorela provenzal, reserva el papel airoso no al antojadizo galán —el ruiseñor—, sino a la zagala constante —la tórtola—. Dentro del tradicional esquema, el romancista se mueve con libertad. La parte más retórica y convencional, el preámbulo paisajista, revive mediante el redoblado apóstrofe; la pintura de la pastora se sustituye por la enumeración de las *naturas* o propiedades de la tórtola; y el ruiseñor, algo esfumado, lleva la voz cantante entre las muchas voces mudas de Mayo. [...]

La versión de Tapia, difundida por el *Cancionero general*, el de Romances de Amberes y la *Silva* de 1550, es la mejor. Retiene, [al igual que otros textos anteriores], la glorificación de la viudez eterna y afea el segundo casamiento como traición al primer marido. Al situar en primer término los hijos, alegría del hogar, apunta a un ámbito de familia, no de corte ni de cuita sentimental. Dramatiza las propiedades de la tórtola: las más pintorescas, saltando del marco de la enumeración, irrumpen en el diálogo y pasan a la boca del ave fiel. La carga emotiva se concentra en el dolor de la tórtola que no admite consuelo. La violencia con que rehúsa los goces de la vida y el amor nuevo, se explaya en catorce octosílabos —más de la mitad de la composición—, frente a dos solos en [algunas otras versiones]. Son catorce octosílabos plagados de artificios característicos del romancero tradicional: paralelismo de giros subrayado por la triple anáfora (8*a*, 9*a*, 10*a*); oposiciones entre octosílabos pares e impares (9*a*, 9*b*); amontonamiento de sinónimos reiterados con leves modificaciones (7*a*-7*b*, 8*a*-8*b*). Entre estas dos sartas de injurias hay una especie de correspondencia. La repetición se justifica por la intercalación en el diálogo de las *naturas* de la tórtola, y la aclaración del sentido humano celado en la alegoría («que no quiero haber marido ...», etc.). La repulsa «vete de ahí, enemigo / malo ...» evoca resonancias bíblicas y tentaciones del diablo. Y los dos octosílabos finales con la usual dicotomía *mujer-amiga* rematan con el más puro casticismo. [...]

[En todas las versiones antiguas, el romance] conserva la vigorosa entrada, el triplicado apóstrofe. Este ataque inicial con su ambigüedad simbólica y su martilleo obsesionante está acuñado para circular de boca en boca y ser coreado por la rueda o ronda que envuelve, o sigue, al solista. Puede desprenderse del resto del poema cuyo motivo central resume y cifra. Su ritmo, finamente articulado en miembros simétricos, su multiplicada invocación, se ajustan plenamente a las pautas y funciones del estribillo. No creo desatinado el suponer que su esquema rítmico proviene de la canción coral y de danza, con la que el romance ha tenido en el siglo XV (tal vez desde mucho antes, pero la comprobación se esquiva) libre comunicación y territorios comunes. [...] La afinidad de los dos versos iniciales de *Fonte frida* con la canción coral, se confirmará si los cotejamos con el célebre estribillo de un *Lied* de Goethe musicado por Schubert y tomado con leves alteraciones de la tradición oral: «Röslein, Röslein, Röslein rot, / Röslein auf der Heide». La cosa simbólica (rosafuente), escoltada del epíteto que indica la cualidad esencial (roja la rosa, fría la fuente), se redobla en el primer verso, mientras en el segundo se nombra acompañada de una determinación (del prado, del amor). La repetición (cantidad en vez de calidad) caracteriza la poética popular y guarda un rastro de fórmula mágica ligando el canto y el encanto.

Diego Catalán

LA «APERTURA» DEL ROMANCERO ORAL

La espléndida colección de romances tradicionales que atesora el Archivo Menéndez Pidal —y que, enriquecida con otros materiales, está dando a conocer la Cátedra-Seminario Menéndez Pidal— permite estudiar cada romance en sus múltiples realizaciones ocasionales (distantes en el espacio y en el tiempo) y observar de cerca el fenó-

Diego Catalán, «Los modos de producción y 'reproducción' del texto literario y la noción de apertura», *Homenaje a Julio Caro Baroja*, Centro de Investigaciones Sociológicas, Madrid, 1978, pp. 245-270 (250-252, 256, 261-263).

meno de la variación con una riqueza de datos inigualable en cualquier otro género de tradición oral. [...] El estudio comparativo, en el plano verbal, de las varias o múltiples manifestaciones de un romance nos evidencia, en primer lugar, que los cantores no memorizan solamente la intriga y los elementos verbales más significativos, sino el poema entero, frase tras frase o, lo que es prácticamente lo mismo, verso a verso. Para demostrarlo basta comparar cualquier versión del corpus con el resto: el vocabulario, los sintagmas, las construcciones sintácticas más complejas reaparecen, casi en su totalidad, en otras versiones hermanas, esto es, pertenecen a la específica tradición del romance en cuestión y no surgen de la improvisación verbal de un sujeto cantor que conoce la historia relatada y que echa mano, para recomponerla, del acervo común lingüístico y formulaico a disposición de los romancistas. Y, sin embargo, si consideramos en conjunto el corpus de versiones de cualquier romance, la apertura del poema en el plano verbal resulta manifiesta.

La profesora Petersen (Universidad de Washington), trabajando con un programa de análisis electrónico que elaboramos juntamente en 1971-1973 en la Universidad de California, San Diego, ha mostrado cómo en las 612 versiones del romance de *La condesita* editadas por la Cátedra-Seminario Menéndez Pidal se empleaban 2.438 palabras (lexemas de Diccionario) diferentes, para contar siempre la misma historia; que de esas 2.438 palabras, un 48 por ciento tenían una incidencia mínima (pues ocurrían sólo en una o dos versiones), y que solamente 56 palabras tenían en el corpus una dispersión superior al 50 por ciento de las versiones y 129 una dispersión superior al 25 por ciento. Una ojeada a las voces de incidencia mínima basta para convencernos de que, en la práctica, cualquier palabra del idioma puede tener cabida en un romance (desde *Paco, padrenuestro, palma, panera, pared, partero, pata, patrona, pecar, peñascal, peño, perra, petral, picaporte, pita, plato, porfión,* hasta *pálido, palpita, paroxismo, pasión, postrero, potencia, potestad*; desde *cordel, corro, coser, criar, cuadra, cuba, cuchillo, cuerda,* hasta *coral, coronar, crucificar, cruelmente, cruzado, Cupido*), aunque, al mismo tiempo, sepamos que, en el romancero, las doncellas pueden vestir «briales» seis siglos después de su desuso, o que en los romances saldrá a colación más frecuentemente la «espada» que la «navaja», la «carabina» o la «artillería», tanto en su valor objetivo como en el simbólico representativo de la virilidad de los personajes varones, o que toda acción romancística desastrosa empezará en «lunes», de acuerdo con el carácter indicial fatídico que tenía en el pasado este día de la semana. Por otra parte, el examen de las palabras de máxima ocurrencia, que aparecen al menos en un 25 por ciento de las versiones de *La condesita*, nos evidencia que con sólo esas 129 palabras puede contarse, sin fallo alguno, la intriga del romance. Por tanto, las restantes 2.299 palabras presentes en el corpus han sido creadas, en el curso de la vida tradicional del poema, tan sólo para matizar, con connotaciones múltiples, la historia relatada. [...]

Una vez despojado de su modo particular de representación, el romance consiste en una intriga que manifiesta, artísticamente reorganizadas, las secuencias lógico-temporales en que se articula la fábula. La tradición oral, con su tendencia económica a la llaneza expositiva, suele dar preferencia al *ordo naturalis* en la presentación de los eventos. Así, mientras el «romance viejo» de *La muerte del maestre don Fadrique* comenzaba contando: «Yo me estava allá en Coymbra, que yo me la ove ganado, / quando me vinieron cartas del rey don Pedro mi hermano, / que fuesse a ver los torneos que en Sevilla se han armado...», y sólo en el curso de la acción subsiguiente nos hacía saber la culpabilidad de doña María de Padilla respecto a la triste suerte del maestre (cuando el Rey dice: «—Vuestra cabeça, maestre, mandada está en aguinaldo», y cuando, ejecutada la muerte, se nos informa que «a doña María de Padilla en un plato la he embiado»), en la tradición moderna peninsular, en cambio, la intriga reproduce el orden secuencial de la fábula y antes de la llamada del Rey a su hermano coloca una escena deducida de los informes que aparecían más adelante [y en la cual doña María le pide al Rey la cabeza de don Fadrique como regalo de Reyes...].

En los varios niveles de organización del mensaje, a una misma invariante de contenido pueden corresponder varios significantes más o menos sinónimos. La «apertura» del romance se nos manifiesta en la búsqueda de formas de expresar más eficazmente los significados: variantes de fábula que responden a un mismo modelo funcional, variantes de intriga que desarrollan una misma fábula, variantes de discurso que dramatizan diversamente una misma cadena de eventos, variantes verbales de un discurso dado. En principio, la manifestación múltiple y variada de las virtualidades que una invariante contiene no supone la modificación de su valor sémico nuclear, denotativo, en tanto en cuanto la variación siga siendo reversible. Pero en los modelos tradicionales, históricos, la posibilidad de una irreversibilidad de las transformaciones es algo innegable: el ambiente en que se realiza la reproducción, estando él también condicionado por el devenir histórico, acaba por alterar —aunque muy lentamente— los modelos mismos, los arquetipos, a través del proceso selectivo-restrictivo que controla el acto de reproducción.

A esta transformación del modelo coopera muy activamente una propiedad de las estructuras tradicionales que hemos dejado, por largo rato, de lado: la «apertura» de sus significados. Los transmisores de un romance lo han aprendido siempre palabra por palabra, verso a verso, escena tras escena, y, al memorizarlo, lo han descodificado según su particular entender, nivel por nivel, hasta llegar a extraer de él la lección que les ha parecido más al caso. La tradición oral, es cierto, rara vez retiene modos individuales de entender una palabra, una frase, una fórmula, un indicio, una secuencia de la narración, etc., pero conserva y propaga modos colectivos (regionales, temporales, comunitarios, clasistas, etc.) de descodificar esos elementos en que se articula el romance y de reaccionar (ética, estética, social o políticamente) ante el mensaje.

A menudo, lo que en el romance permanece invariante es la expresión y la variación atañe al contenido. Ello puede ocurrir en los niveles últimos, superficiales, como cuando unos cantores del romance de *Don Manuel y el moro Muza* al oír los versos «Allí estuviera la suya   con un pañuelo en la mano: / —Toma el paño, don Manuel,   don Manuel toma este paño», en vez de entender que la dama, al despedirse del joven paladín que parte malherido al combate, le entrega una prenda de amor, creen que la función del pañuelo es enjuagar las lágrimas de la afligida dama y el sudor del héroe enfermo. Interpretación ésta que uno de esos cantores nos ha puesto de manifiesto al buscar una forma más poética de expresarla: «La suya estaba en el medio,   lágrimas iba colgando. / —Toma este paño, Manuel, límpiate, que vas sudando». [...]

Mayor interés tiene la «apertura» de significados a un nivel más profundo, en la fábula, pues es a ese nivel donde los mensajes romancísticos se articulan en la praxis social e histórica. Mientras en sus estructuras más profundas los modelos narrativos manifiestan contenidos «míticos» atemporales y los actantes, no semantizados, se definen meramente por las funciones que realizan, al nivel de la fábula la narración es siempre, para sus transmisores, una proyección simuladora de la realidad social en que viven, y las *dramatis personae* una tipificación de categorías de seres semánticamente definibles a través de un haz de rasgos distintivos. La «apertura» al nivel de la fábula es, con la «apertura» al nivel verbal, la que garantiza la actualidad permanente de los mensajes romancísticos, por más que su codificación herede, al mismo tiempo, intenciones denotativas y connotativas fundamentadas en una praxis social e histórica pasada. [Así, por ejemplo,] en las varias «soluciones» —suicidio, castigo humano del violador, castigo divino, afirmación cínica de que las leyes no se han escrito para los poderosos ni siquiera las de carácter religioso, etc.— que Tamar y su padre exploran, en confrontación dialéctica, después de haber sido forzada por su hermano, vemos evidentemente reflejadas diversas actitudes «culturales» ante el incesto (en buena parte condicionadas por la historia socio-económica de cada región); y estas actitudes pueden llegar a subvertir la fábula tradicional: en la «versión vulgata» de la mitad sur de España, Tamar, en vez de buscar venganza, decide ocultar el incesto a su padre hasta que, a los nueve meses «ha arrojado un niño lindo que es la bandera de España»; pues, como subraya una versión meridional, «—Padres y hijos somos todos ...».

8. LA POESÍA DEL SIGLO XV

Durante casi dos siglos, y con escasas excepciones, la lírica trovadoresca de Castilla se compuso en gallego-portugués, en tanto el castellano se usaba para otros géneros poéticos, se imponía en la prosa y fluía en la tradición ininterrumpida de la lírica popular. Fue sólo en la segunda mitad del siglo XIV cuando un grupo de trovadores empezó a cultivar paulatinamente la lírica culta (amorosa, de burlas, doctrinal...) en lengua castellana. (Al margen queda el Canciller Ayala, poeta más viejo y más chapado a la antigua: véase cap. 6.) La figura más prolífica e influyente del grupo es Alfonso Álvarez de Villasandino († h. 1424), cuyos primeros poemas aún habían sido escritos en gallego. La obra de Villasandino y la de las generaciones inmediatamente contiguas (anterior y siguiente) está representada especialmente en el *Cancionero de Baena*, del segundo cuarto del siglo XV. La compilación de Juan Alfonso de Baena y el *Cancionero de Palacio* inician una serie de cancioneros que a lo largo de cien años reunieron y transmitieron lo mejor de la lírica cortés y didáctica en castellano (junto a una inevitable ganga de obras mediocres). La serie culmina en el voluminoso *Cancionero general* publicado por Hernando del Castillo en 1511 y aumentado en ediciones posteriores.

Uno de los más importantes autores del *Cancionero de Baena* es Francisco Imperial († h. 1409), genovés avecindado en Sevilla, que introdujo en la poesía castellana la alegoría dantesca, el endecasílabo y otros elementos italianos, aunque hubo de pasar más de un siglo antes de que las formas métricas de esa procedencia se aclimataran y arraigaran en España. Dos poetas brillan con peculiar esplendor en la primera mitad del siglo XV: Íñigo López de Mendoza, marqués de Santillana, y Juan de Mena. La producción poética de Santillana (1398-1458) es extensa y variada: sonetos, alegorías, piezas didácticas, lírica cortesana, invectivas políticas, serranillas. Mena (1411-1456) no ofrece una gama poética tan amplia, pero compuso la que para sus contemporáneos y para los lectores del siglo XVI fue la obra maestra de la poesía castellana del Cuatrocientos: la extensa alegoría política, laboriosamente estructurada y lingüísticamente innovadora, que es el *Laberinto de Fortuna* (con frecuencia llamado *Las Trescientas*).

Otros dos poemas, variaciones harto diferentes sobre un mismo tema, se destacan con luz propia: la anónima *Dança general de la Muerte* (¿mediados del siglo XV?), notable por su sátira social y por la siniestra fruición con que condena a la mayor parte de los personajes; y las *Coplas que fizo por la muerte de su padre* Jorge Manrique (h. 1440-1479), ámbito donde suenan inolvidables la resignación y el optimismo cristianos. A finales del siglo, los breves poemas líricos de los cancioneros se estilizan hasta el extremo, con caracteres cada vez más estrictos en cuanto a dicción y métrica; al propio tiempo floreció la poesía devota a veces con finos ecos populares, como en fray Ambrosio Montesino, y alcanzó singular éxito un grupo de largos poemas religiosos, principalmente sobre la vida y la pasión de Cristo. Esas dos especies triunfan en los primeros decenios del siglo XVI: sólo al arrimo de las deslumbrantes novedades de Garcilaso perdieron parte de su atractivo las últimas formas poéticas medievales.

Es verdaderamente extraordinario el número de poetas documentados en la Castilla de la Edad Media tardía (entre 1380 y 1520, digamos); ha llegado hasta nosotros, en todo o en parte, la obra de unos setecientos autores, y sabemos que bastantes otros compusieron poemas hoy perdidos. No sólo es ése un número mucho mayor que el conocido en cualquier otro país europeo de la época, sino que verosímilmente supera el del conjunto de los poetas ingleses, franceses y alemanes del momento. Un reciente estudio de Roger Boase [1978] enlaza ese *revival* trovadoresco con la crisis de la nobleza castellana, que veía disminuir sus funciones prácticas al tiempo que sus filas aumentaban con una auténtica ola de nuevos títulos nobiliarios: componer versos de ocasión se convertía así en un ornamento, en un sustituto del poder.

Los poemas que se conservan aparecen dispersos en muchos cancioneros, de los cuales sólo se han publicado unos cuantos; son frecuentes las variantes entre las distintas copias de una misma pieza y abundan los textos de autoría dudosa o controvertida. La cantidad de material por clasificar es tan grande, que la empresa sólo parece viable con la ayuda de una computadora. Dos intentos se han llevado a cabo en tal sentido, uno en Francia (Steunou y Knapp [1975]) y otro en los Estados Unidos (un catálogo, todavía inédito, realizado por Brian Dutton). El primer volumen de Steunou y Knapp es un inventario del contenido de los cancioneros, cuya utilidad resulta limitada mientras no se disponga de los índices anunciados y cuyo mayor interés radica en la clasificación por géneros y temas. Como el propósito de Dutton consiste en fijar una genealogía de los cancioneros mediante el cotejo de los textos, la aparición de su catálogo constituirá un gran paso en el conocimiento del dominio.

Las bases para la apreciación literaria de la poesía cancioneril (sobre el conjunto de la cual vale la pena ver las modélicas síntesis de Lapesa [1975], pp. 7-43, y A. Blecua [1975]) se asentaron hace años gracias a Le Gentil, con complementos de Green y Lida de Malkiel. El trabajo fundamental son los dos riquísimos volúmenes en que Le Gentil [1949, 1953] traza un panorama casi exhaustivo de los temas, géneros y formas poéticas del período, donde sólo cabe criticar la excesiva tendencia a atribuir orígenes franceses recientes a muchos fenómenos atestiguados en la Península desde tiempo atrás o comunes a toda la poesía europea coetánea (véase la importante reseña de Eugenio Asensio, *Revista de Filología Española*, XXXIV [1950], pp. 286-304). La investigación de Green [1949] acerca del amor cortés en la poesía de la época queda ya algo pasada de moda, puesto que las ideas sobre la erótica medieval han cambiado de modo drástico en los últimos treinta años, pero aun así sigue siendo un estudio indispensable. Al propósito conviene recordar que el amor cortés de la Edad Media tardía fue posiblemente más similar al descrito por Andrés el Capellán (en los *De amore libri tres*) que a las actitudes de los trovadores provenzales. Lida [1946] arrojó luz sobre un aspecto relevante del asunto: el recurso a una hiperbólica terminología religiosa para loar a la dama; sólo póstumamente ha aparecido el copioso artículo en que la misma erudita [1974-1975] sigue la fortuna de un motivo caro a la lírica cancioneril: la ponderación de la amada como «obra maestra» del Creador.

Los imprescindibles datos de Le Gentil [1953] sobre la versificación han sido matizados en ciertos detalles por los análisis de Clarke [1963] y más reciente y sustancialmente por Lázaro Carreter [1972]. El punto flaco de Clarke está en que utiliza como fuente la antología preparada por Raymond Foulché-Delbosc hace tres cuartos de siglo y calificada por él mismo como provisional e inexacta. Disponemos ya de ediciones más rigurosas de muchos poetas, y es importante que sean éstas las utilizadas, sobre todo en las indagaciones métricas y lingüísticas. Lázaro Carreter explora magistralmente la interacción de rasgos lingüísticos y métricos en la formación del verso de *arte mayor*, dilucidando el *sistema* estético que rige las grandes creaciones de Mena y Santillana.

Algunas de las ediciones de cancioneros hechas en el siglo pasado y en la primera mitad del presente satisfacen las exigencias actuales de la investigación, pero no ocurre así con la mayoría de ellas, y, por otro lado, falta por publicar buen número de cancioneros. Entre los edi-

tados en los últimos treinta años, el *de Llavia* (Benítez Claros [1945])
y el *de Palacio* (Vendrell de Millás [1945]) necesitan hoy de nueva atención, sobre todo a la luz de los descubrimientos (aún inéditos) que Dutton ha hecho acerca de la fecha del segundo. La edición por Aubrun
[1951] del *Cancionero de Herberay* se acerca más a las exigencias modernas. El trabajo de Azáceta [1966] con el *Cancionero de Baena* es
bastante irregular en cuanto a la exactitud de sus transcripciones; en
cualquier caso, todas las cuestiones pertinentes a los textos ahí transmi-
tidos han de replantearse a partir del esencial artículo en que Alberto
Blecua [en prensa] prueba que el único manuscrito conservado es sólo
una copia tardía del original, se remonta a un arquetipo desencuader-
nado e incompleto, y por ende desordena o desfigura varios poemas, al
tiempo que añade otros no recogidos por Baena.

Más afortunado ha sido el *Cancionero general*, pues Rodríguez-Moñino lo publicó en facsímil con magnífica introducción [1958] y poco
después [1959] editó un concienzudo suplemento con los poemas incluidos en las impresiones posteriores a 1511. Del *Cancionero general* ha
extraído Aguirre [1971] una manejable antología de la poesía cortesana
de tema amoroso. El *Cancionero musical de Palacio*, compilado hacia
1505 y aumentado en años sucesivos, también ha tenido la suerte de
caer en manos de un editor como Romeu [1965], excepcionalmente minucioso a todo propósito. La más reciente edición de un cancionero es
la que Severin ha hecho del *de Martínez de Burgos* [1976], elaborada
con el rigor de un Rodríguez-Moñino —aunque para una compilación
menor— y con el interés particular de reproducir poemas de un cancionero perdido que sobreviven sólo en una copia del siglo XVIII recientemente descubierta. En efecto, varios cancioneros que se daban por perdidos se han recobrado en los últimos años, especialmente gracias a
Dutton. Quedan no pocas ediciones por hacer, en tanto algunas presentadas como tesis doctorales esperan todavía ver la luz (así el *Cancionero
de All Souls, Oxford*, y el *Cancionero de Vindel*).

Los miembros de las más antiguas generaciones poéticas representadas en el *Cancionero de Baena* (incluso figuras tan atractivas como Macías
o tan valiosas como Pero Ferruz) han sido excesivamente descuidados
en la bibliografía reciente. Tavani [1969] ha dibujado bien la anterior
tradición lírica peninsular —concentrada en dos lenguas: gallego-portugués y provenzal— que ellos vienen a alterar, y Lapesa [1953-1954] ha
dejado fuera de discusión el carácter voluntariamente híbrido (de gallego
y castellano) del idioma que muchos de ellos emplean. Caravaggi [1969]
ha insistido en que Villasandino se vence más del lado de esos autores
del siglo XIV que de los admiradores y secuales de Imperial, cuyas obras,
ahora bien editadas por Nepaulsingh [1977], han sido certeramente valo-

radas por Lapesa [1953], en tanto Morreale ha desentrañado con particular destreza el *Dezir de las siete virtudes* [1967*a*] y reunido los elementos necesarios para aquilatar la posición exacta de su autor en la fortuna hispánica de Dante [1967*b*].

Fraker [1966] ha desplegado notable originalidad y capacidad intelectual en el intento de precisar varios aspectos religiosos y filosóficos de los poetas del *Cancionero de Baena*, considerándolo como *corpus* poético homogéneo, en cuatro ensayos, el más largo de los cuales aspira a descubrir hasta qué punto pueden rastrearse ahí ideas judías. En otro trabajo similar [1974], Fraker trata del tema de la predestinación en algunos poemas muy característicos de la compilación. Muy prometedor también es el camino iniciado por N. Salvador Miguel [1977] en su extensa monografía sobre el *Cancionero de Estúñiga*, cuyos autores y obras considera uno por uno, en un tipo de estudio que podría servir de inspiración a otros investigadores. Una de las dificultades para el estudio de los cancioneros, en especial el *General*, es que muchos de los autores son meramente nombres. Los investigadores intentan ahora fijar las coordenadas biográficas de tales poetas, empresa en que Avalle-Arce [1974] se ha mostrado notablemente afortunado para Cartagena y otros autores. En cuanto a los últimos decenios del siglo, aún más importante es el trabajo de Whinnom [1968-1969], que muestra la progresiva restricción de las posibilidades métricas y de vocabulario en el *Cancionero general*, arguyendo plausiblemente que tal concentración estimuló el ingenio de los poetas, que llegaron a adquirir una gran maestría en el arte de tratar en lenguaje abstracto y ambiguo motivos crudamente sexuales.

El punto de partida para toda aproximación a Santillana es el libro de Lapesa [1957], que atiende a casi todos los aspectos de la obra del Marqués. Hay algún detalle discutible, pero la mezcla de sólida erudición y crítica de gran sensibilidad hace el libro verdaderamente indispensable (sobre las serranillas, véanse aún las precisiones del propio Lapesa [1978] y, para la prehistoria del género en la Península, el admirable trabajo de Stegagno [1966]). Contamos con unos cuantos buenos ensayos en torno a poemas sueltos, como el de Foreman [1974] sobre la *Comedieta de Ponza* y el de Gimeno Casalduero [1974] sobre la *Defunción de don Enrique de Villena*, y con una estimable apreciación general (Reichenberger [1969]) de la huella clásica en los escritos del Marqués. Santillana ha tenido menos suerte con sus editores que con sus críticos, salvo en cuanto a los textos de la *Comedieta* y la *Defunción* concienzudamente preparados por Kerkhof [1976, 1977]; la edición llevada a cabo hace más de cien años por José Amador de los Ríos ha sido hasta hace poco la base reconocida o tácita de todas las otras, y si bien Durán [1975] afirma haber fijado su propio texto, éste tiene un inquietante aire de improvisación (por ejemplo, el aparato de variantes es tan breve que resulta poco convincente).

El libro de Lida de Malkiel [1950] es para Mena lo que el volumen de Lapesa para Santillana, pero mucho más largo y detallado, con una abundante documentación acumulada en las notas. El concepto de 'prerenacimiento' que aparece en el subtítulo ha sido objeto de serias críticas (véase capítulo 10), mas como afecta sólo a un aspecto del libro, éste, en conjunto, mantiene su valor, sobre todo en gracia a su minuciosísimo análisis estilístico. La estructura del poema mayor de Mena, el *Laberinto de Fortuna*, ha dado quebraderos de cabeza por mucho tiempo. Entre varias aproximaciones inteligentes para llegar a una solución (v. gr., Gimeno Casalduero [1964]), la mejor es quizá la de Lapesa [1959], quien insiste en la relación entre estructura y propósito moral, idea en parte apoyada y hábilmente perfilada por Gericke [1967-1968]. Street [1955] vuelve a la cuestión, muy debatida en otro tiempo (cf. Morreale [1967*b*]), de la deuda de Mena para con Dante en cuanto a su imagen de la Fortuna. La crítica textual es el otro aspecto principal en que se interesan los estudiosos de Mena en nuestros días. Street [1958] apuntó la especial autoridad de un manuscrito del *Laberinto* que contiene lo que con probabilidad es el comentario del propio Mena al texto. El descubrimiento despertó sorprendentemente poca atención, pero ahora Cummins [1968] ha aprovechado el códice como base para una edición, y aunque la de J. M. Blecua [1943], fundada en otras fuentes, contiene útiles referencias, verosímilmente los futuros editores de Mena habrán de seguir la pista indicada por Street. La edición de los poemas menores del mismo autor plantea aún más problemas que la del *Laberinto*; con todo, Vàrvaro ha resuelto ya muchos de ellos en un brillante despliegue de atenta investigación, y es de esperar que a no tardar saque a luz la edición tan necesaria. En tanto, puede prestar algunos servicios la antología de Pérez Priego [1976].

La mejor edición disponible de la *Dança general de la Muerte* es la de Morreale [1963] (la muy buena de Carl Appel, de comienzos de siglo, es extremadamente rara), que, por desgracia, prefiere las lecturas de la refundición de 1520, no sólo cuando hay razones válidas para sospechar errores de copia en el manuscrito del original, sino también en ocasiones en que el refundidor parece haber introducido cambios deliberados; sin embargo, las notas de Morreale son de extraordinario valor. Saugnieux [1972] revisa discretamente la tradición del poema en España y en Francia, y Sola-Solé [1968] defiende el origen hispano-árabe de la *danza* «macabra», con pruebas a menudo poco convincentes. Al mostrar que la *Doctrina de la discrición* (ed. Del Piero [1971]) es obra del siglo xv e inspirada en el catalán Turmeda, Rico [1973, pp. 229-230] ha insinuado, incidentalmente, alguna posibilidad de relacionar la *Dança* con la *Doctrina* y su autor, Pedro de Veragüe. Últimamente se ha atendido en especial a las imágenes y el trasfondo intelectual de la *Dança*: yo mismo mostré la relación de la estructura y ciertas imágenes de la obra con la visión del mundo medieval (Deyermond [1970]), subrayando que el origen del género no está en la tradición literaria, sino en causas sociohistóricas; Walker [1972] examina las imágenes relativas a la comida y los alimentos, y Hook y Williamson [en prensa], en un importante replanteamiento de la cuestión, afirman que las principales imágenes de la *Dança* reflejan el concepto del «mundo al revés». La crítica social notoria en la *Dança* ha movido a Rodríguez-Puértolas [1968c] a incluirla en una discutible antología de la «poesía de protesta» de la Castilla medieval, que, sin embargo, tiene la virtud de hacer accesibles, con un cierto contexto, las tres grandes sátiras anónimas de tiempos de Juan II y Enrique IV: las *Coplas de la panadera* (véase Guglielmi [1970]), las de *Mingo Revulgo* y las *del provincial* (estas dos bien editadas por Ciceri [1977] y [1975]).

Para los lectores de antaño el *Laberinto* de Mena fue el gran poema de la época; pero ya entonces una obra menos ambiciosa se le acercaba en popularidad y luego, desde el mismo siglo xvi, ha desbancado al *Laberinto*: las *Coplas que* Jorge Manrique *fizo por la muerte de su padre* (para una amplia bibliografía, véase Carrión [1979]). Ellas son, desde luego, el centro de atención de uno de los pocos libros eruditos y críticos de tema medieval que al tiempo constituye de por sí una obra de calidades artísticas: me refiero al estudio de Salinas [1947], tan bellamente escrito cuanto perspicaz, sobre los vínculos de Manrique con las tradiciones literarias de la Edad Media.[1] El comentario de Cangiotti [1964] en torno a las *Coplas* se resiente de la comparación con el de Salinas, sobre todo porque presenta a Manrique como figura de transición, cuando —según demuestra aquél— es plenamente medieval; Cangiotti, con todo, añade buen número de observaciones interesantes. Lida de Malkiel [1942 y 1962-1963] ha esclarecido el origen de varios pasajes; a Spitzer [1950] se debe una reveladora serie de escolios estilísticos (sobre el «posesivo patético» expresado con frase de relativo, los infinitivos sustantivados, etc.); Navarro Tomás [1973] señala la moderni-

---

1. Las incisivas observaciones de Antonio Machado sobre «la emoción del tiempo» en las *Coplas* (*Nuevas canciones y De un cancionero apócrifo*, ed. José María Valverde, Castalia, Madrid, 1971, pp. 217-220), ocasionalmente tomadas en cuenta por la crítica erudita (véase Rico [1965], Morreale [1975]), han sido discutidas en un apasionado ensayo de Rafael Sánchez Ferlosio, *Las semanas del jardín. Semana segunda: «splendet dum frangitur»*, Nostromo-[Alfaguara], Madrid, 1974, pp. 211-263.

dad fonológica y la destreza métrica de las *Coplas*; Gilman [1959] examina los diferentes modos en que la muerte es representada en el poema, y Rico [1965] muestra que las coplas más célebres de la obra («¿Qué se hizo el rey don Juan?», etc.), delicadísima recreación del tópico *ubi sunt?* (véase Morreale [1975]), se refieren a unas fiestas y a una precisa coyuntura histórica de 1428. La nota personal se oye fuerte en gran parte de la obra manriqueña; la vida de don Jorge, por ende, es de especial importancia a la hora de estudiar sus poemas, y el libro de Serrano de Haro [1966], pese a algunos defectos (por ejemplo, un índice deplorable), es útil como fuente de consulta. Kinkade [1970] refuta la idea tradicional de que las *Coplas* fueron escritas poco después de la muerte de don Rodrigo Manrique (1476); en realidad, son ligeramente anteriores a la muerte del propio poeta (1479), y la nueva cronología tiene consecuencias de relieve para comprender la actitud explayada por el autor. Desde Salinas, sin embargo, quizás uno de los mejores logros de la crítica manriqueña sea el análisis que Dunn [1964] hace de algunas de las imágenes y de sus consecuencias para la configuración del tema. Borello [1967], en un estudio no menos enjundioso, nota que el orden de estrofas normalmente aceptado resulta dudoso a la luz de un nuevo texto ahora descubierto, de suerte que la estructura del poema puede estar necesitada de una revisión radical. Spitzer [1950] desde otro punto de vista había ya puesto en duda el orden tradicional; y la tal revisión, comenzada con un artículo de Orduna [1967], tendrá que ir aún más lejos. Parece obvio, pues, que se necesita una nueva edición de las *Coplas,* aunque la de Alda-Tesán [1965] (e incluso la más vieja de Augusto Cortina en «Clásicos Castellanos») sirve todavía a muchos propósitos.

Entre los poetas (relativamente) menores, sólo unos pocos han sido objeto de estudios adecuados. Un caso bien claro es el de Juan Álvarez Gato, a quien Márquez Villanueva [1960] ha dedicado una monografía excelente, tan completa en lo biográfico como en lo crítico; el libro ha sido puesto al día en la segunda edición [1974] mediante un apéndice de treinta páginas (por desgracia, oculto por el descuido de la institución editora, que reimprimió sin más la cubierta y la portada originales). Tres ediciones de otros autores merecen comentario especial: Scoles [1967] ha publicado a Carvajales, uno de los poetas más estimables de la corte aragonesa de Nápoles, de los cuales se ha hecho relativamente poco caso en los últimos años, pese al estimulante cuadro pintado por Riquer [1960]; a Aragone [1961] se debe un buen texto anotado del *Diálogo entre el Amor y un viejo,* al que sirve de complemento indispensable el libro de Cantera [1970] sobre Rodrigo Cota; y Jones y Lee [1975], con su edición de Encina, ilustran la necesidad de no olvidar que la lírica cortesana eran en gran medida cantada (justamente una de las grandes innovaciones de la poesía cuatrocentista fue la admisión del *dezir*, destinado a la lectura) y que, por tanto, no puede ser debidamente apreciada si se la aísla de su música: Jones y Lee, pues (mas no así Rambaldo [1978]), imprimen tanto las letras como las tonadas de Encina, el conjunto de cuya obra musical, por otra parte, ha sido transcrito y estudiado con diligencia por Terni [1974], mientras su teoría literaria puede ahora apreciarse mejor gracias a la edición por Temprano [1973] del *Arte de poesía castellana* (otra prepara, además, López Estrada; y véase cap. 11). Florencia Pinar es la única mujer representada en los cancioneros con algo más que unos pocos versos; quedan de ella al menos tres poemas, sobre cuyas imágenes he hecho algunas consideraciones (Deyermond [en prensa]). Round [1970], partiendo de un poeta de los comienzos del siglo XVI, Garci Sánchez de Badajoz (cuya cronología se somete a revisión en la edición de Gallagher [1968]), ha escrito un ensayo lúcido y sugestivo sobre los méritos y deméritos de la poesía característica de los tiempos del *Cancionero general*,[2] que en muchos aspectos —conceptismo, función ornamental en la vida caballeresca, influencia prolongada— se revela con particular nitidez en los géneros menores como las «invenciones y letras de justadores», según ilustra Rico [1966].

Los poemas religiosos de finales del siglo XV y principios del XVI están siendo al fin detenidamente estudiados, aunque todavía necesitamos ediciones correctas de la mayoría de ellos. Un buen ejemplo dan Rodríguez-Puértolas con sus contribuciones sobre Íñigo de Mendoza [1968a, 1968b], Massoli [1977] con una irreprochable edición de la *Vita Christi,* del mismo fray Íñigo, y Severin [1974] con otra no menos valiosa de la *Pasión trobada* de San Pedro. Marcel Bataillon (en el *Bulletin Hispanique* de 1925) fue el primero en estudiar en serio a fray Ambrosio Montesino, de quien Álvarez Pellitero [1976] ha ofrecido hace poco una rica semblanza, tan amplia respecto a las formas como a los temas e inspiraciones del franciscano, en una monografía que en su día habrá de compararse con la edición de Rodríguez-Puértolas [en prensa] y con un próximo artículo de Helen Boreland. Uno de los dos grandes poemas del cartujano Juan de Padilla, *Los doce triunfos de los doce apóstoles,* es accesible ya al cuidado de E. Norti Gualdani [1978], con un excelente volumen de introducción [1975] y en espera del de notas y aparato crítico; no parece, empero, que nadie se proponga editar el otro poema de Padilla, *Retablo de la vida de Cristo,* ni la obra del Comendador Román. Este último es sin duda la figura más olvidada en el marco de la

---

2.   Sobre la cual véase aún *Historia y crítica de la literatura española*, II, cap. 2.

poesía religiosa: no se le ha dedicado ningún estudio monográfico, y sólo Darbord y Whinnom se ocupan substancialmente de él en trabajos de tipo general. Darbord [1965], en su momento, brindó una utilísima introducción a la poesía religiosa de la época, aunque por desgracia no llegó a conocer a tiempo las aportaciones de Whinnom; ahora que ya contamos con indagaciones más especializadas, las deficiencias de su libro resultan harto patentes: es preciso un nuevo intento de estudiar el tema en conjunto. Los artículos de Whinnom [1963a, 1963b] sobre las fuentes y recursos de la poesía en cuestión, así como un par de ágiles capítulos de Wardropper [1958], señalan un camino sumamente fructífero. El panorama de la obra de Padilla que ha trazado Gimeno Casalduero [1961], en fin, presta un punto de referencia obligado para futuras investigaciones.

BIBLIOGRAFÍA

Aguirre, J. M., ed., Hernando del Castillo, *Cancionero general: antología temática del amor cortés,* Anaya, Salamanca, 1971.

Alda-Tesán, J. M., ed., Jorge Manrique, *Poesía,* Anaya, Salamanca, 1965.

Álvarez Pellitero, Ana María, *La obra lingüística y literaria de fray Ambrosio Montesino,* Universidad de Valladolid, Valladolid, 1976.

Aragone, Elisa, ed., Rodrigo Cota, *Diálogo entre el Amor y un viejo,* Le Monnier (Università degli Studi di Firenze, Facoltà di Magisterio, Seminario di Spagnolo), Florencia, 1961.

Aubrun, Charles V., ed., *Le Chansonnier espagnol d'Herberay des Essarts (XVe siècle): édition précédée d'une étude historique,* Féret (Bibliothèque de l'École des Hautes Études Hispaniques, XXV), Burdeos, 1951.

Avalle-Arce, Juan Bautista, «Tres poetas del *Cancionero general*», en *Temas hispánicos medievales,* Gredos, Madrid, 1974, pp. 280-367.

Azáceta, José María, ed., *Cancionero de Baena,* Clásicos Hispánicos, Madrid, 1966, 3 tomos.

Benítez Claros, Rafael, ed., *Cancionero de Ramón de Llavia,* Sociedad de Bibliófilos Españoles (2.ª época, XVI), Madrid, 1945.

Blecua, Alberto, *La poesía del siglo XV,* La Muralla (Literatura española en imágenes, VII), Madrid, 1975.

—, «'Perdióse un cuaderno': sobre los *Cancioneros de Baena*», *Anuario de Estudios Medievales,* IX, en prensa.

Blecua, José Manuel, ed., Juan de Mena, *El laberinto de Fortuna o Las trescientas,* Espasa-Calpe (Clásicos Castellanos, CXIX), Madrid, 1943.

Boase, Roger, *The Troubadour Revival: a study of social change and traditionalism in late medieval Spain,* Routledge & Kegan Paul, Londres, 1978.

Borello, Rodolfo A., «Las coplas de Manrique: estructura y fuentes», *Cuadernos de Filología* (Mendoza), I (1967), pp. 49-72.

Cangiotti, Gualtiero, Le «Coplas» di Manrique tra medioevo e umanesimo, Riccardo Patron, Bolonia, 1964.

Cantera Burgos, Francisco, El poeta Ruy Sánchez Cota (Rodrigo Cota) y su familia de judíos conversos, Universidad de Madrid, 1970.

Caravaggi, Giovanni, «Villasandino et les derniers troubadours de Castille», en Mélanges offerts à Rita Lejeune, Duculot, Gembloux, 1969, vol. I, páginas 395-421.

Carrión, Manuel, Bibliografía de Jorge Manrique (1479-1979), Diputación Provincial, Palencia, 1979.

Ciceri, Marcella, «Las Coplas del Provincial», Cultura neolatina, XXXV (1975), pp. 39-210.

—, «Le Coplas de Mingo Revulgo», Cultura neolatina, XXXVII (1977), páginas 75-149, 187-266.

Clarke, Dorothy Clotelle, Morphology of fifteenth century Castilian verse, Duquesne University Press y Neuwelaerts, Pittsburgh y Lovaina, 1963.

Cummins, John G., ed., Juan de Mena, Laberinto de Fortuna, Anaya, Salamanca, 1968.

Darbord, Michel, La poésie religieuse espagnole des Rois Catholiques à Philippe II, Centre de Recherches de l'Institut d'Études Hispaniques (Thèses, Mémoires et Travaux, IV), París, 1965.

Del Piero, Raúl A., Dos escritores de la baja Edad Media castellana (Pedro de Veragüe y el Arcipreste de Talavera, cronista real), anejo XXIII al Boletín de la Real Academia Española, Madrid, 1971, pp. 6-79.

Deyermond, Alan D., «El ambiente social e intelectual de la Danza de la Muerte», en Actas del III Congreso Internacional de Hispanistas, Colegio de México, México, 1970, pp. 267-276.

—, «Spain's first women writers», en Images: Women in Hispanic Literature, ed. Beth Miller, University of California Press, Berkeley, en prensa.

Dunn, Peter N., «Themes and images in the Coplas por la muerte de su padre of Jorge Manrique», Medium Aevum, XXXIII (1964), pp. 169-183.

Durán, Manuel, ed., Marqués de Santillana, Poesías completas. I. Serranillas, cantares y decires. Sonetos fechos al itálico modo, Castalia (Clásicos Castalia, LXIV), Madrid, 1975.

Foreman, A. J., «The structure and content of Santillana's Comedieta de Ponça», Bulletin of Hispanic Studies, LI (1974), pp. 109-124.

Fraker, Charles F., Studies on the Cancionero de Baena, University of North Carolina (Studies in Romance Languages and Literatures, LXI), Chapel Hill, 1966.

—, «The theme of predestination in the Cancionero de Baena», Bulletin of Hispanic Studies, LI (1974), pp. 228-243.

Gallagher, Patrick, The life and works of Garci Sánchez de Badajoz, Tamesis Books, Londres, 1968.

Gericke, Philip O., «The narrative structure of the Laberinto de Fortuna», Romance Philology, XXI (1967-1968), pp. 512-522.

Gilman, Stephen, «Tres retratos de la muerte en las Coplas de Jorge Manrique», Nueva Revista de Filología Hispánica, XIII (1959), pp. 305-324.

Gimeno Casalduero, Joaquín, «Sobre el Cartujano y sus críticos», *Hispanic Review*, XXIX (1961), pp. 1-14; reimpr. en *Estructura y diseño en la literatura castellana medieval*, Porrúa Turanzas, Madrid, 1975, pp. 217-233.

—, «Notas sobre el *Laberinto de Fortuna*», *Modern Language Notes*, LXXIX (1964), pp. 125-139; reimpr. en [1975], pp. 197-216.

—, «La *Defunsión de don Enrique de Villena* del Marqués de Santillana: composición, propósito y significado», en *Studia hispanica in honorem R. Lapesa*, II, Cátedra-Seminario Menéndez Pidal y Gredos, Madrid, 1974, páginas 269-279; reimpr. en [1975], pp. 179-195.

Green, Otis H., «Courtly Love in the Spanish *Cancioneros*», *Publications of the Modern Language Association*, LXIV (1949), pp. 247-301; adaptado en *Spain and the Western Tradition: the Castilian mind in literature from «El Cid» to Calderón*, University of Wisconsin Press, Madison, 1963, vol. I, cap. 3 (trad., *España y la tradición occidental: el espíritu castellano en la literatura desde «El Cid» hasta Calderón*, Gredos, Madrid, 1969).

Guglielmi, Nilda, «Los elementos satíricos en las *Coplas de la panadera*», *Filología*, XIV (1970), pp. 49-104.

Hook, David, y Jennifer Williamson, «'Pensastes el mundo por vós trastornar': the world upside-down in the *Dança general de la Muerte*», *Medium Aevum*, en prensa.

Jones, R. O., y Carolyn R. Lee, ed., Juan del Encina, *Poesía lírica y cancionero musical*, Castalia (Clásicos Castalia, LXII), Madrid, 1975.

Kerkhof, Maximiliaan P. A. M., ed., Íñigo López de Mendoza, Marqués de Santillana, *La comedieta de Ponza*, [Rijksuniversiteit te Groningen], 1976.

—, ed., I. López de Mendoza, *Defunsión de don Enrique de Villena*, Martinus Nijhoff, El Haya, 1977.

Kinkade, Richard P., «The Historical Date of the *Coplas* and the Death of Jorge Manrique», *Speculum*, XLV (1970), pp. 216-224.

Lapesa, Rafael, «Notas sobre Micer Francisco Imperial», *Nueva Revista de Filología Hispánica*, VII (1953), pp. 337-351; reimpr. con adiciones en *De la Edad Media a nuestros días: estudios de historia literaria*, Gredos, Madrid, 1967, pp. 76-94.

—, «La lengua de la poesía lírica desde Macías hasta Villasandino», *Romance Philology*, VII (1953-1954), pp. 51-59.

—, *La obra literaria del Marqués de Santillana*, Ínsula, Madrid, 1957.

—, «El elemento moral en el *Laberinto* de Mena: su influjo en la disposición de la obra», *Hispanic Review*, XXVII (1959), pp. 257-266; reimpr. en [1967], pp. 112-122.

—, «De nuevo sobre las serranillas de Santillana», en *Libro-homenaje a Antonio Pérez Gómez*, «La fonte que mana y corre...», Cieza, 1978, vol. II, pp. 43-50.

Lázaro Carreter, Fernando, «La poética del arte mayor castellano», en *Studia hispanica in honorem R. Lapesa*, I, Cátedra-Seminario Menéndez Pidal y Gredos, Madrid, 1972, pp. 343-378; reimpr. en *Estudios de poética (La obra en sí)*, Taurus (Persiles, 95), Madrid, 1976, pp. 75-111.

Le Gentil, Pierre, *La poésie lyrique espagnole et portugaise à la fin du Moyen Âge*, Plihon, Rennes, 1949-1953, 2 vols.

Lida de Malkiel, María Rosa, «Una copla de Jorge Manrique y la tradición de Filón en la literatura española», *Revista de filología hispánica*, IV (1942), pp. 152-171; reimpr. en *Estudios sobre la literatura española del siglo XV*, Porrúa Turanzas, Madrid, 1977, pp. 145-178.

—, «La hipérbole sagrada en la poesía castellana del siglo XV», *Revista de Filología Hispánica*, VIII (1946), pp. 121-130; reimpr. en [1977], páginas 291-309.

—, *Juan de Mena, poeta del Prerrenacimiento español*, Colegio de México, México, 1950.

—, «Para la primera de las *Coplas de don Jorge Manrique por la muerte de su padre*», *Romance Philology*, XVI (1962-1963), pp. 170-173; reimpr. en *La tradición clásica en España*, Ariel (Letras e Ideas: Maior, 4), Barcelona, 1975, pp. 199-206.

—, «La dama como obra maestra de Dios», *Romance Philology*, XXVIII (1974-1975), pp. 267-324; reimpr. con adiciones en [1977], pp. 179-290.

Márquez Villanueva, Francisco, *Investigaciones sobre Juan Álvarez Gato: contribución al conocimiento de la literatura castellana del siglo XV*, anejo IV al *Boletín de la Real Academia Española*, Madrid, 1960; 2.ª ed., 1974.

Massoli, Marco, ed., fray Íñigo de Mendoza, *Coplas de vita Christi*, D'Anna y Università di Firenze (Pubblicazioni dell'Istituto Ispanico), Messina y Florencia, 1977.

Morreale, Margherita, ed., *Para una antología de literatura castellana medieval: la «Danza de la Muerte»*, en *Annali del Corso di Lingue e Letterature Straniere presso l'Università di Bari*, VI (1963).

—, «El *Dezir a las siete virtudes* de Francisco Imperial. Lectura e imitación prerrenacentista de la *Divina comedia*», en *Lengua, literatura, folklore: estudios dedicados a Rodolfo Oroz*, Santiago de Chile, 1967, pp. 307-377.

—, «Apuntes bibliográficos para el estudio del tema 'Dante en España hasta el siglo XVII'», en *Annali del corso di lingue e letterature straniere della Università di Bari*, VIII (1967).

—, «Apuntes para el estudio de la trayectoria que desde el *¿ubi sunt?* lleva hasta el '¿qué le fueron sino...?' de Jorge Manrique», *Thesaurus*, XXX (1975).

Navarro Tomás, Tomás, «Métrica de las *Coplas* de Jorge Manrique», *Los poetas en sus versos: desde Jorge Manrique a García Lorca*, Ariel (Letras e Ideas, Maior, 1), Barcelona, 1973, pp. 67-86.

Neupaulsingh, Colbert, ed., Francisco Imperial, «*El dezir de las syete virtudes*» *y otros poemas*, Espasa-Calpe (Clásicos Castellanos), Madrid, 1977.

Norti Gualdani, Enzo, ed., Juan de Padilla (El Cartujano), *Los doce triunfos de los doce apóstoles*, D'Anna y Università di Firenze (Pubblicazioni dell'Istituto Ispanico), Messina y Florencia, 1975 y 1978, vols. I y II, 1.

Orduna, Germán, «Las *Coplas* de Jorge Manrique y el triunfo sobre la Muerte: estructura e intencionalidad», *Romanische Forschungen*, LXXIX (1967), pp. 139-151.

Pérez Priego, Miguel Ángel, ed., Juan de Mena, *Laberinto de Fortuna y poemas menores*, Editora Nacional, Madrid, 1976.

Rambaldo, Ana María, ed., Juan del Encina, *Obras Completas*, Espasa-Calpe, Madrid, 1978, 3 vols.

Reichenberger, Arnold G., «The Marqués de Santillana and the classical tradition», *Iberoromania*, I (1969), pp. 5-34.

Rico, Francisco, «Unas coplas de Jorge Manrique y las fiestas de Valladolid en 1428», *Anuario de Estudios Medievales*, II (1965), pp. 515-524.

—, «'Un penacho de penas'. Sobre tres invenciones del *Cancionero general*», *Romanistisches Jahrbuch*, XVII (1966), pp. 274-284.

—, «Pedro de Veragüe y fra Anselm Turmeda», *Bulletin of Hispanic Studies*, L (1973), pp. 224-236.

Riquer, Martín de, «Alfonso el Magnánimo visto por sus poetas», en el colectivo *Estudios sobre Alfonso el Magnánimo*, Universidad de Barcelona, 1960.

Rodríguez-Moñino, Antonio, ed., *Cancionero general*, Real Academia Española, Madrid, 1958.

—, ed., *Suplemento al Cancionero general*, Castalia, Valencia, 1959.

Rodríguez-Puértolas, Julio, *Fray Íñigo de Mendoza y sus «Coplas de Vita Christi»*, Gredos, Madrid, 1968.

—, ed., Íñigo de Mendoza, *Cancionero*, Espasa-Calpe (Clásicos Castellanos, CLXIII), Madrid, 1968.

—, ed., *Poesía de protesta en la Edad Media castellana*, Gredos, Madrid, 1968.

—, ed., Ambrosio Montesino, *Poesías*, Castalia (Clásicos Castalia), Madrid, en prensa.

Romeu Figueras, José, ed., *Cancionero musical de Palacio*, CSIC, Barcelona, 1965, dos vols. (núms. 3-A y 3-B de la serie *La música en la corte de los Reyes Católicos*).

Round, Nicholas G., «Garci Sánchez de Badajoz and the revaluation of *Cancionero* poetry», *Forum for Modern Language Studies*, VI (1970), páginas 178-187.

Salinas, Pedro, *Jorge Manrique, o tradición y originalidad*, Sudamericana, Buenos Aires, 1947; reedición, Seix Barral, 1974.

Salvador Miguel, Nicasio, *La poesía cancioneril: El cancionero de Estúñiga*, Alhambra, Madrid, 1977.

Saugnieux, Joël, *Les danses macabres de France et d'Espagne et leurs prolongements littéraires*, Les belles lettres (Bibliothèque de la Faculté des Lettres de Lyon, XXX), París, 1972.

Scoles, Emma, ed., Carvajal, *Poesie*, Ateneo (Officina Romanica, VII), Roma, 1967.

Serrano de Haro, Antonio, *Personalidad y destino de Jorge Manrique*, Gredos, Madrid, 1966; 2.ª edición, 1975.

Severin, Dorothy S., ed., Diego de San Pedro, *La Pasión trobada*, Istituto Universitario Orientale (Pubblicazioni della Sezione Romanza dell'Istituto Universitario Orientale, Testi, VI), Nápoles, 1974.

—, ed., *The «Cancionero de Martínez de Burgos»: a description of its contents, with an edition of the prose and poetry of Juan Martínez de Burgos*, University of Exeter (Exeter Hispanic Texts, XII), Exeter, 1976.

Sola-Solé, J. M., «En torno a la *Dança general de la Muerte*», *Hispanic Review*, XXXVI (1968), pp. 303-327.

Spitzer, Leo, «Dos observaciones sintáctico-estilísticas a las *Coplas* de Manrique», *Nueva Revista de Filología Hispánica*, IV (1950), pp. 1-24.

Stegagno Picchio, Luciana, «Per una storia della *serrana* peninsulare: la *serrana* di Sintra», *Cultura Neolatina*, XXVI (1966), pp. 105-128.

Steunou, Jacqueline, y Lothar Knapp, *Bibliografía de los cancioneros castellanos del siglo XV y repertorio de sus géneros poéticos*, Centre National de la Recherche Scientifique, París, I. 1975.

Street, Florence, «The allegory of Fortune and the imitation of Dante in the *Laberinto* and *Coronación* of Juan de Mena», *Hispanic Review*, XXIII (1955), pp. 1-11.

—, «The text of Mena's *Laberinto* in the *Cancionero de Ixar* and its relationship to some other fifteenth-century MSS», *Bulletin of Hispanic Studies*, XXXV (1958), pp. 63-71.

Tavani, Giuseppe, «Il problema della poesia lirica nel Duecento letterario ispanico», en *Poesia del Duecento nella Penisola Iberica: problemi della lirica galego-portoghese*, Ateneo (Officina Romanica, XII), Roma, 1969, pp. 9-50.

Temprano, Juan Carlos, «El *Arte de la poesía castellana* de Juan del Encina. Edición y notas», *Boletín de la Real Academia Española*, LIII (1973), pp. 321-350.

Terni, Clemente, ed., Juan del Encina, *L'opera musicale*, Università degli Studi di Firenze y D'Anna (Pubblicazioni dell'Istituto Ispanico), Florencia y Messina, 1974.

Vàrvaro, Alberto, *Premesse ad un' edizione critica delle poesie minori di Juan de Mena*, Liguori, Nápoles, 1964.

Vendrell de Millás, Francisca, ed., *El cancionero de Palacio (Manuscrito n.° 594)*, CSIC, Barcelona, 1945.

Walker, Roger M., «'Potest aliquis gustare quod gustatum affert mortem?' (Job vi. 6): an aspect of imagery and structure in *La dança general de la Muerte*», *Medium Aevum*, XLI (1972), pp. 32-38.

Wardropper, Bruce W., *Historia de la poesía lírica a lo divino en la Cristiandad occidental*, Revista de Occidente, Madrid, 1958.

Whinnom, Keith, «The supposed sources of inspiration of Spanish fifteenth-century religious verse», *Symposium*, XVII (1963), pp. 268-291.

—, «El origen de las comparaciones religiosas del siglo de oro: Mendoza, Montesino y Román», *Revista de Filología Española*, XLVI (1963), pp. 263-285.

—, «Hacia una interpretación y apreciación de las canciones del *Cancionero general*», *Filología*, XIII (1968-1969), pp. 361-381.

PIERRE LE GENTIL

TRAYECTORIA DE LOS CANCIONEROS

El *Cancionero de Baena* es el primer monumento de la lírica castellana. Hasta entonces los trovadores peninsulares se expresaban
únicamente en galaico-portugués; esa lengua es aún la de los poetas
más antiguos citados por Baena, pero el castellano la suplanta ya:
a la escuela «gallego-portuguesa» sucede una escuela «gallego-caste-
llana», que tiende cada vez más a convertirse tan sólo en castellana;
no tendrá que transcurrir mucho tiempo para que veamos a los mismos portugueses renunciar a veces a su lengua, consagrada sin embargo por una larga tradición, y utilizar gustosos la lengua de Juan
de Mena y del Marqués de Santillana.

Una simple ojeada a los epígrafes del *Cancionero de Baena* nos
muestra que los poemas que contiene pueden dividirse en dos grupos bien caracterizados: las *cantigas* y los *decires*. La palabra *cantiga*
designa composiciones relativamente cortas y de forma muy peculiar,
destinadas, al menos en principio, a ser cantadas; la palabra *decires*
designa composiciones más largas, a menudo de carácter tan narrativo
como lírico, y concebidas sobre todo para la lectura. Como puede
suponerse, pues, la *cantiga,* género musical, por ese mismo hecho
está más cerca de la tradición, y por consiguiente tiene que ser más
fiel a los temas tradicionales del amor cortés; y en efecto, eso es lo
que ocurre; pero hay que advertir que muchas de las composiciones
de este tipo están dedicadas a la Virgen, bajo la influencia de las
famosas *Cantigas de Santa María* de Alfonso X el Sabio, con las que

Pierre Le Gentil, *La poésie lyrique espagnole et portugaise à la fin du
Moyen Âge*, Plihon, Rennes, 1949, vol. I, pp. 8-11.

tienen además relaciones formales. Por el contrario, el *decir* era un marco más amplio, que se prestaba a todos los temas. Menéndez Pidal observa muy agudamente que con la disminución del elemento musical, el tema musical por excelencia, que era el amor, pierde poco a poco su importancia y cede su lugar a otros temas menos líricos. Villasandino habla de abandonar el batallón de los fieles del Amor, y García Fernández de Jerena, en una «visión», nos revela que Amor se ha ido de España. Ahora se elogia a grandes personajes vivos o difuntos, se intercambian injurias o burlas, preguntas y respuestas sobre temas muy graves; se pide a los poderosos, o bien los poetas se aventuran a largas composiciones de carácter didáctico; tratan entonces de la muerte, de la fortuna, de la caída imprevista de los imperios o de los poderosos de la tierra, de un problema moral o religioso; se multiplican las invocaciones, las comparaciones; se recurre a la alegoría para dar una tonalidad más poética a esas laboriosas composiciones; mejor aún, se inspiran con frecuencia en Dante, en Petrarca, en Boccaccio o en modelos antiguos; se interesan por la mitología, de la que no desdeñan tomar unos cuantos nombres, algunos adornos que mezclan con recuerdos de las novelas bretonas. Finalmente, los incidentes cotidianos de la vida de la corte, hasta la cuartana del condestable Álvaro de Luna, por ejemplo, pasan a ser materia de poesía, o, mejor dicho, sirven de pretexto para un comentario rimado.

No obstante, el amor cortés no queda olvidado del todo; es cierto que los autores más antiguos del *Cancionero,* los mismos que cultivan las formas musicales, son los que permanecen fieles a la vieja tradición. La nueva escuela prefiere los *decires* de carácter filosófico o moral; aunque Imperial, el más célebre de los poetas de este grupo, compuso varios «decires de Amor», tanto él como sus imitadores se apartan de la antigua canción provenzalizante, cuyos últimos ejemplos están representados por el Arcediano de Toro y sobre todo por Macías. El tema más frecuente es el elogio de la dama, de la que se cantan los innumerables méritos con profusión de comparaciones e hipérboles; la alegoría interviene en las composiciones más recientes; esta intención simbólica, y el interés que se manifiesta a menudo, intercambiando *preguntas* y *respuestas,* por los pequeños problemas de casuística amorosa, demuestran que de lo que se trata es, más que expresar un sentimiento personal, de estudiar a la manera de un psicólogo las formas o los efectos del amor; al parecer, hasta la época de Juan II estas tendencias didácticas se imponen en detrimento del lirismo subjetivo.

Por otra parte, los poetas de esta época, sobre todo los más antiguos, y entre ellos Villasandino, manifiestan una constante preocupación por la técnica; sus composiciones y los títulos que las anuncian nos revelan una multitud de términos de oficio y de procedimientos, heredados, a juzgar por las apariencias, de la vieja escuela galaica y portuguesa, que a su vez los había tomado de los provenzales. Las *cantigas* que componen se vinculan claramente a lo que suele llamarse *géneros de forma fija,* es decir, que su elaboración obedece a reglas muy precisas: estribillo inicial, estrofas divisibles en dos partes, una independiente y otra en estrecha relación con el estribillo, cuyo esquema y rimas reproduce, bien en su totalidad, bien en parte. En cuanto a los *decires*, se distinguen por sus vastas proporciones de la antigua canción amorosa, de la que conservan sin embargo la *finida,* que corresponde a la *tornada* de los provenzales. Estos poemas se componen, pues, de un número de estrofas muy variable: el modelo preferido, con mucha diferencia, es la estrofa de ocho versos y tres rimas, cuyo esquema suele ser *a b b a a c c a*: la predilección por esta forma es un hecho nuevo en la Península, donde hasta entonces se había preferido siempre la estrofa de siete versos. Por lo que se refiere a la versificación, observamos la desaparición de la cuaderna vía y de los metros largos de las *Cantigas de Santa María.* Podría decirse que los poetas del *Cancionero de Baena* sólo conocen dos versos, que no son nuevos, pero que ahora gozan de un extraordinario favor, el *octosílabo* grave, acentuado en la séptima sílaba, y el curioso verso de *arte mayor,* que no será destronado hasta un siglo y medio más tarde por el endecasílabo italiano. En cuanto a versos cortos, los poetas emplean sobre todo el «quebrado» del octosílabo, que mezclan con moderación con el verso completo.

Resumamos: en la época de Baena la lírica se divide en dos ramas. De una parte, los géneros musicales y subjetivos, que permanecen fieles a los temas corteses, o, imitando las *Cantigas* de Alfonso X, cantan a la Virgen y su benéfica intercesión; estos géneros son ya géneros de forma fija; están sometidos a reglas precisas e incluso pueden reducirse a un tipo único. Por otra parte están los géneros que son completamente independientes de la música y tratan los temas más variados: poesía grave, de carácter narrativo o didáctico, que se aparta cada vez más de los temas amorosos; poesía para el recitado, que prefiere las largas composiciones alegóricas, repite indefinidamente la misma fórmula estrófica simple y conserva tan sólo de la antigua canción la *finida,* aunque muy emancipada de las reglas provenzales.

Alrededor del 1450 asistimos a varias transformaciones notables. Abramos el *Cancionero de Estúñiga* (h. 1460-1463) o el *Cancionero general* (1511). Para empezar, desde el punto de vista del fondo, advertimos un retorno a la poesía amorosa, más particularmente a los temas más desolados. La cruel indiferencia de la dama, la separación o la ausencia, la desesperación que así causa y que hace la vida del amante peor que la muerte, he ahí lo que cantan los poetas, tristes y enlutados. Por otro lado, vemos la misma afición que en el *Cancionero de Baena* por la poesía lírico-narrativa o didáctica. Los *decires* morales, filosóficos o religiosos se multiplican; la alegoría goza de más favor que nunca; las *coronaciones* y los *elogios* simbólicos suceden a las *visiones,* y los recuerdos mitológicos o antiguos se hacen cada vez más engorrosos. En síntesis, las tendencias que habíamos visto en Imperial y sus discípulos se desarrollan progresivamente; y esta escuela es la que, desde comienzos del siglo xv, introdujo, con el gusto por la alegoría y las discusiones graves, esa forma un poco rebuscada, sobrecargada de comparaciones y de antítesis, que caracteriza a fines de la Edad Media a la poesía peninsular. En el *Cancionero de Estúñiga,* en el *Cancionero general* de Hernando del Castillo, o en los cancioneros particulares que siguen a la recopilación de Baena, hay, pues, muy pocos pensamientos y temas nuevos; en cambio, lo que llama la atención es el tono quejumbroso y alambicado de la poesía subjetiva, y por otra parte, el carácter cada vez más erudito, a veces incluso humanista, de la poesía grave.

En el campo de la técnica poética, la evolución a la que asistimos es aún más interesante. Los diversos procedimientos y artificios que Villasandino cultivaba todavía y que sus jóvenes rivales van abandonando cada vez más, caen en el olvido después de 1450. Se acaba el *leixa-pren,* el *dobre* y *mordobre,* el *macho y fembra,* así como todas las demás complicaciones anticuadas y enojosas que permitían a los poetas de antaño lucir su virtuosismo. Se renuncia a la *maestría mayor* —las *coblas unissonans* de los provenzales—, que es un refinamiento imposible en los largos *decires* como las *Trescientas* de Juan de Mena. La misma estrofa de ocho versos se simplifica gracias a la adición de una cuarta rima. En resumen, se liberan de todas las obligaciones incompatibles con las necesidades de una lírica para el recitado. En cambio, en los poemas más cortos, y sobre todo en las estrofas aisladas o *esparsas,* los poetas se empeñan en seguir luciendo su ingenio y su maestría; buscan estrofas de construcción complicada y combinaciones de rimas nuevas; de ahí que, al lado de formas usuales y preferidas por su sencillez, haya muchos esquemas raros o incluso únicos.

Pero uno de los rasgos más característicos de la lírica peninsular a fines del siglo XV es sin duda el creciente favor del que gozaban entonces los géneros de forma fija, la *canción* y el *villancico.* Los términos, por otra parte, son nuevos, y sustituyen a la antigua palabra gallega *cantiga,* que aún empleaban los viejos poetas del *Cancionero de Baena.* Al igual que las cantigas, la canción y el villancico constan de un estribillo seguido de una o más estrofas, cada una de las cuales comprende dos partes, una de ellas independiente, la otra vinculada al estribillo. La canción, que por lo común no tiene más que una estrofa, se distingue por su tono cortés y culto; el villancico, de longitud variable, presenta por el contrario a menudo un carácter popular. Estos géneros de forma fija son los herederos directos de la antigua cantiga, y ello sobre todo porque son géneros musicales y subjetivos; por este motivo gozaban de las preferencias de los poetas más antiguos del *Cancionero de Baena.* Abandonados durante un tiempo por los poetas de la escuela de Imperial, vemos que vuelven a ser cultivados por todos los rimadores de fines del siglo XV, y añado que los italianizantes del siglo siguiente les seguirán siendo fieles durante mucho tiempo. En otras palabras, después del gran auge de los *decires,* se estableció poco a poco una especie de equilibrio entre la lírica recitada y la lírica cantada, entre los géneros estróficos y los géneros de forma fija. Eso no quiere decir que los poemas titulados «canción» o «villancico» fuesen siempre cantados; pero eran los únicos a los que se solía poner música; así lo comprobamos en el *Cancionero musical de Palacio* (1505...), que demuestra también hasta qué punto tales composiciones eran apreciadas y admiradas aún a comienzos del siglo XVI. El carácter sencillo, y a veces ingenuo, de los villancicos, de ordinario fieles a los viejos temas de la canción de danza, requiere finalmente un último comentario: es evidente que después de 1450, siguiendo el ejemplo del Marqués de Santillana, en los medios corteses se deja de mirar con desdén las formas más sencillas de la canción de danza, y se empieza a recopilar estos poemas y a menudo a imitarlos. Se utilizan así antiguos estribillos, que se glosan con afectada sencillez en las estrofas de un villancico; y sin duda los músicos aprovechan también algunas melodías venerables, de las que el pueblo aún conservaba en la memoria después de muchas generaciones. Un género nuevo, pero éste de carácter culto, iba a nacer como consecuencia de esta costumbre: la *glosa*. El villancico y la canción, variaciones sobre un estribillo inicial, que sirve de tema y que a menudo se toma de otro poeta o de una tradición anónima, son ya verdaderas *glosas,* pero se acostumbra reservar este nombre para las composiciones que toman como punto de partida una obra entera, en general una canción de una estrofa, y la comentan en detalle en una serie de estrofas nuevas en las que vemos reaparecer sucesivamente, en determinados lugares fijos, todos los versos del modelo elegido. Este género tuvo tal éxito, que los poetas de la escuela italianizante lo cultivarán aún en el siglo XVI.

Fernando Lázaro Carreter

LA POÉTICA DEL ARTE MAYOR

La norma métrica del arte mayor ha preocupado desde antiguo a los tratadistas, pero fue R. Foulché-Delbosc (1902) el primero en formular una hipótesis aceptable sobre ella, al describir este tipo de verso como un conjunto de dos hemistiquios separados por cesura, en cada uno de los cuales existe la combinación silábico-acentual $-' - - -'$. [Posteriormente, Le Gentil [1953] ha comprobado que no se dan hemistiquios de un solo acento]: todos cuentan con dos, si bien el primero, separado siempre por dos sílabas átonas del

Fernando Lázaro Carreter, «La poética del arte mayor castellano», en *Studia hispanica in honorem R. Lapesa*, I, Cátedra-Seminario Menéndez Pidal y Gredos, Madrid, 1972, pp. 343-378; reimpr. en *Estudios de poética (La obra en sí)*, Taurus (Persiles, 95), Madrid, 1976, pp. 75-111 (79-83, 91-92, 102, 109-110).

segundo, «no siempre suena con gran intensidad». Por otra parte, ese ictus [o 'tiempo métrico marcado'] secundario puede recaer arbitrariamente sobre una átona por naturaleza, o bien «permutar su puesto con la átona anterior o siguiente (...) y producir entonces un efecto menos de ruptura que de variación oportuna o sosiego del ritmo». Ante las escansiones posibles en versos como *de tal devoçion fue conglutinada, e sobre partir tales discordanças*, piensa que son regulares los segundos hemistiquios, obedientes, como todos, a la fórmula silábico-acentual ◡ __ __ ◡́ ◡. En apoyo de esta decisión, aduce el testimonio de Nebrija, para quien dos «adónicos sencillos», como *y pone tristura, vuestra fermosura,* son métricamente equivalentes, lo cual es sólo posible si acentuamos *vuestrá.* He aquí, pues, abreviadamente expuesta, la conclusión que juzgamos correcta, si bien Le Gentil parece adoptarla con cierta timidez, porque es en verdad difícil persuadirse de que esos cambios acentuales hayan podido ser aceptados por una poética castellana. Y, sin embargo, los hechos fuerzan a admitirlo así. [...]

El ritmo del poeta y del lector va gobernado por lo que Roman Jakobson ha llamado 'modelo de verso' (*verse design*), al cual se somete, perfecta o imperfectamente, cada 'realización de verso' (*verse instance*). Perfectamente, cuando el ictus y el acento de la palabra coinciden: «dáme licéncia   mudáble Fortúna» (7a); imperfectamente, cuando se produce conflicto entre ellos: «pierio subsidio ynmórtal Apolo» (6b).[1] [Pues bien, en el arte mayor,] todo induce a creer que el 'modelo de verso' lleva su imperio hasta el extremo de forzar lecturas netas del tipo *inmórtal.* Los primeros beneficiarios de esta subrogación del acento fueron los neologismos y los nombres propios, cuya rareza les permitía figurar en el hemistiquio con su acento desplazado o no, sin sorpresa para nadie. Los tratadistas pueden aceptar fácilmente que los poetas aplicaron esa 'licencia' en casos [como «cérca de Éufrates» (36a) junto a «ví de Eufrátes» (37a) o «Athálante e Fédra» frente a «nin fízo Athalánte» (*Com.* 103c, 27d).] Pero si esto se admite, es preciso reconocer que tales traslaciones acomodaticias son parte de un fenómeno generalizado resultante

---

1. [Los textos citados sin más advertencia que el número de la copla y la letra correspondiente al verso proceden del *Laberinto de Fortuna*; con la abreviatura *Com.* se remite a la *Comedieta de Ponça* del Marqués de Santillana.]

del conflicto entre los realces rítmico y prosódico a la altura del primer ictus, y que afecta, como veremos luego, a las más normales palabras. Sin embargo, no creemos que un simple desplazamiento de tonicidad refleje la situación verdadera. Al llegar al undécimo verso del *Laberinto,* el lector se encuentra ante una incómoda elección: o continúa fiel al modelo rítmico de los veintiún hemistiquios precedentes, que le sugieren la lectura *tus fírmezas pócas,* o lo contraría manteniendo el diseño prosódico de *firmézas.* Pues bien, entendemos que estas posibilidades no se plantean al lector en términos de disyuntiva; la primera repugna a sus hábitos lingüísticos, y la segunda destruye el verso. No hay, pensamos, opción, sino forzada compatibilidad entre los esquemas rítmico y acentual, que no se excluyen entre sí, precisamente porque tales son la convención y el propósito de ese esquema poético. Toscamente, podríamos representar el hecho colocando sendos acentos sobre las dos primeras sílabas de *fírmézas;* pero no se trata de eso —que sería una tercera forma de decisión—, sino de un juego en que ambos relieves reaccionan conflictivamente, sin triunfar ninguno ni pactar. La presión que hemos atribuido al ictus rítmico debe referirse a este hecho: a que sea capaz de proponer persuasivamente al lector una infracción prosódica. De esta manera, su lectura va siendo estimulada por dos recursos característicos del lenguaje poético: a saber, la confirmación de una expectativa, cuando se corresponden los relieves, o la defraudación de la misma si hay desajuste, esto es, «distorsión estéticamente intencional de los componentes lingüísticos» (Mukarovsky). Se produce así el efecto de 'variación', que es exigido por todas las estéticas antiguas y modernas, aunque de modo especialmente llamativo, ya que compromete la identidad del vocabulario. Pues bien, a la coacción de los ictus, que puede producir en la posición del primero una total ambigüedad prosódica, atribuimos la función de dominante' del arte mayor, es decir, según la definición de Mukarovsky, de «componente de la obra que pone en movimiento e imprime dirección a las relaciones entre todos los demás componentes». Ella es responsable, en última instancia, de otras incertidumbres y de otros artificios a distintos niveles del verso, en su forma y en su contenido, que, juntos e interdependientes, constituyen la trama esencial de esta singular poética. [...]

Descubrimos en estos hechos al resorte central de la poética del arte mayor, que produce en el material lingüístico una manifiesta inestabilidad. En todo él, no sólo en sus zonas más exóticas. Al nivel prosódico que ahora examinamos, los cambios acentuales se producen tanto en las voces cultísimas como en las vulgares. En seguida veremos que estas libertades con el material no se limitaron a la prosodia; pero lo dicho basta para comprender la fuerza con que se impuso la norma métrica sobre la lingüística, lo cual sólo era posible con la convicción de que la poesía consiste, al menos en lo relativo al idioma, en conflictos de este tipo, y de que se produce cuando el escritor se aleja lo más posible del estándar. Esto, desde el siglo XVI, nos resulta incomprensible: los más artificiosos poetas posteriores no llegaron nunca a tanto. ¿Fueron menos chocantes aquellos hechos para los lectores del XV, dado que los desvíos propios del lenguaje poético se perciben por contraste con el ordinario, y éste se hallaba en una fase inestable? Se trataba, sin duda, de dos tipos distintos de imprecisión; la lengua común, indecisa entre diversas soluciones que pugnaban por imponerse, se orientaba hacia el establecimiento de una norma; por lo demás, cuesta trabajo imaginar que ésta no existiese en los medios cultos cortesanos. Pero el lenguaje poético iba en dirección contraria, hacia el desorden como meta. Muchos cultismos léxicos debían sorprender más que ahora; y otras torsiones fónicas, gramaticales y retóricas, tanto como ahora. El poeta, esclavo del ritmo, se siente, sin embargo, dueño del vocabulario y de la gramática. Cuando Mena llama al mismo personaje *Demogorgón* en un texto (211*f*), y en otro, a instancias de la rima, *Demogorgén*, parece gastarnos una broma. Y no es así: su poética le autorizaba a ello; más aún, le obligaba a tales arbitrios. Pensamos que, lejos de ampararlos en la supuesta inestabilidad del uso común, el propósito de estos escritores era proyectarlos contra él y hasta contra sus propios usos. Distanciaban su idioma creyendo que éste era el método para transformar en poesía cualquier contenido; los mejores momentos del arte mayor —el *Laberinto* y la *Comedieta*— son aquellos en que idioma y contenido son igualmente remotos.

[Entre las operaciones observables para ajustar el material a la armazón rítmica (incluida la rima), son frecuentes muchas anomalías lingüísticas y artificios retóricos. Por ejemplo, la alternancia de modos y tiempos verbales: «*fiz* de mi duda   complida palabra / a mi guiadora, rogando que *abra*» (57*f-g*); duplicaciones redundantes para que la frase coincida con el verso: «han la salida   *dubdosa* e *non cierta*» (27*b*); uso de un *tú* enfático, para que el hemistiquio cumpla los requisitos acentuales que impone la cesura: «llámale círculo *tú* de la Luna» (69*b*); empleo de pronombres redundantes que procuran el acomodo del ictus: «quiere su muerte tomar*la* más tarde» (149*f*); anarquía en el uso de artículos y preposiciones: «los sarmatas, colcos [sin *los*] e los massagetas» (39*g*), «ganó Fornachuelos, *a* Luque e Montoro» (283*f*); frecuencia abrumadora del hipérbaton: «a la moderna volviéndome rueda» (92*a*); recurso al infinitivo subordinado, a la latina: «que jamás se falla *ser fecho* en el mundo» (*Com.* 83*g*); expresión del predicado con una perífrasis constituida por un verbo gramaticalizado y un adjetivo o forma originariamente verbal: «de umana forma non *ser discrepante*» (22*b*); sustitución del sintagma *de* + *sustantivo* por un adjetivo derivado de este último: «ovo lugar el engaño *ulixeo*» (18*h*), «el *neptunal* toro terror de las gentes» (*Com.* 33*f*), etc. No pretendemos que todos esos hechos obedezcan a motivos rítmicos, ajenos a la personalidad del escritor, ni tampoco que 'una buena parte' de tales rasgos chocantes se deba a la precisión de someter el material lingüístico al modelo métrico.] Lo que sí afirmamos es que todos ellos obedecen, en el *plano formal,* a una *inducción generalizada del esquema rítmico del arte mayor, de tal modo que, una vez desencadenado el distanciamiento respecto de la lengua común, los poetas prescinden de la coherencia lingüística como posible ideal, y faltan a ella no sólo en los casos en que el esquema invita al sometimiento, sino también donde no ejerce presión.* [...]

Todo induce a pensar que 'lo poético' consiste, para el arte mayor, en *una construcción sonora, rítmica pero no melodiosa, lograda mediante un lenguaje híbrido, que permite entrever el contenido a través de sombras y ambigüedades, y que alcanza su calidad por el vencimiento de las dificultades métricas (y por el alarde de sabiduría historial y mitológica adivinable en el autor).* Como vimos, una pieza esencial de esta poética es el neologismo; con él se atienden principalmente las demandas del verso. Pero, además, en la medida en que el lenguaje desempeña una función involutiva casi total, es decir, de conductora de la atención hacia el lenguaje mismo, el neologismo, cuya capacidad de referencia extralingüística está muy atenuada o no existe, debía convertirse en artificio fundamental. Se trae, por eso, del latín cuando puede hallarse, o se forja a la medida. Prueba directa de ese papel central del vocablo exótico es la gran utilización que se hace del nombre propio, muy en especial del que carece de denotación incluso para muchos lectores cultos. En cierto modo, el más extremo ideal acogido a esta poética consistiría en poblar la copla de extraños nombres propios, portadores únicamente de vagas connotaciones cultas. Y este ideal, que puede adivinarse por simple deducción, queda confirmado por numerosas estrofas de Mena y Santillana como las siguientes del *Laberinto* (41) y de la *Comedieta* (76):

En la menor Asia mis ojos tornados
vieron aquella Galatia, do fueron
las gentes que al rey Bitinio vinieron,
dando socorros bien galardonados;
los canpos de Frigia tanto llorados,
Caria, Ysauria vimos en pronto,
Liçia, Panfilia, e tierra de Ponto,
do Naso e Clemente fueron relegados.

Alli se nombraron Grimaldos e Doria,
Açescos, Catanios, Negros e Damar,
alli Desireo de insine memoria,
Espindolas, Çibos e Inso de Mar;
gentiles Bivaldos, Marbotes, Lercar,
Çigaulas, Fragosos e Justinianos,
Çibus, Çenturios e Italianos,
e otros que dexo, por no dilatar.

Las abundantes estrofas como éstas, lejos de ser un cuerpo extraño en el poema, de mero relleno, constituyen, si no la culminación estética de aquel arte, sí el más consecuente desarrollo de sus premisas; en ellas, el material lingüístico no opone ninguna resistencia, y el ritmo se hace omnipresente.

RAFAEL LAPESA

LAS SERRANILLAS DEL MARQUÉS DE SANTILLANA

De ordinario la serranilla [...] servía para sazonar, de regreso en la corte, el relato de un viaje. Las de Santillana jalonan buena parte de su itinerario: las campañas de Ágreda (I/1 y II/2, 1429) y Huelma (V/6, 1438), una convalecencia en tierras de Córdoba (VI/7, 1431), andanzas por sus dominios de Manzanares (IV/5), Liébana (IX/4, 1430) y Buitrago (III/3 y VIII); y finalmente la

Rafael Lapesa, *La obra literaria del Marqués de Santillana*, Ínsula, Madrid, 1957, pp. 52-59, 61-63.

jornada para recibir a la princesa doña Blanca en la frontera de Álava (X/8, 1440).[1] [...]

La protagonista de la serrana IV/5, Menga de Manzanares, guarda un valle enclavado en las estribaciones del Guadarrama y no deja el paso libre a quien no le satisfaga peaje: sólo exceptúa a un rústico, Pascual de Bustares. Al ver sin séquito al gran señor, Menga le exige el cinto si no quiere bregar con ella a brazo partido. Aceptada la lucha, la serrana cae a tierra «cerca de unos tomellares». La semejanza con las dos primeras cánticas de serrana del Arcipreste de Hita es muy estrecha: también en el *Libro de buen amor* la chata de Malagosto y Gadea de Riofrío asaltan al caminante y se le entregan después, disimulando su rendimiento con el pretexto de una lucha. Pero a diferencia de ellas, Menga de Manzanares es hermosa,

1. [La cifra romana corresponde a la ordenación dada a las serranillas por J. Amador de los Ríos y generalmente mantenida (hasta Durán [1975]); la cifra árabe refleja la ordenación de los manuscritos más autorizados, procedentes del *scriptorium* del Marqués. (Nótese que llevan una sola numeración las fragmentarias piezas VII y VIII.) Lapesa [1978] ha demostrado que «el orden de aparición en los manuscritos responde al de composición en todos los casos donde la cronología de ésta es segura... Por otra parte, *el orden de las serranillas en los manuscritos obedece también a conveniencias de disposición,* con equilibrada alternancia de los distintos subgéneros, formas métricas y tipos de desenlace. La serie se abre con dos serranillas a la manera tradicional y en octosílabos, a las que siguen dos pastorelas hexasilábicas; vienen después otras dos tradicionales y octosilábicas, la 5/IV y la 6/V, con las que contrasta la 7/VI, pastorela en hexasílabos; por último la 8/X recapitula el ciclo. Si nos guiamos por el desenlace de cada aventura, vemos que el autor procuró balancear éxitos y fracasos, poniendo como fiel dos composiciones de final ambiguo: 1/I, logro; 2/II, rechazo; 3/III, suspensión admirativa; de nuevo 4/IX y 5/IV, logro; 6/V y 7/VI, rechazo, y 8/X, suspensión admirativa. Cuando se suceden dos poemas octosilábicos y tradicionales, uno termina en conquista o avenencia, el otro en repulsa, ya sea violenta, ya cortés: así se contraponen el 1/I y el 2/II, el 5/IV y el 6/V. Si en dos poemas consecutivos consigue el caballero a la muchacha o ésta rehúsa mesuradamente, uno es pastorela hexasilábica y otro octosilábica y tradicional, o a la inversa: véanse las parejas formadas por 4/IX y 5/IV, 6/V y 7/VI. Esta organización no puede ser casual. Pudo, sí, ir surgiendo a lo largo del ciclo al configurar cada poema, impuesta por la necesidad de no repetirse, a pesar de que la situación y los actuantes eran esencialmente los mismos; pero cabe también que su calculada perfección se haya conseguido *a posteriori,* ateniéndose en lo fundamental a la cronología, pero transgrediéndola ocasionalmente cuando así fuera oportuno para alcanzar la ponderada variedad que se pretendía» (pp. 46-47).]

atrae con su canto, y sus palabras no tienen rusticidad. No hay complacencia en procacidades. Y el paisaje está evocado con rasgos sobrios, pero suficientes: pinares, valles, matas de tomillo. [...]

Las dos serranas del Moncayo (1429) marcan otra etapa en el proceso de ennoblecimiento. Sus lances de amor ocurren en una región que es escenario de guerra, territorio fronterizo entre Castilla y Aragón; esta circunstancia hace menos sorprendentes los asaltos y amenazas. [...] En la serranilla II/2 el ricohombre castellano trata de apresar a una aragonesa, que le mantiene a raya y le hace saber que está próxima a casarse. El dardo pedrero, el arma prehistórica que la varona de Malagosto había arrojado al Arcipreste, sirve a la moza de Añón para defender su entereza. Las heroínas pasan a ser *serranillas*, con un diminutivo donde la complacencia sensual está superada por la simpatía; y se les atribuyen virtudes enaltecedoras que hasta ahora sólo era costumbre reconocer en las damas a quienes se tributaba el servicio de amor: «Serranillas de Moncayo, / Dios vos dé buen año entero, / ca de muy torpe lacayo / faríades cavallero». Puesto que su belleza es, como la de las señoras, estímulo de superación, podrá ser cantada también con imágenes nacidas en la poesía cortés. Francisco Imperial, a orillas del Guadalquivir, había visto aparecer «a la muy fermosa *Estrella* Diana / qual *sale* por *mayo* al *alva* del día». Íñigo López aplica el símil a la joven de Vozmediano: «Vi serrana sin argayo / andar al pie del otero, / más clara que *sale* en *mayo* / ell *alva*, nin su *luzero*». [...]

La serrana III/3 se sitúa en un nivel diferente, donde ya no hay violencia alguna. El ricohombre queda sorprendido ante la muchacha de Lozoyuela, apetecible como fruta temprana, pero dignamente altiva en su actitud:

> —¿E soys vós villana?
> —Sí soy, cavallero.
> Si por mí lo avedes
> dezid qué queredes:
> fablad verdadero.

Como para él hermosura y discreción eran inseparables de la nobleza, reconoce también esta cualidad en la bella que, sin avergonzarse de su origen humilde, se adelanta con respetuosa firmeza a las posibles insinuaciones del señor. La ausencia de **desenlace** da más relieve al final admirativo: «Juro por Sant'Ana / que non soys villana».

En vez del octosílabo, empleado en las serranas de Manzanares y del Moncayo, el poeta se vale aquí del hexasílabo, también tradicional en el género. [...] La brevedad del metro y la mayor frecuencia de las rimas dan al poema una graciosa movilidad de *scherzo*, con la que sólo compiten otras dos serranillas de igual ritmo, la VI/7 (1431) y la IX/4 (1430), [en cuyo convencionalismo idealizador] es muy probable que hubiera una influencia francesa o provenzal difusa, que convirtió en verdaderas pastorelas las dos más refinadas serranillas del señor de Buitrago. En ellas se conservan las precisiones geográficas, pero se elude la descripción del vestido rústico: es que los nombres de Bores, Espinama o el puerto C:latraveño servían para llevar la imaginación fuera del ambiente cortesano; pero el pintoresquismo localista de los atavíos habría sujetado excesivamente al plano de lo real las estilizadas figuras de las pastoras. La actitud del caballero ha cambiado también: es cierto que había atribuido a las rapazas del Moncayo capacidad de dignificar al enamorado, y que había reconocido en la de Lozoyuela cualidades que la colocaban por encima de su estado social; pero había tratado a unas y otra con la misma superioridad condescendiente que a Menga de Manzanares. Ahora se dirige a la de Bores (IX/4) con la reverencia debida a una gran dama:

> —«Señora»,
> le dixe, «en verdad,
> la vuestra beldad
> saldrá desd'agora
> d'entre estos alcores,
> pues meresçe fama
> de grandes loores...
> Mandar me podedes
> como a servidor...»

La negativa de la vaquera de la Finojosa (VI/7) es una repulsa discreta; el logro de la de Bores, una avenencia «sin fazer excesso». El paisaje se hace también más convencional: los valles de las ásperas sierras hispanas son reemplazados por el vergel de la tradición literaria. Las flores de Liébana encubren el goce de los enamorados y la meseta de los Pedroches cordobeses se esmalta de rosas, la flor simbólica, preferida por señores y poetas. En tales escenarios no extraña el recuerdo de pretéritas cuitas de amor, aludidas con los tópicos consagrados: «Cuydé que olvidado / Amor me tenía, / como quien se avía / grand tiempo dexado / de tales dolores / que más que la llama / queman amadores...». Tampoco sorprende la contraposición entre corte y aldea, ni la ficción de que el noble esté dispuesto a hacerse pastor, prefiriendo el bramido de los toros al canto de los ruiseñores. Por ese camino se llegará, andando el tiempo, a *El villano en su rincón* y a la pastoral de Versalles. [...] La serranilla pierde su fuerte carácter primero, pero se convierte en fina expresión del sueño pastoril; ilusión de belleza, de vida sencilla y blandos amores envueltos en una cósmica sonrisa primaveral:

> Non creo las rosas
> de la primavera
> sean tan fermosas
> nin de tal manera. [...]

Un tema fijo y una situación que, en lo fundamental, es siempre la misma, se desarrollan con gran riqueza de variaciones en las serranillas de Íñigo López. Logro, repulsa o final trunco se dan en condiciones y circunstancias diversas cada vez que aparecen. Así, cuando la diferencia no está en el desenlace, surge en las actitudes de los personajes, en el ambiente que los rodea, en el plano poético elegido: la aventura con la mozuela de Bores diverge mucho de la que tiene como protagonista a Menga de Manzanares, y ambas se apartan de la primera situada en el Moncayo, aunque las tres acaben con la entrega de la serrana. De igual modo, la brusca negativa dada por la aragonesa de Trasmoz dista de la burlona cortesía con que se evaden la vaquera de la Finojosa y la aldeana de Bedmar. El poeta sale airoso en la difícil prueba de no repetirse.

Las serranillas de Santillana muestran una evolución de líneas bien claras. Partiendo del tema y versificación heredados, el poeta los somete a una transformación gradual: pronto suprime los rasgos más crudos y eleva estéticamente a sus heroínas. Redime la sensualidad a fuerza de poesía o ennoblece los comportamientos, ya sea mediante la resistencia de las serranas, ya con la propia fidelidad a la señora ausente. Al mismo tiempo la combinación estrófica se modifica, sujetándose a una disciplina más rigurosa. Las serranillas VI/7 y IX/4 marcan una pasajera desviación hacia la ilusión bucólica; pero, sujetas por los nombres de lugar, no llegan a evadirse hasta la utopía. Como dijo G. Cirot, los diez poemas constituyen en su conjunto una geografía poética de Castilla, vista en la variedad de sus topónimos, paisajes, ambientes e indumentaria femenina. Junto a las notas procedentes de la convención cortés nunca falta el rasgo donde se transparenta una realidad directamente percibida: si la escena se sitúa a veces en el vergel consagrado por la tradición literaria refinada —verdes praderías o riberas de una fontana—, se menciona también la fragosidad de los puertos, y las rosas alternan con el humilde tomillo de fuerte aroma en la cercanía de alcores donde se oye el bramar de las reses. Don Íñigo convirtió a la serranilla en poesía hidalga, pero de solar conocido. Y, sobre todo, hizo de ella un prodigio de gracia inimitable que acierta a apresar la realidad vista y la belleza soñada, envolviéndolas en una sonrisa maliciosamente insinuadora.

PHILIP O. GERICKE

LA ESTRUCTURA NARRATIVA DEL *LABERINTO DE FORTUNA*

[En el palacio de Fortuna, o, mejor, de «una doncella... mucho termosa» que se le revela como la Providencia de Dios («divina me puedes llamar Providencia»), el poeta contempla las tres ruedas del tiempo: «inmotas e quedas» las del pasado y futuro, en incesante giro la del presente. Cada rueda consta de siete «cercos» o círculos, asociados, respectivamente, a los siete planetas y al género de vida o conducta que corresponde a cada uno de ellos: desde la luna, vinculada a la castidad y a la caza, hasta Júpiter, dominio de la realeza, y Saturno, en cuyo ámbito figura don Álvaro de Luna. Gran parte del *Laberinto de Fortuna* la ocupa la visión de los personajes —pasados o contemporáneos, dignos de imitación o de repulsa— presentados en esos siete «cercos» que Mena va examinando uno a uno.]

Philip O. Gericke, «The narrative structure of the *Laberinto de Fortuna*», *Romance Philology*, XXI (1967-1968), pp. 512-522 (515-521).

A mi juicio los círculos I-IV y V-VII son antitéticos, y el contraste sistemático y fundamental que se establece entre ellos tiene la virtud de convertir la primera sección (I-IV) en la base de la segunda, que constituye el núcleo del poema. Mena consigue este contraste introduciendo hábilmente las dicotomías *Fortuna/Providencia, pasado/presente* y *ética/realidades prácticas* en la estructura narrativa, con óptimos efectos dramáticos.

Los círculos I-IV son claramente el dominio de la Providencia. Son los círculos en los que se insiste en el pasado, un pasado que refleja el cumplimiento último del designio providencial. Las consideraciones éticas se sobreponen a las de orden práctico; la Fortuna brilla por su ausencia, y ni siquiera se la menciona incidentalmente en ninguna de las 77 coplas (61-137) que comprenden el tratamiento de estos círculos. Nada se opone a la subordinación de la Fortuna a la Providencia que el poeta supone en la copla 25, [cuando se dice convencido de que la «grand casa» del universo «más obedece» a la Providencia «que non a Fortuna, que tiene allí poco»].

La proporción de personajes del pasado es abrumadoramente superior respecto a los del presente: en el círculo I sólo hay tres personajes del presente, doña María de Castilla, doña María de Aragón y María Coronel; en los círculos II y III no se menciona ningún ejemplo del presente, y en el círculo IV sólo uno. En cambio, encontramos cincuenta y siete personajes bien individualizados del pasado, además de varios ejemplos colectivos (los embajadores de Eneas a Latino, las Sibilas). Ahora bien, en los círculos I-IV se exalta la conducta moral (virtudes de castidad, honradez y lealtad, amor conyugal) y sabiduría; los círculos V-VII (Marte, Júpiter, Saturno) son como era de presumir menos altruistas. El éxito en la guerra y en la política no depende tan sólo de valores morales absolutos, sino de una combinación de la virtud (o *virtus*) y las circunstancias. La situación de los personajes en la rueda evoca consideraciones éticas en los siete círculos; pero en los círculos I-IV los personajes se ensalzan o se condenan según criterios estrictamente éticos, sin prestar la menor atención a las circunstancias que rigen sus vidas. Hipólito, Penélope, Príamo, Laoconte y Sócrates, por ejemplo, ocupan lugares elevados en sus respectivos círculos, aunque su trayectoria personal no acabará felizmente; en cambio Antenor y Eneas están en el fondo del círculo II como traidores, a pesar de que la suerte les fue favorable. Así, pues, en los círculos I-IV, es indiferente que los personajes se hayan visto favorecidos por la suerte o hayan sido víctimas de una fortuna adversa; el poeta ni siquiera menciona estos hechos.

El orden y los valores tan cuidadosamente establecidos en los círculos I-IV se subvierten en los círculos V-VII. Gracias a este cambio repentino el poema plantea su tema nacional, su conflicto dramático, un elemento de emoción que acelera su ritmo; ahora tiene, para emplear la expresión de J. M. Blecua [1943], un «fondo de epopeya», deja de ser una gran máquina alegórica, un ejemplario o un panegírico destinado al rey, para convertirse en algo más sustancial. Los cambios de perspectiva y de orientación que señalan los nuevos rumbos del tema son múltiples: el poeta sustituye el pasado por el presente, el orden providencial por el desorden de la Fortuna, el macrocosmos por el microcosmos, y renuncia a criterios exclusivamente éticos en busca de un equilibrio entre modelos éticos y resultados prácticos.

No tarda en hacerse manifiesto que lo que le interesa es el presente y lo que ocurre en España. Después de dedicar un rápido recuerdo a los grandes guerreros del pasado, que ocupa las tres primeras coplas del círculo V (138-140), el poeta anuncia en la invocación su nuevo centro de interés:

Belígero Mares, tú sufre que cante
las guerras que vimos de nuestra Castilla,
los muertos en ellas, la mucha manzilla
que el tiempo presente nos muestre delante (141*a-d*).

El primer personaje del presente es Juan II, a quien Fortuna ha puesto por encima de todos los demás (la reaparición de la Fortuna no es aquí accidental, dado el papel que desempeñará más adelante). [La gloria que el Rey puede alcanzar aún no se ha hecho realidad, sin embargo; a él y a los nobles les falta cumplir el más alto objetivo: devolver la paz al reino. Los esfuerzos de los «defensores» de España deben aplicarse a la Reconquista, la «magnifica guerra», no desperdiciarse en contiendas civiles.]

Con estos objetivos básicos, el poeta se dedica a completar el círculo concentrándose sistemáticamente (por vez primera) en héroes españoles de su propio tiempo. De acuerdo con la estructura alegórica de los círculos, cada uno de tales personajes ocupa un elevado lugar que ha conquistado con una ejemplar conducta; pero aquí se insiste en el resultado práctico de sus esfuerzos, y los resultados son trágicos. Ocho de los mejores contemporáneos españoles suyos, cada cual a su manera, han cumplido su deber tal como ellos lo entendían: el Conde de Niebla, Juan de Mayorga, Diego de Rivera, Rodrigo de Perea y Pedro de Narváez, contribuyendo a la Reconquista; Juan de Merlo, Lorenzo Dávalos y Fernando de Padilla, defendiendo la Corona de Castilla. Pero todos estos héroes han sido abatidos; la Fortuna adversa ha triunfado sobre ellos, y la Providencia no ha intervenido para contrarrestarlo; reina la confusión. Ahora estamos en medio del verdadero laberinto del poema, que abarca no sólo la Castilla de Juan II, sino toda España. En el curso de cincuenta coplas intensamente poéticas (160-209) Mena exalta la grandeza de esos hombres; no obstante, más significativa resulta aún su incapacidad para combatir a su antagonista, Fortuna.

El destino del Conde de Niebla ilustra de la manera más clara el nuevo papel de la Fortuna y marca la pauta para todo el resto de estos episodios. La Providencia le considera «el valiente non bien fortunado» (160e), su marcha hacia Gibraltar es «una triste fadada partida» (163a), llena de presagios siniestros de los que no hace caso: «non los agüeros, los fechos sigamos» (173d). Está dispuesto a enfrentarse con la Fortuna cara a cara: «pues una enpresa tan santa levamos, / que más non podría ser otra ninguna, / presuma de vós e de mí la Fortuna, / non que nos fuerça, mas que la forçamos» (173e-h). Sin embargo, la Fortuna, rigiéndolo todo, dispone su llegada (174) y su trágica muerte (184). [...] En los círculos V-VII el alcance de la influencia de la Fortuna se amplía hasta abarcar no sólo a los individuos, sino a todo un mundo, su España.

El conflicto queda claramente expuesto en términos alegóricos: éticamente, podemos admitir la supremacía temporal de la Fortuna, esquivar sus mudanzas y obrar seguros en la certidumbre de que la virtud siempre se ve recompensada. Sin embargo, desde el punto de vista práctico eso no es satisfactorio. Entonces aparecen dos posibles soluciones: evitar a la Fortuna negándose a tentarla, llevando una vida virtuosa sobre la que ella no tiene ningún poder, lejos de la «pública cosa», o enfrentarse con ella cara a cara y vencerla.

La primera de estas dos posibilidades, evitar un choque directo, es el núcleo del círculo VI. Este breve círculo es curioso porque parece tratar de los reyes que gobernaron en paz, los gobernantes justos, los estadistas merecedores de confianza, pero en realidad enaltece a un personaje que, lisa y llanamente, rehuyó la vida pública, Amiclas. [La Fortuna adversa puede esquivarse por parte «del que se contenta bevir sin riqueza» (226).] Este pasaje refleja la premisa de la copla 28: la constancia y la moderación de las ambiciones son la mejor defensa contra el peligro de atraerse la Fortuna adversa. Si el poema hubiese terminado aquí, ésta habría parecido la solución definitiva de Mena: una apoteosis de la rectitud moral, de la despreocupación respecto a los asuntos de estado, de la firmeza ejemplar ante las tentaciones de la grandeza.

Pero basta entrar en el séptimo círculo para advertir que el ideal de Mena es precisamente el contrario. El primer personaje que el poeta encuentra aquí es don Álvaro de Luna, que forma un acentuado contraste con Amiclas, ya que se ha dedicado por completo a los asuntos públicos, y que contrasta también con los héroes españoles del círculo V (sobre todo con el Conde de Niebla), ya que don Álvaro se ha enfrentado abiertamente con la Fortuna y ha salido triunfante. La imagen que usa la Providencia para describirle («Éste cavalga sobre la Fortuna / e doma su cuello con ásperas riendas», 235ab) no es mera retórica. La Fortuna, que en el círculo quinto lo podía todo, ha encontrado aquí a un contendiente digno de ella. [...] El episodio [de la maga de Valladolid, que se engaña al vaticinar el desastre del Condestable,] pone término a los temas del presente. Dado que el presente se describe como un intermedio durante el cual la Providencia está relegada a un segundo término, mientras gobierna la Fortuna, la victoria de don Álvaro sobre la Fortuna significa la mejor de las conclusiones, indicando que el orden providencial de siempre será restaurado. El poeta puede ahora dirigirse hacia el futuro, la Providencia ha anunciado el triunfo del Rey y una vez más le es posible hacer frente a la adversidad situándola en su debida perspectiva. [...]

Así, pues, el *Laberinto* es algo más que un conglomerado de episodios inconexos unidos por un sistema alegórico y presididos por las normas morales que el poeta desea exaltar. Oculta un argumento que se funda en la descripción de un orden, la suspensión temporal de ese orden y el anuncio de su subsiguiente restauración. La culminación del poema es la alegoría del presente, pero las coplas en las que lleva a cabo este propósito (141-267) sólo adquieren su significado pleno teniendo en cuenta el trasfondo de la totalidad del poema. Un esquema sinóptico basado en sus principales componentes estructurales podría ser como sigue:

a) EXORDIO: dedicatoria, declaración de intenciones, primera caracterización de la Fortuna, visión, encuentro con la Providencia (coplas 1-33).

b) AMBIENTACIÓN: trasfondo físico de macrocosmos intemporal (*mapamundi*, coplas 34-35); armazón alegórica (tres ruedas, siete círculos, coplas 56-60).

c) VIAJE POR EL DOMINIO DE LA PROVIDENCIA: contexto histórico más amplio, insistencia en el pasado, virtud y sabiduría, orden providencial (círculos I-IV, coplas 61-137).

d) DOMINIOS DE LA FORTUNA: la España de Mena. Insistencia en el desorden del presente; triunfo de la Fortuna (círculo V), su inutilidad (círculo VI), su derrota (círculo VII, coplas 138-268).

e) CONCLUSIÓN: visión del futuro. Restauración del orden, gloria de Juan II, su misión (coplas 269-297).

MARÍA ROSA LIDA DE MALKIEL

JUAN DE MENA Y LA LÍRICA AMOROSA

De Mena, poeta de cancionero, había dicho Juan de Valdés: «En las coplas de amores que están en el *Cancionero general* me contenta harto, adonde en la verdad es singularíssimo». Menéndez Pelayo invierte exactamente el juicio cuando afirma sin vacilar: «En nada sustancial podríamos diferenciarle del vulgo de los trovadores de su tiempo». En verdad, la antinomia es más aparente que real si se repara en que, como todos los grandes poetas, Mena es muy representativo de sus tiempos: a cada paso pueden señalarse paralelos y aun contactos entre sus motivos, actitudes y expresiones y los de poetas coetáneos menores y, a la vez, todos esos motivos que definen el ambiente de una época aparecen en él, con insistencia pecu-

María Rosa Lida de Malkiel, *Juan de Mena, poeta del Prerrenacimiento español*, El Colegio de México, México, 1950, pp. 87-92, 94-96.

liar, renovados por su asociación con otros motivos o su inclusión en otras formas, ahondados en una visión no compartida por los demás poetas.

Por ejemplo: la lírica de cancionero hereda de sus orígenes provenzales un marcado intelectualismo —el carácter por donde más ostensiblemente difieren las cantigas de amor de las cantigas de amigo—, pero en pocas de sus producciones el intelectualismo está tan descarnadamente ajustado a las disciplinas filosóficas de la época como en los versos galantes del estudiante en Salamanca y en Italia y secretario de cartas latinas de don Juan II. Así, aparte la existencia o inexistencia de las destinatarias de sus trovas, Mena revela la calidad interior, puramente mental, de sus fortunas de amor: «Mas assí quedo sobrado / ques mi parte ya vençida / por batalla. / Y no creas que por ti, / que no fueras poderosa / de lo tal, / mas por mí, que me vençí / de tu vista gloriosa / por mi mal» (núm. 34).[1] Sin rebozo manifiesta cómo el goce que anticipadamente saborea en el logro de su galanteo no es el de amar, sino el de repasar mentalmente todo el proceso de sus amores: «que en el tiempo de la gloria / *más es que gloria pensar,* / *reduzir a la memoria* / cómo tal bien o victoria / se cobró por afanar» (núm. 23). Y con arrogancia de intelectual, que nada tiene de común con el rendimiento de la lírica cancioneril, firma sus famosos envíos:

> Yo vos suplico y vos ruego
> me libredes de esta pena,
> ca si muero en este fuego,
> no quiçá fallaréys luego
> cada día un Juan de Mena (núm. 20).

[...] Aun en esta lírica ligera el pensamiento del poeta fluye cómodamente dentro del molde escolástico: la dama «muy más clara que la luna» (núm. 15) no es sino el remate de una escala de perfectibilidad: «Creo que ayan a baldón / las otras hermosas bellas, / que en estremo grado dellas / vós tenéys la perfección»; y el poeta contrapone parejas de cosas imperfectas y sus perfectos términos («Vós vedes cómo las rosas / deleytosas / se terminan de las çarças», etc.) para ilustrar su cumplido. El léxico de las escuelas resuena acumu-

---

1. [La numeración de los poemas corresponde a R. Foulché-Delbosc, ed., *Cancionero castellano del siglo XV,* vol. I, Madrid, 1912.]

lado en la segunda copla («que assí vos *organizó* [Fortuna] / y formó / *la composición humana,* / que vós soys la más loçana / soberana / que la *natura crió»*), junto con la cita directa del poeta humanista que dio calidad inesperada a la poesía vulgar: «Quanto bien dixo Petrarcha, / por vós lo profetizó». [...]

El «dolor del dolorido» (núm. 17) sobre el que cristaliza en tan fino artificio de expresión toda la amargura del poeta, cabe en un terso y desesperado octosílabo: «ca peno contra razón». El vivir que así, arbitrariamente, se le depara, no puede aceptarse: «la razón no lo padesce». No comprende el poeta cómo, bien armado de razonamiento («y que sea como digo / derecha razón lo muestra») y con una impecable definición («Poder de gran señorío / es obrar con no poder ...») por premisa mayor, la amada permanece en su obstinación: «Vós, mi bien, tan solamente / soys la que no se convençe ...».

Otro aspecto del intelectualismo de la alta lírica medieval presente en Mena es la refinada técnica introspectiva con que aparecen incesantemente disecados afectos, penas y esperanzas. Este diálogo entre afectos de la dama y del poeta, entre las encontradas potencias de cada alma, este continuo sopesar y contraponer un número escaso de realidades elementales acaba por hallar su más natural vehículo en una maestría de letrado: en el retruécano sin intención humorística ni propósito decorativo, que expresa el pasar de una a otra posición en análisis tan sutil que la identidad de la palabra obra como refuerzo irónico de la contraposición psicológica: «Cuydar me hace cuydado / lo que cuydar no devría, / y cuydando en lo passado / por mí no passa alegría ...» (núm. 24). El pensamiento más grave y recogido puede expresarse en este retruécano, que no es juego gozoso con todas las facetas de las palabras ni mero alarde de ingenio; así en «¡Ay dolor del dolorido!» (núm. 17):

> Muchas muertes he buscado
> pensando hallar la vida;
> no hallé muerte complida,
> mas ellas hanme hallado...

En «Ya no sufre mi cuidado» (núm. 23) el concepto y el retruécano se remontan a la *Eneida,* II, 354: *una salus uictis nullam sperare salutem* > «pues salud a los vencidos / es non sperar la salud». Choca a nuestra fe en la espontaneidad de la lírica el hallazgo de un verso retórico de la *Eneida* dentro de un madrigal, pero a buen seguro no parecería chocante al poeta enriquecer la lírica frívola de cancionero con recuerdos de lecturas doctas. Tanto mejor si esas lecturas le ofrecían ya el grato esquema del retruécano grave. [Si la poesía cancioneril usa y abusa del lenguaje sacroprofano,] la nota particular de Juan de Mena es el juego conceptual en términos de teología más bien que de religión. [...] En la composición «La lumbre se recogía» (núm. 25), entretejida de referencias teológicas (la mitad de sus trabajos, puestos en Dios, hubiera concedido al enamorado corona de santidad; el rigor de la dama le hará «desesperar como a Judas»; el refinamiento de su tortura es lo que le hace vivir, como las penas infernales al condenado), el *Collige, uirgo, rosas* que para el Renacimiento será un motivo favorito de claro goce, acicateado por su misma brevedad, se expresa en graves términos de culpa y pecado: «Perdiendo, quered cobrar / tal culpa que vos desculpa, / y pecad por no pecar / tan grave como matar / a mí que no tengo culpa». [...] Una de las canciones más limpiamente musicales (núm. 41) tiene como ritornelo un encarecimiento de pura teología: «Oyga tu merced y crea, / ¡ay de quien nunca te vido! / Hombre que tu gesto vea, / nunca puede ser perdido». Es claro que el perderse de que habla el poeta es la máxima pérdida, la del alma. [...] Tan lejos está semejante hipérbole teológica de ser un adorno anejo al decir pulido y exagerado del estilo de cancionero, que Mena la arrastra consigo aún en los tanteos por los que se encamina a una forma más varia y erudita de expresión poética. Así en las coplas de cancionero del *Claro escuro*, [pieza donde el sentimiento amoroso se expresa en dos hilos independientes: en arte mayor, con enumeración mitológica; en arte menor, con la musicalidad lánguida que representa un tipo habitual en la lírica amorosa de cancionero], el poeta, espejo de fieles amadores, declara que por su lealtad se han enderezado muchos desleales, que han esquivado así dolores merecidos, y concluye:

> usando de tal manera,
> tal manera de bevir
>   estrañamente,
> me será gloria que muera.
> que muera por redimir
>   tanta gente.

PEDRO SALINAS

ELEGÍA Y SERMÓN:
LAS *COPLAS POR LA MUERTE DE SU PADRE*

Las *Coplas* no son poesía de un solo tema. Si desde su primera lectura percibimos la densidad humana del poema, su peso temático, milagrosamente compensado por la perspicuidad de visión del poeta, y la levedad de la forma estrófica, es porque Jorge Manrique trae a capítulo, en sus versos, no a uno sino varios nudos de pensamiento, y todos de suma trascendencia. No están superpuestos mecánicamente, sino que se subordinan a una función común, misteriosamente vinculados, como miembros pertenecientes a un mismo organismo, y que funcionan acordes con la unidad de designio de éste; dotados cada uno de por sí de su valor propio, perfectamente sensible en el poema, sin embargo, someten su autonomía a la función final que el poeta señala a su obra. Ahí está ya el primer acierto de Jorge Manrique. Los grandes y ponderosos lugares comunes se enlazan, como por la mano, y cercan el alma del lector como un corro, que se mueve con noble y melancólico ritmo, girando lentamente alrededor suyo, en un poético juego de trascendencias. [...] ¿Y cuál es ese designio, al que quedan armónicamente subordinados, es decir, recibiendo sus órdenes, los grandes tópicos del poema? Es una criatura de la más excelsa alcurnia, de la tradición pagana, platónica y estoica, de la tradición cristiana. También el poeta lo recibe y lo recrea, en su corazón, con el motivo circunstancial de la muerte de su padre. Y consiste en la vivencia de esa eterna oposición entre temporalidad y eternidad, proyectada en la vida del hombre en el antagonismo de los bienes temporales y los espirituales; el vacilar entre los dos; y su desenlace, la fervorosa convicción en la primacía de lo eterno.

Ese designio se crea su propio diseño, la manera de dar extensión y forma temporal a esa idea pura, esto es, ley de composición

Pedro Salinas, *Jorge Manrique, o tradición y originalidad,* Sudamericana, Buenos Aires, 1947 (reedición, Seix Barral, Barcelona, 1974), pp. 138-143, 218-219, 227-228.

del poema. Siendo el designio exhortatorio (tenía razón Quintana en calificar las *Coplas* de «sermón funeral»), desde la estrofa primera, en la palabra inicial se percibe ya el tono de exhortación: «*Recuerde el alma dormida, / Avive* el seso, y *despierte*...». Esto de las expresiones exhortatorias es uno de los hilos estilísticos que nos guía a través del poema. «No se engañe nadie, no», «No les pidamos firmeza», «Dejemos a los troyanos», «Vengamos a lo de ayer». Las formas vocativas, «Ved», «Decidme», corroboran ese sentido hacia alguien, hacia un oyente o un mundo de oyentes, que el poeta tiene delante de su fantasía, los sujetos de la exhortación. Pero donde lo exhortatorio llega a más alta potencia activa, a más valor de función, es en boca de la muerte, cuando se dirige al Maestre. Todo su discurso se apoya en formas exhortativas: «Dejad el mundo engañoso», «No se os haga tan amarga», etc. Y el mismo Maestre lo recoge fielmente de su consejera y encabeza sus últimas palabras, dirigiéndoselas no se sabe bien si a la muerte o a su propia conciencia con una exhortación: «No tengamos tiempo ya / en esta vida mezquina»; valiosísima, por cierto, pues formula con varonil energía la resolución de morir.

Pero conforme [a la retórica], el sermón, la pieza literaria típicamente hortatoria, tiene tres fines que cumplir: *docere, delectare, movere*. Y por eso ha de usar generosamente el estilo expositivo, la explicación o declaración de las cosas. Manrique desarrolla gran parte del poema en exposiciones de las realidades del mundo, entrecortadas por afirmaciones doctrinales, o conclusivas. Lo cual acarrea otra tercera característica de estilo del poema: la sentenciosidad. La sentencia condensa y entrega, en breves palabras, la miel que le debe quedar al alma de la operación previa de la exposición. Fijémonos en la estrofa primera del poema, para ver, ya evidentes en ella, los diferentes tonos.

Recuerde el alma dormida,
avive el seso y despierte
contemplando
cómo se pasa la vida,
cómo se viene la muerte
tan callando;

cuán presto se va el placer,
cómo después de acordado
da dolor,
cómo a nuestro parecer
cualquiera tiempo pasado
fue mejor.

Los tres versos primeros son lo exhortativo: el pie quebrado, el «contemplando», es, en su significación, exhortativo también, puesto que nos invita a considerar algo, a meditar en ello. Al mismo tiempo, y actuando de elemento puente, nos conduce a la parte segunda, nos señala el objeto de la contemplación deseada por el poeta: «cómo se pasa la vida...». Todos estos versos exponen o declaran la doctrina del poeta sobre lo pasajero de la vida, lo fugaz del placer, y su conversión, al retrospecto, en pena. Los dos elementos gramaticales, el «cómo» y el «cuán presto», contienen el mismo sentido explicativo. Y acaba la estrofa así: «cómo a nuestro parecer / cualquiera tiempo pasado / fue mejor». Es la sentencia —y una de las más famosas de la lengua española— que remata la estrofa, no ya en su extensión formal, sino en su intención espiritual. A eso se iba: a la depreciación de todo lo que vive únicamente en el tiempo. Eso había no sólo que exponerlo, elucidarlo ante la conciencia del lector, y así se hace, primero. Pero queda que hacer más, aún: elevarlo, resumido, a puro valor poético, dar con la perfecta exteriorización verbal. Es el «cualquiera tiempo pasado / fue mejor». En estas pocas palabras están subsumidas las anteriores, las explanatorias, que ya pueden olvidarse. Ellas hacen sentir al hombre, por encima de las explicaciones, todo lo elusivo y lo vano del presente y del futuro, que no valen lo que valdrá su recuerdo. [...]

¿Puede caber duda alguna sobre la unidad absoluta de las *Coplas*? ¿Son una poesía a un muerto, una elegía o una meditación sobre la mortalidad, un sermón? Leídas a lo hondo se evidencia su verdadero ser: poesía a la mortalidad y poesía a un hombre mortal. Una muerte, la de don Rodrigo, bien puede representar a todas las muertes. Lo que la voz misteriosa dice tan claramente al Maestre, todos lo oímos, y se le da la lección, delante de nuestras almas conmovidas, para que nos la aprendamos también. No se podrán entender a fondo las *Coplas,* mientras se vea en ellas como dos elementos separados lo genérico humano y lo humano individual, «nuestras vidas» y la del Maestre. El equilibrio con que los lleva adelante por toda la elegía el poeta, su fusión, triunfo último del poema, son su clave. La vida del Maestre, referida por su hijo, exaltada en las coplas panegíricas al nivel de los grandes varones, individualizan a don Rodrigo, afirman su humanidad, rasgo a rasgo. Y luego, cuando después de haberlo historiado, se le presenta en su última hazaña —dar la cara a la muerte—, se acusa, se realza lo inalienable y único de su persona: es *un* hombre, don Rodrigo Manrique, que muere en su villa de Ocaña, entre sus hijos, su mujer, sus guerreros. Pero para remediar toda posible inclinación a considerar al Maestre así aislado, como un hombre y no más, para atajar todo exceso de individualización, ahí está el resto de la elegía, envolviendo al hombre de carne y hueso en maravillosos anillos concéntricos, cada vez más amplios y generales, de pensamientos y meditaciones sobre lo humano innumerable e indiferenciado, sobre el mar de la humanidad. Esta muerte de este hombre, tan vívidamente representada, desemboca en el mar de todos los hombres muertos, y allí se borran los contornos del individuo, rendidos a la grandeza abrumadora de lo sin nombre, sin persona, hasta que llegue el día de la resurrección. Don Rodrigo es uno, en la elegía, pero retorna a los muchos. Por encumbrado que sea un varón, y él lo fue, la lección de humildad cristiana de las *Coplas* le ordena que se una a la gran multitud constante, a la humanidad desaparecida, «a la gran mayoría», que dijo el latino. [...]

Por tres luces se guía Manrique para sacar sus *Coplas* de la tradición. Primero la capacidad integradora. Escoge el enfoque más ancho y comprensivo del tema —lo mortal y lo inmortal—, un círculo de experiencia humana de radio tan largo que dentro de él cabe todo y abarca todos los grandes tópicos del pensar medieval, tiempo, fortuna, muerte, menosprecio del mundo. De esta potencia inclusiva del poema emana esa impresión de densidad de pensamiento, de riqueza de referencias, de plenitud humana, porque en las cuarenta *Coplas* está la vida entera presente, en sus esencialidades.

Su segunda norma es la selección. Su siglo le propone dos tradiciones de la visión de la muerte. A un lado la macabra, la truculenta y empavorecedora versión de nuestra mortalidad distinguida por el materialismo interpretativo y la abundancia de los detalles plásticos; insiste en los aspectos más efectistas, la agonía, el cadáver, la descomposición de la carne, o los disimula sarcásticamente bajo la siniestra sensualidad de la *Danza*. No la quiere Manrique por dos razones, probablemente: por fácilmente espectacular, y por superficial. Su designio es llegar al fondo del alma, y no quedarse en estas sacudidas melodramáticas con que escalofría lo macabro. A otro lado estaba la tradición cristiana pura; es la que recoge Manrique y con su luz alumbra desde el principio al cabo todo el poema y va derrotando las sombras que él mismo evoca en su camino. Muy deslumbrante es esa luminaria encendida por la fe, y sin embargo, aún percibimos dentro de su vivísimo foco un haz de rayos serenos, que tienen su

luz propia, aunque la hayan sumado gustosos a la luz mayor: es el
estoicismo, la actitud senequista. Manrique se atiene a lo más noble
de la veta pagana, y a lo cristiano, y en lo que quiere se nos hace
tan claro como la luz. Tampoco se rinde a otra tentación, con la que
se encontraron todos los poetas de sus días, los maestros y amigos
suyos, Santillana, Mena, Gómez Manrique, el alegorismo a la italiana. Presente está esa tendencia, pero reducida a su forma más so-
bria, no ya alegorización sino dramatización, en el diálogo del Maestre y la muerte. Pero desecha el aparato de teatralidad, la hinchazón
de tono, los plañidos retóricos, la fingida grandeza, aquella falsía
esteticista, más superficial aún que la forma macabra, de ella nacida.

Su tercer criterio directivo es la animación o vivificación de las
formas tradicionales que trae a su poema. El esquema estilístico del
Ubi sunt? [o serie de interrogaciones por el paradero de los grandes de la historia o de la fama] había venido a reducirse a una
especie de mecanismo, cajita de música funeral, con un rollo inva-
riable y de sonsonete previsto: [«Mira qué fue del grande greciano /
Alixandre, Julio e Dario e Pompeo, / Hércoles, Archiles, don Éctor
Troyano», etc., etc. Al reducir el catálogo de nombres evocados a un
corto desfile de siete personajes de la Castilla del siglo XV (Juan II,
los Infantes de Aragón, Álvaro de Luna...), acercándolos y deter-
minándolos en el espacio y en el tiempo,] Manrique sacó del *Ubi
sunt?* una melodía de líneas tan puras y patéticas que marca una
de las cimas del poema.[1] Es la infusión de un alma en un cuerpo

1. [«La operación de Manrique es, a mi juicio, mucho más que simple
habilidad literaria. Su deseo es *humanizar* los ejemplos; cambiar las sombras
de ese Panteón augusto en unas figuras de carne y hueso. Sustituir los desastres oídos, a lo lejos, en la más remota distancia de los siglos por las caídas,
las muertes, acaso vistas por los propios ojos. Esta humanización lleva en sí
otro resultado: la *popularización*. Los reyes de Castilla, los familiares, los
condestables, los conocen todos; Laomedón o Héctor son sólo asequibles a
los leídos, a los cultos. No hay duda de que así la poesía llegará a más
gentes, moverá a más corazones, estará más cerca de lo humano general,
aunque sea en mengua de la pretensión cultista y erudita. Afán en todo ello
de abandonar a aquellos muertos *muertos,* y sustituirlos con estos muertos
vivos, por más paradójico que suene eso de vivificar a unos muertos. Manrique aparta la gran mascarada secular, los figurones ataviados con toda clase
de trapajería histórica deslucida, y erige esa breve galería de varones con
hombres de su tierra, con semblantes conocidos y vestidos a la usanza del
tiempo» (p. 166).]

abandonadɔ, es la animación, la resurrección de las palabras inánimes, por el soplo genial del nuevo poeta.

STEPHEN GILMAN, TOMÁS NAVARRO y LEO SPITZER

PARA EL COMENTARIO DE LAS *COPLAS* DE MANRIQUE

1. La vida terrenal, la vida de la fama y la vida eterna existen en las *Coplas* como ideas lo mismo que como representaciones. [...] Las *Coplas*, según podrá ver cada lector, se dividen en tres partes, cada una de ellas dedicada fundamentalmente a una de esas vidas. En primer lugar, un llamado al hombre para que recuerde su condición mortal y su destino divino: a cambio de la muerte genérica, una vida eterna. Después, el impresionante retrato de la vida sensorial, la residencia en la tierra con sus grandiosas figuras humanas, su fascinador engaño, su pirotécnica belleza, tanto más deslumbrante cuanto que es tan transitoria. Y finalmente la vida de la fama, encarnada en don Rodrigo Manrique, una vida «pintada» con su brazo-espada en escenas que muestran sus hazañas y su hombría. De ahí su salvación final. Como brillantemente ha mostrado Américo Castro, las *Coplas* son ante todo, en sus tres partes, un poema de la vida, un cántico a la vida; en cierto sentido, un triunfo tripartito de la vida, que supera a la tradición ascética de la cual ha brotado. El lector llega a sentir la maravilla que significa cada tipo de vida —la eterna, la terrenal, la de la fama— según se le va mostrando en la parte respectiva del poema. Sin embargo, para el poeta y para su

1. Stephen Gilman, «Tres retratos de la muerte en las *Coplas* de Jorge Manrique», *Nueva Revista de Filología Hispánica*, XIII (1959), pp. 305-324 (306-307, 311-313).

2. Tomás Navarro Tomás, «Métrica de las *Coplas* de Jorge Manrique», *Los poetas en sus versos: desde Jorge Manrique a García Lorca*, Ariel (Letras e Ideas, Maior, 1), Barcelona, 1973, pp. 67-86 (69-71, 84-85).

3. Leo Spitzer, «Dos observaciones sintáctico-estilísticas a las *Coplas* de Manrique», *Nueva Revista de Filología Hispánica*, IV (1950), pp. 1-24 (2-3, 8-10, 15-16, 21-23).

padre, el triunfo definitivo —la salvación personal— no es fácil. Sólo aceptando a sabiendas la muerte, sólo por medio de una consciencia adquirida dolorosamente y expresada a través de la poesía, puede lograrse ese triunfo. «Recuerde el alma dormida» es la nota clave, y «Consiento en mi morir / con voluntad placentera, / clara y pura» es la culminación. Entre ambas coloca Manrique poéticamente, en forma triple, las fuerzas de la vida. [A la vez,] cada una de las tres vidas tiene su encuentro con la muerte. Hay tres vidas que encuentran a otras tantas muertes; porque en este poema la vida no se concibe aparte de la muerte. No debemos, pues, considerar las *Coplas* como una exposición doctrinal de tres ideas tradicionales sobre la vida, ni tampoco como una nueva exaltación, renacentista, de la vitalidad. Se trata más bien de tres confrontaciones poéticas de la vida con la muerte, cada una distinta, dependiendo cada una de las otras dos para adquirir pleno sentido. [...]

Cuando leemos las *Coplas*, desde la clara campanada de las estrofas iniciales, pasando por la desnuda alegoría de la mar y los ríos, hasta esa conclusión gravemente personal, [con don Rodrigo frente a la muerte,] sentimos una gradual acumulación de ímpetu, una creciente complejidad de tejido poético. [En una de las aludidas confrontaciones de la vida con la muerte,] la alegoría cede su lugar a la metáfora, a una serie de imágenes visuales que dan a entender intuitivamente cuál es la apariencia de la muerte desde el punto de vista de esta vida. Primero vemos los verdes brotes de las eras que crecen lozanos, ignorantes de la siega, del aplastamiento, de la erradicación que les espera:

> Las justas y los torneos,
> paramentos, bordaduras
>   y cimeras,
> ¿fueron sino devaneos?
> ¿qué fueron sino verduras
>   de las eras? [...]

Hay aquí, como en otras estrofas [cercanas: 19-20, 22], un empleo poético de la imagen que es mucho más delicado que una mera afirmación emblemática de semejanzas. Pero ¿cómo se logra ese carácter visual, ese efecto de una verde efímero? Yo diría que en la palabra *era*, con sus dos sentidos, hay otro cruce que contribuye en gran medida al logro poético. Covarrubias nos dice que *era* es, por un lado, «el pedaço de tierra limpia y bien hollada en la qual se trilla la mies», y, por otro, «el quadro de tierra en que el hortelano siembra las lechugas, rávanos, puerros y otras legumbres». Las *eras* de la pregunta «¿qué fueron sino verduras / de las eras?» son al mismo tiempo campos de trilla (con su implícito recuerdo del sombrío trillador bíblico) y cuadros de huerto bien regados, cuyo vívido color verde contrasta con el pardo y uniforme del campo español. En otras palabras, hay aquí una ambigüedad: una de las raíces de la imagen es auditiva y se hunde en la tradición, y la otra es visual y pertenece a la experiencia presente; el oído y el ojo, el pasado y el presente se fortalecen uno a otro y confluyen para dar su sentido a la imagen.

Pero lo sugestivo de la imagen no radica sólo en su color. El campo de trilla y el cuadro de hortalizas tienen en común su encerramiento; son «áreas» limitadas y circunscritas, comparables en este sentido al limitado y circunscrito campo de las «justas y torneos» que poéticamente están describiendo. Las matitas de hierba, que con tal ternura y confianza se lanzan hacia arriba, se funden visualmente con las cimeras de los caballeros, con las plumas de los yelmos, las divisas, los jaeces, tan osadamente marciales, tan alegremente firmes y seguros. [...] Pero ¿dónde está aquí la muerte? Está sólo sobreentendida: es el trillador o el segador, o quizá el pesado buey que tan pronto cortará o aplastará ciegamente esta vida. Jorge Manrique evita las comparaciones mecánicas y prefiere ahora sugerir la muerte como posibilidad no realizada de una imagen. La muerte, sombrío trillador o segador, es la causa no expresada de una destrucción no expresada, la tácita condición de nuestra nueva y agudizada consciencia de lo transitorio. Podemos percibirla, pero no la vemos.

2.   A pesar de sus cinco siglos de antigüedad, el lenguaje de las *Coplas* de Jorge Manrique es claro y sencillo para cualquier lector moderno. Por su propiedad y sobriedad parece que jamás ha de envejecer. Sus pocos y leves arcaísmos pasan casi desapercibidos: *parescer, sobir, cativa, estorias, joventud,* etc. La lectura a la manera actual de otras palabras como *dulçores, plazeres, dexó, mejor,* modifica su antigua pronunciación, pero no altera la forma de los versos. Sólo afectan a la métrica los detalles siguientes: La *i* cuenta como vocal en hiato, con diéresis, en *gloriosa, juicio, Octaviano, Aureliano, Adriano.* En el mismo caso se halla la *e* de *Teodosio.* La sinalefa se cumple regularmente entre vocales inacentuadas, sin más excepcio-

nes que «y otros por no tener» (copla 20), y «de sus fijos y hermanos» (79); otras veces la *y* se suma a la vocal inmediata: «y en las lides que venció» (58), «por méritos y ancianía» (62). La aspiración de la *h* impide la agrupación de las vocales en «la cava honda, chapada» (48), «después de tanta hazaña» (66), «y su halago» (67) y en otros casos; la *f* originaria se mantiene en *fazer, fizo, fizieron, fable, falaguero*, etc.

Están compuestas las *Coplas* en sextillas octosílabas, cuyos versos se reparten en dos semiestrofas iguales con terminación quebrada en cada una de ellas y con tres rimas consonantes correlativas, abc:abc. [...] En los antiguos cancioneros, estas sextillas aparecen agrupadas en parejas. Las ochenta sextillas de que constan las *Coplas* formaban cuarenta estrofas dobles. [...] La mayor parte de las sextillas de las *Coplas* ofrecen individualidad bien definida, no sólo por razón de sus rimas, sino por su propio sentido. En varios casos, sin embargo, entre una sextilla impar y la que le sigue existe un enlace sintáctico y semántico que da a entender que su originaria agrupación en parejas no significaba una práctica meramente formal. Confirma esta misma relación el hecho de que en ningún caso una sextilla par aparezca trabada con la impar siguiente. Sólo con ocasión de las sextillas 65-66 el sentido desborda la pareja y se extiende sobre la inmediata. [...]

Bajo su sencilla apariencia, las *Coplas* encierran una compleja y refinada estructura métrica. No escogió Jorge Manrique para su elegía la solemne octava de arte mayor ni la pulida copla real. En sus manos, la ligera sextilla de pie quebrado, sin perder su acento lírico, adquirió madurez y gravedad. El octosílabo aparece en esta poesía como un dúctil instrumento utilizado en toda la variedad de sus recursos, con plenitud no alcanzada en obras anteriores. La forma trocaica (oo óo óo óo) que sirve de base deja amplio margen a las demás variedades. Gran número de versos, en situación de contraste u organizados en posiciones diversas, puntúan, avivan o refrenan la expresión en determinados pasajes, por virtud de sus efectos rítmicos. Un esmerado sentido de coordinación guía la cadencia del pie quebrado en las oscilaciones de su medida y en su relación con cada semiestrofa. La calidad y disposición de las rimas trasluce perceptibles afinidades con el orden de las estrofas y de las partes del poema. Versos con interior armonía vocálica (*a-e-a*: «tanta sangre derramastes»; *e-o-e*: «pues si vemos lo presente», etc.) intercalan en el curso de la composición su melodiosa sonoridad. [...]

Todo el poema aparece concebido como una gran estrofa dividida en dos partes de equivalente extensión. La primera mitad, como meditación filosófica, se equilibra con la segunda, propiamente elegíaca. Desde este punto hasta el plano dominante de los versos trocaicos, los más visibles elementos de la composición se funden con el orden métrico en la misma alternativa disposición dual. La lengua combina y contrapesa formas antiguas y modernas: *fermosa-hazaña, vos-os, recordar-despertar, esforçado-valiente*. Sobre términos paralelos y contrastantes se desenvuelve el razonamiento: *vida-muerte* (copla 1), *placer-dolor* (2), *presente-pasado* (3), *durar-pasar* (4), *cielo-suelo* (12), *corporal-angelical* (13), *juventud-senectud* (18), *temporales-eternales* (24), *emperadores-pastores* (28). La copla 10 condensa la correlación rítmica: *partir-nacer, andar-vivir, llegar-morir*.

3. [En las *Coplas* encontramos muchas veces el tipo de posesivo expresado por una frase de relativo («e con la fe tan entera / *que tenéis*»), en vez del pronombre, o también con el pronombre posesivo (o demostrativo) añadido pleonásticamente («e las sus claras hazañas / *que hicieron*», «desta vida trabajada / *que tenemos*»).] La construcción *un hijo que tenía* se distingue, claro está, de *mi hijo* (o *un hijo mío*) por su carácter verbal, lo que implica una reconstrucción del hecho de la posesión ante nuestros ojos en el acto de poseer: *un hijo que tenía* es dinámico, *mi hijo* estático. Y, además, esta reconstrucción se hace para el interlocutor, pues el hablante se coloca en el sitio del oyente, no presupone la evidencia de la posesión propia, ya lograda, sino que la reconstruye para beneficio del público: *un hijo que tenía* es más explicativo, más expansivo, más «social» que *mi hijo*. [...] Ahora bien: cuando sustituimos con el artículo definido el indefinido, *un hijo que tenía> el hijo que tenía*, algo paradójico ocurre: el sustantivo se presenta como conocido por el interlocutor: *el hijo*. Parecería que la oración relativa *que tenía*, donde se construye la posesión como fenómeno que se desenvuelve a los ojos del interlocutor, no fuera la indicada: ya se sabe de la existencia del hijo. Claro está que este uso redundante tiene un matiz retórico: *el hijo que tenía* hace ʻ*nacer*ʼ la posesión del hijo, conocido por el interlocutor, a quien se toma como testigo simpático de su existencia: ʻel hijo (que tú sabes) que teníaʼ. No cabe duda de que hay mucho énfasis emocional, mucho *pathos* en tal manera de hablar, y por eso he escogido el título de «posesivo patético».

[...] La insistencia enfática y emocional resulta aún más fuerte cuando el artículo definido se sustituye por un demostrativo, con el cual insistimos en el carácter conocido del objeto poseído y pedimos al interlocutor que atestigüe la posesión. [La oración de relativo ...*que tengo* se cambia en ...*que hago*, si el objeto poseído es una acción («en esta misma guerra / *que facía*»): cabe hablar entonces de «posesivo de acción».]

Al primer tipo hay que adscribir *desta vida trabajada que tenemos* (12) que tiene el sentido conjuratorio o exhortativo a que antes nos referíamos: el poeta se dirige a todos los hombres y les habla de un hecho por todos conocido. El plan didáctico de la obra de Manrique, magistralmente delineado por Pedro Salinas, consiste en proceder, a la manera medieval *(ut in pluribus),* de la suerte común de la humanidad —la muerte— a la muerte de un individuo, el maestro don Rodrigo, padre del autor. Habiendo empezado por «Nuestras vidas son los ríos» (3), «Este mundo es el camino... Partimos... andamos... llegamos» (5), e insistiendo como Dante (*nel mezzo del cammin di* nostra *vita*) en el carácter común de peregrinación que tiene la vida humana, el poeta refuerza luego la idea de esa comunidad con los versos mencionados: «Los placeres e dulzores / desta vida trabajada / que tenemos»; con el posesivo patético *esta... que tenemos,* logra Manrique atraer al lector al ámbito de su sermón, construyendo la experiencia común ante sus ojos. Este rasgo estilístico encaja muy bien en el estilo generalmente exhortativo o didáctico de una poesía que en verdad es un sermón, y también en la narración dialogada de la muerte del Maestre, que sirve de ejemplo para el *ars moriendi.* [...] Aquí advertiremos que el poeta ha sabido usar de oraciones relativas breves, tanto del tipo *el hijo que tenía* como del *el pecado que hizo,* para lograr un maravilloso efecto de onomatopeya sentimental: a menudo se encuentran esas oraciones de relativo (*que traían, que tenéis)* en los versos de pie quebrado de la estrofa, los cuales, por su brevedad, producen un efecto acústico de eco, de recogimiento estoico, de solemnidad amortiguada, de marcha fúnebre que marca monótonamente el paso de la larga procesión de estrofas. El breve sintagma se sujeta a la brevedad del verso. El tipo más frecuente en nuestro texto es *el (aquel)... que hizo,* esto es, el posesivo activo, lo que no sorprende en un panegírico dedicado a un hombre de acción, cuyos hechos deben ser presentados como ya conocidos y famosos. [...]

Encontramos en las *Coplas* algunos casos de infinitivo sustantivado con significación estilística particular: «¿Qué se hizo *aquel trovar,* / las músicas acordadas / que tañían? / ¿Qué se hizo *aquel danzar,* / aquellas ropas chapadas / que traían?» (17), etc. Y en el diálogo final con la Muerte, que pone en acción el hecho ineluctable que asentaron los versos del principio («Nuestras vidas son los ríos / que van a dar en la mar / qu'es *el morir*»), el Maestre expresa su libre aceptación de la muerte y su conformidad con el plan providencial en las palabras monumentales: «...consiento en *mi morir* / con voluntad placentera, / clara, pura»; esto es, emplea el infinitivo sustantivado con el posesivo «espontáneo» y no una construcción parecida a las que había usado la Muerte: «esta afruenta / que vos llama» (34), «la batalla temerosa / qu'esperáys» (35). No dice el Maestre algo como «muerte que me espera».

El infinitivo sustantivado, en general, es una forma intermedia, abstracta y concreta a la vez, una forma más abstracta que los otros sustantivos verbales (cf. *el danzar,* frente a *danza; el morir* frente a *muerte*), porque pone de relieve la actividad pura, no su resultado; por otra parte, es una forma concreta, por el hecho de que sugiere la presencia de una persona que realiza la acción expresada por el verbo, lo que no hacen los otros sustantivos verbales. *El danzar, el morir,* son actividades; *danza, muerte,* son acontecimientos. En *el danzar,* en *el morir,* un ser individual se manifiesta en sus acciones, y los infinitivos nominales participan de la animación del verbo finito. [...]

Todo el poema culmina en esa pasividad activa, «placentera, clara, pura» [del Maestre frente a la muerte]. Esa muerte cristiana es, por consiguiente, un *mi morir* de un alma sola, emancipada de la necesidad y que supera la pasividad, una acción deliberada de estar conformes y de hacer propia la voluntad divina; acción: no una muerte, sino un morir. Las múltiples actividades del héroe, sus *hazañas que hizo,* sus *obras que obró,* podían exponerse mirando de soslayo al lector ante quien se construían; pero su morir solo, consigo mismo delante de Cristo, no admite al lector; es un acto únicamente suyo, que le pertenece más que todas las actividades enumeradas en el poema. No hay duda de que el poeta no podía expresar esa sublime decisión de cooperar con la muerte mediante un **consiento en mi muerte,* o **consiento en la muerte que me espera.* Debía ser *consiento en mi morir,* ni más ni menos.

Keith Whinnom

CONSTRICCIÓN TÉCNICA Y EUFEMISMO EN EL *CANCIONERO GENERAL*

En el *Cancionero general,* compilado por Hernando del Castillo (Valencia, 1511), la *canción* es una forma fija que permite un número reducido de variaciones dentro de límites muy estrechos. [Frente a los esquemas harto más flexibles del período anterior, la canción ahora suele constar de solo tres redondillas octosílabas (tema, mudanza y vuelta), normalmente rimadas abba cddc abba (y nunca con más de cuatro rimas), con repetición en la vuelta de los dos últimos versos de la estrofa inicial.] También el vocabulario empleado en estas canciones es muy restringido. Desde cualquier punto de vista, el vocabulario es numéricamente pequeño, y un recuento de los sustantivos en la parte (folios 122-131) dedicada a las canciones (excluyendo la última, por razones que explicaré) revela que, de un total de 297 sustantivos diferentes, 25 dan razón de más de la mitad del número total de sustantivos: específicamente, 882 casos sobre 1.630. Los sustantivos de más alta frecuente son *vida* (98), *mal* (80), *dolor* (74), *muerte* (58), *amor* (52), *pena* (52), *razón* (43), *passión* (41), *gloria* (41), *esperança* (40), *coraçón* (35), *fe* (29), *ventura* (26), *alma* (23), *desseo* (20), *plazer* (20), *tormento* (19), *bien* (18), *remedio* (18), *memoria* (17), *temor* (17), *tristura, tristeza* (16), *morir* (16), *causa* (15), *pensamiento* (14). Esta lista ya sugiere otra restricción: la mayoría del vocabulario restante se refiere también, de hecho, a estados emocionales y facultades de la mente. Esta poesía está limitada conceptualmente a abstracciones y en especial hay pocos términos concretos. Toda ella es poesía amorosa, pero no del tipo [que se detiene a mencionar y ensalzar los encantos físicos de la dama]. Aunque teóricamente es la belleza de la mujer la que despierta el deseo del poeta y la causa primera del amor, el «mérito» de la dama (*merescimiento* o *merescer*) se menciona con mayor fre-

Keith Whinnom, «Hacia una interpretación y apreciación de las canciones del *Cancionero general*», *Filología,* XIII (1968-1969), pp. 361-381 (362, 366-367, 369, 378-379).

cuencia que su belleza (*beldad*: 1; *belleza*: 1; *hermosura*: 3). La última canción de la sección (que omití en el recuento del vocabulario) es particularmente excepcional por esta razón: es una canción de mosén Crespí de Valdaura a doña María de Aragón, en la que alaba su *virtud, lindeza* y *real sangre*, usando términos no empleados en ninguna otra en esta sección.

Igualmente excepcional, aunque incluida con frecuencia en antologías, es la canción de Florencia Pinar «A unas perdizes que le embiaron bivas». Es claro que la moderna sensibilidad tiende a destacar, precisamente, de entre esta poesía de abstracciones, los ejemplos menos típicos: las piezas que ofrecen imágenes concretas. Incluso la tan citada «Ven muerte tan escondida», del comendador Escrivá, contiene, de manera muy original, un símil concreto: «ven como rayo que hiere», etc. Es digno de mencionar, sin embargo, que aun en una canción con una frecuencia extraordinariamente alta de términos concretos frente a términos abstractos, como la canción de Nicolás Núñez «porque su amiga le dio una rosa», se repite el mismo vocabulario abstracto (*dolor, muerte, gloria, esperança, coraçón, alma, temor*), y la conclusión se expresa en abstracciones conceptuales. [...]

Me he limitado aquí, al examinar las canciones del *Cancionero general* de 1511, a un área muy estrecha pero substancial de la poesía medieval tardía (ciertamente, en número, hay más canciones que muestras de cualquier otra forma poética). Obviamente la colección de Hernando del Castillo brinda un buen testimonio; más aún, representa, con algunas excepciones, un período restringido y coherente y el auge en el desarrollo de la canción antes de la revolución italianizante. Además, como se sabe, Hernando del Castillo parece haber aplicado escasa selectividad personal y haber tratado de coleccionar y publicar todo el material lírico que cayó en sus manos: la poesía de los aficionados aristocráticos tanto como la de poetas semiprofesionales (Lope advirtió que el *Cancionero general* se formó «a bulto» y Rodríguez-Moñino [1958] lo llama «biblioteca en pequeño»); y es posible que podamos acercarnos a una apreciación más exacta de los ideales estéticos imperantes en las postrimerías del siglo xv si nuestros testimonios literarios no han pasado previamente a través del tamiz del juicio personal de un individuo.

He propuesto, implícitamente, un método de aproximación a esta poesía: un método en el cual el ejercicio de apreciación estética se pospone a la determinación estadística del ideal estético contemporáneo. Yo sugeriría que es inútil para el lector moderno atenerse a su moderna sensibilidad: se atendrá, en lo que a él le parece un desierto de abstracciones (como a Menéndez Pelayo y otros críticos mucho menos perceptivos), a una pieza que le ofrece una imagen concreta a la que puede asirse: perdices, una rosa o un limón (me refiero a la canción de Nicolás Núñez, «porque pidió a su amiga un limón»). [Pero sí vale la pena intentar nuevas vías de aproximación. Por ejemplo: en una lírica de vocabulario tan limitado, que parece conducir a la dispersión del contenido semántico, no sería injustificado sospechar la presencia de eufemismos. En textos coetáneos —La Celestina o Juan del Encina, así—, *gloria* es un eufemismo para denotar la posesión sexual; en madrigales italianos de la época, *morire* refiere a la cópula. Otro tanto ocurre quizá en nuestras canciones con voces como *muerte, deseo, voluntad, servicio,* etc. A veces queda poco espacio para la duda.] Los encabezamientos de la «Canción que hizo un gentilhombre a una dama que le prometió, si la hallasse virgen, de casarse con ella, y él después de haverla a su plazer gelo negó» o de la esparsa de Guevara «A su amiga estando con ella en la cama» aseguran que no se trata aquí de amor «platónico», y tampoco hay posibilidad de interpretar mal la «Justa que hizo Tristán de Stúñiga a unas monjas, porque no le quisieron por servidor ninguna dellas». En muchos otros ejemplos se constata que el poeta no está escribiendo acerca de un amor espiritual, «platónico», «puro», sino acerca de un deseo físico, abrumador e insoportable. Así don Diego López de Haro (utilizando *gloria* con dos significados, como 'consumación sexual' y como un tipo de 'martirio' semi-religioso) escribe lo siguiente:

> Quando acierta el dessear
> donde gloria no s'espera,
> aquesta pueden llamar
> la gloria más verdadera.
> Qu'el mal con buena esperança
> da dolor, mas no mortal,
> y mal que consuelo alcança
> no se puede dezir mal.
> Assí que más lastimera
> es la pena del pesar
> do esperança desespera
> siendo bivo el dessear.

La *gloria* que «no s'espera» con seguridad significa tan solo la posesión física del objeto amado. Si se tiene sensibilidad para las *posibles* connotaciones e inferencias sexuales de *esperança, remedio, galardón, desseo, voluntad, gloria, servicio, morir,* etc., difícilmente se puede dejar de recibir la impresión de que las canciones del *Cancionero general* están, como la poesía de los trovadores provenzales, impregnadas de sensualidad. O.H. Green [1949], aunque destaca que la poesía de los cancioneros se basa en un deseo físico, escribe que «no es un amor apuntado hacia la consumación». ¿Y qué pasa entonces con Guevara en la cama [...] o el gentilhombre que rehusó casarse con la dama? ¿Qué con el *Amadís* y *La Celestina*?

9. LIBROS DE CABALLERÍAS Y «NOVELA» SENTIMENTAL

La crítica de lengua inglesa ha utilizado habitualmente el término *romance* para referirse a la forma predominante de la narrativa medieval. El *romance* es una historia de aventuras, con combates, amores, búsquedas, separaciones y reencuentros, viajes a otros mundos, todo ello en variadas combinaciones. El mundo en el cual sucede la acción está alejado del público en tiempo, espacio o clase social, y muy a menudo en las tres categorías. El *romance* no debe confundirse con la *novela*, por más que la tradición española no disponga de una terminología precisa para los diversos géneros narrativos y tienda a llamar «novela» a toda ficción en prosa. El *romance* puede escribirse tanto en prosa como en verso, y de hecho los primeros *romances* españoles se compusieron en verso, en la primera mitad del siglo XIII: son el *Libro de Alexandre* y el *Libro de Apolonio* (véase cap. 4). Pocos decenios más tarde, en la *General estoria* de Alfonso el Sabio aparecen incluidos *romances* en prosa con temas de la antigüedad clásica y, como ocurre con muchos *romances* españoles, inspirados en buena medida en fuentes francesas.

Quizás el primer *romance* en prosa española compuesto como obra literaria autónoma sea el *Libro del caballero Zifar* (hacia 1300); muy poco después aparece *El caballero del Cisne,* inserto en una extensa compilación sobre las Cruzadas, *La gran conquista de Ultramar,* y es posible que la *Historia troyana polimétrica,* en prosa y verso, sea algo anterior. El *Zifar* es obra extensa y cuidadosamente construida, cuyo mensaje cristiano parece transmitirse, en parte, gracias a una técnica de raigambre bíblica: las cosas o personas se presentan en tanto *figuras* de otras realidades trascendentes (véase cap. 1). Se trata de un libro atípico, en el sentido de que no se ha identificado con claridad ninguna de sus fuentes (entre las cuales se ha postulado una fuerte presencia del elemento oriental).

El *Zifar* queda al margen de los tipos característicos del *romance*

europeo, el más importante de los cuales es el ciclo artúrico. En Francia, en el siglo XII, hallamos ya diferentes historias acerca del rey Artús
y los caballeros de su corte narradas en verso (y cuyo origen último es
cuestión disputada); en el XIII ese material se fija en prosa en la llamada
versión Vulgata, que más tarde desemboca en otra conocida como Post-
Vulgata. A ese estadio pertenece el *Roman du Graal,* que parece haber
sido traducido por un cierto João o Juan Vivas en 1313-1314 a un
dialecto peninsular (portugués, castellano o leonés; no es posible deci-
dirlo con certeza). La traducción original se ha perdido, pero de ella
proceden la mayor parte de los textos artúricos hispánicos conservados
(otros, sin embargo, se basan en el ciclo de la Vulgata o en el *Tristán*
francés en prosa).

Los *romances* peninsulares sobre Troya provienen, directa o indirectamente, del *Roman de Troie* de Benoît de Sainte-Maure (siglo XII). El
más conocido, y quizá también el mejor desde el punto de vista artístico, es la *Historia troyana polimétrica,* que muestra una notable independencia con respecto a su modelo, particularmente en las partes en
verso, concebidas básicamente como amplificación lírica de los momentos
más emotivos de la narración.

El *Amadís de Gaula* es un producto original hispánico dentro del
ciclo artúrico. De la versión o versiones primitivas (la más antigua debe
remontarse a comienzos del siglo XIV) sólo sobrevive un fragmento. El
texto que ha llegado a nosotros es la refundición preparada a finales
del siglo XV por Garci Rodríguez de Montalvo. Con ella se inician los
libros de caballerías del siglo XVI, muy apreciados y difundidos por España y por toda la Europa Occidental; las secuelas, imitaciones y traducciones del *Amadís* abundan en extremo.

A mediados del siglo XV hace su aparición un nuevo tipo de *romance*: la denominada «novela» *sentimental,* que se concentra en el
análisis de las emociones a expensas de la acción externa, mezclando
rasgos de los libros de caballerías, la narrativa italiana al modo de la
Fiammetta o el *Filocolo* de Boccaccio, y la poesía cancioneril. El prototipo del género es la *Estoria de dos amadores,* de Juan Rodríguez del
Padrón, interpolada en su *Siervo libre de amor,* de carácter alegórico-
autobiográfico. Habrían de transcurrir varios decenios antes de que el
género llegara a establecerse con firmeza con las obras de Diego de San
Pedro y Juan de Flores: la *Cárcel de amor* de San Pedro se considera
generalmente la obra maestra del género. Al igual que el *Amadís,* los
relatos sentimentales gozaron de popularidad en toda Europa, pero la
moda fue ahora menos duradera.

Los estudios medievales hispánicos se han resentido de una renuencia generalizada a considerar el *romance* como un género con entidad propia. Por ende, se han buscado en los *romances* características de que carecen, y no se han tenido en cuenta trabajos críticos de relieve sobre los *romances* en otras lenguas. Yo mismo he examinado las causas y los efectos de tal desatención, dando las oportunas indicaciones bibliográficas [1975]. Una excelente información sobre los grandes ciclos y las principales obras de nuestro género, en el dominio francés, se halla ahora en el volumen del *Grundriss der romanischen Literaturen des Mittelalters* dedicado a *Le roman jusqu'à la fin du XIIIᵉ siècle* (Frappier y Grimm [1978]), donde H. U. Gumbrecht, pp. 645-664, esboza las grandes líneas de la recepción española de las obras en cuestión (cf. también Gumbrecht [1974]). Dos recientes libros de conjunto, de importancia fundamental para el estudio de los *romances* españoles, son los debidos a Stevens [1973] y a Vinaver [1971]: el primero está dedicado básicamente a los temas, y el segundo a la estructura (y sobre todo a la estructura que suele llamarse «entrelazada»). Intento sin éxito de aplicar el moderno análisis estructural a los *romances* españoles es el de Durán [1973], que, obligado por el método que utiliza, subdivide el género de modo nada convincente. Muy preferible es la presentación de Bohigas [1949, 1951], más tradicional y ya un tanto anticuada, pero todavía con sólida información y finos juicios. El tema central de varios libros de caballerías ha sido estudiado por Ruiz de Conde [1948] en relación con el recurso del matrimonio secreto, que en el *Amadís* y en otras obras combina el placer del amor ilícito con la tranquilidad de la sanción divina: los que el lector suponía amantes resultan estar casados en secreto. El libro de Ruiz de Conde trae también perspicaces observaciones sobre el diseño del *Zifar* y otras obras. Catalán [1970] ha explorado las conexiones entre los varios géneros narrativos, de la Edad Media a nuestros días. En un libro publicado en 1925, William J. Entwistle hizo una amplia presentación de la literatura artúrica peninsular, pero los progresos de la crítica hacían necesario trazar un nuevo panorama, tarea llevada a cabo por Lida de Malkiel [1959]. Con todo, la más completa y actual guía al conocimiento de tan compleja materia y de la crítica pertinente es la bibliografía de Sharrer [1977]. Es ejemplar por todo concepto la edición de *El baladro del sabio Merlín* preparada por Bohigas [1957-1961], decano de los estudios artúricos en España. La novedad más importante ocurrida en años recientes son las conclusiones alcanzadas por Bogdanow [1966] acerca de la naturaleza y la posición del *Roman du Graal* (vid. también Frappier y Grimm [1978], pp. 513-535), trabajo del que todavía no se han hecho cargo todos los estudiosos de los textos hispánicos.

La investigación sobre los relatos de tema troyano ha sido sorprendentemente escasa durante los últimos treinta años. Uno de los textos ha sido publicado por Norris [1970], pero de la mayor parte de los restantes no disponemos de una edición crítica moderna. Incluso la *Historia troyana polimétrica,* editada hace más de cuarenta años por Menéndez Pidal y un colaborador, necesita ser puesta al día, ya que la participación de Menéndez Pidal en aquella tarea fue muy reducida, como él mismo indica. Varias *idées reçues* acerca de la obra habrán de revisarse cuando aparezca el trabajo hace poco llevado a cabo en Estados Unidos por Ann Sitrin y Marina Scordilis.

Por el contrario, el *Zifar* ha sido estudiado por extenso. La edición presentada por Riquer [1951] sigue la que hace cincuenta años preparó Charles P. Wagner, aportando un breve pero sustancioso comentario. La edición de Wagner tiene limitaciones que hacen necesaria otra nueva, como quedará claro en un próximo estudio de Marilyn Olsen. La crítica literaria sobre el *Zifar,* sin embargo, ha hecho progresos notables. Burke [1970, 1972] propone que la estructura de la obra está en deuda con la técnica medieval de la *figura,* sobre todo tal como se la utiliza en el sermón erudito; Keightley [1978] ha confirmado, con alguna modificación, las sugerencias de Burke. Walker [1974] lleva a cabo un penetrante análisis del estilo del *Zifar;* su estudio acerca de los esquemas estructurales, basado en la división de la obra en cuatro libros, es vulnerable si se acepta la teoría de Keightley, según la cual el autor planeó no cuatro, sino tres libros. Otro tanto cabe decir del modesto pero correcto artículo de Scholberg [1964], quien también ha atendido a los aspectos cómicos de la obra [1966]. Un asunto del que se han ocupado tanto Burke como Walker, pero que necesita una investigación más profunda, es el de los orígenes orientales del *Zifar,* sobre cuyos posibles contactos con la tradición épica ha hecho varias conjeturas E. von Richthofen [1954, 1972], mientras Scudieri [1966], más sólidamente, le ha señalado algunos vínculos con las culturas francesa y latina medieval. F. J. Hernández [1978 y en prensa] ha insistido en que el libro debe atribuirse a Ferrán Martínez, el Arcediano de Madrid mencionado en el prólogo, y ha rastreado en el relato los ecos del antisemitismo coetáneo.

Por lo que se refiere al *Amadís,* ha tenido lugar un notable descubrimiento: el fragmento de un manuscrito de un texto anterior a la refundición de Montalvo. El descubrimiento, debido a Rodríguez-Moñino [1956], confirma algunas de las conclusiones de Lida de Malkiel [1952-1953] basadas en el mero estudio del texto de Montalvo. Una tal confirmación factual de una hipótesis crítica es rara y por ello más llamativa en el campo de la filología. El *Amadís* de Montalvo ha sido publicado por Place [1959-1969], con el complemento de varios estudios que reflejan los muchos trabajos que el editor ha dedicado a la obra; pero aunque la suya supone un gran progreso respecto a la edición hecha en el siglo XIX por Pascual de Gayangos, no puede tampoco considerarse irreprochable. Pierce [1976] ha trazado un buen panorama general de los problemas del *Amadís* (véase además Weddige [1975], pp. 1-9, y Eisenberg [en prensa], cap. II), particularmente difíciles por cuanto se refiere al autor y a la lengua de la versión primitiva (¿castellana o —menos verosímilmente— portuguesa?). La más nueva y quizá sólida contribución al debate sobre la prehistoria del *Amadís* es mérito de Cacho Blecua [1979], quien, con tanta cautela como discernimiento, postula la existencia de dos redacciones anteriores al texto de Montalvo. El trabajo de Cacho Blecua, por otra parte, es el intento más ambicioso hasta el momento de dar una interpretación de la obra que tome en cuenta todos sus elementos, de suerte que los factores estructurales y estilísticos, los datos de contenido y las maneras narrativas se iluminen mutuamente y a la vez diluciden la génesis del *Amadís*. Por lo demás, Le Gentil [1966] y Samonà [1962] han señalado la originalidad semántica de la obra contemplándola desde la perspectiva de la materia artúrica precedente (véase aún Place [1956] y Scudieri [1966]) y de la ficción sentimental coetánea, y Gili Gaya [1956] le ha dedicado una conferencia llena de observaciones valiosas. El pionero análisis estructural de Weber de Kurlat [1966] ha sido prolongado y ahondado por Curto en una excelente tesis todavía sólo accesible en resumen [1976].

Al igual que con el *Zifar* y quizá también con el *Amadís*, la crítica sobre el *Siervo libre de amor* supera a sus ediciones. La cuidada por Prieto y por Serrano Puente [1976] tiene muchas inexactitudes, y la introducción se me antoja demasiado difusa (como me ocurre con no pocas otras páginas —por lo demás, ricas en vislumbres interesantes— que el mismo Prieto [1975] consagra a glosar en clave semiológica el *Amadís* y las ficciones sentimentales). El punto de partida para el estudio de Rodríguez del Padrón es la monografía de Lida de Malkiel [1952], especialmente en su primera parte, que trata de toda la producción del autor. Los críticos más recientes se han ocupado sobre todo del *Siervo libre de amor* (cf. C. Hernández Alonso [1970]). Dudley [1967] estudia las imágenes principales, y Andrachuk [1977] sostiene que la obra, tal como hoy la conocemos, está incompleta: es de esperar que los artículos y libros en prensa o en preparación de ambos críticos, así como de Javier Herrero y de Olga Impey, contribuirán a enriquecer nuestro entendimiento del texto en cuestión.

La crítica moderna sobre Diego de San Pedro alcanza por primera vez altura relevante gracias a Wardropper, que se ocupa del fundamental papel del narrador-personaje que es «El Autor» y de la coherencia de la estructura alegórica [1952], así como del ámbito emotivo en que están inmersos los protagonistas de la *Cárcel de amor* [1953]. Estos dos artículos, en que se estudia a San Pedro con una seriedad crítica desconocida hasta entonces, abrieron el camino a los fundamentales trabajos de Whinnom y de Langbehn-Rohland. Whinnom [1960] muestra que el cambio estilístico que se observa entre *Arnalte y Lucenda* y la *Cárcel de amor* corresponde al nuevo gusto por la brevedad imperante en los círculos cortesanos; su edición de ésas y las restantes obras en prosa de San Pedro [1973; 1972] nos ofrece por fin unos textos totalmente dignos de confianza; las introducciones correspondientes, así como el libro panorámico del propio Whinnom [1974], se ocupan de asuntos tan esenciales como la retórica y la relación existente entre el amor cortés de la ficción en prosa y las teorías médicas de la época. Langbehn-Rohland [1970] no está al día en lo que se refiere a la bibliografía sobre el amor cortés, pero trata de manera muy apropiada de fuentes y analogías, personajes, estilo y estructura. Pese a los trabajos de Langbehn-Rohland, Wardropper y Whinnom, sin embargo, aún pueden asediarse con provecho los problemas de estructura, como muestra Severin [1977] en su estudio acerca de las repeticiones temáticas, y darse estimulantes panorámicas de la evolución y el mundo espiritual de San Pedro, según hacen Samonà [1957] y Moreno Báez [1974]. Waley [1966] llama la atención acerca de los diferentes modos de tratar el amor en San Pedro y en Juan de Flores; en conjunto, la distinción es útil, pero lleva a ciertas afirmaciones dudosas, e incluso a depreciar la valía de San Pedro, como señala Chorpenning [1977], cuyo artículo muestra de qué manera los recursos de la retórica se usan en la *Cárcel de amor* para hacer una defensa de las mujeres. Muy interesante, si no convincente, es el intento de Márquez [1966] de leer parte del relato como un velado ataque contra la Inquisición.

En cuanto a Juan de Flores, el *Grimalte y Gradissa* ha sido satisfactoriamente editado por Waley [1972], mas en el caso de *Grisel y Mirabella* debemos recurrir todavía a la incómoda edición hecha por Barbara Matulka en 1931. De otro texto de Flores, recién reaparecido, el *Triunfo de amor,* se anuncia como inminente la edición de Antonio Gargano; se trata de una de las cuatro obras de la tardía Edad Media desconocidas hasta ahora que figuran en un grupo de manuscritos (hoy en la Biblioteca Nacional de Madrid) recientemente descubiertos y que sin duda constituyen un hallazgo de extraordinario interés. Waley ha hecho sustanciosas aportaciones al conocimiento de Flores [1966; 1972], aunque tal vez con excesiva tendencia a considerar a Flores como un innovador frente a San Pedro y a leer sus obras como si fueran novelas realistas

La narrativa sentimental (como se aprecia en la imprescindible reseña crítica de Gargano [en prensa]) ha recibido una atención desproporcionadamente superior a los libros de caballerías, muchos de los cuales esperan aún ediciones solventes y estudios monográficos. No obstante, también por lo que se refiere a ella hay mucho terreno por desbrozar. Es necesario, especialmente, enfrentarla globalmente y delimitar las características singulares del género. Ya he mencionado el intento de análisis estructural realizado por Durán [1973]. El ensayo de Varela [1970] y el denso volumen de Samonà [1960] abundan en consideraciones felices sobre la ficción sentimental como categoría literaria con entidad propia. Pero hasta ahora el único panorama realmente amplio es el de Cvitanovic [1973], que, sin embargo, estaba ya anticuado cuando fue escrito (Dudley, Langbehn-Rohland y Waley, por ejemplo, no aparecen en su bibliografía); desde entonces, otras aportaciones importantes, así como el descubrimiento del *Triunfo de amor,* lo han superado por completo. También necesita ser revisado a esa luz mi propio estudio sobre el motivo folklórico de los hombres salvajes en la ficción sentimental [1964].

La investigación sobre los libros de caballerías y los relatos sentimentales precisa tomar en cuenta los trabajos relativos a las obras afines en otros países; también es necesario asimilar una importante constatación hecha en el dominio español: la demostración por Riquer [1967, 1970], de que los caballeros andantes fueron algo familiar en la vida española del siglo xv y, por ende, de que las fuentes históricas documentan muchas realidades equiparables a las que ciertos críticos habían descartado como mero devaneo de la imaginación literaria (y cosa similar —aunque no se haya apreciado como debiera— ocurre con algunos testimonios allegados por Ruiz de Conde [1948] sobre las costumbres eróticas de la época). Por otro lado, valdría la pena que los medievalistas meditaran la reivindicación que algunos grandes narradores contemporáneos han hecho de los libros de caballerías, contemplándolos como modelos perfectamente vivos y actuales de «novela total»: hasta el punto de que un Mario Vargas Llosa [1971] ha podido definir *Cien años de soledad* como un *«Amadís* en América».

BIBLIOGRAFÍA

Andrachuk, Gregory P., «On the missing third part of *Siervo libre de amor*», *Hispanic Review,* XLV (1977), pp. 171-180.

Bogdanow, Fanni, *The romance of the Grail: a study of the structure and genesis of a thirteenth-century Arthurian prose romance,* Manchester University Press, 1966.

Bohigas Balaguer, Pedro, «Orígenes de los libros de caballerías» y «La novela caballeresca, sentimental y de aventuras», en G. Díaz-Plaja, *Historia general de las literaturas hispánicas*, Barna, Barcelona, 1949 y 1951, vol. I, pp. 521-541, y vol. II, pp. 189-236.

—, ed., *El baladro del sabio Merlín*, Selecciones Bibliográficas, Barcelona, 1957-1961, 3 vols.

Burke, James F., «The *Libro del cavallero Zifar* and the medieval sermon», *Viator*, I (1970), pp. 207-221.

—, *History and vision: the figural structure of the «Libro del cavallero Zifar»*, Tamesis, Londres, 1972.

Cacho Blecua, Juan Manuel, *Amadís: heroísmo mítico cortesano*, Cupsa, Madrid, 1979.

Catalán, Diego, «La novela medieval y el romancero oral moderno», en *Por campos del romancero: estudios sobre la tradición oral moderna*, Gredos, Madrid, 1970, pp. 77-117.

Curto Herrero, Federico, *Estructura de los libros de caballerías en el siglo XVI*, Fundación J. March, Madrid, 1976.

Cvitanovic, Dinko, *La novela sentimental española*, Prensa Española (El Soto, XXI), Madrid, 1973.

Chorpenning, Joseph F., «Rhetoric and feminism in the *Cárcel de amor*», *Bulletin of Hispanic Studies*, LIV (1977), pp. 1-8.

Deyermond, Alan D., «El hombre salvaje en la novela sentimental», *Filología*, X (1964), pp. 97-111.

—, «The lost genre of medieval Spanish literature», *Hispanic Review*, XLIII (1975), pp. 231-259.

Dudley, Edward, «Court and country: the fusion of two images of love in Juan Rodríguez's *El siervo libre de amor*», *Publications of the Modern Language Association*, LXXXII (1967), pp. 117-120.

Durán, Armando, *Estructura y técnicas de la novela sentimental y caballeresca*, Gredos, Madrid, 1973.

Eisenberg, Daniel, *Los libros de caballerías en el Siglo de Oro*, Ariel (Letras e Ideas: Maior), Barcelona, en prensa.

Frappier, Jean, y Reinhold R. Grimm, eds., *Le roman jusqu'à la fin du XIIIe siècle*, vol. IV del *Grundriss der romanischen Literaturen des Mittelalters*, ed. H. R. Jauss y E. Köhler, Carl Winter Universitätsverlag, Heidelberg, 1978.

Gargano, Antonio, «Stato attuale degli studi sulla *novela sentimental*», *Studi ispanici* (Pisa), en prensa.

Gili Gaya, Samuel, *Amadís de Gaula*, Universidad de Barcelona, 1956.

Gumbrecht, Hans Ulrich, «Literary translation and its social conditioning in the Middle Ages: four Spanish romance texts of the 13th century», en *Approaches to medieval romance*, ed. Peter Haidu (Yale French Studies, LI), New Haven, 1974, pp. 205-222.

Hernández, Francisco J., «Un punto de vista (*ca.* 1304) sobre la discriminación de los judíos», en *Homenaje a Julio Caro Baroja*, Centro de Investigaciones Sociológicas, Madrid, 1978, pp. 587-593.

—, «Ferrán Martínez, autor del *Libro del cavallero Zifar*», *Revista de Archivos, Bibliotecas y Museos*, en prensa.

Keightley, R. G., «The story of Zifar and the structure of the *Libro del cavallero Zifar*», *Modern Language Review*, LXXIII (1978), pp. 308-327.

Langbehn-Rohland, Regula, *Zur Interpretation der Romane des Diego de San Pedro*, Winter (Studia Romanica, XVIII), Heidelberg, 1970.

Le Gentil, Pierre, «Pour l'interpretation de l'*Amadís*», en *Mélanges à la memoire de Jean Sarrailh*, París, 1966, vol. II, pp. 47-54.

Lida de Malkiel, María Rosa, «Juan Rodríguez del Padrón: vida y obras», *Nueva Revista de Filología Hispánica*, VI (1952), pp. 313-351; «Influencia», VIII (1954), pp. 1-38; «Adiciones», XIV (1960), pp. 318-321. Reimpr. en *Estudios sobre la literatura española del siglo XV*, Porrúa Turanzas, Madrid, 1977, pp. 21-144.

—, «El desenlace del *Amadís* primitivo», *Romance Philology*, VI (1952-1953), pp. 283-289; reimpr. en *Estudios de literatura española y comparada*, EUDEBA, Buenos Aires, 1966, pp. 149-156.

—, «Arthurian literature in Spain and Portugal», en *Arthurian Literature in the Middle Ages: a collaborative history*, ed. Roger S. Loomis, Clarendon, Oxford, 1959, pp. 406-418; versión española en *Estudios de literatura española y comparada*, EUDEBA, Buenos Aires, 1966, pp. 134-148.

Márquez Villanueva, Francisco, «*Cárcel de amor*, novela política», *Revista de Occidente*, n.º 14 (1966), pp. 185-200, y luego en su libro *Relecciones de literatura medieval*, Universidad de Sevilla, 1977, pp. 75-94.

Moreno Báez, Enrique, ed., D. de San Pedro, *Cárcel de amor*, Cátedra, Madrid, 1974.

Norris, Frank P., ed., *La corónica troyana*, University of North Carolina Studies in Romance Languages and Literatures, XC, Chapel Hill, 1970.

Pierce, Frank, *Amadís de Gaula*, Twayne (Twayne's World Authors Series, CCCLXXII), Boston, 1976.

Place, Edwin B., «Fictional evolution: the old French romances and the primitive *Amadís* reworked by Montalvo», *Publications of the Modern Language Association of America*, LXXI (1956), pp. 521-529.

—, ed., *Amadís de Gaula*, CSIC, Madrid, 1959-1969, 4 tomos.

Prieto, Antonio, *Morfología de la novela*, Planeta, Barcelona, 1975.

— y Francisco Serrano Puente, eds., J. Rodríguez del Padrón, *Siervo libre de amor*, Castalia (Clásicos Castalia, LXVI), Madrid, 1976.

Richthofen, Erich von, *Estudios épicos medievales*, Gredos, Madrid, 1954.

—, *Tradicionalismo épico-novelesco*, Planeta, Barcelona, 1972.

Riquer, Martín de, ed., *El cavallero Zifar*, Selecciones Bibliófilas, Barcelona, 1951, 2 tomos.

—, *Caballeros andantes españoles*, Espasa-Calpe (Austral, 1397), Madrid, 1967.

—, *Cavalleria fra realtà e letteratura nel Quattrocento*, Adriatica, Bari, 1970

Rodríguez-Moñino, Antonio, «El primer manuscrito del *Amadís de Gaula*», *Boletín de la Real Academia Española*, XXXVI (1956), pp. 199-216; reimpr. en *Relieves de erudición (Del «Amadís» a Goya)*, Castalia, Valencia, 1959, pp. 17-38.

Ruiz de Conde, Justina, *El amor y el matrimonio secreto en los libros de caballerías*, Aguilar, Madrid, 1948.

Samonà, Carmelo, «Diego de San Pedro: dall'*Arnalte e Lucenda* alla *Cárcel de amor*», en *Studi in onore di Pietro Silva*, Florencia, 1957, pp. 261-277.

—, *Studi sul romanzo sentimentale e cortese nella letteratura spagnola del Quattrocento,* Carucci, Roma, 1960.

—, «L'*Amadís* primitivo e il romanzo d'amore quattrocentesco», *Romania. Scritti offerti a Francesco Piccolo,* Nápoles, 1962, pp. 451-466.

Scudieri Ruggieri, Jole, «Due note di letteratura spagnola del sec. XIV. 1) La cultura francese nel *Caballero Zifar* e nell'*Amadis.* 2) *De ribaldo*», *Cultura Neolatina,* XXVI (1966), pp. 233-252.

Scholberg, Kenneth R., «The structure of the *Caballero Zifar*», *Modern Language Notes,* LXXIX (1964), pp. 113-124.

—, «La comicidad del *Caballero Zifar*», en *Homenaje a Rodríguez-Moñino,* Castalia, Madrid, 1966, II, pp. 157-163.

Severin, Dorothy S., «Structure and thematic repetitions in Diego de San Pedro's *Cárcel de amor* and *Arnalte y Lucenda*», *Hispanic Review,* XLV (1977), pp. 165-169.

Sharrer, Harvey L., *A critical bibliography of Hispanic arthurian material. I. Texts: the prose romance cycles,* Grant & Cutler (Research Bibliographies and Checklists, III), Londres, 1977.

Stevens, John, *Medieval romance: themes and approaches,* Hutchinson, Londres, 1973.

Varela, José Luis, «La novela sentimental y el idealismo cortesano», en su libro *La transfiguración literaria,* Prensa Española, Madrid, 1970, pp. 1-51.

Vargas Llosa, Mario, *García Márquez: historia de un deicidio,* Barral, Barcelona, 1971.

Vinaver, Eugène, *The rise of romance,* Clarendon, Oxford, 1971.

Waley, Pamela, «Love and honour in the *Novelas sentimentales* of Diego de San Pedro and Juan de Flores», *Bulletin of Hispanic Studies,* XLIII (1966), pp. 253-275.

—, ed., *Grimalte y Gradissa,* Tamesis, Londres, 1972.

Walker, Roger M., *Tradition and technique in the «Libro del cavallero Zifar»,* Tamesis, Londres, 1974.

Wardropper, Bruce W., «Allegory and the role of *El Autor* in the *Cárcel de amor*», *Philological Quarterly,* XXXI (1952), pp. 39-44.

—, «El mundo sentimental de la *Cárcel de amor*», *Revista de Filología Española,* XXXVII (1953), pp. 168-193.

Weber de Kurlat, Frida, «La estructura novelesca del *Amadís de Gaula*», *Revista de Literaturas Modernas,* V (1966), pp. 29-54.

Weddige, Hilkert, *Die «Historien von Amadis aus Franckreich». Dokumentarische Grundlegung zur Enstehung und Rezeption,* Frank Steiner Verlag GMBH, Wiesbaden, 1975.

Whinnom, Keith, «Diego de San Pedro's stylistic reform», *Bulletin of Hispanic Studies,* XXXVII (1960), pp. 1-15.

—, ed., Diego de San Pedro, *Obras completas,* Castalia (Clásicos Castalia, LIV y XXXIX, Madrid, 1973 y 1972.

—, *Diego de San Pedro,* Twayne (Twayne's World Authors Series, CCCX), Nueva York, 1974.

MARIO VARGAS LLOSA

VIEJOS Y NUEVOS LIBROS DE CABALLERÍAS

La tradición de los libros de caballerías se interrumpió brutalmente, por razones religiosas, históricas y culturales que no es el
momento de analizar, y a partir aproximadamente del *Quijote* (los
críticos todavía repiten que 'mató de ridículo' a la novela caballeresca), la ficción en lengua española dio un viraje en redondo, y se
orientó por un camino de sistemática represión de lo real imaginario,
de sometimiento a lo real objetivo, a tal punto que muchos historiadores cuya visión llega sólo hasta el Siglo de Oro afirman que la
novela española fue *siempre* rigurosamente 'realista'. Esto es, como
tónica general, lo característico de la ficción española a partir del
Renacimiento, pero no lo es de la fecunda, múltiple, audaz narrativa
pre-cervantina, y, sobre todo, dentro de ella, de las novelas de caballerías. Éstas no son 'irreales'; son 'realistas', pero su concepto de
realidad es más ancho y complejo que la ajustada noción de realidad que estableció el racionalismo renacentista. En *El caballero
Cifar*, en el *Amadís de Gaula* la realidad reúne, generosamente, lo
real objetivo y lo real imaginario en una indivisible totalidad en la
que conviven, sin discriminación y sin fronteras, hombres de carne
y hueso y seres de la fantasía y del sueño, personajes históricos y
criaturas del mito, la razón y la sinrazón, lo posible y lo imposible.
Es decir, la realidad que los hombres viven objetivamente (sus actos,
sus pensamientos, sus pasiones), y la que viven subjetivamente, la
que existe con independencia de ellos y la que es un exclusivo pro-

Mario Vargas Llosa, *García Márquez: historia de un deicidio*, Barral, Barcelona, 1971, pp. 176-179.

ducto de sus creencias, sus pesadillas o su imaginación. Esta vasta noción de 'realismo literario' totalizador que confunde al hombre y a los fantasmas del hombre en una sola representación verbal es la que encontramos, justamente, en *Cien años de soledad*. La historia de los Buendía, [protagonistas de la gran novela (1967) de Gabriel García Márquez,] como la de Amadís o la de Tirant lo Blanc, [héroe del libro de Joanot Martorell,] transcurre simultáneamente en varios órdenes de realidad: el individual y el colectivo, el legendario y el histórico, el social y el psicológico, el cotidiano y el mítico, el objetivo y el subjetivo. Los novelistas de lengua española habían aprendido a moderar su fantasía, a elegir una zona de la realidad como asiento de sus ficciones con exclusión de las otras, a ser medidos en sus deicidios. *Cien años de soledad* significó, entre otras cosas, un desdeñoso desaire a siglos de pudor narrativo y la resurrección inesperada, en un novelista de la lengua, del ambicioso designio de los suplantadores de Dios medievales: competir con *toda* la realidad, incorporar a la ficción cuanto existe en la vida y en la fantasía del hombre. El paralelismo, como se ve, no tiene tanto que ver con la naturaleza de lo imaginario en *Cien años de soledad* y en la novela de caballerías, sino, ante todo, con el hecho de que este elemento en la novela de García Márquez, como en las ficciones caballerescas, no es excluyente: está integrado a otras experiencias de lo humano, coexiste con otros dimensiones de lo real. La semejanza tiene que ver con la noción total de realidad y con la ambición de edificar una ficción totalizadora que sea representación de aquélla.

En ambos casos, ese proyecto ecuménico se concreta en un método narrativo afín, que es, también, rasgo esencial de la realidad ficticia: la fecundidad episódica. La realidad es movimiento, sucesión vertiginosa, acontecimientos que se encadenan a un ritmo de aceleración constante, que se cruzan y descruzan, desaparecen y reaparecen, cambiados o idénticos, que se mezclan de manera inextricable, estableciendo estructuras temporales delirantes, a veces ininteligibles, cronologías que es imposible desentrañar. Estas ficciones donde todo el tiempo están ocurriendo cosas, son novelas *de superficie*: los hechos prevalecen sobre los pensamientos y los sentimientos, y son el vehículo a través del cual éstos se transparentan. Novelas de aventuras, el elemento épico les es consustancial: la guerra, la conquista, el descubrimiento, la fundación de ciudades y reinos es el prontuario del héroe caballeresco. Como los Buendía, los Amadises, Palmerines y Floriseles atraviesan paisajes ignotos, exploran selvas encantadas, guerrean interminablemente, fundan pueblos y realizan las proezas más inverosímiles. El coronel Buendía, que promueve treinta y dos guerras, tiene diecisiete hijos en diecisiete mujeres distintas, escapa a catorce atentados, a setenta y tres emboscadas y a un pelotón de fusilamiento, sobrevive a una carga de estricnina que habría bastado para matar a un caballo y muere de muerte natural, parece descender en línea recta de los cruzados caballerescos. En ambos casos, el héroe no aparece como individuo aislado, sino como miembro o fundador de una estirpe excepcional: la tribu de los Buendía, donde los Aurelianos suceden a los Aurelianos y los José Arcadios a los José Arcadios, refleja como un espejo esos laberintos genealógicos que pueblan las historias de los Amadises y Palmerines, en las que también se heredan los nombres y las virtudes y los defectos y donde también cuesta trabajo reconocer las identidades individuales. Junto al héroe y a la heroína, un personaje irremediable frecuenta la novela caballeresca, como personero de una dimensión hermética de lo real: el mago. Como el omnipresente Merlín o como Urganda la Desconocida, Melquíades en *Cien años de soledad* hace milagros, aparece y desaparece, domina las ciencias ocultas y es capaz, incluso, de volver de la muerte. Hasta esa vena ocultista y hermética [...] se halla presente en *Cien años de soledad,* donde toda una rama de los Buendía vive obsedida con la idea de descifrar los manuscritos mágicos de Melquíades. Asimismo, se puede extender el paralelismo hasta una convención narrativa típica de la novela de caballerías, aquella que Cervantes parodió en el personaje de Cide Hamete Benengeli. Casi todos los autores caballerescos disimulan al narrador de sus historias mediante un 'clisé': sus novelas son manuscritos encontrados en lugares exóticos, o ellos se limitaron a traducir textos que misteriosos sujetos (ermitaños, brujos, peregrinos) les encomendaron. Al final de *Cien años de soledad* descubrimos también que el narrador está terminando de contar una historia escondida hasta entonces en los manuscritos de un mago.

Justina Ruiz de Conde

LA COMPOSICIÓN DE *EL CABALLERO ZIFAR*

[El *Libro del caballero Zifar* ha sido dividido por su moderno editor C. P. Wagner en cuatro partes (cf. p. 354). Las dos primeras, nos refieren como Zifar, venido a pobreza, abandona su tierra con su mujer, Grima, y sus hijos Garfín y Roboán, y socorre a la señora de Galapia, atacada por un conde vecino que quería casarla con su hijo. Zifar, después de vencer al agresor y de concertar las paces, marcha a otras tierras con su familia, se embarca y pierde a su esposa y a sus hijos. Empiezan entonces aventuras peligrosas para todos ellos, de las que, sin embargo, escapan salvos. Garfín y Roboán son recogidos por un burgués que los educa amorosamente. Grima es conducida por el mismo Jesucristo al reino de Orbín, donde funda un convento de monjas. Zifar, después de perder a los suyos, se hospeda en una ermita y toma por escudero a un ribaldo que servía a un pescador. En compañía de éste se dirige al reino de Mentón y ayuda al rey, que tenía la ciudad cercada por sus enemigos. Zifar sale vencedor de esta prueba y se casa con la hija del rey, que había sido ofrecida a quien salvara al reino, pero se impone dos años de continencia, con el pretexto de cumplir una penitencia, a fin de que no llegara a la consumación este matrimonio ilícito. Entre tanto, Grima, Garfín y Roboán llegan al reino de Mentón y tras varias peripecias son reconocidos por Zifar; muere la reina antes de los dos años de matrimonio, con lo cual Zifar puede volverse a juntar con su legítima esposa y sus hijos y disfrutar en paz del reino que había conquistado. Garfín es declarado heredero del reino y Roboán sale en busca de honra. Empieza entonces otra parte muy característica de esta obra: la que Wagner ha denominado *Castigos del rey de Mentón*, de carácter exclusivamente didáctico, la cual precede a los *Hechos de Roboán*, la última parte de la obra. Roboán, acompañado de trescientos caballeros, llega al reino de Pandulfa, gobernado por la infanta Seringa, y vence al rey de Grimalet que a la sazón había invadido Pandulfa. Hecha la paz, Roboán y la infanta se prometen en matrimonio, pero Roboán, considerándose todavía de poco mérito para merecer la mano de la infanta, aplaza la boda para dentro de un año y va en busca de aventuras. En el imperio de Tigrida es armado caballero por segunda vez por el emperador, que no

Justina Ruiz de Conde, *El amor y el matrimonio secreto en los libros de caballerías*, Aguilar, Madrid, 1948, pp. 46-51, 53-55, 57.

se ríe nunca. Preguntar al emperador por qué no se reía se pagaba con la vida. Caballeros envidiosos mueven a Roboán a hacer esta pregunta, pero esta vez el emperador libró a Roboán de la muerte y se contentó con desterrarle a las Ínsolas Dotadas, de donde le dijo que volvería emperador si se hacía digno de serlo. La emperatriz de las Ínsolas recibió espléndidamente a Roboán y se casó con él, prometiendo no contrariarle nunca en sus deseos, pero Roboán fue incapaz de vencer la tentación del demonio, en forma de bellísima mujer, que le movió a pedir varias cosas a la emperatriz, y finalmente el caballo que había de hacerle perder tanta felicidad. Así ocurrió, en efecto. Roboán volvió a encontrarse en Tigrida y entonces supo que el emperador había sido víctima del mismo engaño que él y por esto no reía. Roboán tampoco quería reír, pero él y el emperador se consolaron mutuamente. A la muerte del emperador, Roboán heredó el imperio de Tigrida, volvió a Pandulfa y se casó con la infanta Seringa.] *

Los núcleos de la obra son tres: *A*) las proezas físicas y morales del Caballero Zifar; *B*) la justicia y la sabiduría del Caballero como rey y como padre; y, finalmente, *C*) las aventuras de Roboán hasta llegar a ser emperador y ver a toda la familia reunida de nuevo.

A contiene principalmente: 1, *la desgracia* de Zifar en el país donde vivía; 2, *aventuras de plano real*: la batalla en Galapia, la pérdida de sus hijos y el rapto de Grima; 3, una gran *aventura de plano fantástico*: la salvación milagrosa de Grima, gracias a la Virgen María y al Niño Jesús; 4, *aventuras de plano real*: las peripecias del Caballero y del Ribaldo en su viaje hacia la ciudad sitiada y la gran lucha por Mentón, donde Zifar mata a los dos hijos y al sobrino del rey de Ester; 5, *la recompensa* del Caballero de Dios, que casa con la hija heredera del rey. Todo ello salpicado de «ejemplos», disquisiciones morales y lleno de intención religiosa; parece lo más importante la conformidad con la voluntad de Dios, por lo que el Caballero se ve sometido a muy duras pruebas en su paciencia. Ejemplo de ello es también la conversación con el Ribaldo, donde se prueba el estoicismo del Caballero desde todos los puntos de vista.

B nos ofrece: 1, la promesa de *castidad de Zifar*; 2, *aventuras de plano real*: lo acaecido a Grima y a sus hijos hasta verse reunidos; la traición de Nasón y la lucha de Garfín y Roboán contra las huestes de aquél, hasta el castigo del mismo por el rey de Mentón; 3, *una gran*

* [El sumario anterior está tomado de Bohigas [1949], pp. 531-532.]

aventura de tipo imaginario: la del Caballero Atrevido en el Lago Encantado, y 4, *la recompensa* para todos: Zifar, Grima, Garfín, el Caballero Amigo, o sea el Ribaldo, el ermitaño e incluso el pescador a quien antes servía el Ribaldo. Igualmente abundan aquí los «ejemplos» y paréntesis de toda clase y parece destacarse en este apartado, no sólo la justicia del rey, sino sobre todo la maldad de la traición política y amorosa.

B y *C* están unidos por un tratado de moral, donde vemos a Zifar, maestro de sus hijos, disertando sobre todas las virtudes sociales, caballerescas, religiosas, políticas y morales. Muéstrase aquí la sabiduría moral de Zifar. *C* presenta: 1, *Roboán*, segundón sin herencia; 2, *aventuras de plano real*: lo acaecido a Roboán en Pandulfa y sus amores con la infanta Seringa; la prueba de paciencia y discreción a que le somete la viuda Gallarda; los consejos dados en Turbia y su llegada a Tigrida, donde entra en gran amistad con el emperador; 3, *una gran aventura de plano imaginario*: la de las Islas Dotadas y los amores con la emperatriz encantada Nobleza; 4, *nuevas aventuras de tipo real*: muerte del emperador, lucha contra los reyes sublevados y sometimiento o castigos de éstos; matrimonio con Seringa, y 5, *recompensa final de toda la familia Zifar*, que se ve reunida; el padre, rey; la madre, reina; el hijo mayor, conde, y el menor, emperador; demostrándose así cómo por las buenas acciones pudieron librarse del castigo impuesto por Dios a su linaje. En *C* se repite el procedimiento de ilustrar los puntos de moral, religión o política con ejemplos, cuentos, apólogos, etc., procedimiento típico de la Edad Media y que se da a través de todo el libro. En *C*, lo que parece querer probar el autor es que los hijos deben seguir los consejos de sus mayores, desechando los de los falsos amigos. Ya Zifar había dicho a Garfín y a Roboán, en *Castigos del rey de Mentón*: «honrarás a tu padre y a tu madre». Al mismo tiempo se continúa la idea central de la obra, o sea, la redención por las buenas acciones y por la confianza y entrega total a la voluntad de Dios.

Como puede apreciarse por el análisis que antecede, muchos, por no decir todos los elementos que aparecen en una parte del libro, tienen su equivalente en las otras. He aquí algunas de estas equivalencias que llevan a una descansada y agradable simetría, aunque no resulte fácil de apreciar a primera vista. Aparte de la evidente correlación de «ejemplos» y aventuras, se ve inmediatamente que las tres grandes aventuras fantásticas se han colocado por el autor cada una en una parte de la obra. Naturalmente que hay elementos sobrenaturales en otras partes de la obra: la viuda de Galapia medio resucita; hay voces misteriosas que en sueños dicen al

Caballero o al ermitaño lo que deben hacer; el diablo menudea sus apariciones a todo lo largo de la obra, pero estos elementos están unidos a los reales y mezclados con ellos, mientras que las tres aventuras que llamamos *de tipo imaginario* forman un pequeño cuento o historia con acción propia e independencia. Estas tres aventuras imaginativas se corresponden entre sí. Y se nos ocurre pensar en qué atracción misteriosa o hechizadora tendría para el autor del libro el agua, el mar. Porque este nuestro autor que cree no tan sólo en un Dios «señor de los cielos e de la tierra e del mar», sino también «de las arenas», tiene una especial predilección por colocar los embrujamientos precisamente en el agua; y así vemos que las tres aventuras donde da rienda suelta a su fantasía, las sitúa fatalmente sobre el mismo elemento: el agua. Grima es arrebatada a su marido por el mar, navega en un barco embrujado, ve morir a los marineros como por encanto. El Caballero Atrevido se deja llevar de los hechizos del Lago Encantado y su dama. Roboán también desaparece en un bajel hechizado para, aislado enteramente por el agua, gozar de unos meses de intensa y total alegría con su dama Nobleza. Tres aventuras, y tres veces el mar o un lago. Cada una en una parte de libro, bien combinada con la acción e ilustrando un punto de moral que ya ha sido estudiado previamente también en un «ejemplo».

Este juego de contrapartidas se repite a lo largo del libro con la insistencia de un sistema. [Baste como muestra] lo que pudiera llamarse 'la prueba de la paciencia'. En *A* vemos a Zifar tratando de imitar al Santo Job, no sólo soportando todos los terribles sinsabores que la vida le ha traído respecto a su mujer e hijos, sino también usando de aguzado juicio y extremado comedimiento en las respuestas dadas al Ribaldo. Siguiendo la pauta que el autor parece haberse trazado, esperamos encontrarnos en *B* con algo que corresponda a este derroche de paciencia y buen juicio. Y en efecto, en cuanto a paciencia, la conducta de Grima de regreso de Orbín bien merece parangonarse con la de Zifar en *A,* pues encuentra a su esposo casado con otra, pasa por el desvío aparente de éste, sufre el insulto que supone el ser acusada de costumbres licenciosas, incluso por el hecho final de verse condenada a muerte, y vuelve a su hospedería después de tantas aventuras en que su marido la ha probado, sin decir ella una sola palabra contra él, ni hacerle un reproche, sino callando siempre por temor a destruirle el reinado. En *C,* continuación o repetición, como se quiera, de esta prueba de la paciencia, Roboán tiene que soportar las insolencias de la dueña Gallarda, que se ha propuesto probarlo en la conversación. [...]

El hecho de que un punto de moral o de religión se refuerce de dos maneras, con el *ejemplo* y a veces con la *aventura* e incluso toda una serie de aventuras, no es de difícil explicación, sino que basta fijarse un momento para advertir que lo uno se refiere al pasado y lo otro al presente. El autor parece decir a sus personajes, y también al lector: 'esto no sólo fue verdad en el pasado, sino también en el presente, y para que te persuadas, ahí tienes la aventura; pruébala y te convencerás'. [...] Tenemos, por ejemplo, lo sucedido con el personaje que representa la traición política, Nasón, cuyas cenizas, después de ajusticiado, fueron arrojadas a un lago que queda encantado y al cual llega un caballero de lejanas tierras, el Caballero Atrevido, que se enamora de la dama del lago, la traiciona y es arrojado del lago donde vivía felicísimo. Pero alrededor de su conversación con la dueña, el autor tiene ocasión de presentarnos el ejemplo de San Jerónimo, donde relata el coloquio que un padre y una hija tuvieron sobre los amores «sin Dios». Cuando el rey de Mentón oyó lo sucedido al Caballero Atrevido, declaró que verdaderamente el lago era un lugar maldito donde debían ser echados todos los que caen en pecado de traición, y lo hizo ley para que se cumpliera en el futuro. Si el personaje del Caballero Atrevido representara la traición en amor, como parece deducirse por lo que le sucedió y por el ejemplo que en su aventura se introduce, la lucha contra el traidor Nasón, la aventura fantástica del lago y el ejemplo de San Jerónimo, formarían un cuerpo homogéneo y perfectamente lógico: un tratado de la lealtad. [...]

A pesar de las continuas digresiones de todo tipo, existe unidad de acción. La obra tiene, además, una especie de equilibrio en la distribución de elementos que da al conjunto un tinte hasta cierto punto armónico. Por medio de la repetición intencionada, una repetición que no es sin embargo monotonía, el autor consigue todo un sistema en la composición. Se vale para ello de personajes y acciones simétricas o antitéticas, según convenga al momento, y hay que decir que el resultado es francamente satisfactorio.

Frida Weber de Kurlat

EL DISEÑO NOVELESCO DEL *AMADÍS DE GAULA*

Lo que podríamos llamar la «intuición de novelista» del primitivo autor del *Amadís* va engarzando los contenidos con una trabazón interna determinada por el encadenamiento y juego de las circunstancias, que al irse desarrollando la acción eslabonan de tal manera a los personajes, que se crean situaciones de rechazo y atracción que no se mantienen en planos estáticos, sino en un movimiento coherente y organizado. Ello se da por una parte en episodios aislados, como es el caso de la reaparición de un personaje activo en el comienzo de la acción, la doncella Darioleta, que luego desaparece totalmente de entre los que constituyen el núcleo de la novela y reaparece al final del Libro IV para envolver a Amadís en la aventura del gigante Balán, aventura en la que ambos personajes tendrán una acción relevante y en la que a través de un personaje de modalidad más matizada que la de los gigantes habituales en la novela de caballerías se muestra uno de los aspectos característicos del autor: la riqueza psicológica, el dominio de los matices de que es capaz de dotar aun al personaje más tosco e indiferenciado de la galería de quienes se oponen a los «buenos» caballeros: la raza temible de los antipáticos y toscos gigantes.

Pero el aspecto más positivo del *Amadís* es su marcha como novela. La intrincada serie de aventuras tiene un sentido, el hilo conductor una dirección. Como la novela es la historia de Amadís y él el centro de su desarrollo, se inicia lógicamente con su estirpe; luego, aun antes de ser armado caballero, se deja sentir la presencia de Oriana, la corte de cuyo padre desempeña en la novela un papel fundamental. El movimiento 'hacia la corte del rey Lisuarte' se perfila en toda su importancia como centro de convergencia en el capítulo I, 13: después del encuentro con Dardán halla Amadís en la floresta a dos doncellas que también se dirigen hacia allí, pues ha de producirse un encuentro entre algún caballero que quiera defender

Frida Weber de Kurlat, «La estructura novelesca del *Amadís de Gaula*», *Revista de Literaturas Modernas*, V (1966), pp. 29-54 (50-54).

a una tercera doncella en contra de Dardán el soberbio; se anudan así los lazos de su ida a la corte, justificada al mismo tiempo por su valentía y generosidad, que, por otra parte, con ese combate quedarán realzadas a los ojos de Oriana. Ésta es una de las muchas muestras de trabazón novelesca de las que es capaz el autor, aunque externamente se atenga a la herencia épica en la descripción de armas, batallas, culto de la heroicidad, al formulismo de la historia y, en muchos de los episodios y situaciones aisladas, a *Tristán, Lancelot, Amadas et Idoine*, etc.

La incorporación de Amadís en la corte no se hace simplemente con su llegada, sino que va acompañada de suspenso, y es notable el sentido de *crescendo* y de cumplimiento de un destino que caracteriza esta primera serie de capítulos, por lo que toca al protagonista. Pero hay también un *crescendo* cuantitativo que se le une y lo realza y le da todo su sentido. Por ejemplo, Agrajes, que pasaba a Noruega en busca de su amada Olinda, se encuentra con que ésta después de una gran tormenta está ya en viaje a la Gran Bretaña, y allí se dirigen ambos, así como don Galvanes, tío de Agrajes, a quien éste invita a acompañarle a esa corte «donde tantos buenos caballeros biuían» (I, 16). Diversas aventuras se van presentando a unos y otros, pero todas redundan en un mayor número de gentes que se dirigen a Vindilisora, donde se halla el rey Lisuarte. Finalmente, se incorporará Galaor. Pero al mismo tiempo otras aventuras, como la del caballero que estaba dispuesto a combatir con cualquiera que se dijese de aquella corte, van destacando la importancia y nombradía de núcleo novelesco que adquiere.

Naturalmente que no se trata de una línea recta, ni Amadís permanece ocioso en la corte, sino que sale y vuelve siempre victorioso, cada vez con más nombradía de buen caballero. Entre estas aventuras tiene lugar la del castillo de Arcalaus el Encantador, de modo que en el mismo movimiento envolvente en el que se van conglomerando situaciones que tienen su centro en la corte de Lisuarte, se incorpora también un elemento de oposición, que mantendrá su carácter de tal hasta el final del Libro IV; es decir, en un mundo novelesco de cambios regulados, hay ciertos elementos que permanecen invariables, tanto en el plano del bien como en el del mal: el amor de Oriana y Amadís, la fidelidad de Galaor al rey Lisuarte, la protección de Urganda la Desconocida, el odio activísimo de Arcalaus. Al margen del desarrollo mismo, cabe destacar otras muestras de la pericia técnica del autor: después de la aventura mencionada, la llegada de Amadís a la corte va precedida de noticias sobre él, primero la que lleva el propio Arcalaus de su supuesta muerte, luego las que la desmienten y al mismo tiempo lo realzan con relatos de su valor; por último llega él mismo Amadís.

Otro hecho que cabe señalar es que las primeras aventuras tienen la característica de ir surgiendo como el azar: aventuras de camino, sin un propósito o fin, sin responder a un esquema; luego, en cambio, se van a ligar a un ámbito de batallas, con sentido de defensa territorial, y a medida que el libro avanza la batalla y sus preparativos se van haciendo más frecuentes e importantes que las aventuras aisladas, o bien éstas se ligan de manera intrínseca o extrínseca a la guerra: por ejemplo, la aventura de Briolanja dará, lo mismo que tantas otras aventuras 'sueltas' elementos que apoyarán luego a Amadís y le permitirán hacer frente al rey Lisuarte en defensa de Oriana; y lo mismo puede decirse de las que lleva a cabo en Bohemia, Grecia, etc., con el nombre de Caballero de la Verde Espada o Caballero del Enano.

Entre tanto el cap. 30 del Libro I señala uno de los núcleos convergentes del relato: a las cortes que ha convocado el rey Lisuarte para el mes de septiembre y que se han ido preparando en los capítulos anteriores, anunciadas primero como un vago propósito, cada vez se agrega un dato más preciso, y los sucesivos episodios indican que ya era cosa sabida, pues a nadie asombra que primero una doncella desconocida y luego tres caballeros que traen una arqueta sepan de ella y a ella se refieran. Es también el capítulo en que Amadís y Galaor llegan juntos a la corte de Lisuarte en Vindilisora. Los episodios que se desarrollarán en las cortes de Londres y que tienen como protagonistas a Lisuarte, Oriana y Arcalaus ofrecen una vez más a Amadís la oportunidad de mostrarse como el parangón de la caballería y a la vez como el enamorado rendido finalmente recompensado. Como notó con razón Grace S. Williams [en 1909], o la novela terminaba o se imponía un cambio de dirección. En efecto, después del movimiento convergente hacia la corte del rey Lisuarte y su culminación en las cortes de Londres, se producirá un movimiento divergente respecto de éste, pero, a su vez, ha aparecido otro núcleo: es la Ínsola Firme a la que se retiran Amadís y sus compañeros al despedirse de Lisuarte, cuando éste, arrastrado por los malos consejeros, se indispone con Amadís.

Ese primer movimiento de divergencia respecto de la corte del rey Lisuarte que en un primer momento converge en la Ínsola Firme, se acentúa con el viaje de Amadís en el continente: Bohemia, «islas de la Romanía», Grecia, Constantinopla. Su vuelta hacia el centro del mundo caballeresco representado por la Gran Bretaña coincidirá con otro movimiento de divergencia respecto de la corte de Lisuarte, que se transformará también en convergencia en la Ínsola Firme: Oriana, prometida por su padre como esposa del emperador de Roma contra su propia voluntad y la de los súbditos de su padre, al ser llevada por mar a su nuevo destino, es salvada por Amadís y los caballeros amigos, y Oriana con sus damas se refugiará en la Ínsola Firme, repitiéndose así en el plano de los personajes femeninos lo que antes se había dado respecto de los caballeros. Hay, pues, una geminación de movimientos de la acción que es característica de la estructura del *Amadís* y que ya G. S. Williams señaló para ciertas situaciones aisladas: Oriana que repite a Elisena, el nacimiento de Esplandián respecto del de Amadís, el amor de Grasinda respecto de la pasión de Briolanja, Leonorina de Constantinopla y Leonoreta de Inglaterra.

Así, de entre la variedad de situaciones y episodios que la novelística le ofrecía, el *Amadís de Gaula,* por obra de su o sus primitivos autores, a los que se agregó el refundidor Montalvo, nos ofrece, en la única versión de que disponemos (salvo los brevísimos fragmentos que ha hecho conocer y analizado don Antonio Rodríguez Moñino [1956]) una estructura novelesca elaborada consciente y artísticamente, organizando un vasto mundo de aventuras de toda índole en movimientos de divergencia y convergencia entre dos centros de vida caballeresca: la corte del rey Lisuarte y la Ínsola Firme.

JUAN MANUEL CACHO BLECUA

ETAPAS Y TÉCNICAS DEL *AMADÍS*

Los graves problemas planteados por las distintas redacciones del *Amadís* no se aclaran de forma satisfactoria con los datos que

Juan Manuel Cacho Blecua, *Amadís: heroísmo mítico cortesano,* Cupsa, Madrid, 1979, pp. 407-413.

en la actualidad poseemos. Sin embargo, las divergencias narrativas, ideológicas, lingüísticas de la novela, a nuestro juicio, pueden quedar reducidas si pensamos en tres o cuatro diferentes versiones de la obra. Nuestras conjeturas actuales apuntan a tres estadios:

a) Una redacción primitiva compuesta a principios del xiv. Su trama argumental sería casi idéntica al texto de 1508, hasta la batalla contra Cildadán. La canción de Leonoreta es una interpolación innecesaria, ajena al carácter de amor cortés de Amadís, y paralela a la intervención de Alfonso de Portugal [quien «mandó poner» de forma diferente el episodio de Briolanja], posiblemente realizada en España entre 1304 y 1312. La obra tendría un carácter cerrado, muy coherente y simétrico. Terminaría con las pruebas de Oriana en la Ínsola Firme, refundidas y trasladadas al libro IV. Seguramente algún episodio fue abreviado, refundido, o quizás eliminado.

b) Una segunda versión, dividida en principio en tres libros y realizada a partir de la segunda mitad del siglo xiv. La disensión entre la caballería y la realeza del libro II, quizá trasunto ficticio de enfrentamientos históricos durante la dinastía Trastámara, constituiría el germen de su relato. La redacción sería más extensa que la conocida sólo en algunos aspectos, y el desarrollo de los aconteceres muy semejante al del *Amadís* de 1508 y parte de *Las Sergas de Esplandián*. En esta refundición Amadís moriría a manos de su hijo y Oriana se suicidaría. Por las mismas fechas Vasco de Lobeira compuso o tradujo una redacción del *Amadís,* desconocida.

c) La última refundición de Montalvo, realizada entre 1492 y 1506. El medinés distribuyó los materiales preexistentes en cuatro libros, de acuerdo con una disposición muy meditada. Quizá manejara dos versiones distintas, alguna incluso posterior a la redacción *b*. Su labor principal consistiría en la eliminación o abreviación de algunos episodios. Casi con total seguridad amplió toda la última batalla de Amadís y Lisuarte, mediante la utilización de procedimientos retóricos, base del libro IV. A su vez, la mayoría de las glosas de la novela son suyas. El carácter moralizante e ideológico de la redacción anterior, ya existente, se acentuaría con su intervención.

Por otro lado, una de las máximas aportaciones de la novela consiste, a nuestro juicio, en haber sabido recrear, hasta los mínimos detalles, casi todas las aventuras mediante unas reglas amorosas. No se trata de un repertorio de clichés estereotipados y repetidos. El autor ha sabido utilizar a la perfección unos códigos corteses puestos al servicio de la narración. La pasión de Amadís por Oriana constituye uno de los principales ejes sobre los que se vertebran los episodios más importantes. Pero también la obra presenta distintos modelos de comportamiento amoroso que le confieren cierta unidad temática, tratada con una pluralidad de puntos de vista. Las relaciones entre Perión y Elisena se subliman y hacen más extensas con Amadís y Oriana, dentro de los moldes corteses más depurados. A pesar del casamiento secreto, motivo ideológico antes que narrativo, el relato en casi todas las ocasiones describe los amores de una pareja fuera del matrimonio. Pero las actitudes varían según los personajes y los contextos. Las todopoderosas magas, Urganda, la Doncella Encantadora, se muestran impotentes ante el amor de sus caballeros. La concepción del amor como placer físico tendrá su máximo representante en Galaor. Las relaciones adúlteras, tratadas con cierta ortodoxia, pueden ser detectadas en don Guilán el Cuidador. El desdén de la dama por su enamorado está presente en la conducta primera de Grovenesa hacia Angriote. La actitud negativa ante este tipo de relaciones corteses la asume el ermitaño Andaloc, y el narrador en algunas glosas. La unión incestuosa entre padre e hija tendrá como consecuencia la negación del amor y la procreación del Endriago, antítesis de lo caballeresco. Cada personaje asume su propia peculiaridad y sirve para exaltar los amores de la pareja central. [...]

Por otra parte, las técnicas empleadas en la obra revelan una concepción muy coherente en los dos primeros libros. La superposición de las aventuras, sobre todo en estos dos libros citados, obedece a un diseño muy trabado. Los paralelismos, las simetrías, las antítesis, la ironía, los adelantamientos narrativos, etc., crean un espacio novelesco adecuado para el desarrollo de los aconteceres, que se intentan motivar bajo un sistema concatenado de causas y efectos mínimos, sin la perfección de La Celestina o el Quijote. A pesar de esto, en su realización se atisban unos logros asumidos por las obras posteriores. Amadís en su mínima evolución como amante se adapta a los diversos contextos. No es un personaje totalmente estático, sin ningún progreso en su actuación, pero está determinado por su genealogía, como sucede de forma inversa en el Lazarillo. Este aspecto delimita narrativa e ideológicamente su futuro. No obstante, deberá hacerse acreedor al legado de sus ascendientes y de su amor por medio de unas aventuras. Y quizás en este aspecto radique uno de los principales méritos de la novela. Sus empresas heroicas están en función de los hilos conductores de la obra, y los hechos no suceden gratuitamente en el espacio narrativo donde están insertos, porque detrás de cada episodio pueden detectarse diversos niveles de significado. Desde un punto de vista narrativo las hazañas pueden juzgarse como sistema amplificatorio del relato. Entre la realización de cualquier deseo —adquisición de un nombre, reconocimiento de su hermano, culminación amorosa, etc.— y su cumplimiento se desarrolla siempre un número determinado de episodios. Este recurso, base fundamental de la arquitectura de la obra, no está utilizado sólo como pretexto de relatos amplificados *ad infinitum*. Las aventuras insertas difieren el cumplimiento de los deseos y crean un clímax de expectación por la demora en la realización de sus objetivos primordiales. Pero, aparte de estas consecuencias artísticas, en cada una de las secuencias subyace temáticamente una conexión con las pretensiones del héroe en dos aspectos diferentes. Éticamente, corroboran la perfección del protagonista que se hace digno y merecedor de sus anhelos. La adquisición de un nombre para Amadís no es gratuita, ni está dada de antemano, de la misma manera que su culminación amorosa. Las aventuras previas demostrarán la virtud del protagonista, al solucionar los obstáculos que se le interponen. Son auténticas pruebas de capacitación. Pero, además, la ideología implícita en cada uno de los episodios destaca alguna condición del héroe relacionada siempre con sus aspiraciones. Antes de ser reconocido por su padre luchará contra la deslealtad y soberbia de enemigos suyos. Al incorporarse a la casa de Lisuarte mostrará sus virtudes cortesanas. Previamente a la unión física con su amada revelará su lealtad, etc. Incluso la reiteración o inversión de temas, motivos y situaciones a lo largo de la obra señala la disposición artística de la novela y su total coherencia. De nuevo se amplifica el relato, pero las repeticiones dejan de ser elementos gratuitos. El personaje y el tema o motivo de cualquier aventura elaborada de forma semejante a cualquier otra crean un doble espacio artístico. El episodio adquiere la significación de su propio contexto, y se asocia inmediatamente con una experiencia anterior semejante o inversa. La Doncella de Dinamarca lleva la carta de Amadís donde se indica su nombre antes de ser reconocido. La misma persona entrega la misiva de Oriana que le salvará de su postración en la Peña Pobre: un mismo personaje cumple funciones idénticas evocadoras de actuaciones anteriores. [...]

Las técnicas narrativas no se emplean de forma mecánica. El narrador maneja con cierta versatilidad distintos puntos de vista adaptados a la propia trama argumental. La omnisciencia del autor viene limitada en múltiples ocasiones por la visión de los propios personajes. Numerosas acciones están contadas no desde la óptica todopoderosa del narrador, sino de los personajes, testigos mudos de aventuras desconocidas. La realidad ficticia es fija e inmutable, pero suele narrarse desde la perspectiva de los propios protagonistas, cuya visión puede matizarse conforme se amplían sus conocimientos sobre el fenómeno observado. A ello contribuye, quizás, una de las aportaciones principales del *Amadís*: el sentido del «suspenso». La división en libros y en capítulos, la utilización de la alternancia fragmentan los aconteceres en el momento climático de su desarrollo. El lector quedará expectante por saber cómo se soluciona la situación conflictiva que el autor ha detenido en el momento de mayor tensión. El *entrelacement* en la narrativa posterior perderá importancia en aras a la unidad de la obra. Sin embargo, la disposición de unos acontecimientos cuya resolución permanece enigmática representa una de las máximas novedades del *Amadís*, que asume y recrea una larga tradición anterior.

CARMELO SAMONÀ

LOS CÓDIGOS DE LA «NOVELA» SENTIMENTAL

La tradición a la que pertenecen [las «novelas» sentimentales] es variada y polimorfa: un crisol que desborda el ámbito del mundo cortesano y en el que se encuentran combinados, además del trasfondo mágico-caballeresco de una parte de la literatura artúrica, el alegorismo de la poesía y de la narrativa francesa de la baja Edad Media, la autobiografía sentimental y la retórica de la *Fiammetta*, la afición a las peripecias amorosas que hay en el *Filocolo*, e incluso el

Carmelo Samonà, «Il romanzo sentimentale», en A. Vàrvaro-C. Samonà, *La letteratura spagnola. Dal Cid ai Re Cattolici*, Sansoni (Le Letterature del Mondo, 6), 1972, pp. 186-194, donde el autor se apoya en sus *Studi sul romanzo sentimentale e cortese nella letteratura spagnola del Quattrocento*, Carucci, Roma, 1960, y en otros trabajos suyos sobre el mismo tema.

eco de modelos de elocuencia sentimental que ya estaban de moda en la literatura castellana (por ejemplo, los «sermones» de la *Historia troyana* [que ya en el siglo XIV corría bajo el nombre] de «Leomarte»), de los que la crítica no ha subrayado suficientemente la singular afinidad con los modos epistolares de estas novelas.

Éstas, en realidad, en la estela de tantos recuerdos, tienden a tener una estructura compleja y desigual, cuyo esquema principal podría compararse a un espetón: un hilo narrativo conductor (que es poco más que un débil trazo) que ensarta un cierto número de «anillas» o núcleos retóricos —sermones, «carteles» de desafío, súplicas, debates doctrinales, pequeñas alegorías, sobre todo epístolas entre los amantes, o, como escribe San Pedro, «cartas de dos en dos»; y como argumento, por lo común fiel al código cortés, una historia sentimental de desenlace casi siempre funesto (muerte del héroe, de la heroína o de los dos amantes, que suelen ser príncipes o caballeros), teniendo como fondo la moralización del autor o de otro personaje, que finge ser espectador de los hechos y que instaura un sintomático «yo» narrativo. [...]

He aquí cómo puede resumirse el esquema más característico de estas intrigas. Un caballero ama a una doncella, quien acepta sus ofrecimientos epistolares, pero que no quiere o no puede corresponderle por razones de honor; el caballero, inútilmente ayudado por el autor-testigo (que se convierte de viajero fortuito en amigo servicial y potencial medianero), después de haber luchado contra tal o cual de sus rivales amorosos, se encierra en su propia y triste soledad y se quita la vida. A grandes trazos, esto es lo que ocurre en una de la dos novelas de Diego de San Pedro, la *Cárcel de amor*. Pero sin salirse del mismo ámbito, pueden darse soluciones y alternativas diversas. Por ejemplo: el caballero rival o segundo galán se casa con la princesa amada por el héroe, y éste le mata en un duelo, pero de nuevo inútilmente (*Arnalte y Lucenda*). O bien: el enamorado y el autor son una misma persona, y la inasequibilidad o el abandono de la amada no se deben a escrúpulos de honor, sino al hecho de pertenecer a una familia de más alto linaje (parte autobiográfica del *Siervo libre de amor*). Si es que el amante de una primera historia no se convierte en el medianero y testigo de una segunda (como en el *Grimalte y Gradissa*). Existe también una variante sustancial: aquélla en la que el amor del héroe es correspondido por la princesa (parte central del *Siervo libre de amor, Grisel y*

Mirabella); en este caso, el impedimento se atribuye a la oposición de un rey-padre (por lo común, padre de la doncella), quien, después de diversas alternativas, castiga a la hija, al «seductor» o a ambos amantes con la muerte; ya sea por su propia mano (*Siervo*) ya aplicando una ley inexorable en defensa del honor (*Grisel*). [...]

Estos héroes raras veces actúan y aún más raras veces hablan: envían mensajes escritos que a veces son «sermones» o «carteles» de desafío, pero que suelen ser cartas, en torno a las cuales se afanan una serie de intermediarios y portadores que constituyen presurosos personajes secundarios. Por ahí, las cartas sostienen por sí solas, en la economía del relato, todo el peso de las quejas, absorben o sobreentienden todo lo que de descriptivo y objetivo se calla o se insinúa apenas en el resto de la obra. [...] Esencial en las cartas es la preeminencia que se concede a la relación social entre los dos sexos como depositarios, cada uno de ellos, de ciertos privilegios y deberes, y de otros tantos vicios y virtudes, más aún que como fuentes de deseo o de rechazo por lo que se refiere a los sentimientos. [...]

Los narradores no olvidan que las cartas proporcionan la prueba y dan la medida de la lejanía de la amada. Si no, sólo conoceríamos los gestos y las palabras. En una ocasión Arnalte llega a escribir: «Lucenda, antes quisiera que conoscieras mi fee que vieras mi carta; lo cual ansí hoviera sido si visto me hovieras, porque en mis señales la conoscieras; e pudiera ser que con mi vista ganara lo que con mi carta espero perder». Pero no queda otro remedio, la lejanía existe y las cartas son necesarias. Aunque hay algo más que una lejanía: hay una distancia obligada y casi ritual, porque el decoro femenino la exige y prolonga su duración. Éste es un motivo importante: la fuerza del código del honor obligando a la mujer a rechazar o al menos a resistir al amor (y, en el caso de ceder, a ocultar estas relaciones), crea también la ficción de un tiempo narrativo largo. Las cartas son, por así decirlo, los ejercicios de espera que cubren este tiempo largo, que atraviesan este espacio sin contornos; y se hacen tanto más lentas, prolijas y sutiles cuanto más resiste la doncella. [...]

Las heroínas españolas, las Lucenda, las Laureola, las Mirabella, no tienen marido; son todas «doncellas»; en teoría, pues, son libres de casarse con el enamorado caballero de la fábula; y no obstante las vemos dispuestas a rechazarle, a huir de él y a hacerle sufrir, y en los raros casos en que contraen matrimonio con el otro pretendiente, se apresuran a enviudar y a recluirse en un luto riguroso, para disipar cualquier duda sobre soluciones ambiguas. Pero, si no hay instituciones conyugales que defender, ¿qué es lo que impide corresponder al amor, que es el eje, más aún, la condición misma de la existencia de una novela cortés? La cultura española lo explica por el código del honor, al que se ve obligada a atribuir una intensa función prohibitiva. Claro está que también el honor es un lugar común de la literatura cortés. Pero en las novelas españolas hay algo peculiar: que en ellas se exalta su fuerza institucional y represiva al margen de cualquier motivación exterior al relato, como un valor en sí. En el *Arnalte* y en la *Cárcel* recuérdese que no hay pasiones incestuosas al estilo de los mitos griegos, ni tampoco peligros de adulterio. Basta el amor. Donde hay amor el escándalo es inminente, hay una necesidad de secreto y de disimulo, un anuncio de muerte.

Y no es eso todo: toda censura profunda lleva consigo el efecto de una compensación del valor ausente; y por lo común se resuelve en una desviación de la norma. Dentro de una ley tan cruel y coactiva, siempre existe el riesgo de un comportamiento opuesto anormal, como si nos acechara otro extremismo no menos crispado. Y de hecho, si la imposibilidad de corresponder a este amor genera los morosos bizantinismos de las cartas, el rechazo supremo hace estallar una imagen del dolor amoroso llena de una ferocidad reprimida o liberada. Estos héroes demuestran a cada paso una sutil inclinación a proyectar en formas sadomasoquistas y rituales el fracaso de la pasión. Arnalte hace pintar su casa de negro desde los cimientos hasta el tejado, y lleva luto al igual que todos sus servidores. Leriano (y también hay que ver en ello una transparente alegoría de fondo religioso) se sienta en una silla de fuego, lleva en los pies pesadas cadenas y en la cabeza una corona con clavos de hierro que le traspasan el cráneo; más tarde, la vigilia de su suicidio, consagra y exorciza las famosas cartas de la amada bebiendo los trozos de papel en una copa. Grisel muere en la hoguera mientras «las delicadas carnes» de Mirabella son desgarradas por las fieras entre las que la princesa se ha arrojado. [...]

De la cortesía, nuestros autores sólo conservan un cierto residuo de ideal ético: en su goticismo tardío las torturas de amor son ya imágenes decorativas y estilizadas, el lenguaje de los sentimientos aspira a una perfección obsesiva y estéril, la inaccesibilidad de la amada no es un ideal, sino una institución, que la sociedad oficial hace respetar con una dureza puritana. Y en torno al clamor de las pasiones, las relaciones de fuerza se dibujan implacables. Estos caballeros epistológrafos y vagamente narcisistas no es por casualidad que sufren siempre la oposición de un monarca o de una justicia superior como el hecho de una dura y grave autoridad paterna. Y son logorreicos y exhibicionistas como adolescentes; su fuerza raramente consiste en conquistar a la doncella amada, sino más a menudo en elegir una muerte de estilo gótico florido, con algún toque fúnebre y sanguinario.

¿Qué puede haber detrás de todo esto, sino la extremada voluntad de conservación, a nivel místico y ritual, de una sociedad caballeresca que siente amenazados sus propios y antiguos valores y señas de identidad? Éste es el objeto de la estrategia fantástica, el secreto ilusionismo de estas novelas: hacer un guiño al lector cortesano, no exento de ironía quizá, desde las esferas mágicas de una «ars amandi» irreal pero detallada, de una locura lujosa, pero razonada. El narrador impulsa y al mismo tiempo refrena a este lector culto pero ingenuo: es lo suficientemente hábil como para poder escribir «selva», «cárcel» o «torre», hacer declamar delirios a los propios caballeros y hacerles flotar en un oriente de cartón piedra, sin perder de vista, en el momento oportuno, algún hecho concreto, alguna astuta vinculación con una realidad en la que pueda reconocerse la verdadera y viva caballería de los torneos. Al poner sobre la cabeza del héroe una corona de clavos o al revestir de luto todo un palacio, no olvida, para su objetivo imaginario, esta sociedad real; al contrario, más bien la estimula y la empuja a una delectación paradójica y extremada de sus mitos moribundos; la invita a ritualizar de nuevo sus gestos y a renovar la sacralidad de su vida sentimental, ya implacablemente asaltada por los fantasmas de lo concreto y de la cultura ciudadana.

Bruce W. Wardropper

ENTRE LA ALEGORÍA Y LA REALIDAD: EL PAPEL DE «EL AUTOR» EN LA *CÁRCEL DE AMOR*

Menéndez Pelayo, junto con algunos de sus discípulos de espíritu crítico un tanto insuficiente, supone que las novelas sentimentales son, casi por definición, de carácter autobiográfico: se da por sentado que el autor vistió con ropajes literarios un conflicto amoroso vivido en la realidad. Así, al escribir sobre la *Cárcel de Amor*, se inclina a identificar a Diego de San Pedro con su héroe Leriano, y a la alegórica Cárcel de Amor con el castillo de Peñafiel del que fue alcaide. Dado que no se sabe prácticamente nada de la vida amorosa de San Pedro, es difícil defender semejante teoría.

El hecho de que el personaje que en la novela aparece con el nombre de «El autor» desempeñe un importante papel favoreciendo los amores de Leriano a simple vista parece ya descartar la argumentación de Menéndez Pelayo. «El autor» es una persona distinta de Leriano. Se identifica con el autor, con el propio San Pedro, en que la ayuda que presta a Leriano se describe como un incidente que interrumpió su retorno de las guerras cuando volvía a su castillo de Peñafiel. Contra este punto de vista podría argüirse que Leriano y «El autor» encarnan dos aspectos de la personalidad de San Pedro, el sentimental y el racional, por ejemplo. Pero la cuestión dista de estar bien delimitada. Con frecuencia «El autor» es consciente de obrar sentimentalmente, mientras que Leriano a veces atiende a razones. En cualquier caso, la teoría autobiográfica, de ser cierta, sería mucho más compleja de lo que imaginó su inventor.

Al autor se le confía una «embajada» o misión cuyo objeto es conseguir la benevolencia de Laureola precisamente porque su posición política es distinta de la de Leriano: no es un vasallo del rey Gaulo y disfruta de ciertos privilegios que sólo tienen los extranjeros. De Leriano se nos dice que no puede ser su propio embajador debido a que sus deberes para con el rey le impiden cortejar abiertamente a

Bruce W. Wardropper, «Allegory and the role of *El Autor* in the *Cárcel de amor*», *Philological Quarterly*, XXXI (1952), pp. 168-193.

la hija de su señor, además de que el ser esclavo del amor le cegaría respecto a lo que le obliga el código caballeresco. El autor está ligado de un modo mucho menos rígido a los deberes del amor y de la caballería. El rey Gaulo no puede exigirle ningún vínculo de vasallaje, y como está libre de todo imperio amoroso, el Amor ha renunciado a exigirle nada. «El autor», que sabe la tiranía que tales sentimientos pueden llegar a ejercer, y que por el momento se siente libre de buena parte de esas tiránicas obligaciones, ofrece su ayuda a Leriano como alguien de temple más sereno. Puede pensar sin que le dominen sus sentimientos, y puede proponer consejos razonables. No obstante, comprende las congojas de Leriano, ya que él también estuvo enamorado, y gracias a esta experiencia puede identificarse mejor con él. Puede ser sentimental y sin embargo refrenar sus sentimientos; dar rienda suelta a sus afectos cuando ello es adecuado, pero también dominarlos cuando las circunstancias aconsejan reprimirlos. Por ejemplo, cuando Leriano considera que cueste lo que cueste tiene que salvar a Laureola de la prisión, «El autor» está junto a él para hacer objeciones a este propósito y sugerir otras posibilidades que deberían probarse antes de lanzarse a una empresa tan temeraria. Parte de la función del autor es, pues, impedir que el sentimentalismo de Leriano desencadene una tragedia. Sólo parcialmente consigue lo que se propone. Es también un testigo... respecto a Leriano y al lector. Su deber es contar exactamente lo que ve e interpretar sus observaciones en términos de sentimientos. Registra minuciosamente las menores reacciones psicológicas de Laureola cuando habla de Leriano o lee sus cartas. Pero su afán por dar buenas noticias a Leriano le conduce a sacar conclusiones excesivamente optimistas. La actitud de Laureola ante sus requerimientos de que conceda su amor es siempre ambigua: «Todas las señales de voluntad vencida vi en sus apariencias; todos los desabrimientos de mujer sin amor vi en sus palabras; juzgándola, me alegraba; oyéndola, me entristecía». Como consecuencia de ello «El autor» no consigue formular claramente sus impresiones: «Tanta confusión me ponían las cosas de Laureola, que cuando pensaba que más la entendía, menos sabía de su voluntad». A pesar de su incapacidad para comprender lo que piensa Laureola, nunca deja de dar a Leriano consuelo y esperanza, y alude al éxito de haber conseguido que Laureola haya escrito aunque sólo fuera una gélida carta, como «la gloria de mi embajada». Su incapacidad de admitir que su misión ha sido un fracaso y su excesiva confianza en sus posibilidades para influir en el ánimo de Laureola, hacen que «El autor» sea un factor inconsciente en los hechos que van a conducir a la muerte de Leriano.

Aunque como consejero y embajador «El autor» fracasa, logra un gran éxito en el tercer aspecto de su papel. Su deber es velar porque del amor de Leriano quede constancia escrita como un ejemplo para la posteridad. Leriano considera su experiencia de servidumbre amorosa como una importante contribución a las leyendas de amor. Cuando escribe a la encarcelada Laureola dice: «Por tu libertad haré tanto, que será mi memoria, en cuanto el mundo durare, en ejemplo de fortaleza». Al autor le correspondía hacer que estos sueños de perduración fuesen verdaderos.

Así, pues, «El autor» desempeña un papel que es completamente distinto del de Leriano. Si Leriano se identificaba con San Pedro, «El autor» no es más que un seudoautor, inventado para dar mayor objetividad al conflicto amoroso.

Hasta aquí la explicación del papel de «El autor» se ha fundado en el supuesto de que la *Cárcel de Amor,* aunque empieza como una novela alegórica, cambia bruscamente para convertirse en la historia de un amor real que se sitúa en un ambiente realista, aunque ficticio. La crítica ha solido considerar la obra como un mosaico de partes heterogéneas: una introducción alegórica, un relato amoroso de carácter epistolar, un episodio caballeresco y un tratado sobre «la bondad de las mujeres». [...] El arte del autor es tan consciente que resulta difícil comprender esa aparente falta de unidad en la intención y en el tono. Cuida los menores detalles de estilo, abusando de palabras cortas como adjetivos posesivos que emplea en el mayor número posible. Refleja las paradojas de los códigos de conducta nobles en sus frases antitéticas. Usa los tópicos del amor cortés, los pone en acción y les infunde vida. Su empleo del lenguaje figurado es deliberadamente constante. Prescinde de la prolijidad y la grandilocuencia del tono caballeresco. Teniendo en cuenta todo eso, ¿cómo es posible hablar de la «forma algo torpe» [señalada por algún crítico]? ¿Cómo la *Cárcel de Amor* tiene una apariencia tan heterogénea en comparación con *Arnalte y Lucenda?*

La falta de unidad es más aparente que real. La novela, que se inicia con una evidente alegoría interpretada hasta el último de sus detalles, pasa a ser una alegoría que no es menos real por el hecho de ser menos manifiesta. *Arnalte y Lucenda,* como indica su título, es la historia de dos amantes. La *Cárcel de Amor,* como también indica su título, es la historia de la servidumbre espiritual y de las congojas de un enamorado. Esta alegoría nunca se pierde de vista, desde el comienzo hasta el final de la novela.

La narración se sitúa dentro del marco de una visión dantesca. Diego de San Pedro regresa a su hogar después de la agotadora campaña guerrera del verano. Al igual que Dante, se encuentra en una selva oscura, en un valle al pie de una escarpada montaña. Allí tiene la visión de Leriano, a quien conduce cautivo el feroz caballero Deseo. En su sueño sigue al captor y al cautivo hasta la Cárcel de Amor, donde presencia el simbólico sufrimiento físico del amante. Para comunicar el estado de ánimo del amante, la alegoría es un medio más efectivo de lo que hubiera podido ser una simple descripción. «Más entendía en mirar maravillas que en hacer preguntas», dice «El autor». No obstante, Leriano le explica la razón de sus tribulaciones y el significado de cada una de las partes del castillo. Se nos dice que la alegoría sólo pueden entenderla por sí mismos aquellos que están enamorados. Los otros necesitan un intérprete. El autor, una vez Leriano le ha explicado el simbolismo del castillo, dice: «La moralidad de todas estas figuras me ha placido saber, puesto que diversas veces las vi; mas como no las pueda ver sino corazón cautivo, cuando le tenía tal, conocíalas, y ahora que estaba libre, dudábalas». «El autor» se ofrece ahora para interceder por Leriano, y entonces comienza el relato aparentemente realista.

Pero, aunque la narración parece trasladarse a un plano factual —«El autor» va a la capital de Macedonia para entrevistarse con Laureola, la hija del rey—, nos preguntamos si Macedonia no es un lugar tan fantástico como la Cárcel de Amor, y si Leriano, Laureola y los cortesanos no son las ficciones de un sueño. La alegoría parece ceder su lugar a una narración directa, pero sólo en el sentido de que de vez en cuando personas y hechos reconocibles se destacan del simbolismo de un sueño. En cualquier caso, la alegoría no desaparece del todo. «El autor», cuando está frente al personaje de Laureola, que parece bien real, insiste en la alegoría de la prisión: le dice que Leriano está sufriendo en «una prisión, dulce para su voluntad y amarga para su vida». A su regreso de la corte, portador de la carta de Laureola, recae una vez más en el lenguaje alegórico: «el qual camino quise hacer acompañado, por llevar conmigo quien a él y a mí ayudase en la gloria de mi embajada; y por animarlos para adelante, llamé los mayores enemigos de nuestro negocio, que eran Contentamiento y Esperanza y Descanso y Placer y Alegría y Holganza». Cuando «El autor» llega a la Cárcel con estos compañeros los centinelas huyen, y la prisión pierde —junto con su terror— su misma sustancialidad. Pasa a ser sólo un recuerdo. La alegoría en la visión se desvanece, de tal modo que cuando Laureola es a su vez encarcelada, ello ya ocurre en una prisión real. De una manera muy sutil, la alegoría se ha convertido en realidad.

Pero, en momentos de intensa pasión o de fuerte emotividad, la alegoría sigue haciendo breves reapariciones en el lenguaje de la novela. La reina dice a Laureola: «Viviré en soledad de ti y en compañía de los dolores que en tu lugar me dejas, los cuales, de compasión, viéndome quedar sola, por acompañadores me diste». También Leriano, cuando es abandonado por segunda vez por Laureola, tiene acompañantes alegóricos: «Desesperado habría, según lo que siento, si alguna vez me hallase solo; pero como siempre me acompañan el pensamiento que me das y el deseo que me ordenas y la contemplación que me causas, viendo que lo voy a hacer, consuélanme acordándome que me tienen compañía de tu parte». Cree que podrán favorecerle unos intercesores alegóricos: «Y también pensé que para ello me ayudaran virtud y compasión y piedad, porque son aceptas a su condición, que cuando con los poderosos negocian, para alcanzar su gracia primero ganan las voluntades de sus familiares». La *Cárcel de Amor* ha de interpretarse, pues, como una visión en la cual hay un suave tránsito de la alegoría a la realidad. En esta visión «El autor» no debe identificarse con San Pedro, sino con la imagen soñada de sí mismo que tiene San Pedro. La visión podría ser muy bien un rememorar una determinada experiencia amorosa de la vida de San Pedro, y Leriano representaría a «El autor» en un período pasado de su vida. Tanto «El autor» como Leriano serían así pseudo-San Pedros.

KEITH WHINNOM

LA RENOVACIÓN ESTILÍSTICA
DE DIEGO DE SAN PEDRO

Uno de los muchos méritos dignos de consideración que tiene la *Cárcel de Amor* es su estilo, que se suele elogiar, aunque a veces de una manera más bien vaga: Menéndez Pelayo lo llamó «elegante». Gili Gaya lo juzgaba superior al estilo del *Arnalte y Lucenda,* y atribuía el hecho a un mayor grado de madurez de San Pedro como escritor. En esta cuestión hay varios puntos importantes que conviene aclarar. En primer lugar, la *Cárcel de Amor* no es en modo alguno «menos retórica» que el *Arnalte y Lucenda,* y los únicos recursos específicamente retóricos a los que San Pedro renuncia o que emplea sólo esporádicamente son media docena, de entre los cuarenta y pico «colores retóricos» que se han identificado como «conceptos acústicos». Abandona también su sintaxis latinizante. El propio San Pedro, en sus explicaciones preliminares nos dice por qué lo hizo así: «Porque de vuestra merced me fue dicho que devía hazer alguna obra del estilo de una oración que enbié a la señora doña Marina Manuel, porque le parescía menos malo que el que puse en otro tratado que vido mío». El estilo preferido era el estilo de su *Sermón,* escrito en una prosa castellana muy directa en la que el único rasgo artificioso es el uso reiterado del subjuntivo después de *como;* y sin duda San Pedro debió de haber adoptado ese estilo relativamente llano porque le parecía más adecuado a un sermón en lengua romance. Pero la justificación que da de este cambio estilístico no es totalmente satisfactoria, ya que el estilo de la *Cárcel de Amor* no es el estilo del *Sermón,* y San Pedro no hubiera podido conseguir los resultados que consiguió limitándose a seguir una norma tan vaga.

La diferencia que existe entre la retórica del *Arnalte y Lucenda* y la de la *Cárcel de Amor* es la diferencia existente entre la retórica humanística medieval y la renacentista. Los recursos que los retó-

Keith Whinnom, *Diego de San Pedro,* Twayne (Twayne's World Authors Series, CCCX), Nueva York, 1974, pp. 113-116.

ricos clásicos habían recomendado que se usaran muy parcamente, y de los que se daban ejemplos más como advertencias negativas que como modelos dignos de imitación, se introdujeron en los manuales medievales sin la menor restricción, y fueron entusiásticamente adoptados por los escritores de la Edad Media. Los humanistas italianos redescubrieron al verdadero Cicerón y hallaron los libros perdidos de Quintiliano. Por otra parte, los eruditos, italianos o formados en Italia, como Nebrija, deploraban los intentos de imitar la sintaxis latina en una lengua que no era el latín y que carecía de sus medios. La expresión «buen gusto» tuvo su origen en la corte de la reina Isabel, y aunque era lo suficientemente vaga como para admitir diversas interpretaciones, siempre significó una cierta dignidad y moderación. Al parecer San Pedro no se limitó a hacerse eco de esta expresión ya generalizada de buen gusto, sino que volvió a estudiar la retórica en algunos manuales humanistas, como se advierte en el uso que hace en la *Cárcel de Amor* de toda una gama de recursos retóricos que no aparecen en el *Arnalte y Lucenda*, y por los que los teóricos medievales habían mostrado muy poco interés, por ejemplo, los procedimientos de la *abbreviatio*.

Por desgracia, no hay ningún atajo efectivo que nos facilite el estudio de la doctrina retórica medieval, y por lo tanto una descripción y comprensión adecuadas de qué era exactamente lo que hacía San Pedro al escribir el *Arnalte y Lucenda* y la *Cárcel de Amor*. La retórica abarcaba mucho más que el estilo, y se refería al contenido de un escrito y a cómo un escritor podía encontrar sus materiales (esto era la *inventio*, de la cual hay muchos métodos); se refería a la propiedad y al *decorum*, conceptos ambos que comprendían la totalidad de la teoría del estilo adaptado al tono que imponía la materia, o, en su caso, al hablante, así como nociones de verosimilitud algo distintas de las modernas; se refería también al recto objetivo de la literatura: enseñar deleitando, equilibrar adecuadamente el elogio y la censura, etc. La doctrina retórica no olvida ninguno de los aspectos del escribir en prosa o en verso, y desciende a todos los aspectos de todas las cuestiones, con un extraordinario pormenor. Por lo que se refiere a la composición de la obra, la doctrina medieval tiende a fijar una distribución en unidades pequeñas, que a menudo se definen de un modo muy riguroso, y a no prestar atención a la unidad mayor. Las obras medievales son notoriamente «chicas», y cuando se agrupan formando un conjunto, tienden a insertarse dentro de un gran marco que permite la incrustación de estos pequeños fragmentos, como ocurre en la *Divina Commedia* de Dante, en las colecciones de cuentos de Boccaccio, Chaucer y Don Juan Manuel, o en el *Libro de Buen Amor,* del Arcipreste de Hita. El acierto de San Pedro al encajar dentro de una obra notablemente coherente las diversas unidades menores (*narratio,* cartas, discursos, *planctus,* arenga, *argumentatio,* etc.) no ha sido debidamente valorado.

Un supuesto que está presente en todas las teorías retóricas clásicas y medievales, un supuesto de la máxima importancia, es el de que siempre hay maneras buenas y malas de hacer algo, aunque no siempre se indique de una manera concreta cuál es el *mejor* modo de hacerlo. Se permiten variaciones, y diferentes teóricos discreparán sobre cuestiones de detalle, pero el supuesto general es el de que el escritor ha de aprender su oficio y escribir correctamente después de estudiar las reglas de los manuales y los mejores modelos. La idea de que un escritor tenga un estilo original, personal, jamás había sido prevista por los retóricos. Escribir es, o debería ser, escribir bien, y para ello hay que seguir las reglas.

Por lo que se refiere a lo que hoy entendemos por «estilo», hay una categoría de técnicas retóricas que es decisiva para la debida comprensión y descripción de lo que estaba haciendo San Pedro en el *Arnalte y Lucenda* y en la *Cárcel de Amor,* y eso es lo que se conoce con el nombre de *amplificatio.* Por lo común se estaba de acuerdo en que había ocho métodos de *amplificatio,* pero diferentes teóricos llegaban a la misma cifra con diferentes clasificaciones, y muchos de estos métodos principales, como la *expolitio, apostrophe* o *comparatio,* contenían numerosas divisiones y subdivisiones que sería imposible enumerar e ilustrar aquí. Lo único que ahora cabe decir es que cada uno de los ocho métodos mayores de *amplificatio,* y la mayoría de sus divisiones y subdivisiones, están representados en las obras de San Pedro.

Sin embargo, podemos citar sólo tres, que son de especial importancia desde un punto de vista puramente estilístico, y que corresponden a muchas de las figuras que la crítica moderna llama de un modo global «antitéticas» o «paralelísticas». Uno es la *interpretatio* (que a veces es una división de la *expolitio*) y que consiste en decir lo mismo en términos sinónimos o casi sinónimos. Es una de las maneras más elementales de «alargar» una exposición, y no causa ninguna sorpresa descubrir que es extraordinariamente frecuente en el

Arnalte y Lucenda, y algo menos en la más sutil *Cárcel de Amor.*
Cuando Arnalte se lamenta, refiriéndose a sí mismo: «¡O morada
de desdichas! ¡O edificio de trabajos!», está empleando la *interpre-*
tatio. Un poco más complicada es una fórmula de predilección, «A es
mejor que B», que es una de las fórmulas favoritas de amplificación
que usa San Pedro, y otra división de la *expolitio.* Cuando San Pedro escribe, al comienzo del prólogo de la *Cárcel de Amor,* «Cuánto
me estaría mejor preciarme de lo que callase que arrepentirme de
lo que dixiese», está recurriendo a la *expolitio,* subdivisión *aferre*
contrarium. Y otra de sus fórmulas favoritas, que consiste en empezar negando lo que desea afirmar («no A, sino B») es la *oppositio,*
ejemplarizada en una frase que encontramos al final del prólogo:
«porque reciba el pago no segund mi razón, mas segund mi deseo».
En cuanto a las dos clases de ornato, únicamente el *ornamentum*
facile ya requeriría un capítulo para él solo.

No obstante, sin descender a ningún pormenor técnico, es posible decir algo un poco más sustancial del estilo de San Pedro que
decir que es «retórico», «elegante» o «artificioso». En primer lugar,
es un estilo lógicamente ornamentado, meditado, consciente y deli-
berado que aspira a la belleza; sobre todo los lamentos, cartas y discursos están tan esmeradamente trabajados y limados como si se
tratara de una composición en verso; aquí no hay ni el más remoto
intento de imitar la lengua coloquial. Y en la *Cárcel de Amor* el
ornato se hermana con un denso contenido de pensamiento; en realidad, gran parte del ornato se consigue por medio de la contraposición de ideas, y es casi imposible separar el «estilo» del «contenido»:
¿cómo se puede determinar si la sintaxis es regida por el pensamiento silogístico o si los recursos retóricos que se emplean dictan
una forma de exposición lógica? Y finalmente, aunque San Pedro
renuncia a usar el oropel de los conceptos acústicos, la prosa de la
Cárcel de Amor es una prosa sonora y sutilmente rítmica que delata
un oído de poeta. Ella sola requeriría un libro para poder efectuar
su adecuado análisis.

10. PROSA Y ACTIVIDAD INTELECTUAL EN EL OTOÑO DE LA EDAD MEDIA

En muchos aspectos, la prosa castellana en las postrimerías de la Edad Media no rompe con su pasado, sino que lo desarrolla y enriquece. Las modalidades típicas de los siglos XIII y XIV, tales como crónicas y compilaciones de *exempla*, continúan cultivándose, al par que se desarrollan nuevos géneros, dando así origen a una literatura en prosa mucho más variada que la precedente.

En tanto obras de arte, las mejores crónicas son las de Pero López de Ayala. Escritas al final de su vida (1332-1407), tienen como propósito, más que hacer un riguroso relato de los hechos, justificar su carrera política, y de un modo especial su cambio de bando durante la guerra de los Trastámara, según queda particularmente de manifiesto en la *Crónica del rey don Pedro*. Desde luego, el valor historiográfico de Ayala no puede compararse con su mérito literario, y en numerosos puntos el Canciller es desmentido por su gran contemporáneo portugués Fernão Lopes. Ayala difundió otras obras en prosa, entre ellas traducciones del Libro de Job y del comentario que sobre él hizo san Gregorio Magno, pieza fundamental en la génesis de la segunda parte del *Rimado de Palacio*; dado que los temas del *Rimado* aparecen asimismo en las crónicas, no es posible entender bien la poesía del Canciller sin considerar a la vez sus escritos en prosa (véase cap. 6).

Entre las crónicas de otros autores figuran algunas prolongaciones de la tradición alfonsí (véase cap. 5), pero la innovación más notable se da en las historias dedicadas exclusivamente a un rey o a otro personaje de relieve. Las que tratan de un reinado en particular por lo común siguen el ejemplo de Ayala, recurriendo al uso de procedimientos narrativos y descriptivos tomados de los libros de aventuras contemporáneos, aunque sin alcanzar la calidad artística del Canciller, ni tampoco de algunas crónicas-biografías de personajes no pertenecientes a la realeza (la *Crónica de don Álvaro de Luna*, *El victorial* o *Crónica de don Pero Niño*

[1435 y 1448], la *Relación de los hechos del condestable Miguel Lucas de Iranzo*). En el siglo xv florecen otras dos formas biográficas: las semblanzas de corta extensión, a menudo acompañadas de juicios de valor (Fernán Pérez de Guzmán [1378-¿1460?], *Generaciones y semblanzas*; Hernando del Pulgar [h. 1425-1490...], *Claros varones de Castilla*), y las autobiografías (las *Memorias* de Leonor López de Córdoba, de hacia 1412, también notables porque son la primera obra conservada escrita en castellano por una mujer).

Los bosquejos biográficos de Pérez de Guzmán y de Pulgar, que con frecuencia adoptan un fuerte tono de crítica moral respecto a sus protagonistas, deben algo a la técnica del *exemplum,* que en el curso del siglo xv sigue manteniendo su popularidad. Dos colecciones destacan en torno al 1400: una, *El libro de los exemplos por A.B.C.,* de Clemente Sánchez de Vercial, por su extensión; la otra, el *Libro de los gatos* (tal vez del siglo xiv), por el espíritu de enérgica protesta social a cuyo impulso transforma algunas de las historias y moralejas de su fuente anglolatina. Una de las obras maestras del siglo debe mucho a las recopilaciones de *exempla,* y aún más al sermón popular: el mal llamado *Corbacho* o, propiamente, *Arcipreste de Talavera* (1438), de Alfonso Martínez de Toledo, quizás el autor que mejor da idea de las diversas orientaciones de la prosa cuatrocentista.

Otro tipo de narración que tiene antecedentes ocasionales, pero que no se desarrolla de un modo pleno hasta el siglo xv, es el libro de viajes: la *Embajada a Tamorlán,* de Ruy González de Clavijo, y, con más imaginación, las *Andanças e viajes* de Pero Tafur, junto con una parte del *Victorial* de Gutierre Díez de Games, son relaciones auténticas de viajeros españoles, que compiten en popularidad con las traducciones de Marco Polo y Mandeville.

Por razones de historia social, cuando se realizaba fuera del marco del saber «oficial» (la universidad, los ambientes eclesiásticos ...), una dedicación intensa a la vida intelectual era cosa que despertaba recelos en la Castilla del siglo xv: en la realidad, a menudo fue quehacer característico de los conversos, mientras en la fantasía popular se asociaba con la magia negra. El polifacético Enrique de Villena —mitógrafo, traductor de Virgilio y de Dante, lingüista, hombre de ciencia, escritor didáctico y tal vez poeta— parecía especialmente sospechoso, y gran parte de su biblioteca fue destruida después de su muerte en 1434. En otros casos, los recelos no llegaron a tales extremos, pero a pesar de todo también se dieron, y los conversos más preeminentes eran blancos muy propicios. La familia Santa María-Cartagena (que descendía del biblista y poeta Pablo de Santa María, primero rabino y luego obispo de Burgos) dio media docena de escritores, entre ellos Alfonso de Cartagena

(1384-1456), cuyas traducciones y textos originales ilustran la reacción de Castilla frente a la cultura humanística, y su sobrina Teresa de Cartagena, monja autora de un par de tratados didácticos (posteriores a 1450), que se vio criticada como intrusa dentro del mundo masculino de la literatura y, en la primera muestra conservada de feminismo literario en castellano, defendió el derecho de las mujeres a escribir libros. Entre otros conversos notables como prosistas están Fernán Díaz de Toledo, que reaccionó al motín antijudaizante de Toledo en 1449 con un manifiesto político contra los rebeldes, la *Instrucción del Relator*; el autor anónimo del *Libro de la consolación de España,* pesimista meditación sobre Castilla; mosén Diego de Valera (1412 - h. 1488), cuya pluma abarcó múltiples temas; y, probablemente, el ensayista Juan de Lucena (h. 1430 - h. 1506), conocido sobre todo por su *Libro de vita beata.* A la lista quizá podrían añadirse Alfonso de la Torre, cuya *Visión delectable* (h. 1438) compendia alegóricamente el saber medieval bordándolo sobre el cañamazo de una adaptación de Maimónides, y Luis de Lucena, autor de una *Repetición de amores* que, al menos superficialmente, se presenta como una diatriba misógina.

Otros prosistas salieron de las filas de la Iglesia. Uno de ellos Alfonso de Madrigal, el *Tostado* (¿1400?-1455), obispo de Ávila, fue particularmente prolífico, tanto en castellano como en latín; de todas sus obras, la más interesante para el lector moderno tal vez sea su tratado sobre el amor. De interés son los *Soliloquios* de fray Pedro Fernández Pecha; el *Jardín de nobles donzellas* de fray Martín de Córdoba, una defensa de las mujeres que también contiene elementos en la tradición de los *espejos de príncipes*; y los varios escritos de Rodrigo Sánchez de Arévalo: una *Compendiosa historia hispánica* en latín, dos obras en romance sobre teoría política y el epistolario con algunos humanistas italianos. Textos significativos en prosa se deben a dos de los mejores poetas del siglo: Santillana, cuyo *Prohemio* a una recopilación de sus versos esboza como sorprendente novedad una historia crítica de la poesía europea, y Juan de Mena, a quien se atribuyen crónicas y tratados, y con toda seguridad compuso el *Omero romançado* —traducción de una versión latina de la *Ilíada*— y los comentarios a alguno de sus propios poemas. Uno de los escritores más fecundos de fines del Cuatrocientos es Alfonso de Palencia (1423-1492), lexicógrafo, historiador, geógrafo, hagiógrafo y autor de alegorías políticas, que se sirvió del latín y del castellano, a veces traduciendo sus propias obras de una lengua a otra. Algunas de las inquietudes pero no las limitaciones medievales de Palencia las compartieron Antonio de Nebrija (1441-1522) —hoy conocido sobre todo como gramático, pero que también cultivó la historia y la poesía— y otros humanistas protegidos o alentados por Isabel la Católica en la transición al nuevo siglo. Gracias a ellos, la cultura del humanismo encontró un refugio en el centro de la vida pública y Castilla fue abriéndose a los aires del Renacimiento.

Unas advertencias generales han de preceder al repaso de los principales géneros y autores mejor estudiados por la crítica reciente. Hubo una época en la que se daba por supuesto que la cultura castellana de la primera mitad del siglo XV fue humanística en una medida sustancial, hasta el punto de representar el estadio inicial del Renacimiento en España; la idea está presente ya desde el título en el gran libro sobre Mena debido a M. R. Lida de Malkiel [1950]. Tal opinión ha sido impugnada por Round [1962] aduciendo un cierto número de anécdotas y testimonios de la época que muestran una amplia aversión, no ya a los ideales del humanismo, sino aun a todo quehacer intelectual. Desde entonces ha habido pocas tentativas de defender los viejos lugares comunes sobre la materia, aunque algunos especialistas han preferido dejar de lado los argumentos de Round (y los expuestos luego por Russell [1978] y el mismo Round [1969a]) y han seguido sosteniendo iguales criterios que antes. La única respuesta relativamente seria ha sido la de Di Camillo [1976], quien advierte que también había hostilidad hacia el humanismo en otros países; pero la réplica es improcedente si se admite la sugerencia de Round [1962] de que pareja hostilidad fue un fenómeno más extendido y prolongado en Castilla que en cualquier otro lugar. Más tarde, ciertos puntos de vista de Round se vieron reforzados con datos más sustantivos por los trabajos de Kohut [1977, 1978] sobre la teoría literaria en la Castilla del siglo XV y por las consideraciones de Rico [1978] sobre la polémica entre los métodos de enseñanza medievales y la pedagogía humanística (cf. también Lawrance [1979]). El último estudio de Round [1978-1979] demuestra que la visión castellana de Platón más corriente en el siglo XV contiene actitudes que no son solamente prehumanísticas, sino a veces incluso preescolásticas.

Claro está que hubo individualidades que mostraron tendencias humanísticas (algunos de estos casos han sido analizados por Round [1969a], Tate [1970, 1976-1977] y Di Camillo), aunque el ambiente cultural les fue contrario, por lo menos, hasta la subida al trono de Isabel la Católica; también es cierto que no pocos autores acogieron con espíritu medieval textos e ideas del humanismo italiano (ya Juan Fernández de Heredia había estado en relación con Coluccio Salutati, y, sin embargo, su *Grant crónica de Espanya* es un producto arquetípico de la Edad Media; véase Luttrell [1970] y Geijerstam [1964]) y que incluso esa acogida mecánica y superficial contribuyó a crear un clima que a finales del siglo facilitaría en parte la entrada de las corrientes humanísticas (según muestra, por ejemplo, el entusiasmo de un Nebrija o un Hernán Núñez por el *Laberinto de Fortuna*). Pero aquí debemos ceñirnos, justamente, a los textos menos permeables a las novedades del Renacimiento,[1] limitándonos a indicar que algunos de los variables azares de los *studia humanitatis* en la Península, en el curso del siglo xv, han sido admirablemente esbozados por Russell [1978] y otros se examinan con más detalle por Rico [en preparación], en un libro que toma en cuenta por igual la teoría y la praxis social del incipiente humanismo español. Francamente flojo han juzgado varios reseñadores el volumen de Di Camillo [1976] sobre el tema, en especial comparándolo con los importantes ensayos de Tate [1970] sobre los historiadores cuatrocentistas. Ambos estudiosos dedican mucha atención a las obras hispanolatinas, que apenas pueden ocuparnos aquí, y ambos se detienen en la producción de la familia Cartagena-Santa María: pero mientras Tate (que analiza también las obras de Álvar y Gonzalo García Santa María) subraya el esencial medievalismo de Alfonso de Cartagena, Di Camillo, centrando su libro en la figura de éste, lo declara humanista a costa de trastrocar cuanto hoy se acepta sobre la noción de 'humanismo'. Tate estudia además a Sánchez de Arévalo y a Nebrija, dedica dos excelentes ojeadas de conjunto a la historiografía del período y abunda en reflexiones exactas sobre la repercusión que las circunstancias políticas tuvieron en la trayectoria del humanismo.

Hay interesantes observaciones, en lo referente a las obras de carácter didáctico, en las introducciones a los volúmenes de textos en prosa editados por Penna [1959] y Rubio [1964]. Maravall analiza la visión cristianizada de Sócrates en la España medieval y ofrece una reveladora explicación de la conciencia social de los «letrados», su formación y su éxito al apoyar la política real [1973], en tanto en otro lugar aclara el modo en que los españoles cultos del siglo xv veían la historia como un proceso evolutivo [1966]. La «voluntad de estilo» en la prosa no novelesca ha sido finamente estudiada por Marichal [1971, pp. 27-49], con vislumbres de singular interés respecto a prosistas misceláneos tan originales como Fernando de la Torre y Diego de Valera, y yo me he ocupado de los inicios de la literatura femenina (Deyermond [en prensa]).

En distinto orden de cosas, las obras menores en prosa de López de Ayala han sido más afortunadas que sus crónicas desde el punto de vista editorial: Branciforti [1962b, 1963] nos ha dado buenas ediciones de dos de ellas, aunque un estudio detallado de los manuscritos aún podría proporcionar nuevas informaciones sobre la relación entre la

---

1. Para el asentamiento del humanismo en España, véase *Historia y crítica de la literatura española*, II, cap. 1.

prosa y la poesía de Ayala, como ha demostrado Coy [1975, 1978]. Branciforti publicó un inventario copiosamente anotado de los manuscritos y primeros impresos [1962*a*], que ahora tendría que revisarse a la luz de las últimas contribuciones de la erudición; otra tarea que espera a los especialistas es decidir acerca de varias obras en prosa cuya atribución al Canciller sigue dudosa. La importancia política y literaria de Ayala hace que sea muy deseable una biografía ambiciosa, aunque por el momento los libritos de Meregalli [1955] y Suárez Fernández [1962] resulten útiles en muchos aspectos. Se echan en falta estudios y ediciones de las crónicas. Algunas se han editado como tesis doctorales en Norteamérica, pero sin llegar a publicarse. Se dispone ya de buenos puntos de partida para los estudios sobre Ayala como historiador (vid. también p. 357): los densos retratos de Castro [1970, pp. 51-59] y Gimeno Casalduero [1975], la demostración por Tate [1957] de que su óptica es medieval, no humanística, y la breve pero convincente exposición que hace Vàrvaro [1969] de los méritos literarios de las crónicas. El contraste en método y mentalidad que se da entre Ayala y Fernão Lopes se ha convertido en un tópico de la crítica, pero aún no ha sido explorado con la suficiente hondura.

Otros cronistas en lengua vulgar (cf. aún Sánchez Alonso [1947] y Catalán [1966]), como los biógrafos, a menudo han sido bien editados, pero faltan análisis literarios. Los nueve volúmenes de la «Colección de Crónicas Españolas» que publicó Carriazo proporcionaron a los especialistas una considerable masa de materiales (figuran ahí, cierto, textos de la importancia del *Victorial,* las crónicas *de don Álvaro de Luna* y *del condestable Miguel Lucas de Iranzo,* así como las escritas por Hernando del Pulgar y Diego de Valera), que todavía se incrementó con la edición por Ferro [1972] de la *Crónica de Juan II* de Álvar García de Santa María (por desgracia, limitándose a las partes que no habían sido editadas anteriormente) y con la edición por García [1972] del *Repertorio de príncipes de España,* de Pedro de Escavias, que incluye excelentes estudios biográficos y literarios, además de una edición de la poesía de Escavias, formando un volumen modélico en su género. Simultáneamente Escavias ha sido estudiado por Avalle-Arce [1972] desde otro punto de vista y llegando a conclusiones algo diferentes; la publicación de estos dos libros ha transformado una de las figuras más oscuras de la prosa del siglo xv en una de las más accesibles. Marichal [1971, pp. 51-67] analiza el estilo de *El Victorial,* y Pardo [1964] subraya cómo se cruzan en él las técnicas biográficas y las tradiciones novelescas; sorprende, sin embargo, que el libro de Díez de Games no haya sido objeto del estudio exhaustivo a que le hacen acreedor unas calidades estéticas y un encanto peculiarísimo unánimemente elogiados. También pide más atención el

Libro del paso honroso, de Pero Rodríguez de Lena, por más que Riquer lo ha considerado en cuanto testimonio histórico (cf. p. 357) y ha promovido y prologado un facsímil [1970] del resumen del original aparecido en el siglo XVI.

Tate ha publicado [1965, 1971] cuidadas ediciones de las obras biográficas de Pérez de Guzmán y de Pulgar. Estas ediciones van precedidas de excelentes estudios literarios en los que Tate aprovecha las investigaciones de López Estrada sobre la retórica en las *Generaciones y semblanzas* [1946], el análisis que hace Clavería [1951-1952] de los procedimientos de caracterización en Pérez de Guzmán y, en cierta medida, el ensayo de Romero [1944] sobre la biografía española en el siglo XV. El último de dichos trabajos, que tanto insiste en el valor humanístico de estas obras, ha sido superado en bastantes aspectos, pero conserva parte de su valor en tanto comienzo de la investigación moderna en este campo. Quedan todavía grandes zonas por explorar; por ejemplo, como indica Tate, los *Claros varones* de Pulgar deberían estudiarse en el contexto de su restante obra historiográfica, y es precisa una edición de sus obras completas. Las *Memorias* de López de Córdoba, hasta ahora sólo accesibles en ediciones antiguas y poco solventes, acaban de editarse a partir de un manuscrito descubierto por Ayerbe-Chaux [1977-1978], y en un ensayo sobre la literatura femenina analizo algunos rasgos de la obra (Deyermond [en prensa]).

Keller ha editado el *Libro de los exenplos* y el *Libro de los gatos* [1961, 1958], en ambos casos con breves introducciones; sobre todo la segunda de las obras citadas merecería un estudio más detallado en gracia a su mérito literario y a su interés ideológico. Por otra parte, el *Arcipreste de Talavera* (desde antiguo, mal llamado *Corbacho*), de Alfonso Martínez de Toledo, ha sido editado y estudiado varias veces en los últimos decenios. La edición de Penna [s.a.], base para la de Clásicos Castalia, empezada por él y continuada después de su muerte por González Muela [1970], se consideraba plenamente satisfactoria desde el punto de vista textual, aunque algunas de sus conclusiones literarias fueran objeto de discusión. Pero Ciceri [1971] afirma que no se basa en el manuscrito del Escorial, sino en la poco solvente edición de Lesley B. Simpson. Tal acusación, que contradice lo que escribió el mismo Penna [s.a., p. LII], aún no ha sido debidamente examinada, como tampoco la edición de la propia Ciceri [1974-1975]. El estudio fundamental sobre el *Arcipreste* es el de E. von Richthofen [1941]; al cabo de casi cuarenta años, es inevitable que necesite retoques, pero sigue siendo el punto de arranque de toda investigación seria sobre el tema; más recientemente E. von Richthofen ha vuelto a plantearse la cuestión de las interpolaciones en el texto [1966]. Dámaso Alonso [1958] ha definido sagazmente las coordenadas para apreciar el realismo de la obra, aclarando su atractivo para el lector moderno, y Whitbourn [1970] ha situado la postura de Martínez de Toledo respecto a las mujeres en el contexto de las tradiciones idealista y misógina. Otros aspectos de sus actividades literarias están recibiendo cumplida atención: su importante papel en el desarrollo del teatro religioso ha sido descubierto recientemente (véase cap. 11), y su *Atalaya de las corónicas,* resumen de la historia de Castilla desde los visigodos hasta Juan II, ha empezado a ser editada y estudiada. Del Piero [1971] ha publicado una edición crítica de los diez primeros capítulos, con una breve introducción pero con completo aparato textual, y Pardo [1967] ha estudiado la tradición de los capítulos finales, llegando a la conclusión de que no son obra de Martínez de Toledo (Del Piero sostiene la opinión contraria). Una edición completa de esta interesante crónica sería muy necesaria, y al parecer ya hay quien está trabajando en ella. Finalmente la visión general de las obras de Martínez de Toledo a cargo de Gerli [1976] ofrece una síntesis crítica del estado actual de los conocimientos, con una importante contribución original sobre el empleo de las técnicas del sermón en el *Corbacho* (cf. aún p. 184).

La literatura de viajes ha sido relativamente descuidada después de la edición por López Estrada de la *Embajada a Tamorlán* [1943] (véase también [1956-1957]) y de los interesantes capítulos de Meregalli [1957] sobre los viajeros del Cuatrocientos castellano. La falta de interés por Pero Tafur, tras una edición y diversos estudios en los años treinta, es especialmente llamativa. La próxima edición del *Marco Polo* aragonés a cargo de John Nitti puede provocar un nuevo brote de interés por los relatos de viajes. Mientras tanto Sharrer [1976-1977] ha probado que el *Libro del infante don Pedro de Portugal,* desdeñado durante tanto tiempo como una falsificación del siglo xvi, es verdaderamente obra del siglo xv, aun cuando los viajes que se describen en él sean en gran parte ficticios; su argumentación se apoya en el descubrimiento de que extractos sustanciales de la obra se encuentran en el *Libro de las bienandanzas e fortunas,* de Lope García de Salazar, vasta miscelánea (ahora accesible en la edición de Rodríguez Herrero [1967]) que ya ha proporcionado huellas de otras obras y sin duda puede aún brindar nuevos hallazgos.

El recelo despertado por los conversos —incluyendo a los conversos escritores— en la segunda mitad del siglo ha sido un tema muy tratado por Américo Castro (véase especialmente [1949]) y sus discípulos, de los cuales Stephen Gilman y Francisco Márquez Villanueva son los más activos y eminentes. Este recelo parece haber formado parte de una desazón más general, experimentada en las esferas dirigentes de la Castilla del siglo xv respecto a la vida intelectual, como ha demostrado

Round [1962, 1969*a*]. Una de las figuras que provocó mayor inquietud fue Enrique de Villena. Actualmente Villena está siendo cada vez más estudiado; aunque no se le haya dedicado ninguna obra de conjunto desde la de Emilio Cotarelo en 1896, Morreale [1958], Pascual [1974] y Carr [1974, 1976] han publicado buenas ediciones de algunos libros, y Pedro Cátedra tiene casi concluida la de sus obras completas. En torno a su vida y a su obra hay una serie de puntos oscuros, debidos en parte a un carácter que parece haber sido extravagante, en parte a que la destrucción de casi toda su biblioteca puede haber hecho desaparecer testimonios de importancia. Uno de esos puntos es la reputación de que gozaba en vida como poeta, cuando no conservamos ningún poema que pueda atribuírsele con seguridad (Walsh y Deyermond [en prensa]).

La familia Cartagena-Santa María ha llamado mucho la atención de los eruditos, sobre todo tras el libro de Cantera Burgos [1952], primordialmente histórico y biográfico. En cuanto a Alfonso de Cartagena, el ensayo de Impey [1972] lo estudia como traductor; Lawrance [1979] da a conocer una importante epístola latina sobre la educación, donde se advierte que, si en un principio pudo mostrar alguna curiosidad por los ideales humanísticos, ésta se mudó pronto en clara oposición; Sicroff [1960] analiza el *Defensorium unitatis christianae* en su contexto histórico, y una discutible interpretación de nuestro autor ocupa gran parte del libro de Di Camillo [1976]. La edición de Teresa de Cartagena a cargo de Hutton [1967] se completa con las páginas de Marichal [1971, pp. 42-45] y con mi ensayo sobre la escritora [1976-1977]. La obra de Tate [1970], en fin, trae varios capítulos sobre los escritos históricos, en latín, de otros dos miembros de la familia: Gonzalo y Álvar García de Santa María. Parece, pues, que ha llegado el momento adecuado para proceder también a un estudio biográfico y literario de Pablo de Santa María, casi tan olvidado como Alfonso de la Torre, cuya *Visión delectable* (tema de algunas valiosas páginas de Rico [1970]) reclama imperiosamente ser difundida en versión crítica.

Alfonso y Gonzalo García de Santa María dedicaron una parte de su actividad a poner en romance libros de Séneca, Cicerón y otros autores antiguos. De Enrique de Villena a Alfonso de Palencia, traductores de Virgilio y de Plutarco, por ejemplo, fueron muchos los letrados que —normalmente a instancias de reyes y magnates— asumieron ocupaciones parejas; y las traducciones cuatrocentistas contribuyeron a hacer llegar a las cortes y a los círculos de curiosos unas briznas del interés por el mundo clásico suscitado por el humanismo italiano, en tanto que moldearon a muchos propósitos la prosa de la época. Incitadores apuntes sobre todo ello se deben a Lida de Malkiel [1951], Morreale [1959] y Monfrin [1963], pero un trabajo de conjunto no podrá emprenderse mientras no dispongamos de un catálogo exhaustivo de las traducciones del período (tarea en que se ocupa Francisco Freixa) y de una serie suficiente de monografías. Por un lado, conviene prestar atención a los hombres y núcleos difusores de las versiones: Santillana se enorgullecía de haber patrocinado el romanceamiento de muchas obras antiguas y humanísticas (Reichenberger [1969]), y Lawrance [en prensa] precisa la ayuda que al respecto le prestó un personaje tan fascinante como Nuño de Guzmán; Juan II de Castilla encargó también buen número de versiones, pero don Carlos, Príncipe de Viana, tradujo por sí mismo (del latín) la *Ética* de Aristóteles, libro que corrió por lo menos en otras dos adaptaciones romances (Russell y Padgen [1974]). Por otra parte, se precisa disponer de reseñas que abarquen las diversas obras de un autor accesibles en traducción: en ese sentido, Blüher [1969] consagra un excelente capítulo a la recepción de Séneca, Bravo García [1977] sigue la pista a Plutarco y Curcio en lengua vulgar, y Cátedra [1978] ofrece una buena antología de versiones de Petrarca.

Otro escritor converso cuya importancia resulta cada día más patente es Fernán Díaz de Toledo; su *Instrucción del Relator* ha sido objeto de un amplio análisis histórico y estilístico que debemos a Round [1969b]. Un estudio similar (con una nueva edición) es el de Rodríguez-Puértolas [1972] sobre el *Libro de la consolación,* que había sido curiosamente dejado de lado, a pesar de la edición de Rey [1955]. Las hipótesis biográficas de Alcalá [1968] sobre Juan de Lucena han quedado desmentidas por la rica documentación descubierta por Jerónimo Miguel, quien redacta actualmente una tesis doctoral sobre el autor de la *Vida beata,* publicada por Bertini [1950] según un nuevo códice y comentada por M. Morreale [1955] en uno de los mejores trabajos sobre el estilo de la prosa cuatrocentista; Lapesa [1965] proyecta mucha luz sobre sus obras menos conocidas. A Luis de Lucena se le cita a menudo como arquetipo de la misoginia radical, pero los estudios detallados sobre su figura han sido sorprendentemente escasos; existe, sin embargo, una buena edición a cargo de Ornstein [1954], y Thompson [1977] ha abierto nuevas perspectivas al sugerir que el modo en que la *Repetición de amores* utiliza sus fuentes es tan chapucero que podría sospecharse que se trata de una deliberada parodia de las diatribas convencionales contra las mujeres.

El largo olvido en que los especialistas han tenido a Madrigal empieza a subsanarse: Keightley [1977] ha analizado la génesis de su comentario a los *Chronici canones* de Eusebio, señalando su importancia dentro de la historia intelectual de la Castilla de mediados del siglo xv; Kohut [1977] expone sus ideas sobre la literatura, poco compatibles con las del humanismo; la edición de uno de sus textos, preparada por

D. W. McPheeters, se publicará en breve, y otros atraen ahora la atención de los estudiosos. De Martín de Córdoba, Goldberg [1974] ha editado el *Jardín de nobles donzellas*, con una larga introducción al autor y a la obra; y Lapesa [1975] ha hecho un agudo análisis estilístico de otro escritor religioso algo anterior, Pedro Fernández Pecha.

Las obras en prosa de Mena, seguras o dudosas, están apareciendo en ediciones modernas, como la de la *Ylíada en romance* por Riquer [1949]; dos tratados que se le atribuyen han sido publicados por Fainberg [1976] y Gutiérrez Araus [1975]. Lida de Malkiel [1950] sentó las bases para el estudio de la prosa de Mena, pero, aunque sus aportaciones siguen teniendo valor, varios puntos han sido más cabalmente desarrollados por otros especialistas, como en el caso de las investigaciones de Rico [1967] y Parker [1978] sobre la deuda de los comentarios a la *Coronación* para con Juan Gil de Zamora y Alfonso el Sabio. Sánchez de Arévalo ha sido estudiado como historiador y escritor político (Tate [1970], pp. 74-122; Rico [1970], pp. 107-117), y más recientemente Laboa [1973] ha investigado su vida, obras y relaciones con los humanistas romanos, llegando a la conclusión de que es dudoso que ni siquiera en los mejores momentos de sus obras latinas pueda considerársele favorable a los *studia humanitatis*. No obstante, lo que han aclarado recientes investigaciones es que sí lo fue en buena medida Alfonso de Palencia, pese a muchas y graves deficiencias de formación cultural, a menudo patentes en su epistolario, en cuya publicación están colaborando Tate y Rafael Alemany. La obra de Palencia que ha atraído mayor atención es la alegoría política titulada *Batalla campal de los perros contra los lobos*. Pardo [1973] ha resuelto algunos de los problemas de su trasfondo y de su intención, y más dudas aún han sido dilucidadas por Tate [1976-1977], al demostrar que se trata de una amarga sátira de la nobleza cuyas disensiones estaban asolando Castilla; la obra ejemplifica, pues, los hallazgos de Maravall sobre la política de los «letrados» [1973]. Un tratado geográfico de Palencia, en latín, ha sido editado y estudiado por Tate y Mundó [1975]; hasta hace poco era una de entre la larga lista de las obras perdidas de Palencia, y es de augurar que su hallazgo incite a la busca de las restantes.

La única obra de Nebrija fácilmente asequible en los últimos tiempos era su *Gramática castellana* (que pronto deberá leerse en la edición de E. de Bustos), pero en la actualidad existen ya un facsímil del *Diccionario latino-español* bien prologado por Colón y Soberanas [1979] y una transcripción del *Vocabulario de romance en latín* a cargo de MacDonald [1973]. Uno de los fenómenos más interesantes que se dan a fines del siglo xv es la convergencia de cultura humanística, cambio lingüístico y conciencia política, cuestión sugestivamente comentada por

Asensio [1960] a propósito de la célebre afirmación hecha en el prólogo a la *Gramática castellana* de que «siempre la lengua fue compañera del imperio». Otro importante prólogo de Nebrija en romance (h. 1487) ha sido publicado por Rico [1979] en tanto verdadero *manifiesto* del Renacimiento en España. Pero la obra castellana de Nebrija es sólo una parte pequeña y muy secundaria de su producción (nótese, así, que la *Gramática castellana* jamás fue reimpresa y cayó en el olvido), y la obra latina, que lo convierte en uno de los humanistas más relevantes de la Europa coetánea y abre una nueva edad en la literatura española (véase Rico [1978] y [en preparación]), queda fuera de los límites del presente capítulo (cf. n. 1).

La prosa no novelesca de la Edad Media tardía, como la crítica y la erudición en torno a ella, forma un conjunto especialmente difícil de resumir. El número de escritores y de obras anónimas que se mencionan en esta introducción es considerable, pero sólo representa una muestra de la producción a la que los estudiosos han prestado atención o que aún espera recibirla. Incluso se han omitido algunos nombres y títulos importantes: por ejemplo, Álvaro de Luna, Lope de Barrientos, Pedro Díaz de Toledo o fray Hernando de Talavera. La dificultad para hacer un bosquejo representativo y coherente aumenta debido a que, con la posible excepción de Alfonso Martínez de Toledo, no hay ningún escritor que domine la prosa no novelesca de esos tiempos del modo en que la poesía es dominada por Mena y Santillana, o la prosa del siglo XIV por don Juan Manuel. La consecuencia es que cualquier visión de conjunto resulta fragmentaria y confusa. Además, la falta de ediciones solventes —en algunos casos, incluso la ausencia de cualquier tipo de edición— dificulta la tarea de formarse una idea clara de la categoría de un escritor y de su relación respecto a las letras de la época. Son muy pocos los prosistas del siglo XV debidamente editados. Sólo cuando la prosa de un autor se reduce a uno o dos libros, existen posibilidades de encontrar una edición de obras completas que responda a las exigencias de la erudición actual (pienso, por caso, en Teresa de Cartagena). De no ser así, lo más que puede esperarse es una buena edición de alguna obra aislada. Ese vacío tendría que llenarse con urgencia, pero la tarea no va a ser fácil, no sólo por el cuantioso número de escritores, sino también porque la obra de algunos de ellos (aun sin llegar al extremo de Madrigal) es muy voluminosa. Más aún, la obra latina (y en general inédita...) de autores como Madrigal, Palencia y Alfonso de Cartagena es inseparable de su producción en lengua vulgar, y en ningún modo pueden descuidarla, no ya —por supuesto— los historiadores de la cultura en la plenitud de sus manifestaciones escritas, sino ni siquiera quienes se interesan simplemente por la literatura castellana de valor artístico perdurable.

A pesar de todo, por insuficiente que sea, el estado actual de la erudición representa una gran mejora respecto al de hace unos pocos decenios. Determinados escritores que se arrinconaban como menores y aburridos han empezado a sobresalir, no sólo como importantes en el marco intelectual de la época, sino incluso como interesantes por sí mismos (Palencia, por ejemplo). Otros, a quienes se prestaba tan escasa atención que hasta sus nombres eran apenas familiares para la mayoría de los estudiosos, han salido de la sombra: Leonor López de Córdoba, Pedro Fernández Pecha, Pedro de Escavias. La tendencia, evidentemente, se acentuará, y es probable que dentro de veinte años el mapa literario de la España del siglo xv sea muy distinto del que ahora estamos acostumbrados a contemplar.

BIBLIOGRAFÍA

Alcalá, Ángel, «Juan de Lucena y el pre-erasmismo español», Revista Hispánica Moderna, XXXIV (1968), pp. 108-131.

Alonso, Dámaso, «El Arcipreste de Talavera, a medio camino entre moralista y novelista», en De los siglos oscuros al de Oro, Gredos, Madrid, 1958, pp. 125-136.

Asensio, Eugenio, «La lengua compañera del imperio», Revista de Filología Española, XLIII (1960), pp. 399-413.

Avalle-Arce, Juan Bautista, El cronista Pedro de Escavias: una vida del siglo XV, University of North Carolina (University of North Carolina Studies in Romance Languages and Literatures, CXXVII), Chapel Hill, 1972.

Ayerbe-Chaux, Reinaldo, ed., «Las Memorias de doña Leonor López de Córdoba», Journal of Hispanic Philology, II (1977-1978), pp. 11-33.

Bertini, Giovanni M., ed., J. de Lucena, Vida Beata, en Testi spagnoli del secolo XV, Turín, 1950.

Blüher, Karl Alfred, Seneca in Spanien. Untersuchungen zur Geschichte der Seneca- Rezeption in Spanien vom 13. bis 17. Jahrhundert, Franke Verlag, Munich, 1969, pp. 42-175.

Branciforti, Francesco, «Regesto delle opere di Pero López de Ayala», en Saggi e ricerche in memoria di Ettore Li Gotti, Centro di Studi Filologici e Linguistici Siciliani, Palermo, 1962, I, pp. 289-317.

—, ed., Pero López de Ayala, El libro de Job, G. d'Anna (Pubblicazioni della Facoltà di Magisterio, Università degli Studi di Messina, Testi e Documenti, I), Messina, 1962.

—, ed., Pero López de Ayala, Las flores de los «Morales de Job», Biblioteca Letteraria del Istituto di Filologia Moderna dell'Università di Messina

(Biblioteca Letteraria dell'Istituto di Filologia Moderna dell'Università di Messina, VII), Florencia, 1963.

Bravo García, Antonio, «Sobre las traducciones de Plutarco y de Quinto Curcio Rufo hechas por Pier Candido Decembrio y su fortuna en España», *Cuadernos de Filología Clásica*, XII (1977), pp. 143-185.

Cantera Burgos, Francisco, *Álvar García de Santa María y su familia de conversos*, CSIC, Madrid, 1952.

Carr, Derek C., «La *Epístola que enbió Don Enrrique de Villena a Suero de Quiñones* y la fecha de la *Crónica Sarracina* de Pedro de Corral», en Harold Livermore, ed., *University of British Columbia Hispanic Studies*, Tamesis, Londres, 1974, pp. 1-18.

—, ed., E. de Villena, *Tratado de la consolación*, Espasa-Calpe (Clásicos Castellanos, CCVIII), Madrid, 1976.

Carriazo, Juan de Mata, ed., *Colección de crónicas españolas*, Espasa-Calpe, Madrid, 1940-1946, 9 vols.

Castro, Américo, *Aspectos del vivir hispánico. Espiritualismo, mesianismo, actitud personal en los siglos XIV al XVI*, Cruz del Sur, Santiago de Chile, 1949; 2.ª ed., Alianza Editorial, Madrid, 1970.

Catalán, Diego, «El *Toledano romanzado* y las *Estorias del fecho de los godos* del siglo xv», en *Estudios dedicados a J. H. Herriot*, Universidad de Wisconsin, 1966, pp. 9-102.

Cátedra, Pedro M., ed., «Apéndice» [sobre las traducciones de Petrarca], en Francisco Rico, ed., Petrarca, *Obras*, I: *Prosa*, Alfaguara (Clásicos Alfaguara), Madrid, 1978, pp. 343-470.

Ciceri, Marcella, «Rilettura del manoscritto escurialense dell'*Arcipreste de Talavera*», *Cultura Neolatina*, XXXI (1971), pp. 225-235.

—, ed., A. Martínez de Toledo, *Arcipreste de Talavera*, STEM & Mucchi (Istituto di Filologia Romanza dell'Università di Roma, Studi, Testi e Manuali, III), Módena, 1975, 2 tomos.

Clavería, Carlos, «Notas sobre la caracterización de la personalidad en las *Generaciones y semblanzas*», *Anales de la Universidad de Murcia*, X (1951-1952), pp. 481-526.

Colón, Germán, y A.-J. Soberanas, ed., A. de Nebrija, *Diccionario latino-español*, Puvill, Barcelona, 1979.

Coy, José Luis, «Las *Flores de los 'Morales sobre Job'*, de Pero López de Ayala, y las notas de los mss. 10136-38 de la Biblioteca Nacional de Madrid», *Revista de Estudios Hispánicos* (Alabama), IX (1975), pp. 403-423.

—, «La génesis de las *Flores de los 'Morales sobre Job'*, de Pero López de Ayala», *Hispanófila*, n.º 63 (mayo, 1978), pp. 39-57.

Del Piero, Raúl A., *Dos escritores de la baja Edad Media castellana (Pedro de Veragüe y el Arcipreste de Talavera, cronista real)*, anejo XXIII al *Boletín de la Real Academia Española*, Madrid, 1971, pp. 81-166.

Deyermond, Alan, «'El convento de dolençias': the works of Teresa de Cartagena», *Journal of Hispanic Philology*, I (1976-1977), pp. 19-29.

—, «Spain's First Women Writers», en *Images: Women in Hispanic Literature*, ed. Beth Miller, University of California Press, Berkeley, en prensa.

Di Camillo, Ottavio, *El humanismo castellano del siglo XV*, Fernando Torres, Valencia, 1976.

Fainberg, Louise V., ed., ¿Juan de Mena?, *Tratado sobre el título de duque*, Tamesis, Londres, 1976.

Ferro, Donatella, ed., *Le parti inedite della «Crónica de Juan II»* di Álvar García de Santa María, Consiglio Nazionale delle Ricerche, Venecia, 1972.

Garcia, Michel, ed., *«Repertorio de príncipes de España»* y *obra poética del alcaide Pedro de Escavias*, CSIC y Diputación Provincial, Jaén, 1972.

Geijerstam, Regina af, ed., Juan Fernández de Heredia, *La grant crónica de Espanya. Libros I-II*, Acta Universitatis Upsaliensis (Studia Romanica Upsaliensia, 2), Upsala, 1964.

Gerli, E. Michael, *Alfonso Martínez de Toledo*, Twayne (Twayne's Wor.: Authors Series, CCCXCVIII), Boston, 1976.

Gimeno Casalduero, Joaquín, «La personalidad del canciller Pero López de Ayala», en *Estructura y diseño en la literatura castellana medieval*, Porrúa, Madrid, 1975, pp. 143-163.

Goldberg, Harriet, ed., *«Jardín de nobles donzellas»*, Fray Martín de Córdoba: *a critical edition and study*, University of North Carolina (University of North Carolina Studies in Romance Languages and Literatures, CXXXVII), Chapel Hill, 1974.

González Muela, Joaquín, y Mario Penna, ed., A. Martínez de Toledo, *Arcipreste de Talavera o Corbacho*, Castalia (Clásicos Castalia, XXIV), Madrid, 1970.

Gutiérrez Araus, María Luz, ed., ¿Juan de Mena?, *Tratado de amor, atribuido a Juan de Mena*, Alcalá (Aula Magna, XIV), Madrid, 1975.

Hutton, Lewis J., ed., Teresa de Cartagena, *Arboleda de los enfermos. Admiración operum Dey*, Anejo XVI al *Boletín de la Real Academia Española*, Madrid, 1967.

Impey, Olga T., «Alfonso de Cartagena, traductor de Séneca y precursor del humanismo español», *Prohemio*, III (1972), pp. 473-494.

Keightley, R. G., «Alfonso de Madrigal and the *Chronici canones* of Eusebius», *Journal of Medieval and Renaissance Studies*, VII (1977), pp. 225-258.

Keller, John Esten, ed., *El libro de los gatos*, CSIC, Clásicos Hispánicos, Madrid, 1958.

—, ed., Clemente Sánchez de Vercial, *Libro de los exenplos por A.B.C.*, CSIC, Clásicos Hispánicos, Madrid, 1961.

Kohut, Karl, «Der Beitrag der Theologie zum Literaturbegriff in der Zeit Juans II. von Kastilien», *Romanische Forschungen*, LXXXIX (1977), páginas 183-226.

—, «La posición de la literatura en los sistemas científicos del siglo xv», *Iberoromania*, nueva serie, n.º 7 (1978), pp. 67-87.

Laboa, Juan María, *Rodrigo Sánchez de Arévalo, alcaide de Sant'Angelo*, Publicaciones de la Fundación Universitaria Española (Monografías, VIII), Madrid, 1973.

Lapesa, Rafael, «Sobre Juan de Lucena: escritos suyos mal conocidos o inéditos», en *Collected Studies in Honour of Américo Castro's Eightieth*

Year, Lincombe Lodge Research Library, Oxford, 1965, pp. 275-290; reimpr. en *De la Edad Media a nuestros días: estudios de historia literaria,* Gredos, Madrid, 1967, pp. 123-144.

—, «Un ejemplo de prosa retórica a fines del siglo xiv: los *Soliloquios* de fray Pedro Fernández Pecha», en *Studies in Honor of Lloyd A. Kasten,* Hispanic Seminary of Medieval Studies, Madison, 1975, pp. 117-128; reimpr. en *Poetas y prosistas de ayer y de hoy,* Gredos, Madrid, 1977, páginas 9-24.

Lawrance, Jeremy N. H., *Una epístola de Alfonso de Cartagena sobre la educación y los estudios literarios,* Universidad Autónoma de Barcelona (Publicaciones del Seminario de literatura medieval y humanística), Bellaterra, Barcelona, 1979.

—, «Nuño de Guzmán and early Spanish humanism: some reconsiderations», *Medium Aevum,* en prensa.

Lida de Malkiel, María Rosa, *Juan de Mena, poeta del prerrenacimiento español,* Colegio de México, México, 1950, pp. 125-156.

—, «La tradición clásica en España», *Nueva Revista de Filología Hispánica,* V (1951), pp. 425-438; reimpr. con adiciones en *La tradición clásica en España,* Ariel (Letras e Ideas: Maior, 4), Barcelona, 1975, pp. 339-397.

López Estrada, Francisco, ed., Ruy González de Clavijo, *Embajada a Tamorlán,* CSIC, Madrid, 1943.

—, «La retórica en las *Generaciones y semblanzas* de Fernán Pérez de Guzmán», *Revista de Filología Española,* XXX (1946), pp. 310-352.

—, «Sobre el manuscrito de la *Embajada a Tamorlán* del British Museum», *Archivo de Filología Aragonesa,* VIII-IX (1956-1957), pp. 121-126.

Luttrell, Anthony, «Coluccio Salutati's letter to Juan Fernández de Heredia», *Italia medioevale e umanistica,* XIII [1970], pp. 235-243.

MacDonald, Gerald J., ed., Antonio de Nebrija, *Vocabulario de romance en latín,* Temple University Press, Filadelfia, 1973.

Maravall, José Antonio, «El prehumanismo del siglo xv (acercamiento)», en su libro *Antiguos y modernos: la idea de progreso en el desarrollo inicial de una sociedad,* Sociedad de Estudios y Publicaciones, Madrid, 1966, páginas 237-277.

—, *Estudios de historia del pensamiento español. Serie primera, Edad Media,* Ediciones Cultura Hispánica, Madrid, 2.ª ed., 1973.

Marichal, Juan, *La voluntad de estilo: teoría e historia del ensayismo hispánico,* Seix Barral (Biblioteca Breve, 123), Barcelona, 1957; 2.ª ed., Revista de Occidente (Selecta, XXXIX), Madrid, 1971.

Meregalli, Franco, *La vida política del Canciller Ayala,* Cisalpino, Milán, 1955.

—, *Cronisti e viaggiatori castigliani del Quattrocento,* Milán-Varese, 1957.

Monfrin, Jacques, «Humanisme et traductions au Moyen Âge», *Journal des Savants,* III (1963).

Morreale, Margherita, «El tratado de Juan de Lucena sobre la felicidad», *Nueva Revista de Filología Hispánica,* IX (1955), pp. 1-21.

—, ed., E. de Villena, *Los doze trabajos de Hércules,* Real Academia Española (Biblioteca Selecta de Clásicos Españoles, nueva serie, XX), Madrid, 1958.

Morreale, Margherita, «Apuntes para la historia de la traducción en la Edad Media», *Revista de Literatura*, XV (1959), pp. 3-10.

Ornstein, Jacob, ed., Luis de Lucena, *Repetición de amores*, University of North Carolina (University of North Carolina Studies in Romance Languages and Literatures, XXIII), Chapel Hill, 1954.

Pardo, Madeleine, «Un épisode du *Victorial*: biographie et élaboration romanesque», *Romania*, LXXXV (1964), pp. 269-292.

—, «Remarques sur l'*Atalaya* de l'Archiprêtre de Talavera», *Romania*, LXXXVIII (1967), pp. 350-398.

—, «La *Batalla campal de los perros contra los lobos* d'Alfonso de Palencia», en *Mélanges de langue et de littérature offerts à Pierre Le Gentil*, SEDES, París, 1973, pp. 587-603.

Parker, Margaret A., «Juan de Mena's Ovidian Material: an Alfonsine influence?», *Bulletin of Hispanic Studies*, LV (1978), pp. 5-17.

Pascual, José Antonio, *La traducción de la «Divina commedia» atribuida a don Enrique de Villena. Estudio y edición del «Infierno»*, Universidad de Salamanca (Acta Salmanticensia, Filosofía y letras, 82), Salamanca, 1974.

Penna, Mario, ed., A. Martínez de Toledo, *Arçipreste de Talavera*, Rosenberg & Sellier, Turín, s.a.

—, ed., *Prosistas castellanos del siglo XV*, I, Atlas (Biblioteca de Autores Españoles, CXVI), Madrid, 1959.

Reichenberger, Arnold G., «The Marqués de Santillana and the classical tradition», *Iberoromania*, I (1969), pp. 5-34.

Rey, Agapito, ed., *Libro de la consolación de España, Symposium*, IX (1955), pp. 236-259.

Rico, Francisco, «*Aristoteles Hispanus*: en torno a Gil de Zamora, Petrarca y Juan de Mena», *Italia Medioevale e Umanistica*, X (1967), pp. 143-164.

—, «Alfonso de la Torre», en *El pequeño mundo del hombre. Varia fortuna de una idea en las letras españolas*, Castalia, Madrid, 1970, pp. 101-107.

—, *Nebrija frente a los bárbaros*, Universidad de Salamanca, Salamanca, 1978.

—, «Un prólogo al Renacimiento español», en *Homenaje al profesor Marcel Bataillon*, Universidad de Sevilla, Sevilla, 1979.

—, *La invención del Renacimiento en España*, Crítica (Filología), Barcelona, en preparación.

Richthofen, Erich von, «Alfonso Martínez de Toledo und sein *Arcipreste de Talavera*: ein kastilisches prosawerk des 15. Jahrhunderts», *Zeitschrift für romanische Philologie*, LXI (1941), pp. 417-537.

—, «El *Corbacho*: las interpolaciones y la deuda de la *Celestina*», en *Homenaje a Rodríguez-Moñino*, Castalia, Madrid, 1966, II, pp. 115-120.

Riquer, Martín de, ed., J. de Mena, *La Ylíada en romance*, Selecciones bibliófilas, Barcelona, 1949.

—, ed., Pero Rodríguez de Lena, *Libro del passo honroso* [según el resumen publicado por J. de Pineda, Salamanca, 1588], Espasa-Calpe, Madrid, 1970.

Rodríguez Herrero, Ángel, ed., Lope García de Salazar, *Libro de las bienandanzas y fortunas*, Diputación Provincial de Vizcaya, Bilbao, 1967, 4 vols.

Rodríguez-Puértolas, Julio, «El *Libro de la consolación de España,* una meditación sobre la Castilla del siglo xv», en *Miscelánea de textos medievales.*
I, Universidad de Barcelona, Barcelona, 1972, pp. 189-212.

Romero, José Luis, «Sobre la biografía española del siglo xv y los ideales de
la vida», *Cuadernos de Historia de España,* I-II (1944), pp. 115-138.

Round, Nicholas G., «Renaissance culture and its opponents in fifteenth-
century Castile», *Modern Language Review,* LVII (1962), pp. 204-215.

—, «Five magicians, or the uses of literacy», *Modern Language Review,*
LXIV (1969), pp. 793-805.

—, «Politics, style and group attitudes in the *Instrucción del Relator»,* *Bulletin of Hispanic Studies,* XLVI (1969), pp. 289-319.

—, «The shadow of a philosopher: medieval Castilian images of Plato», *Journal of Hispanic Philology,* III (1978-1979), pp. 1-36.

Rubio, Fernando, ed., *Prosistas castellanos del siglo XV,* II, Atlas (Biblioteca
de Autores Españoles, CLXXI), Madrid, 1964.

Russell, Peter, «Las armas contra las letras: para una definición del humanismo español del siglo xv», en su libro *Temas de «La Celestina» y otros
estudios,* Ariel (Letras e Ideas: Maior, 14), Barcelona, 1978, pp. 207-239;
versión ampliada de «Arms versus Letters: towards a definition of Spanish fifteenth-century humanism», en *Aspects of the Renaissance: a symposium,* ed. Archibald R. Lewis, University of Texas Press, Austin, 1967,
pp. 47-58.

— y A. R. D. Padgen, «Nueva luz sobre una versión española cuatrocentista
de la *Ética a Nicómaco* (Bodleian Library, ms. *Span. D. 1)»,* en *Homenaje a Guillermo Guastavino,* Madrid, 1974, pp. 125-146.

Sánchez Alonso, Benito, *Historia de la historiografía española,* CSIC, Madrid,
1947, vol. I.

Sharrer, Harvey L., «Evidence of a fifteenth-century *Libro del infante don
Pedro de Portugal* and its relationship to the Alexander cycle», *Journal
of Hispanic Philology,* I (1976-1977), pp. 85-98.

Sicroff, Albert A., *Les Controverses des status de «pureté de sang» en Espagne du XVe au XVIIe siècle,* Didier, París, 1960, pp. 41-62.

Suárez Fernández, Luis, *El Canciller Pedro López de Ayala y su tiempo
(1332-1407),* Diputación Foral de Álava y Consejo de Cultura, Vitoria,
1962.

Tate, Robert B., «López de Ayala, Humanist Historian?», *Hispanic Review,*
XXV (1957), pp. 157-174; reimpr. en [1970], pp. 35-54.

—, ed., Fernán Pérez de Guzmán, *Generaciones y semblanzas,* Tamesis, Londres, 1965.

—, *Ensayos sobre la historiografía peninsular del siglo XV,* Gredos, Madrid,
1970.

—, ed., Fernando del Pulgar, *Claros varones de Castilla,* Clarendon, Oxford,
1971.

—, «Political allegory in fifteenth-century Spain: a study of the *Batalla campal
de los perros contra los lobos* by Alfonso de Palencia (1423-1492)», *Journal of Hispanic Philology,* I (1976-1977), pp. 169-186.

— y Anscari M. Mundó, «The *Compendiolum* of Alfonso de Palencia: a humanist treatise on the geography of the Iberian Peninsula», *Journal of Medieval and Renaissance Studies,* V (1975), pp. 253-278.

Thompson, B. Bussell, «Another Source for Lucena's *Repetición de amores*», *Hispanic Review,* XLV (1977), pp. 337-345.

Vàrvaro, Alberto, «Pero López de Ayala: le *Crónicas*», en su *Manuale di filologia spagnola medievale,* II: *Letteratura,* Liguori, Nápoles, 1969, pp. 181-185.

Walsh, John K., y Alan Deyermond, «Enrique de Villena como poeta y dramaturgo: bosquejo de una polémica frustrada», *Nueva Revista de Filología Hispánica,* en prensa.

Whitbourn, Christine J., *The «Arcipreste de Talavera» and the Literature of Love,* University of Hull Press (Occasional Papers in Modern Languages, VII), Hull, 1970.

JOAQUÍN GIMENO CASALDUERO y ALBERTO VÀRVARC

LAS *CRÓNICAS* DEL CANCILLER PERO LÓPEZ DE AYALA

1. López de Ayala escribió la crónica de cuatro monarcas y narró con una nueva perspectiva la historia de Castilla. No encontramos ahora la impresionante grandeza de las obras de Alfonso el Sabio; quien, un siglo antes, por medio de una organizada y gradual estructura nos presenta la historia toda del mundo antiguo, y nos descubre el sentido del acaecer de España. La historia, como el firmamento que también Alfonso estudió, es un libro que muestra el admirable desarrollo de los designios divinos y del destino humano. España, como Jerusalén, fue destruida; pero España, paso a paso, fatalmente alcanzó la grandeza que le había sido señalada. Leyendo ese libro con cuidado observaremos el orden que preside el pasado, entenderemos el desorden que sólo en apariencia envuelve al presente y adivinaremos la meta que nos guarda el futuro.

Las obras de Ayala, en cambio, tratan de reinados particulares. Trazan física y psicológicamente la figura de un monarca. Las pasiones, las tendencias congénitas y las cualidades psíquicas explican en parte los movimientos del ser humano. Sus héroes no se enfrentan con situaciones extraordinarias, sino con problemas corrientes

1. Joaquín Gimeno Casalduero, «La personalidad del canciller Pero López de Ayala», en *Estructura y diseño en la literatura castellana medieval*, Porrúa, Madrid, 1975, pp. 143-163 (143-145).

2. Alberto Vàrvaro, «Pero López de Ayala: le *Crónicas*», en su *Manuale di filologia spagnola medievale*, II; *Letteratura*, Liguori, Nápoles, 1969, páginas 181-185.

típicos de la época: la ambición de los nobles, la guerra contra el moro, la falta de dinero, la inmoralidad de los privados. Circunstancias que el Canciller describe fielmente con abundancia de noticias y de documentos. Pero a pesar de ello el acento de excepción que marca a muchos de sus personajes, y la presencia de fuerzas oscuras que en multitud de casos determinan los sucesos, confieren a las crónicas del Canciller un notable carácter novelesco y extraordinario. Así como en Alfonso el Sabio los episodios se conectan y nos llevan, explicando las circunstancias particulares, a la comprensión total del sentido de la historia, en el Canciller la misma conexión de sucesos, cada uno justificado y definido, conduce a una situación final sumamente desconcertante e incomprensible, que López de Ayala ni puede ni pretende explicar; pero que le sirve para intuir un rasgo esencial de la índole del mundo, y para elaborar, convirtiendo los personajes en figuras ejemplares, una lección de conducta.

Detengámonos un momento en la primera crónica de López de Ayala. Don Pedro el Cruel se mueve por sus páginas sembrando dolor y muerte; y con sus crímenes se presenta siempre la razón que los motiva: el carácter violento del rey, la desconfianza, el miedo, la maldad de los consejeros, la traición de los vasallos... Pero hay más, un dramático destino le empuja a matar y le conduce a la muerte. La figura del monarca se traza con una impresionante grandeza. Por una parte la crueldad suma de don Pedro; por otra, la perfidia inaudita de sus enemigos; junto al miedo que le domina, el terror de los vasallos. Y al final el espantable caso, la muerte sangrienta del rey. ¿Quién podrá explicar su caída? ¿Quién podrá encontrar la razón de tanta absurda catástrofe? Pero el sabio no perderá la calma, verá impávido tanta desolación recordando que los juicios de Dios son indescifrables y sabiendo con absoluta certeza que la justicia divina, incomprensible o clara, se cumple siempre. De ahí el desenlace de la historia de don Pedro. Tras el rápido retrato del monarca, ya figura ejemplar, la afirmación del Canciller de que todo es un misterio, y la lección que servirá de aviso a reyes y a gobernantes:

Fue el rey don Pedro asaz grande de cuerpo, e blanco, e rubio, e ceceaba un poco en la fabla. Era muy cazador de aves. Fue muy sofridor de trabajos. Era muy temprado e bien acostumbrado en el comer e beber. Dormía poco, e amó mucho mugeres. Fue muy trabajador en guerra. Fue cobdicioso de allegar tesoros e joyas... E mató muchos en su regno, por lo qual le vino todo el daño que avedes oído. Por ende diremos aquí lo que dixo el profeta David: «Agora lo reyes aprended, e sed castigados todos los que juzgades el mundo»; ca grand juicio e maravilloso fue éste, e muy espantable.

2. El *Rimado del Palacio* y las *Crónicas* del canciller Ayala son en cierto modo obras complementarias, por cuanto la primera aclara la estructura más íntima de la segunda, y ésta a su vez proporciona el marco histórico de la otra. Pero el *Rimado* da una medida a un tiempo individual y universal de la vida humana, mientras que en las *Crónicas* la meditación personal y la reflexión generalizadora desaparecen tras una consideración aparentemente objetiva de los hechos y de los personajes en su irrepetible individualidad, expresión máxima de aquella experiencia personal que en el *Rimado* se disfrazaba de experiencia absoluta. [...]

El gran mérito de Ayala consiste en que, aun constituyendo la profunda estructura del relato, [la inserción del acontecer histórico en el marco de la providencia] queda disimulada, sin duda también porque no quiere atreverse a dar una explicación racional de la voluntad divina. De ahí una escritura que se nutre de hechos y que se impregna de una atenta penetración que revela en los actos el sentido de los impulsos más secretos, con una discreción en sus intervenciones que resulta más elocuente que cualquier comentario. Léase el relato del asesinato de don Fadrique, hermano gemelo de Enrique de Trastámara. No encontramos un juicio explícito del escritor, pero su juicio se refleja en la «tan triste cara» de María de Padilla, y se manifiesta en la frase: «era dueña muy buena e de buen seso e non se pagava de las cosas que'l rey fazía». El furor homicida del Rey, que persigue a los compañeros de don Fadrique, se evidencia trágicamente por la orden que da de arrancar a Sancho Ruiz de los brazos de la princesa doña Beatriz, en los que el desdichado se refugia, y en la muerte que recibe ante los mismos ojos de las mujeres. Una vez muerto el hermanastro, «asentóse el rey a comer donde el maestre yazía muerto, en una quadra que dizen de los Azulejos, que es en el alcáçar». Esta inflexible fidelidad al hecho, en Ayala, no es un prudente disimulo, sino una refinada habilidad de narrador que desarrolla su relato calculando sutilmente todos sus efectos: la aparición del miedo y luego la desesperada reacción de don Fadrique, las puertas del palacio que jalonan su camino hacia la muerte, la voz del Rey desde la portezuela entornada, las dudas de los ballesteros.

Desde luego, la historia de Pedro el Cruel parece la obra maestra de Ayala porque le brinda la ocasión de fundir en sus páginas, estilísticamente tan maduras, el seguro dominio de lo real y el sentido trágico y ejemplar de la historia. En otros pasajes el resultado no es de tanta altura ni tan conseguido, aunque casi siempre tiene un nivel de gran dignidad literaria. Véase, por ejemplo, la crónica de Juan I: más que el relato del desastre de Aljubarrota, donde reaparece el sentido del destino y de la ciega insensatez de los hombres, lo que cuenta es la convicción de Ayala de estar cerca del ideal de gobierno equilibrado que él sueña. En el discurso a las cortes de Guadalajara (1390) sobre el proyecto de abdicación y partición del reino [...], sorprende la conciencia de la complejidad del problema, su capacidad para considerarlo en la perspectiva de toda la historia precedente, el dominio del razonamiento sereno y sistemático, la desengañada comprensión de los hombres, la valoración de la conciencia nacional, ya sea portuguesa ya castellana (el Rey, en cambio, veía el problema portugués en términos simplemente dinásticos y patrimoniales). En esta noble tesitura de comprensión, de discusión y de convicción reside el ideal humano y civil de Ayala, negado por Pedro el Cruel. Veamos la descripción de cómo reacciona el rey Juan: «El Rey Don Juan... demudóse todo e perdió la color e fincó tan triste que non avía í ninguno de los del Consejo que se non espantase. E el Rey dixo así: 'Yo veo que digo mal; pero en este punto yo querría ver muertos a quantos aquí delante mi estades, que me estorvades mi entención'»; pero luego les pidió perdón y siguió el parecer del Consejo.

Margherita Morreale

LOS DOZE TRABAJOS DE HÉRCULES
DE ENRIQUE DE VILLENA: UN ENSAYO MEDIEVAL
DE EXÉGESIS MITOLÓGICA

Menéndez y Pelayo comparaba este tratado con «una vieja colección de tapices en que estuviesen representados y polarizados los trabajos de Hércules». Con la misma paciencia, si no con los mismos efectos estéticos, Enrique de Villena, [para cada hazaña de Hércules,] retorna una y otra vez sobre la urdimbre: primero, para rastrear la narración; luego, para rotular las personas y las cosas con sus títulos alegóricos; después, para explayar «la realidad» de los hechos, y por fin, para aplicar la lección a los distintos estados [en que se consideraba organizada la sociedad]. El autor labra el encaje con puntada segura, colocando cada escena en el cuadro que le pertenece. No nos extraña tanta certeza. La Edad Media les asigna a las divinidades de los gentiles unos papeles bien definidos en los astros, en la personificación alegórica y en la «prehistoria de la humanidad» (J. Seznec). Ya la antigüedad clásica, desdiosando a sus dioses, les había asegurado así la supervivencia a través de los siglos. [...]

Nuestro autor empieza siempre por la narración de los hechos, tomándolos «sumariamente y concorde» de los poetas e historiales. La narración tiene como nota específica la de apartarse de la verdad: es «parabólica» o «fabulosa», «figurativa» o «metafórica». Le es propio el estilo poético y se acompaña con la hermosura y elegancia formal. Pero también encierra en sí una enseñanza moral, que los especulativos han de desentrañar.

La «alegoría» o «moralidad» es fruto de la labor de los intérpretes, que la descubren y la exponen y explican, la declaran, la «tejen» sobre la «ordinbre» de las figuras poéticas y, para sus fines didácticos, le dan distintos entendimientos, uno tan bueno como el

Margherita Morreale, ed., E. de Villena, *Los doze trabajos de Hércules*, Real Academia Española (Biblioteca Selecta de Clásicos Españoles, nueva serie XX), Madrid, 1958, pp. x-xi, xiii-xxii, xxiv-xxv, xxxvi.

otro. [...] Cada personaje, cada acción, cada cosa —para usar las palabras de Villena—, «significa», «muestra», «entiéndese» o «es» otra realidad concerniente más de cerca a la vida del hombre. El concepto de «moralidad» es muy amplio: comprende no sólo la lección moral, sino también la explicación naturalista, que busca el origen del mito en los elementos naturales, [de suerte que, por ejemplo,] Ceres es «la arte de la labrança»; Proserpina, la fertilidad de la tierra; Cerbero, «la maliçia del tiempo» o el vicio de la gula. La alegoría moral abarca la vida humana en sus tres épocas o en su conjunto (la tierra de Libia entiéndese por «nuestra humanidat seca y arenosa») y significa las facultades del hombre, sus pasiones, sus vicios y sus virtudes, [y así, verbigracia,] «entiéndese por la deesa Juno la vida activa que acata las tenporales cosas e se ocupa en ellas; e por eso es dicha deesa del aire, a mostrar la poca firmeza de las tenporales cosas». [...]

Gracias a la declaración alegórica, los dioses desempeñan un papel importante en la magna lección del universo. Pero hay además otro medio por el cual se incorporan en la historia de la humanidad: el evemerismo que percibe, tras de las divinidades del Olimpo, unos héroes antiquísimos, glorificados por sus hazañas. Este procedimiento humanizador de los dioses lleva el nombre de Evémero, el novelista griego del tercer siglo antes de Cristo. [...] Sólo una vez se refiere Villena expresamente al origen humano de una de las divinidades del Olimpo, cuando nos habla de la deificación de Ceres, pero en cada capítulo se vale del método evemerista en sentido lato, esto es, para la búsqueda de «verdades» humanas bajo los distintos aspectos del mito. [...]

Para establecer «la çertidumbre del fecho cómo fué o pasó» Villena se deja guiar por cierto ingenuo sentido de la verosimilitud histórica. Véase el episodio del rey Fineo. Según la historia nuda, y aun la declaración alegórica, Fineo se vuelve contra los hijos por instigación de la madrastra de éstos, que había intentado «ponerlos en culpa e fazer caer en yerro». Pero en la «verdat» se truecan los móviles de la acción y Villena prefiere el ejemplo, más universal y corriente, de un rey codicioso y tacaño. Aquí Fineo, instigado por su segunda mujer, se vuelve contra los hijos porque vivían magníficamente «segunt al su real estado convenía». [...]

Pero además de la declaración alegórica y de la pesquisa evemerista, hay otro criterio interpretativo del que nuestro autor echa mano al final de cada capítulo, o sea el de la aplicación de cada trabajo a uno de los estados [de la sociedad]. Si el tiempo y las ocupaciones se lo hubiesen permitido habría aplicado sucesivamente cada trabajo a todos los estados, escribiendo nada menos que «ciento e ochenta capítulos». La aplicación de la moraleja a los estados es la que mejor se presta a amplificaciones y variaciones, y Villena sugiere a sus lectores que busquen «la tal aplicaçión»: él ha dado la suma, que otros pongan la glosa. [...] Tampoco tiene que quebrarse la cabeza buscando «semejanças y correspondençias» entre los trabajos, según los ordena Boecio, [a quien sigue,] y los estados, dispuestos en orden de dignidad. Cada hazaña de Hércules, y lo mismo podría decirse de otros asuntos mitológicos, es «espejo a todos e qual se quier de los estados», una prueba más, si falta hiciera, de la absoluta libertad con la cual se subordina la mitología al fin didáctico.

De todos los asuntos del saber antiguo que pueden servirnos para aquilatar los distintos humanismos, el medieval y el renacentista, creo que el mitológico es el más esclarecedor. Villena se acerca a la mitología como a un hermoso cuento que hay que contar y explayar luego para provecho del prójimo. Su propósito es utilitario y moralizante. No pertenece a la tradición platónico-agustiniana en lo que ésta tiene de censura o de sospecha hacia la ficción poética, pero comparte en la práctica la actitud de San Agustín cuando el obispo de Hipona utiliza la ilustración mitológica para inculcar principios morales.

Aun siendo poéticas casi todas sus fuentes narrativas, nada más lejos de la intención de nuestro autor que el análisis de la relación entre poesía y mito, problema que tanto preocupara a Boccaccio y, después del certaldense, a todos los que trataron de reconciliar las ficciones paganas con el cristianismo. En esto, Enrique de Aragón se distingue por su total despreocupación. Sólo coincide con Boccaccio, con Petrarca o Salutati en el hecho de que sus métodos exegéticos son más o menos los mismos, dentro de una de las tradiciones más ininterrumpidas de Occidente. Villena comparte con los escritores italianos lo que éstos tienen de más decididamente medieval. [...]

En lo ético tampoco aflora la reflexión personal o la elucubración especulativa. Villena conoce, por supuesto, la clasificación tradicional de los vicios, cuya raíz coloca una vez en la soberbia y otra en la codicia, pero tampoco aprovecha estas estructuras tradicionales para la distribución de la materia. No levanta paralelos y antítesis, como hicieran Juan Ruiz, en sus coplas sobre las armas del cristiano, y otros muchos autores antes y después. Contrapone la vida activa a la contemplativa y señala como modelo al «omne virtuoso» o «sabio», encarnado en Hércules, «por quien se entienden las devotas e sçientes personas que han mayor fuerça por virtud de la sçiençia e alteza de entendimiento contemplativamente e especulativa». Pero en la ejemplaridad humana universal de Hércules, sugerida por la tradición clásica y el pensamiento estoico, nuestro escritor injerta otra ejemplaridad más vital para su época, la del caballero defensor de la Iglesia, protector de la justicia, socorro de los débiles y de los afligidos. En sus tribulaciones los pueblos acuden a él con acentos que nos recuerdan las quejas de las Cortes. [...]

La suya, desde luego, no es la pintoresca fantasía con que el *Libro de Alexandre* nos hace revivir la contienda de Juno, Palas, Venus y otros episodios mitológicos. Tampoco hemos de atribuirle el interés nacionalista de las crónicas que, inspirándose en el Toledano, buscan en la materia antigua un entronque entre España —o Castilla— y su dinastía y el mundo clásico. Villena, en el fondo, no se pregunta cómo fueron los hechos, sino cómo hubieron y han de ser. La suya es una firme creencia en la ejemplaridad de la historia antigua y de sus héroes. [...]

[En cuanto a lengua y estilo de la obra,] baste decir que, dentro de una evidente tendencia hacia el rebuscamiento retórico (por ejemplo, el hipérbaton), la exposición de los trabajos de Hércules no peca por la exagerada y oscura artificiosidad que hallaremos en la versión de la *Eneida*.[1]

---

1. [Justamente en una glosa a su traducción de la *Eneida*, «tenemos *in nuce* las opiniones de Villena sobre la cuestión del estilo: para escribir bien en lengua vulgar, un autor debe saber bien el latín, debe haber leído mucho, y debe tener buen conocimiento de la retórica, para que pueda emplear «el orden artificial»... Y uno de los rasgos esenciales del *ordo artificialis*, según G. de Vinsauf [y otros tratadistas de la retórica medieval], era la *transgressio*, a saber: el hipérbaton, empleado por Villena hasta la saciedad». D. C. Carr [1976], pp. LXXI-LXXII.]

Dámaso Alonso

EL ARCIPRESTE DE TALAVERA, A MEDIO CAMINO ENTRE MORALISTA Y NOVELISTA

No era posible igualar la genial creación de Juan Ruiz: los tiempos tendrían que fluir casi medio siglo aún. Pero, hacia 1440, Alfonso Martínez de Toledo, Arcipreste de Talavera, que no puede transmitir en bloque esa imagen del mundo que nos había dado el otro Arcipreste, aprende bien la lección de Juan Ruiz, y en muchos pormenores la ordena y perfecciona. Otra veta de su arte le viene del *Corbaccio* de Boccaccio. Una manía popular ha dado al que debemos llamar *Arcipreste de Talavera* el título de *Corbacho*: cosa bien injusta porque del libro italiano le viene poquísimo. Tomará, sí, algunos temas de obras latinas del mismo Boccaccio, de Andrés el Capellán y de otras procedencia. Pero no son los temas lo que ahora interesa, sino la raíz del arte: en este sentido el precedente mayor de Alfonso Martínez de Toledo es el *Libro de Buen Amor*. [...] Son las obras de nuestros dos Arciprestes libros bien curiosos: por una parte, sumamente toscos, desordenados, de una inmadurez verdaderamente medieval, con una excesiva abundancia de materiales, una falta evidente de sentido de la medida; pero, desde otras perspectivas, cuán alegres y certeros de lenguaje, cómo apuran las posibilidades de la expresión humana, cómo transparentan los matices y los movimientos anímicos, los móviles de la intención, y los secretos hitos adonde ésta se dirige. Y todo se produce, mucho más que por las explicaciones del autor, por las palabras —variegadas, en borbotón, libérrimas y al par ligadas a los giros más comunes— que pone en boca de sus criaturas. [...]

En el *Arcipreste de Talavera* el lenguaje directo adquiere sustantividad, tanto que muchos pasajes, si por un lado parece que nos llevan a la novela moderna, por otro se diría estar en los bordes de la dramatización. [...] Es necesario, sin embargo, antes de pasar

Dámaso Alonso, «El Arcipreste de Talavera, a medio camino entre moralista y novelista», en *De los siglos oscuros al de Oro*, Gredos, Madrid, 1958, pp. 125-136 (125-130, 133-135).

más adelante, decir que el libro no sólo no es novela, sino que no tiene que ver con los propósitos de la novela. El autor es un moralista y ejerce su ministerio por medio de la sátira. Pero sin querer está andando los caminos que harían posible llegar a la novela moderna. Será necesario que algún día se escriba el libro en el que se pruebe que la raíz más importante de la novela realista moderna, está en la línea de la sátira moral de la Edad Media. El Arcipreste de Talavera no es, por tanto, una excepción. Pero en él el avance hacia nuestras técnicas es notable. Moralista, necesita ejemplos para su doctrina, y los ejemplos se le convierten en unas estampas, cada una un cuadro, a veces muy breve, a veces con algo más de desarrollo, lleno de la vida más real.

Véanse estas escenas que surgen cuando el autor expone su doctrina acerca de los hombres coléricos («colóricos»), y de la «dispusición» que tienen para amar y ser amados:

Las mujeres aman a estos mucho por vengar sus injurias, e que ninguno nin alguna non les ose dezir peor de «señora», teniendo los tales por sí. Que si alguno o alguna les dize alguna cosa mal dicha o que le non viene bien, luego revienta su corazón en lágrimas e sollozos cuando entiende que ha de venir él a casa. E cuando el hombre entra, está ella escondida o faze que se esconde por desgaire.[1] E dize a los de casa el marido o amigo cuando él viene: «¿Dó Fulana?» o «¿dó tu señora?».

—Señor, allí está en el palacio ['la sala'], mucho triste e llorosa.

E cuando él entra, comiença ella de alimpiar sus ojos de las lágrimas, e a las vezes[2] se pone saliva en los ojos porque paresca que ha llorado, e frégalos un poquito con las manos e dedos porque se muestran bermejos, encendidos e turbados. E luego esconde la cabeza entre los braços, o la vuelve, cuando él entra, fazia la pared. E el otro dize luego: —¿Qué has, amiga? Ella responde: —Non nada.

—Pues dime, señora, ¿por qué lloras?, que goçe yo de ti.

Responde: —Non, por nada.

—¿Pues qué cosa es ésta?

—Así goçés de mí, vos digo que non nada.

1. *está... escondida o faze que se esconde*: dos posibilidades; un novelista daría una sola. Nótese además el tiempo presente: no son hechos acaecidos una vez, sino que acaecen o pueden acaecer en cualquier momento.

2. *e a las vezes*: como si dijera «y aún algunas veces hasta se pone saliva, etc.». Posibilidades del matiz de la acción, que interesan al moralista, [como en seguida «esconde la cabeza... o la vuelve».]

—Dime, pese a tal, señora, ¿qué cosa es, o quién te enojó, o por qué son estos lloros?³ Dímelo, pese a tal, señora.

Responde ella: —Lloro mi ventura.

E luego comiença de llorar e los ojos de rezio a limpiar, tragando la saliva más veninosa que rejalgar, e dize:

—¿Paréscevos esto bien, que Fulana o Fulano me ha deshonrado en plaça? ¡E cómo!: bien a su voluntad, llamándome puta amigada. Díxome puta casada; e díxome tales y tales injurias, que más querría ser muerta que ser en vuestro poder venida... ¡Ay de mí, cuitada!; agora só difamada y deshonrada. ¿Y de quién? De una puta bellaca, suela de mi çapata, o de un bellaco vil, suela de mi chapín.⁴ Pues si esto vos paresce que yo debo sofrir, en ante renegaría yo de mí, en Dios e mi ánima; antes me fuese con un moro de allén la mar o con el más vil hombre de pie que en Castilla oviese, ¡e non digo más! [...]

Ese diálogo del *Arcipreste de Talavera*, que se suelta así de sus verbos de introducción, es decir, que tiende a la máxima rapidez dramática y que al par no sirve a ningún propósito de narrar historias apasionantes o cuentos chuscos, sino a reflejar los movimientos afectivos del alma (diálogo que parece que va decididamente hacia la novela, pero que al mismo tiempo lo que menos se propone es novelar), se separa aún radicalmente de la novela por otra razón. El análisis estilístico nos comprueba en seguida la intención del satírico moralizador: en mi anotación de los párrafos transcritos he procurado mostrar cómo Martínez de Toledo trata de presentarnos, no estampas de un hecho único, sino un muestrario de amplias y variadas posibilidades: la mujer ha sido injuriada por «algunos» o «alguna»; «está... escondida» o «faze que se esconde», [etc.] En el párrafo transcrito se trata casi siempre sólo de una doble posibilidad. Pero en muchas otras ocasiones, Martínez de Toledo despliega un varillaje de siete, ocho o más posibilidades, ya en la narración, ya en el lenguaje directo que emplean sus criaturas. Los ejemplos abundan. Hasta siete explicaciones se ponen en boca de la mujer que quiere tranquilizar a su cobarde enamorado, que ha oído un ruido sospechoso:

Dice ella: «¡Yuy, amigo, amigo, non ayayes miedo, que'l gato es,

---

3. Tres preguntas, dadas como tres posibilidades de lo que puede preguntar en ese caso el hombre.

4. *bellaca* o *bellaco*, según sea mujer u hombre el que la insultó.

que fuyó desque os vido!» O «la gallina es, que tiene pepita e faze ruido»; o «la mula es, que come cebada e faze ruido»; o «dos anadones son, que están en aquel corral chapullando»; o «mi señora la vieja es, que tose»; o «mi madre, que cierne»; o «mi hermana, que amasa»; o «la perrilla, que se rasca las pulgas e gruñe». «Estad, amigo, sosegad vuestro corazón, que tan seguro estayes como en vuestra casa; desto non dubdés.»

La mujer dice la causa del ruido, que ella conoce muy bien. En esa serie que para nosotros es muy evocativa, el Arcipreste nos ha dejado una preciosa imagen plurivalente de ruidos posibles en una casa española al ir a mediar el siglo XV. Interpretarlo de otro modo, pensar que todo ello es parlamento de una sola mujer, en una situación única, es absurdo: muchos de esos ruidos son totalmente distintos.

Plurivalencia y abundancia popular son factores; y su producto esa increíble exuberancia del monólogo por la pérdida del huevo o de la gallina: tampoco aquí se trata del monólogo de una sola mujer: «"¿Dó mi gallina la rubia, de la calça bermeja?", o "la de la cresta partida, cenizienta escura, cuello de pavón, con la calça morada". ¡Ay, gallina mía, ...morisca, de los pies amarillos, crestibermeja!». La mujer ha perdido una sola gallina. El autor pone en su boca la descripción de por lo menos dos gallinas (quizá tres). Esta bivalencia trata únicamente de suscitar en el lector, con la mayor vivacidad posible, por uno u otro camino, la evocación deseada.

Se juntan, pues, aquí dos abundancias idiomáticas: la de la expresión popular de intención particularizadora y la del moralista que da una serie de alternativas para que su doctrina tenga gran generalidad. He aquí cómo un moralista del siglo XV estaba dando a la novela y al teatro moderno una técnica del diálogo mucho más realista (y más moderna, más de nosotros) que la de Boccaccio; y la estaba dando sin propósito alguno de hacer novela ni teatro. Quizá acertaba por eso mismo. Pero el ser su intención otra cosa, nos ha dejado una huella clarísima en el estilo: el rasgo estilístico más sobresaliente en el Arcipreste de Talavera es la constante plurifurcación.

MADELEINE PARDO

LOS AMORES DE PERO NIÑO Y BEATRIZ. BIOGRAFÍA Y ELABORACIÓN NOVELESCA EN UN EPISODIO DEL *VICTORIAL*

[Los amores de don Pero Niño, protagonista del *Victorial*, y doña Beatriz, hija del infante don Juan de Portugal, comienzan en el marco de unas fiestas en Valladolid.] Nos encontramos en un mundo real: Pero Niño interviene en un torneo en «una calle que llaman la Cascagera». Delante del palacio donde vive doña Beatriz derriba a un caballero de la casa del infante Fernando. La dama está asomada a su ventana, en compañía de su prima, doña Margarida; entonces se entabla un corto y delicioso diálogo:

Et dixo doña Margarida: —Caer el cavallero non es maravilla, pues el cavallo cae; porque la culpa non es del cavallero, mas del cavallo.

E dixo doña Beatriz: —Prima, non juzgades bien, nin aquello que tenedes en vuestro corazón bien sois entendida; ca el cavallero caído él se acostó tanto con el peso de las armas e tiró las riendas del cavallo tanto, que el cavallo e el cavallero ovieron de caer.

Digamos de pasada que ésta es una bella escena, llena de vivacidad y de frescor, como las crónicas nos ofrecen bien poco a menudo. Un «donzel» de Pero Niño oye estas palabras inocentes y las transmite a su señor. Con él interviene todo ese mundo de mensajeros, de embajadores y de intermediarios que la poesía y la novela ha llegado a hacernos tan familiar. Las palabras transmitidas por el «donzel» tienen un efecto inesperado e inmediato sobre el caballero. Filosóficamente, acota el autor: «E dize aquí el autor que las cosas que an de ser conbiene que sean e an de aver comienzo». [...]

Madeleine Pardo, «Un épisode du *Victorial*: biographie et élaboration romanesque», *Romania*, LXXXV (1964), pp. 269-292 (275-276, 279-282, 288-290, 292).

Las tres partes del *Victorial* corresponden a las tres edades de la vida del héroe; a cada una de estas edades corresponde un episodio amoroso. El autor se vale de este recurso para presentar tres ejemplos diferentes que le permitan exponer tres situaciones corteses, haciendo así, con la ayuda de la vida de su héroe, una especie de «doctrinal de caballeros enamorados». Doña Costanza de Guevara, la primera esposa del jovencísimo Pero Niño, es la que motiva las consideraciones sobre los beneficios del amor. Jeannette de Bellangues, la reina de Sérifontaine, es la «dama» de un caballero en la cúspide de su gloria. El amor se confunde con el paraíso de Sérifontaine, florece sin que sea necesario hablar de él al son de esos «lays e deláys e viroláys» que el cronista recuerda con arrobamiento y cuya dulce música hace las veces de consideraciones sentimentales. Esta vez Pero Niño ha alcanzado la madurez. Tiene veintinueve años, es un hombre «sesudo» y «prudente». Los tiempos han cambiado. En plena intriga novelesca, el tono de la biografía se hace más sobrio, porque en estas páginas todo aspira a ser viril. [...]

Pero Niño se informa y se entera de la decisión de Beatriz [«de non tomar marido si non quien ella quisiese»], lo cual hace su empresa a la vez posible y difícil. Para empezar le envía una embajada, pero no se nos da ninguna precisión sobre el mensajero. El cronista dice simplemente «ovo con quien le envió a dezir...». Los términos del mensaje son reveladores: «que supiese que ella hera la señora del mundo que él más amava servir, a fin de su honra, e se entendía disponer en ella hasta la muerte, porque ella hera tan generosa como ninguna de las reynas de toda España, e donzella mejor enfamada e de tan alto linaxe; que le pluguiese que él se llamase su caballero e fuese suyo en los lugares donde cumpliese». [...] El amante, o, mejor dicho, el pretendiente, en modo alguno «mártir» [como el del poema de Alain Chartier sobre *La Belle dame sans mercy*], sin la menor turbación emprende enérgicamente la lucha. ¿Será acaso la dama «sin piedad»? «E quando ella oyó esta embaxada, fue muy maravillada, e toda demudada en su boluntad e color, e non respondió cosa ninguna en aquella hora al mensajero.» La turbación de la dama que recibe el mensaje —y más tarde la carta— es un lugar común de la literatura cortés y sentimental de la Edad Media. [...]

Pero Niño persevera, «gana las voluntades» de todos los que

rodean a Beatriz. Ello nos vale un pasaje delicioso que hay que citar entero para comprender mejor el humor y el arte del cronista:

E tanto fablavan dél ya en toda su casa, que doña Beatriz fue muy maravillada. E un día sobre esta razón llamó a dos donzellas de su casa, de quien ella mucho fiaba, e díxoles: —Dezidme, amigas, ¿quién metió en esta casa a Pero Niño, un hombre con quien nunca fablé, nin conosçí sino por oídas? Veo que en esta casa todos fablades dél e loades sus fechos e su gentileza más que de ningún otro cavallero de Castilla.

E respondió la una de ellas e dixo: —Si él tal no fuese, non le loaríamos tanto; ca sin dubda él es oy flor de todos los caballeros en gentileza e caballería, e de todas buenas virtudes, quantas en el mejor caballero del mundo podía aber.

E dixo la otra: —Señora, esto es grand verdad, e aun en él ay más de bien quanto los hombres non podrían dél dezir; e bienaventurada será la muger que tal marido e señor ha de aver como este, porque toda su bida será alegre e bibirá en plazer.

E las donzellas tenían ya buena manera de fablar, por quanto ya por parte de Pero Niño les hera fablado por aquel donzel que fablaba con ellas cada día. E dixo doña Beatriz: —¡Ay, amigas, cómo soys engañadas! Bien sé yo que él es oy uno de los más famosos cavalleros del mundo; mas dízenme que por él son enfamadas grandes señoras, e non querría yo ser destas ninguna dellas. Que bien sabedes que esta es la cosa de que siempre yo más me guardé; e yo vos mando que en esta razón nunca más me fabledes. [...]

La réplica de Beatriz expresa las reacciones tradicionales de la dama: inquietud por su reputación y prohibición de que le hablen del caballero. Esta actitud es a un tiempo una convención y uno de los principales resortes de la intriga de la novela medieval. El amante tendrá que ingeniárselas para vencer esta resistencia, el autor inventará, pues, numerosos artificios. Pero mientras que aquí esta prohibición sólo sirve para que progrese la intriga, cincuenta años después, en la *Cárcel de Amor*, Diego de San Pedro la utilizará como uno de sus principales recursos para profundizar en su análisis sentimental. Para que la novela subsista, para que la intriga progrese a pesar de las reiteradas prohibiciones, el amante deberá, no sólo como aquí hacer intervenir nuevas armas, sino matizar sus sentimientos.

En cualquier caso, para Pero Niño el papel del embajador resulta insuficiente, y pasamos a una nueva fase: la entrevista. Demuestra tenacidad y constancia. Su honor, más que su corazón, está en juego: «Mas él, que se nunca olvidava aquello que en su corazón hera propuesto, trabajó mucho por se lo dezir de sí a ella». La suerte le es propicia y ello nos vale otra deliciosa escena:

E tovo manera como un día que ella ovo de cavalgar fuera de su posada que él llegase aí, e los que ende heran le rogaron que tomase a ella por la rienda, e él lo fizo... E yendo así ovo lugar de le dezir toda su yntención, remembrándole cómo gelo avía embiado dezir, e que çierta fuese que su deseo hera de la amar derecha e lealmente, a la honra de amos a dos. Ella respondió e dixo que en las palabras de los honbres avía grandes dubdas, mas que ella abría su consejo con algunas personas que la devían consejar lealmente, e que respondería.

[Con el «consejo» de su hermano, Beatriz aceptó a Pero Niño y ambos se desposaron en secreto (cf. p. 353). El infante don Fernando, por entonces —en la minoría de Juan II— regente de Castilla, que tenía otros planes para Beatriz, negó su consentimiento, pero la Reina madre favoreció a los desposados. En el curso de las intrigas que se sucedieron, Beatriz y Pero Niño hubieron de comparecer a defenderse en presencia del Infante, y don Pero llegó a desafiar a los caballeros del Regente que «dixesen que él avía errado». Todo fue inútil. Beatriz se vio encerrada en un castillo y Pero Niño se refugió en Gascuña. Por fin, no obstante, cedió don Fernando, volvió el expatriado, «la Reina le fizo muchas merçedes e lo resçeví... en la guarda del Rey», y Beatriz y Pero Niño se casaron «en una villa suya que llaman Cigales».]

En este caso no es posible hablar de elaboración novelesca o deformación. Pero no es menos cierto que el autor supo tratar esta aventura en una sucesión de cuadros cada uno de los cuales forma un episodio, una escena, y que, perfectamente ensamblados, componen un conjunto que tiene una gran unidad. Con un instinto dramático certerísimo, Gutierre Díez de Games sabe excitar nuestra curiosidad, tenernos constantemente en vilo, anunciar las desdichas que acaecerán, hacer resaltar todo lo importante. Nada es inútil en el relato, todo contribuye a hacer progresar la acción. Con firmeza y concisión el cronista nos conduce hacia el desenlace feliz. Tres personajes principales se destacan con igual fuerza: Pero Niño, Beatriz y el Infante. A su alrededor, van y vienen los pajes, las doncellas, el confesor.

En torno a Fernando vemos a los consejeros, a los envidiosos. Más lejos aún, a la Reina que protege a Pero Niño, y, figura lejana evocada por dos veces, pero de una importancia capital, al jovencísimo rey (el verdadero soberano). Los héroes destacan, con una vida sorprendente, sobre el fondo del mundo real que les rodea, les ayuda o los persigue, un mundo complejo en el que las necesidades políticas influyen en la acción novelesca. Si la Reina protege a Pero Niño y trata de impedir que el Infante vaya en persona a hacerle prisionero, es porque teme ser «desapoderada de su hijo». Este rasgo, hábilmente subrayado por el cronista, nos sumerge bruscamente en plena realidad histórica. [...]

Este relato, tan bien compuesto, está lejos de ser uniforme; el autor utiliza la simple narración, el discurso indirecto, el discurso directo, el diálogo, la reflexión moral. Pero no lo hace al azar: el diálogo se reserva para las escenas más complejas, las más delicadas; dos veces de cada tres se reserva para las damas. El discurso indirecto se utiliza para la embajada, la entrevista entre Pero Niño y Beatriz. Pero el autor recurre al discurso directo cuando Pero Niño tiene que justificarse ante el Infante. En cuanto a las reflexiones del biógrafo, tampoco están dispuestas al azar, sino que subrayan los momentos decisivos de la acción. Las frases cuidadosamente construidas contrastan con frases más sencillas, más naturales, que hacen más animada la narración: «con quien ella era desposada, e muy contenta»; «que ella avía hecho cosa fea». También el tono cambia. [Cabría subrayar multitud de detalles]: la dignidad de las declaraciones de Pero Niño, la coquetería y los silencios de Beatriz, el suspiro de envidia de la doncella, el humor con que se nos muestra a toda una casa ocupada en elogiar a un caballero... Todo el arte de Games está ahí: orden, variedad, flexibilidad, sutileza y sobriedad. En estas páginas hay como una síntesis del arte del *Victorial,* una síntesis también de sus dos componentes principales: biografía y relato noveleco; aquí se equilibran perfectamente la realidad y la poesía, la crónica y la novela. [...]

Pero Niño y Beatriz merecen figurar en la galería de los enamorados y de las damas del siglo xv. El relato de sus amores, con todos los matices del caso, puede interesar al historiador y al crítico literario. Ayuda a comprender mejor la ficción literaria, y en la medida en que, no lo olvidemos, pretende tener un valor ejemplar, a comprender el camino recorrido por otras obras, ejemplares también. Pensamos aquí en la *Cárcel de Amor*. En nombre del honor, Beatriz, heroína real y propuesta como ejemplo, acepta a Pero Niño. En nombre del honor, Laureola, heroína inventada y tal vez propuesta como ejemplo, rechazará a Leriano. Un marco caballeresco y cortés da a los amores de Pero Niño una grandeza que sin embargo no sale nunca de los límites humanos y razonables. Pero este marco caballeresco —aun siendo realmente sentido y vivido como tal— no por ello es menos decadente y frágil. Si desaparece, en su relativa simplicidad, no estaremos lejos del desequilibrio y de la tragedia, que aparecerán en las novelas de fines de siglo, y que serán tal vez un resultado de estas contradicciones, o una reacción contra unas formas de pensamiento y un ideal en el que ya se ha dejado de creer.

Robert B. Tate

DE LAS *GENERACIONES Y SEMBLANZAS* A LOS *CLAROS VARONES DE CASTILLA*

1. En la historiografía medieval de la Península Ibérica no hay ningún siglo que pueda competir con el xv en variedad de formas y en las diversas maneras de abordar temas históricos. Es verdad que este siglo no produjo un solo historiador que se destacase por su brillantez u originalidad. Exceptuando posiblemente a Fernão Lopes, ninguno llega al nivel de Rodrigo Jiménez de Rada, del *corpus* alfonsino o de Muntaner; pero nunca antes había atraído tanto la atención de nobles, clero y clase letrada la historiografía en latín y

1. Robert Brian Tate, *Ensayos sobre la historiografía peninsular del siglo XV*, Gredos, Madrid, 1970, pp. 281-282, 286.
2. R. B. Tate, ed., Fernán Pérez de Guzmán, *Generaciones y semblanzas*, Tamesis, Londres, 1965, pp. XVII-XVIII.
3. R. B. Tate, «Fernando del Pulgar y sus *Claros varones de Castilla*», ponencia (inédita) leída en el III Congreso Internacional de Hispanistas, México, 26 a 31 de agosto de 1968, y posteriormente utilizada en parte dentro del prólogo del autor a su ed. de Fernando del Pulgar, *Claros varones de Castilla*, Clarendon, Oxford, 1971; aquí se incluyen sólo unos fragmentos.

lengua vernácula. [...] Muchas de las obras individuales presentan, como era de esperar, una fusión tan compleja de tendencias antiguas y nuevas que todo intento de clasificarlas supone una injusticia a las intenciones del autor. Resulta impresionante, sin embargo, la cantidad creciente de historiografía no oficial, esto es, de historia escrita al margen de la cancillería real, que ofrece interpretaciones diversificadas y a menudo contradictorias de los acontecimientos pasados y contemporáneos. Es un testimonio de los cambios en la escena política y social, que se refleja tanto en los historiadores oficiales como en los independientes. Ello no obstante, llama la atención la manera en que el enjuiciamiento múltiple de los acontecimientos, que se refleja en los escritos de los primeros tres cuartos del siglo xv, se funde en uno casi uniforme según se va afirmando el poder de la monarquía, transformando el historiador sus fines políticos en visiones nuevas del pasado y del presente. A finales del siglo, no trabaja tanto bajo el control directo del rey, sino opera independientemente bajo su consejo. Su propósito vendrá a ser, no la continuación de un cuerpo establecido de crónicas, sino la reelaboración escrita, en latín y en romance, de los acontecimientos recientes y lejanos en vista de una perspectiva más amplia de la misión espiritual y temporal de su país. Y vendrá a ser especialmente sensible, positiva y negativamente, a los cambios coetáneos en los modelos culturales de la literatura occidental. [...]

No sorprenderá que uno de los géneros históricos de más éxito sea la biografía, a modo de simple narración de hechos, de los principales aristócratas, sombras de los nobles épicos batalladores de los siglos más antiguos. Es fácil hallar paralelos en Francia y en Borgoña. Toman forma de genealogías, como los *Livros de linhagens* portugueses o el *Árbol de la casa de Ayala,* escrito por el Canciller y por su padre; o la biografía individual, como la vida y los amores del Conde de Buelna, *El Victorial,* en que don Pero Niño pertenece a la misma augusta familia que los *Neuf Preux* o el Alejandro medieval; o la galería de retratos realizada según una tradición suetoniana hacía tiempo existente. En los ejemplos más ilustrados y ambiciosos de este género se puede detectar un cambio en la tradición literaria que presupone una conciencia de responsabilidades más amplias que el mantenimiento del propio linaje. Bajo la influencia de compilaciones tales como la de Valerio Máximo, los imperativos éticos comienzan a derivarse no de los héroes-modelo de la alta Edad Media, sino de las acciones de Escipión, Quinto Metelo, Mucio Escévola y Bruto, cuyo sentido del deber no proviene, ni mucho menos, de la búsqueda de su prosperidad personal.

2. El asunto de las *Generaciones y semblanzas* de Fernán Pérez de Guzmán es, con palabras de la introducción, «los linajes e façiones e condiçiones de algunos grandes señores, perlados e cavalleros que en este tienpo fueron», en total 34 biografías, de tres reyes, una reina, 22 nobles, 7 prelados y un letrado, ordenadas más o menos cronológicamente. [...] Parece ser que el autor ha adquirido el conocimiento de sus personajes por medio de contactos personales, a través de testigos o por lecturas. Se asegura cautelosamente antes de aceptar el testimonio de las partes interesadas, que recoge sin comprometerse, sin dejarse llevar por la ironía de un Pulgar o de un Nebrija. Corrobora los hechos, cuando es posible, con testimonios históricos, y para este fin consulta una versión de la *Primera Crónica General,* la *Anacephaleosis* de Alfonso de Cartagena (probablemente en la versión romance de Juan de Villafuerte) y las crónicas particulares de los varios reinados, especialmente las de su tío el Canciller Ayala y de Alvar García de Santa María. En fin, prefiere siempre el testimonio escrito al oral, lo cual explica las repetidas alusiones airadas a la ausencia de anales históricos en Castilla.

La identidad de presentación en las semblanzas es suficiente para sugerir la aplicación de un esquema retórico y conceptual. Esto se deduce claramente de los trabajos de Clavería [1951-1952] y López Estrada [1946]. Hemos pasado, por lo tanto, de una etapa crítica que subrayaba la originalidad y el fresco realismo de Fernán Pérez, hasta otra que se empeña en desentrañar las fórmulas descriptivas tradicionales y el canon de conceptos valorativos que aplicaba a los biografiados. Este esquema formal se manifiesta más claramente en los capítulos más cortos, como el de doña Catalina o el de Alfonso Enríquez. Las alusiones previas sobre el linaje no retroceden usualmente más de una generación; a esto sigue un bosquejo de los rasgos físicos, temperamento y cualidades morales, acabando con la fecha y lugar en que muere el personaje y anotando su edad. Fernán Pérez no domina una gran variedad de términos descriptivos, contentándose en la mayoría de los casos con conceptos generales, tenuemente relacionados con la pseudo-ciencia de la fisonomía. Salvo pocas excepciones, cada carácter está representado como un complejo de virtudes y vicios más que como un símbolo de cualquier atributo. En sus obras alude repetidas veces a la estrecha unión entre lo bueno y lo malo como una característica esencial de la humanidad, y uno de los elementos más importantes de la originalidad de las *Generaciones* se deriva del hecho de que la esencia analítica del esquema básico no oscurece ese concepto de la dualidad de la naturaleza humana. A veces se interrumpe la descripción para dar lugar a un sumario histórico o a glosas morales. Estas últimas son raramente de índole anecdótica; derivan del análisis de un hecho particular para dar paso a juicios éticos generales sobre la vida contemporánea. La emoción va adquiriendo fuerza a medida que la descripción o narración fría y casi lacónica cede a un *crescendo* apasionado de indignación o aprobación. En ambos extremos su prosa carece de los elementos ornamentales que utilizan los escritores de la época. [...] Con todo, maneja un estilo que revela una fina sensibilidad lingüística, descartando las vaciedades y artefactos retóricos de un siglo dispuesto a explorar todas las facetas de la prosa narrativa, un estilo que contrasta fuertemente con el de su poesía en disciplina, variedad de tonos y elasticidad expresiva.

Hay algunos tópicos que aparecen frecuentemente. Clavería ha analizado finamente los *vitia et virtutes* que constituyen el eje de la valoración de la personalidad en las semblanzas, en que destacan las cuatro virtudes cardinales, prudencia, templanza, fortaleza y justicia. Fernán Pérez sigue una tipología en gran parte tradicional, que no admite transgresión de límites, como se ve en el caso de don Gutierre de Toledo, quien «más parecía cavallero que perlado», o Alfonso de Robles, quien «fue muy osado e presuntuoso a mandar». El noble es normalmente valorado por sus hazañas militares y por su habilidad administrativa; el prelado por su virtud cristiana y su dedicación al estudio. Verdad es que los tiempos no eran propicios al culto del esfuerzo bélico, como anota varias veces Fernán Pérez, pero al mismo tiempo tenemos pocos e importantes ejemplos de la cima de la perfección caballeresca, la combinación de ciencia y caballería, producto de una época de paz relativa. El caso de Villena es interesante, porque el señor de Batres, mientras aprueba la combinación de estudios practicados por su tío López de Ayala, no puede menos de llamar atención a la falta de proporción en la erudición de don Enrique, tan «ageno e remoto, non solamente de la cavallería mas aun a los negocios del mundo».

3. No es arriesgado, creo yo, relacionar la aparición del biogra-

fismo con el empuje de la aristocratización en la Península del siglo xv. He aquí el fenómeno de una nobleza nueva tanto más interesada por hacer valer su antiguo linaje cuanto más reciente es su ascenso desde el segundo o tercer rango nobiliario en la época de los primeros Trastámaras. Como consecuencia, el campo de la literatura genealogista es mucho más fértil que antes, en Portugal y en Castilla, comparado con Aragón o Cataluña. Para juzgar la fuerza poderosa de estas familias, basta considerar el enlace entre las que figuran en tres textos de carácter biográfico de este siglo: las *Generaciones y semblanzas* de 1460, los *Claros varones de Castilla* de 1486, de Fernando del Pulgar, y el *De laude Hispaniae* de 1499, de Lucio Marineo Sículo. Aparte las figuras que fracasan en la primera obra, López Dávalos, Gómez de Sandoval, Álvaro de Luna, y las familias geográficamente marginales a Castilla, como los Quiñones y Osorio, las que pasan a la segunda obra son los Enríquez, los Velasco, los Mendoza de Guadalajara, los Stúñiga y los Manrique de Lara: los padres en Pérez de Guzmán, los hijos en Pulgar. Entre los nuevos participantes se cuentan los Álvarez de Toledo y los intrusos portugueses: los Pacheco, Silva y Carrillo. Marineo Sículo recoge ambos grupos, añadiendo otro que incluye a los Pimentel, La Cueva, Girón y otras familias meridionales como los Guzmán, Ponce de León, Aguilar. Tenemos, por tanto, un núcleo de cinco familias que perdura a través de las tres obras, enriquecidas en cada estadio con otro grupo numéricamente igual. Lo específico de Pulgar es la exclusión de familias de Castilla la Nueva, Galicia, y la concentración en Castilla la Vieja, y más que nada en terrenos estratégicos fronterizos a Aragón, Navarra, Galicia, Portugal y la zona meridional. La mayor parte de éstas fue elevada al primer rango de la nobleza durante o poco antes de la madurez de Pulgar, desde los condes de Ribadeo (1431) y Alba (1439) hasta Diego Hurtado de Mendoza, el primer Duque del Infantado (1475). Políticamente, es imposible aclarar del todo los criterios de Pulgar en cuanto a la selección de biografiados. El hecho de que la casi totalidad de los nobles sean primogénitos y jefes titulares de sus familias sugiere que, cualesquiera que fuesen sus dotes particulares, el individuo representa una tradición familiar. En el caso, por ejemplo, de la segunda generación de los Santillana, el primer Conde de Tendilla hubiera sido mejor representante de valores personales que la figura más anodina del primer Duque del Infantado. La falta de referencias a Beltrán de la Cueva, Lucas de Iranzo y Pedro Girón podría atribuirse a la antipatía de Pulgar por el tipo del llamado «hombre nuevo», buscador infatigable y egoísta de honores y privilegios. [...]

[A la influencia central de Pérez de Guzmán en los *Claros varones,*] tenemos que sumar el impacto difuso de los florilegios de dichos y hechos de imitadores de Valerio Máximo como, por ejemplo, el *Valerio de las historias escolásticas y de los hechos de España,* de Diego Rodríguez de Almela, donde la materia se organiza, no bajo la forma de vidas particulares, sino distribuida en categorías morales. Esta fórmula no domina en los *Claros varones*: aflora intermitentemente, y en particular al final de la primera parte, donde las semblanzas se disuelven en un ensayo seguido sobre las virtudes marciales, como en el caso de Rodrigo Narváez y Garcilaso de la Vega. También corre a través de la obra la tradición antigua de la literatura gnómica, sentenciosa. Cuando Pulgar comenta la producción literaria de Santillana, Alonso de Cartagena o el cardenal Torquemada, sólo hace resaltar sus «tratados muy provechosos y doctrinables» o los «doctrinables preceptos»; y sembrada en su propia obra se encuentran sentencias epigramáticas, ausentes en Guzmán, como «todo juez que toma, luego es tomado», «ninguno es bien corregido si puramente no es arrepentido», «todo hombre que piensa en venganza, antes atormenta a sí que daña al contrario», etc.

Pulgar no aporta nada nuevo a la fórmula tradicional de la semblanza. La descripción física inicial, a pesar de lo que dicen los críticos, es francamente insustancial. La materia histórica aparece en medidas variables, y no siempre en secuencia cronológica, sino subordinada a un esquema moralístico. De hecho, el supuesto individualismo de estos esbozos no resiste a un examen detenido. Pulgar, como Guzmán, razona repetidas veces dentro de categorías formularias como «omme de verdad», «varón de venganças», «omme esencial»; y al yuxtaponer el motivo con el acto, se contenta con frases nebulosas como «puédese bien creer» o «puédese por cierto creer», que no sugieren un escrutinio penetrante de la personalidad. Tal proceder le lleva directamente a su primera conclusión, que resume esquemáticamente la primera parte del libro: «E ni estos grandes señores e cavalleros e fijosdalgo de quien aquí con causa razonable es fecha memoria ... no mataron por cierto sus fijos, como fizieron los cónsules Bruto y Torcato, ni quemaron sus braços, como fizo Cévola, ni fizieron en su propia sangre las crueldades que repugna la natura e defiende la razón; mas con *fortaleza* e *perseverancia,* con *pruden-cia* e *diligencia,* con *justicia* e con *clemencia* ... governaron huestes, ordenaron batallas, vencieron los enemigos, ganaron tierras agenas e defendieron las suyas».

Donde se diferencian Guzmán y Pulgar es en la manera de presentar al biografiado. La visión estática de aquél es sustituida por un ir y venir entre narración y comentario; el laconismo estilístico cede el paso a una efusión retórica fundada sobre la antítesis de contenido, concepto y frase, como ejemplifica la cita anterior. Pulgar sabe manejar el juego entre la personalidad moral esquematizada y la corriente histórica, presentado en forma narrativa, dialogada o puramente declamatoria. De ahí una mayor variedad de temperamentos: la agresividad de Rodrigo Manrique, la testarudez de Fadrique Enríquez, la tolerancia benévola de Fernández de Velasco o las muchas vueltas de Pacheco. [...]

[La mayoría de los críticos acusan a Pulgar, frente a Pérez de Guzmán, de prodigar «el toque complaciente», caer en «cierta corriente sinuosa de adulación», disculparlo y atenuarlo todo.] El hecho es que Guzmán está al margen de la política y Pulgar está en el mismo centro. Guzmán, desde el presente, añora el pasado. Pulgar maneja el pasado como estímulo para lanzar a sus lectores hacia el futuro, demuestra una voluntad conciliadora hacia casi todas las facciones del pasado, aun callando actos implícitamente subversivos. Guzmán, desde dentro de la nobleza, se siente desorientado y busca su consuelo entre los héroes romanos; Pulgar, desde fuera, crea para Castilla héroes nuevos «de que sus decendientes en especial se deven arrear e todos los fijosdalgo de vuestros reinos —le dice a doña Isabel— deven tomar enxemplo para limpiamente bivir».

Margherita Morreale

SOBRE EL ESTILO LATINIZANTE
DE JUAN DE LUCENA

[En el diálogo sobre la *Vida beata* (1463), adaptación del humanístico *De vitae felicitate* (h. 1445), de Bartolomé Facio,] Juan de Lucena quiere que el romance vuelva a ser «latino»: «Nosotros —dice por boca de Alonso de Cartagena—, no vayamos tras el tiempo; forçemos tornar el tiempo a nosotros; fablemos latino: qui lo entiende lo entienda». El obispo de Burgos, traductor de Séneca y Cicerón, se esfuerza por romanzar lo que, según Juan de Mena, [otro de los interlocutores,] sólo se puede expresar en latín. Aunque el de *Vida beata* no tuviera otro interés, se impondría como documento lingüístico del siglo xv, por ser una de las obras en prosa donde mejor se manifiesta el forcejeo del idioma para absorber un léxico extraño. [...] Hallamos así giros y frases que son calcos del latín: «Beata ella, feliçe Castilla»; «¡O me mísero!»; «De re militar, de república, de re cristiana ... escribí»; «así benigne las gustará». O citas que se entretejen en el texto casi sin transformarse: «la vera lux no illumina los venientes a ella»; «Honor pare artes». Si bien Lucena 'se deja llevar' por la jerga latino-vulgar de las aulas, un esfuerzo consciente le lleva una y otra vez a elegir el vocablo más «latino». Del refrán «Más sabe el loco en su casa que el cuerdo en la ajena», prefiere la variante «Sabe más el ignorante en su casa, que en la ajena el prudente», la cual sustituye las palabras populares por cultismos, permite el efecto quiásmico y un paralelo de ritmos veloces. [...]

En un estudio detallado de su vocabulario se podrían clasificar las expresiones por el aspecto fonético, como la conservación de la *e* final propia del siglo xv (*felice, verisímile*), de la *ŭ* latina acentuada (*surdo, turpe*) y del hiato sin supresión de la primera vocal (*inicuo*); por la reintegración culta de diptongos latinos (*laudar* en vez de *loar*) o la supresión del diptongo romance (*reprobo, roga, pelago*,

Margherita Morreale, «El tratado de Juan de Lucena sobre la felicidad», *Nueva Revista de Filología Hispánica*, IX (1955), pp. 1-21 (9-17).

vento; «láudaslo tú y aprobas, repróbolo yo y vitupero»); por la falta de palatalización de formas como *pluvia* y el restablecimiento de grupos cultos que la Academia conseguirá introducir permanentemente apenas en el siglo xviii (*defectuoso, magnífico*). [...] Aunque el léxico de Lucena abunda en voces de abolengo clásico, tiene gran variedad de cultismos cuyo rastro se encuentra en la época del bajo latín y del latín eclesiástico, y todo ello se mezcla abigarradamente con voces populares cuya presencia se manifiesta en los más antiguos tiempos del idioma vulgar. El léxico de las «virtudes y vicios», muy interesante para la historia de la cultura y de la lengua, podría servir de ilustración. Encontramos voces populares o semicultas ya asentadas en el uso (*bueno, fuerte, leal...*) y otras menos corrientes y de varios orígenes (*holgazán, malenconía, puntoso*). Pero la mayoría son latinismos más o menos puros. Algunos los hallamos en obras de los siglos anteriores (*casto, inocente, luxuria, negligençia...*). Muchos otros nos demuestran cómo los humanistas del siglo xv acuden continuamente al latín para llevar a su propio idioma ideales cada vez más matizados, elaborar con más detalles las alabanzas de los grandes y vituperar a los malvados: *claríssimo, constante, disertíssimo en letras, docto, extrenuo, grandíloco, cultor de justicia, mansueto, paciente, con seríssima fronte, temperado, benivolençia, mansuetud, ignavo, iracundo, impudiçiçia.* [...]

Lucena usa con mucha libertad la partícula privativa *des-*, especialmente cuando la antítesis le convida a ello: «faze illustres a los ignotos, y a los de solar conosçidos desfaze»; «súfresme errarte, y deserrarme no consientes». [...] Cada argumento sugiere por sí un léxico distinto, pero prevalecen a cada paso por un lado las exigencias de la retórica y por otro el esfuerzo continuo de «hablar latino». Éste consiste tanto en la adopción de una cantidad de préstamos heterogéneos como en la proliferación de ciertos elementos que contribuyen a dar al romance apariencia de «latinidad». [Muchos prefijos] entran en el idioma por formar parte de los términos latinos que Lucena adopta con más o menos propiedad (véase, por ejemplo, el empleo de *defundar* y *premorder*). Pero también se combinan con voces populares o semicultas completando su sentido y «latinizándolas» (*confecho, concenar, congirar, defuir, pernochar, sobreligero, transcambiar, trasfojar, transloar*), o pemiten la gradación o la antítesis: «sabes sy es probado y jamás reprobado».

[Por lo que se refiere a los sufijos y desinencias, los más fecundos son *-fico* y *-ficar* (*clarificar, deificar*); el incoativo *-scer* en voces de abolengo clásico (*magrescer, vanescer*), en contaminaciones como *tremolescer* (de *tremesco* y *tremolus*), pero también añadido a voces corrientes o populares (*fenescer, orinescer*); en otros casos, el efecto culto lo produce la ausencia del sufijo, que luego prevalecerá en castellano (*permane*). Lucena participa de la predilección de los autores cultos del siglo xv por el participio presente (*animante, sciente, testante*). Entre sus cultismos hemos de contar también una forma de participio futuro: *morituro*. Abundan las terminaciones adjetivales cultas en *-eo* (*argénteo, sufragáneo, zafíreo*); en *'-ico* (*metaphísico, itálico, gentílico*); en *-ino* (*adulterino, metalino*).] En cuanto al superlativo en *-ísimo*, piedra de toque de las aspiraciones latinizantes del siglo xv, Lucena no sólo se vale de él en fórmulas de tratamiento («rey clementíssimo»), sino que lo emplea con la mayor libertad y frecuencia (*amplíssimo, claríssimo, disertíssimo*, etc., etc.). Y está tan arraigado al léxico de Lucena, que hasta lo usa en forma participial: «prínçipes *reverendissimados* de los reyes».

La derivación parasintética es otra manifestación del afán de Lucena por multiplicar sus posibilidades expresivas (*boquirroto, carmesitado, codecilamos, histographado*). Podemos aún añadir los verbos formados con el sufijo verbal *-izar*, tan fecundo en el bajo latín (*cauallerizar, cetrerizar, epigramatizar, marturizar, señorizar, tronizar*). Especial consideración merecen las combinaciones de palabras en compuestos de tipo popular (*boquirroto, ojifito, quiebraojos, trocapiés*), culto y mixto. [...] Tan pronto nos habla de *terrícola* —y de *agricultura*— como de *labratierra*; o forma un latinismo artificial como *auripenado* y emplea, en el lenguaje castizo, las palabras *faldicinto* o *manicalloso*. Los escritores del siglo xv se proporcionan así esas palabras «compendiosas» que tanto echaban de menos los traductores al comparar su idioma con el latín. [...]

No puede extrañar que el *Vida beata* lleve en su sintaxis los rasgos cultos corrientes en la época: conjunción de los períodos por medio de pronombres relativos; oraciones de infinitivo a la latina («Marco Curio ... respondiendo a los samnites su ánimo no ser inclinado a señorear riquezas»); frecuencia de construcciones de participio conjunto («De un aduleçéntulo consultado Sócrates quál vía prendería, respondió») o de participio absoluto («el qual como disputase de re militar, presente Haníbal, le respondió»); doble negación («ni bienaventurado se puede llamar, ni feliçe»); construcción de

tipo *est qui* con subjuntivo («no es qui no fastidie la vida»). [...]
En lo referente al orden de las palabras, me limitaré a señalar la
tendencia de Lucena a colocar el predicado al final del período, ante-
poniéndole complementos y determinantes («a quál cosa devemos
fuyr y a quál fazer rostro nos enseña»). [...]

A cada paso hay que contar con las ambiciones retóricas de Lucena. La harmonía de miembros equivalentes y hasta similicadentes,
el asíndeton, la congerie y la gradación, la anáfora y las preguntas
retóricas, recursos ciceronianos que caracterizan el texto de Facio,
pudieron dar pie a la imitación. Lucena se muestra muy sensible al
equilibrio de los miembros, pero a menudo quiere sobrepujar al
modelo en la profusión de términos paralelos y contrapuestos:

Neque enim dignam unquam du-xi praestanti animo et liberali in-genio voluptatem: quae quo maior est ac diuturnior, omnem animi vim opprimit.	Jamás los deleytes me paresçieron dignos de nobleza, porque quanto son mayores y más continuos, tanto más las fuerças del ánimo abaten y suprimen. [...]

El recurso a que acude con más frecuencia es el quiasmo. Facio se
vale de él, pero con sabia moderación. Lucena, en cambio, es tan
insistente y monótono en la repetición del esquema *ABBA* con sus
variantes y ampliaciones, que ello bastaría para medir la distancia
que le separa del latín ciceroniano. [...] El quiasmo da solemnidad
al apóstrofe («tú señor de regnos, tú rey de señores»), mayor relieve
a los conceptos exóticos y cultos («por metros heroycos o coriámbi-
cos versos») y vigor a las aseveraciones («mostrando falsa la false-
dad, y la verdad verdadera»); hace posible la variación sobre el mismo tema («verás ni los prínçipes beatos, ni feliçes ser los reyes») y
subraya la mutua exclusión de órdenes distintos («No sabe qué se
faga: sy la vergüença por la vida o la vida pierda por la vergüença»).
El quiasmo es sentencioso («mejor es morir bien fablando, que mal
callando bevir»; «Gloriosa paz que no teme más guerra, y dolorida
guerra que despera la paz»).

Juan Marichal

EL DERECHO A UNA VOZ PROPIA:
VISLUMBRES DEL ENSAYO EN LA PROSA DEL SIGLO XV

Las *Epístolas* de Mosén Diego de Valera y los escritos de Fernando de la Torre y de Teresa de Cartagena (sobrina del obispo) —tres «cristianos nuevos»— revelan una misma actitud, dejando de lado ahora sus marcados contrastes; domina en ellos la voluntad de singularización y de individuación expresivas. Claro que este impulso individualizador se sustenta y justifica en nombre de un principio tradicional de origen religioso: «Todo hombre es de oír porque espíritu de Dios donde quiere expira; y muchas cosas se callaron por algunos grandes varones que se dijeron por otros menores»; así defendía Valera su derecho a la expresión literaria, a la enunciación de sus opiniones personales. [...] La novedad de Valera radica, ante todo, en presentarse como un «pobre caballero que sólo tiene un arnés y un pobre caballo» para exponer sus opiniones en materia política y social, equiparándolas a las de los religiosos y «hombres de consejo» que rodean al monarca castellano. Es así la suya una afirmación de la voz del «lego», del hombre alejado del centro del poder político —en contraste, por ejemplo, con la posición «central» de Alfonso de Cartagena—, pero que quiere, como él mismo dice, «entremeterse» en los asuntos públicos. Justifica también su osadía expresiva declarando modestamente que se dirige, en la mayoría de sus escritos, «a los que no tanto leyeron». Delimita así a su público, a su potencial auditorio, quitándose importancia y marcando el carácter casi «vulgar» de su función literaria. Pero, al mismo tiempo, indica que hay unos lectores, si se puede decir, poco leídos, que necesitan «guías» que estén a su mismo bajo nivel. Valera se convierte en su «pastor» mundano, en el intermediario entre ellos y la cultura. Para él, el escritor tiene el deber de «guiar a la humanidad e instruirla de buenas costumbres»; la conexión, que él no establece explícitamente, entre «los que no tanto leyeron» y «la humanidad»

Juan Marichal, *La voluntad de estilo: teoría e historia del ensayismo hispánico*, Seix Barral (Biblioteca Breve, 123), Barcelona, 1957; 2.ª ed. Revista de Occidente (Selecta, XXXIX), Madrid, 1971, pp. 37-45, 48.

es manifiesta y apunta a su propósito literario, a la voluntad de enlazar su persona con las necesidades espirituales del mundo, del público «inculto». [...]

La obra más interesante de Fernando de la Torre —el *Libro de las veinte cartas y cuestiones,* publicado por Paz y Melia en 1907— presenta una teoría y defensa de la literatura «mundana» mucho más sistemática que la de Valera. [...] Hasta hay en él una afirmación orgullosa —muy distinta a la actitud defensiva de Valera— de su condición de experto en materias de expresión mundana: «diciendo yo algo saber en la elocuencia común y plazible a los discretos». Ya no es, como en el caso de Valera, el escritor que aspira a vincularse con el «mundo», sino que se trata, ahora, del hombre que habla desde *dentro* del «mundo» y que se siente respaldado por el «mundo». Fernando de la Torre se complace así en referirse a las características propiamente «mundanas» de sus escritos, aludiendo a sus «desvaríos mal ordenados», a sus «letras de desvaríos». Señala, es verdad, que es «osado» al «escribir tantos desvaríos», pero —en contraste con Valera— la pretendida «osadía» está no en su condición personal, ni en el contenido de sus cartas sino en la forma misma de éstas. Insistencia que revela manifiestamente su afán por mostrar el carácter natural de su composición literaria, su contraste obvio con la «manera de ordenar» eclesiástica. [...] En él los «desvaríos» apuntan sobre todo a dar un tono ameno, a conseguir lo que él llama «estilo gracioso» en su prosa, más que a reflejar fielmente el discurrir interno. Esta aspiración a escribir «graciosas lecturas» debe enlazarse además con el carácter de su auditorio: Fernando de la Torre se dirige preferentemente a las damas de la corte. [...] Porque, para el desarrollo de una prosa personalizada, era indispensable la participación, casi diríamos que el amparo, de un auditorio femenino; los «desvaríos» de Fernando de la Torre eran el reflejo directo de la demanda emocional de sus lectoras. Éstas, las damas de la corte, consagraban así un estilo expresivo que representaba un nuevo grado de personalización en la prosa discursiva castellana, regida hasta entonces por los principios de la elocuencia que Fernando de la Torre llamaba «frairiega». Es probable que este escritor fuera un personaje semi-bufonesco para aquellas damas; y, desde luego, sus escritos marcaron una relativa «femenización» de la expresión literaria. [...]

En el proceso articulador del siglo xv, Teresa de Cartagena representa quizás el mejor ejemplo de la persona «desgarrada» de su mundo que vence su aislamiento social mediante la creación de una obra semi-literaria. A su condición de cristiana nueva —y en cierta medida, de mujer— se añadía en su caso un obstáculo físico: Teresa de Cartagena se había quedado sorda en su temprana juventud. Sus escritos —*Arboleda de los enfermos* y *Admiración de las cosas de Dios*— respondieron a su necesidad de comunicar al menos consigo mismo. Decide escribir, decía, para «hacer guerra a la ociosidad», aunque sentía que su obrita (la *Arboleda*) no era «comunal». En ella, por lo tanto, la expresión literaria no es enlace con los demás, sino ante todo vía de conocimiento propio: [...] «más sola me veréis en compañía de muchos que no cuando sola me retraigo a mi celda». Ya no es simplemente la conciencia del apartamiento social —ser cristiana nueva— de su antiguo grupo religioso, ni la sensación de no pertenecer enteramente a la nueva comunidad, sino también la real separación física. Por eso, en su prosa se sienten como aberturas que profundizan la interioridad personal, como esas *vedutas* de los cuadros prerrenacentistas que el pintor utilizaba para dar perspectivas interiores al espacio representado; Teresa de Cartagena decide poblar de «arboleda graciosa» la «ínsula» donde se recoge espiritualmente y allí, «so la sombra», logrará descansar su persona. Y, sobre todo, en esa soledad fecunda tiene el privilegio de aprender mucho gracias a la ayuda divina. Dios es como un libro abierto para ella: «Él solo me leyó ['enseñó']». Declaración que responde también al deseo de defenderse de las acusaciones que la «maliciosa admiración» ha difundido: que Teresa había derivado su librito de numerosas y diversas lecturas. Ella afirma que, malo o bueno, todo lo que dice procede de sí misma, de lo que ha leído «en Dios». Añadiendo también el mismo argumento que Valera: los seres pequeños tanto pueden revelar como los mayores. En su caso esta defensa de la voz del ser humano «pequeño» asume un nuevo significado, pues se identifica Teresa con el «estado femenino». Y así sus escritos resultan ser también una intensa defensa del derecho a la voz literaria de la mujer. Teresa declara que la costumbre muestra que los hombres tienen el monopolio de la pluma, pero esto no corresponde a la verdadera naturaleza de la vida humana, y no puede ser un precedente de carácter irrefutable. No es conveniente ni posible que las mujeres se equiparen en todo a los hombres —aunque algunas de ellas han sabido manejar armas de combate—, pero sí pueden hacerlo en materias literarias: «más ligera cosa le será usar de la péñola (a la mujer) que no de la espada». La fragilidad femenina y la ligereza de la pluma parecen así asociarse para la monja castellana que inicia en parte una tendencia importante del Renacimiento: la progresiva creación de una literatura propiamente femenina.

Sin embargo, no puede mantenerse que Teresa de Cartagena sea una escritora auténtica; en ella, como en Valera, como en Fernando de la Torre, lo que cuenta finalmente es el gesto defensivo, la reclamación del derecho a la voz. Además —no obstante sus referencias personales— apenas llegamos a conocer su intimidad. En realidad, ninguno de ellos podía revelarse —«hacerse»— mediante la expresión literaria, por simple carencia de un instrumento verbal cohesivo, por falta de retórica. De ahí que pueda decirse, con apariencia de paradoja, que el sentimiento personalista sólo podía surgir en la literatura como una oposición a la retórica escolástica —los «desvaríos» de que hablaba Fernando de la Torre—, pero que sólo podía desarrollarse gracias a otra nueva retórica, la retórica «clásica». Es decir, que no basta ser personal para hacer literatura: se necesita también una cierta técnica. Por eso Fernando del Pulgar es realmente el primer prosista discursivo auténticamente personal, porque es precisamente el primero que cuenta con suficientes medios de orquestación en su expresión literaria. Las *Letras* de Fernando del Pulgar, publicadas en 1486 (o sea, en vida del autor), nos sitúan ante un auténtico escritor, ante un hombre que domina sus instrumentos verbales. ¿Y no era acaso históricamente lógico que un profesional de la pluma, un secretario real, fuera el primer escritor en el linaje expresivo que estudiamos? Pulgar era, además, un temperamento expansivo como Valera y quería también «entremeterse» en los asuntos del país; pero, a diferencia de Mosén Diego, lo hacía con entero conocimiento y con la seguridad que le daba el pertenecer al centro del poder político. Pulgar no se declaraba «pequeño» como Valera, y no sólo por el motivo indicado, sino también porque operaba en él un acusado sentimiento de la igualdad humana: «E habemos de creer que Dios hizo hombres y no hizo linajes... (a) todos hizo nobles en su nacimiento». Aquí vemos, por supuesto, el fondo ideológico de muchas de las empresas de los Reyes Católicos, sus principio de justicia relativamente anti-aristocrática. Pero, sobre todo, se siente el orgullo individual del hombre que pronuncia esas y estas palabras: «Vemos por experiencia algunos hombres de estos que juzgamos nacidos de baja sangre forzarlos su natural inclinación a dejar los oficios bajos de los padres y aprender ciencia y ser grandes letrados... vemos diversidad grande de condiciones entre la multitud de los hombres». Frente a los escritores que presentaban la sociedad en rígida ordenación jerárquica (defensores, labradores, oradores), Pulgar refuerza la variedad social y el agente de movilidad que él llama la «natural inclinación», [...] se afirma a sí mismo como individuo integrante de una nueva sociedad más móvil, y más justa, que la pasada, y hasta como creador en su función profesional de esa nueva sociedad.

PETER E. RUSSELL y FRANCISCO RICO

CAMINOS DEL HUMANISMO

1. Los propios escritores españoles del siglo xv [...] dan fe de la existencia en España, y particularmente en Castilla, de un importante sector de opinión que consideraba profesionalmente arriesgado y socialmente indeseable que algún miembro de la clase caballeresca se comprometiera seriamente en el estudio de las letras, aunque no se objetara a que los caballeros, como diversión, ejercitaran la pluma escribiendo poesía cortesana tradicional. En 1417 vemos que esa opinión ya estaba firmemente arraigada; en aquel año, Enrique de Villena, un noble, se quejaba de que muchos creyeran que un caballero sólo debía saber leer y escribir y aseguraba a los miembros de la clase caballeresca que, en realidad, un caballero podía dedicarse al estudio y no por ello perder su habilidad en el manejo de las armas. [...] La carrera literaria del propio Santillana dice mucho sobre el conflicto entre armas y letras en Castilla en la

1. Peter E. Russell, «Las armas contra las letras: para una definición del humanismo español del siglo xv», en su libro, *Temas de «La Celestina» y otros estudios*, Ariel (Letras e Ideas: Maior, 14), Barcelona, 1978, pp. 207-239 (209, 213-214, 216-217, 221, 225-226).
2. Francisco Rico, *Nebrija frente a los bárbaros*, Universidad de Salamanca, Salamanca, 1978, pp. 39-44.

primera mitad del siglo xv. Santillana trató el tema en un libro que escribió en 1437 para animar al príncipe don Enrique de Castilla, heredero del trono, a interesarse por las letras. «La sciencia», aseguraba él al príncipe, «non embota el fierro de la lança, nin face floxa el espada en la mano del cavallero». Luego daba muestras de que esa afirmación no era una mera figura retórica adecuada a la dedicatoria de un libro a un joven príncipe, pues ponía en guardia a Enrique contra los de su séquito que pudieran despreciar tales libros y decirle que lo que importaba a un soberano era ocuparse únicamente del gobierno y de la defensa de su reino y de la conquista de los territorios enemigos.

La necesidad que sentía Santillana de defender las letras, incluso en la corte de Juan II de Castilla (1406-1454), es particularmente interesante. [...] Entre las personas muy próximas al rey había algunas que, aunque interesadas por los estudios literarios, no sabían latín. En 1421, Juan Alfonso de Zamora, entonces secretario de Juan II, había pedido a Alonso de Cartagena (estando los dos en una embajada ante la corte portuguesa) que tradujera al castellano el *De oficiis* de Cicerón. El prólogo de Cartagena a dicha traducción señala que, de joven, Juan Alfonso no había recibido una educación muy extensa y, en consecuencia, no sabía latín; quería entonces mejorar, según las palabras de Cartagena, «catando traslaciones por la lengua moderna». El interés de Juan Alfonso por mejorar sus conocimientos era realmente auténtico. Mientras los dos personajes se ocupaban de sus asuntos diplomáticos en Portugal, en 1422, éste había apremiado a Cartagena, entonces deán de Santiago, para que terminara finalmente la traducción al castellano del *De casibus principum*, de Boccaccio, que en parte había llevado a cabo Pero López de Ayala. Juan Alfonso explicaba su manera de colaborar en la traducción: estaba satisfecho de hacer de amanuense de su docto compañero, escribiendo lo que Cartagena dictaba. Lo que nos sorprende, lo mismo en este caso que en otros muchos parecidos del siglo xv español, es que estos frustrados aspirantes a las letras que no sabían latín no lo aprendieran por su cuenta. [...] En el caso de los estudios clásicos de Santillana el acento estaba siempre en la traducción o la lengua vernácula; no sabía latín el magnate y no creía que ello fuera una deficiencia muy grave. Sabía muy bien italiano, como reconocía Vespasiano da Bisticci, y admiraba inmensamente a los grandes italianos del Trescientos, particularmente a Dante. No obstante, su actitud fundamental frente a los estudios humanísticos parece descubrirse en una observación que hizo tocante a las traducciones a la lengua vernácula que había encargado para su propio uso. Dice que esas traducciones ofrecían «un singular reposo a las vexaciones e trabajos que el mundo continuamente trahe, mayormente en estos nuestros reynos». Así pues, el saber y la literatura eran una relajación de las tareas cotidianas, no parte de esas tareas. [...]

El caso del mismo Alonso de Cartagena —obispo de Burgos desde 1435 hasta su muerte, en 1456— es también significativo para la comprensión de las actitudes de la Castilla de Juan II frente a las letras y el saber, aunque Alonso, como clérigo, no tuviera que hacer frente personalmente al problema del conflicto entre las armas y las letras. Era el más importante estudioso profesional castellano de su época; perito en teología, derecho y filosofía, en la misma Italia se le respetaba como jurista y teólogo. Su conocida polémica de los años treinta del siglo XV con Leonardo Bruni, en relación con la 'nueva' traducción del griego de la *Ética* de Aristóteles llevada a cabo por el italiano, es muy útil para señalar las diferencias fundamentales que había entre las actitudes de los filósofos y estudiosos españoles de la época y las mantenidas por los humanistas italianos del siglo XV. Muestra también la confianza que tenía Cartagena en su propia tradición cultural, al enfrentarse a las nuevas ideas de los humanistas italianos. Lo que Alonso de Cartagena objetaba a la traducción de la *Ética* hecha por Bruni era que en ella el característico acento que el humanismo ponía en la elocuencia y la retórica —en el estilo— daba lugar a una deformación del pensamiento de Aristóteles. Ponía así en duda la validez filosófica del nuevo texto, declarando muy preferibles la concisión y la mayor proximidad al griego de las antiguas traducciones medievales al uso, aunque a éstas les faltara elegancia estilística; era igual, decía, que hubiera en ellas puntos oscuros; para explicarlos estaban los glosadores y comentaristas. También ponía objeciones a la idea de Bruni de que el latín de Cicerón (modelo estilístico que los humanistas siempre intentaban seguir) fuera vehículo adecuado del pensamiento aristotélico: por admirable que fuera, Cicerón no era un filósofo. [En tales críticas] el obispo castellano defendía verdaderamente el rigor de los métodos escolásticos de pensamiento contra la nueva tendencia humanística de equiparar la elocuencia, a título propio, con la filosofía. Pero, como Bruni no tardó en señalar, Cartagena se arrogaba el papel de crítico de la calidad de una traducción del griego al latín sin saber él nada de griego. Ello tenía que provocar la irrisión de los humanistas italianos, para quienes la base de la erudición humanística era una adecuada preparación lingüística y filológica, [mientras, bien al contrario, en su *Oracional,* el obispo de Burgos desaprueba la inclinación de sus coetáneos (presumiblemente de Italia) a imitar el estilo de los paganos y a dedicar tanta atención a los escritores precristianos, apartándose de «la suave e sana eloquencia de los santos doctores (...) e de otros muchos que los siguieron, mesclando en sus fablas e scripturas actorizables dichos del canon muy sacro».]

Detrás de la teoría de que las armas se oponen a las letras está, en última instancia, la teoría medieval de una sociedad dividida en categorías sociales inmutables, determinadas por Dios, que forzosamente separan al caballero del letrado. Usaba esa teoría Gutierre Díez de Games en su biografía heroica de don Pero Niño, escrita a mediados del siglo xv, para explicar por qué su héroe era un caballero de mucho éxito: porque no estudiaba más que las armas. Díez de Games subraya que los hombres que tratan de ser diestros en tareas que no corresponden a la categoría a la que Dios los ha destinado (por ejemplo, los caballeros que intentan ser letrados) obran contra Naturaleza. Es evidente que para una sociedad de dominio aristocrático una tal doctrina de inmovilismo social como ésta, con el caballero en la cúspide de la pirámide, a salvo de cualquier amenaza de las otras clases sociales, tenía un fuerte atractivo. Ahora bien, [en la primera mitad del siglo xv,] la nobleza castellana, en particular, estaba en mejor posición que ninguna otra nobleza occidental para exigir respeto a arcaicos ideales caballerescos. Había ganado, en 1369, en alianza con Francia, su decisiva batalla con la monarquía. No tenía la amenaza del poder creciente de ninguna clase media. La economía ganadera castellana, en expansión, estaba firmemente en manos de los grandes terratenientes. La guerra civil, casi constante, y la pervivencia del reino de Granada servían para justificar que el caballero —el «defensor»— tuviera en la sociedad castellana la máxima importancia. [...]

En las últimas décadas del siglo, sin embargo, sí empezó a aparecer un humanismo laico profesional más semejante en algunos sentidos al de Italia. Fernando de la Torre, por ejemplo, que había estudiado en Florencia, refiriéndose a la obra de Santillana y su generación, la alababa de un modo más bien irónico: «y aun en nuestros tiempos, quánt polidas cosas de onbres sin letras avemos visto». Juan de Lucena, en un diálogo escrito en 1463, ponía en boca de Santillana una declaración póstuma de que su ignorancia del latín le había impedido ser un hombre completo. Gonzalo García de Santa María, el historiador zaragozano, se quejaba de haber perdido tres años de su vida haciendo traducciones del latín a la lengua vernácula en provecho de los ignorantes. Los que habían de traducir del latín a dicha lengua ahora más que nunca se quejan de la dificultad de su labor por la insuficiencia de ésta; en el prólogo a la *Batalla campal de los perros contra los lobos,* el cronista Alfonso de Palencia protesta, por ejemplo, de que «mucho se me faga grave el romançar sabiendo las faltas que así en el son de las cláusulas como en la verdadera significación de muchos vocablos de neçesario vienen en las translaciones de una lengua a otra ...».

Parecidas quejas se repiten constantemente por parte de los traductores, tanto catalanes como castellanos y aragoneses, durante todo el Cuatrocientos español. Pero, hacia fines del siglo, contra la prosa muy latinizada que a menudo habían usado los protegidos de Santillana para demostrar su clasicismo, había ahora una cierta reacción; a las características de ese estilo se había referido, aprobándolo, el corresponsal de Gómez Manrique, fray Gonzalo de Ocaña, al alabar a los que curan «de poner (algunas) palabras latinas, que en la nuestra lengua se suelen usar entre los letrados e pudieran dar gran hermosura al estilo y manera de hablar». En su lugar se empezaba a aprobar un estilo depurado, conciso y menos afectado, aunque esa batalla de los estilos no estuviera ganada de ningún modo. También, tanto en Castilla como en Cataluña, se empieza a declarar abiertamente que el latín que se enseñaba y escribía en las universidades y en los demás sitios era «bárbaro» y que el primer paso hacia un verdadero conocimiento de las letras clásicas dependía de la introducción de nuevos modelos de enseñanza del latín.

2. [Tal actitud, en efecto, se fue abriendo paso gracias al entusiasmo de un reducido grupo de profesionales de la enseñanza —pública o privada— formados en Italia. El clima en el que irrumpieron esos maestros y preceptores se había ido volviendo progresivamente más favorable al humanismo por obra de algunos miembros de la aristocracia y la realeza, del alto clero y, quizá en primer término, del estamento de los curiales y burócratas. A todos ellos les

guiaba —cuando menos— un deseo de estar *à la page,* de seguir una novedad 'de moda', aun si a menudo la interpretaban mal y normalmente eran incapaces de asimilarla en profundidad. Pero a los hombres de las cancillerías, particularmente, la cultura de cuño clásico que triunfaba en Italia podía atraerlos por curiosidad específica de su oficio (al fin, vivían de la palabra y de la pluma), en tanto terreno donde podían conseguir el bagaje intelectual propio del nuevo «letrado» de una sociedad en transformación, de un tipo humano harto distinto del sabio escolástico tradicional. Fueron, sin embargo, los profesionales de la enseñanza —encabezados por Antonio de Nebrija— quienes consolidaron y ampliaron decisivamente todas las anteriores aportaciones en camino hacia el humanismo.]

Antonio no «fue a Italia... para traer fórmulas del derecho civil i canónico», sino con un designio insólito y (por lo menos, a la vuelta, cuando prologaba el *Diccionarium ex hispaniensi in latinum sermonem*), perfectamente claro: «para que por la lei de la tornada después de luengo tiempo restituiesse en las possessión de su tierra perdida los autores del latín, que estavan ia muchos siglos avía desterrados de España». [...] Nebrija, alumno antaño, a orillas del Tormes, de «aquellos varones» que, si «no en el saber, en dezir sabían poco», eligió sin miedos «por dónde pudiesse desbaratar la barbaria por todas las partes de España tan ancha i luengamente derramada». Lorenzo Valla, [aludiendo a la necesidad de revivir la latinidad clásica, núcleo de toda la cultura,] había hablado de defender «Capitolium arcemque» y de rescatar a la Roma «a barbaria oppressa». Antonio, ni siquiera impar a los Apóstoles, que «acometieron... a Athenas i... a Roma», quiso «desarraigar la barbaria de los ombres de nuestra nación» comenzando precisamente «por el estudio de Salamanca..., como una fortaleza tomada por combate».

La campaña salmantina se inició, obviamente, según el doble camino marcado por la tradición antigua: atendiendo a las dos partes constitutivas de la gramática, [la teórica y la práctica], «alteram praecipiendi quae methodice, alteram imitandi quae 'historice' appellatur». Por supuesto, no había problema en fijar qué «[auctores] imitandos» convenían a los estudiantes. Otro cantar era qué «auctores ediscendos» proponerles. Corrían tratados y prontuarios «ab antiquis et iunioribus grammaticis», en redactarlos habían sudado «summa atque infima hominum ingenia». Nebrija no podía usar en clase textos demasiado difíciles «adolescentibus». Tampoco podía recomendar los pretendidos «rudimenta pueris», [como el difundidísimo *Doctrinale*, de Alejandro de Villedieu,] que en realidad sumían a los muchachos, «post pauculos versus», en un laberinto de confusión. En el dilema, entonces, optó por componer él mismo unas *Introductiones latinae* de nueva hechura: sin apartarse de los grandes modelos «neque unguem transversum», sin omitir nada pertinente, pero sin rebasar la capacidad de cualquier chico. Las *Introductiones*, así, salían en 1481 como declaración de guerra y promesa de mayores logros, «si mihi... dabitur latine linguae hostes superare, quibus in aeditione huius operis bellum indixi».

[En la versión comentada de 1495, las *Introductiones* incluyen un apéndice o *Suppositum de auctoribus grammatice latine, in quo doctissimus quisque consentit,* de sencilla apariencia didáctica, pero que contiene, sin embargo, una inmensa sustancia.] Advierte ahí Nebrija que a los escritores modernos sólo cabe prestarles crédito en cuanto prueben sus alegatos con razones, mientras a los antiguos hay que asentir «quia sic locuti sunt» ['porque hablaron como hablaron']. Es el tajante «ita scriptitant antiqui» con que Guarino de Verona fallaba una polémica célebre: en cuestiones de latín, la respuesta está en el buen uso clásico, y no en lucubraciones. Pero, continúa Nebrija, los antiguos no son un amasijo, ni ha de seguírseles «passim atque indifferenter». Pues la lengua, como todas las cosas, tuvo principio e infancia, y en la niñez del latín, si mucho se dijo «emendate atque diligenter», más todavía sonó «nimis antique duriterque», de Ennio a los Escipiones. Vino luego la espléndida juventud del idioma, los doscientos cincuenta años de los autores «quos imitandos esse dicimus», de Cicerón a Quintiliano, de Catulo a Estacio: la gramática, *historice* y *methodice,* no ha de fiar en otros. Tras Hadriano, empezó el declive, dramáticamente agravado bajo los godos y longobardos, irremediable al propagarse la peste de Mahoma, «que cum omnibus ingenuis et bonis artibus sermonem quoque latinum intercepit». La lengua latina sufrió cuatro siglos y medio de vejez y, al cabo, «cum imperio populi Romani extincta est». En ese período (hasta el 600), no obstante, aún pueden espigarse unos pocos «auctores» simplemente «tollerabiles», en ningún modo comparables «cum superioribus». [...] Para los que llegaron después, el *Suppositum* sólo reserva desprecio y olvido: «Qui sequuntur, quod ad latini sermonis rationem attinet, nec digni quidem sunt quorum meminisse debeamus».

Detrás de los cánones prolijamente detallados (la lista de escritores de cada edad pretende no omitir ninguno de relieve), detrás de los pormenores de cronología, corre una savia nueva y vigorosa. En el austero *Suppositum,* como en tantos otros fragmentos nebrisenses, es meridiano que «tomar conciencia de sí, polemizar contra la barbarie medieval, definir lo antiguo y definirse uno mismo por relación a lo antiguo, fueron una sola cosa... Así nació la historia: como filología, vale decir, como conciencia crítica del propio individuo y de los demás hombres» (Eugenio Garin). Antonio pone las *Introductiones* y se pone a sí mismo en el fluir de la historia. En la historia funda el método y los objetivos: la vuelta a los autores «imitandos» rompe el silencio de una edad sin voces atendibles y abre las puertas a un renacer del latín «cum omnibus... artibus». Frente a las certezas inmutables que la gramática *speculativa* [de la escolástica tardía] persigue a través de la lógica y la metafísica, por encima de la contingencia humana, Nebrija opta por una verdad en el tiempo: una gramática derivada «ex doctissimorum virorum usu atque auctoritate», que exige afinar juicio y perspectiva para apreciar grados y matices en los escritores y en las épocas. [En esa imagen de la historia, de la pedagogía, de la literatura y de la lengua, está el núcleo de la cultura renacentista.]

11. EL TEATRO MEDIEVAL

Durante la Edad Media, el teatro religioso floreció en Cataluña y en Valencia: los textos, tanto en latín como en lengua vulgar, son ahí abundantes, y en libros de cuentas y fuentes similares se han conservado detalladas descripciones de no pocas piezas más. En Castilla, en cambio, el número de textos anteriores al siglo XV es extremadamente reducido, y las referencias que figuran en crónicas y compilaciones legales son ambiguas. Sin embargo, paradójicamente, es en Castilla donde encontramos una de las obras maestras más indiscutibles del teatro europeo medieval, y en una fecha bien temprana: el *Auto de los Reyes Magos,* probablemente compuesto en la segunda mitad del siglo XII para ser representado en la catedral de Toledo. A pesar de su brevedad, el *Auto* es notable por la caracterización de los personajes, la eficacia de la estructura dramática y la riqueza temática.

En los siglos XIII y XIV existen alusiones a obras posiblemente teatrales —por ejemplo, en las *Siete partidas* de Alfonso el Sabio—, pero son difíciles de interpretar. Las *Partidas* prohíben los «juegos de escarnios» y estimulan determinados tipos de «representación» (por ejemplo, sobre «la nascencia de Nuestro Señor Jesuchristo»), pero no resulta muy claro que estas disposiciones reflejen la realidad castellana (las *Partidas* se inspiran muy a menudo en fuentes extranjeras), ni si, de reflejarla, las obras aludidas eran en lengua vulgar o en latín. Han llegado hasta nosotros otras formas literarias de ese período que contienen algunos elementos dramáticos (por ejemplo, los debates poéticos), pero tampoco aportan pruebas suficientes de la existencia de una tradición teatral en romance. Por lo tanto, cabe que el *Auto de los Reyes Magos* sea un hecho aislado, el producto insólito de un autor no castellano en una tierra carente de teatro vernáculo. También es posible, sin embargo, que el *Auto* tenga antecedentes y continuadores en castellano; pero, de ser así, la falta de cualquier otro texto conservado o de testimonios que aludan claramente a esas obras sugiere que la tradición debió de ser relativamente débil.

No obstante, el siglo xv tuvo sin ningún género de dudas una floreciente tradición de teatro castellano, y que, según descubrimientos recientes, dentro de ese siglo empezó mucho antes de lo que se había creído. Se ha hallado, así, una representación de la Sibila (en la que la profetisa anuncia el nacimiento de Cristo), de corta extensión, en parte castellana y en parte latina, que se ejecutaba en la catedral de Córdoba y tiene algunos rasgos originales. Pero los descubrimientos más importantes han tenido lugar en Toledo: una serie de documentos demuestra que hubo representaciones dramáticas integradas en las procesiones del Corpus Christi por lo menos desde mediados del Cuatrocientos, aunque no conocemos detalles de las obras hasta fines del siglo. Se nos ha conservado una de esas obras, el *Auto de la Pasión* de Alonso del Campo, que consta de 600 versos; fue compuesta entre 1486 y 1499. Casi una cuarta parte de la obra procede de la *Pasión trobada,* el poema narrativo de Diego de San Pedro, pero Alonso del Campo demuestra una considerable originalidad en los recursos dramáticos. Al parecer escribió por lo menos otras dos obras, de las cuales sólo se conocen fragmentos.

En la generación anterior a la de Alonso del Campo, un poeta profano cruza la divisoria que separa la poesía cuasidramática del teatro propiamente dicho: Gómez Manrique (hacia 1412-1490) escribió dos *momos* o mascaradas y unas *Lamentaciones hechas para Semana Santa,* que tal vez estaban destinadas a representarse; pero la más importante de sus contribuciones a la historia del teatro español es su *Representación del Nacimiento de Nuestro Señor*. Esta obra utiliza un buen número de procedimientos dramáticos y de todo género para presentar su historia y subrayar su significado teológico. Algo más tardío es el anónimo *Auto de la huida a Egipto,* que, como el *Auto de la Pasión,* consigue casi toda su efectividad merced a la presentación directa de los hechos que componen la trama argumental.

Mucho más prolíficos que cualquiera de los mencionados hasta ahora son dos dramaturgos que empiezan a escribir en el último decenio del siglo xv: Juan del Encina y Lucas Fernández. Encina (1468-1529/30), poeta lírico y músico además de dramaturgo, que compuso por lo menos trece (y quizá quince) obras dramáticas, es el arranque de una tradición continuada de teatro profano tanto como religioso en lengua castellana. Fernández (1474-1542), autor de siete piezas, fue sistemático competidor de Encina, pero en su evolución dramática se mostró claramente influido por él. Encina también influyó en Gil Vicente, dramaturgo de talla harto mayor que Encina y que Fernández. Gil Vicente, que escribió más de cuarenta obras teatrales en portugués, castellano o en una mezcla de ambas lenguas, es en cierto modo la culminación de la tradición dramática medieval, pero, como su teatro pertenece por completo al siglo XVI, queda fuera del marco de este capítulo.

La mejor síntesis introductoria al teatro castellano anterior a Encina y a Lucas Fernández es la proporcionada por Lázaro Carreter [1965] en su volumen de adaptaciones modernas de antiguos textos españoles, donde se ocupa por igual de las obras teatrales y de las actividades cuasidramáticas, acertando a combinar la documentación erudita con una exposición clara y atrayente; muy deseable sería una nueva edición que incorporase los descubrimientos de los últimos años. Una excelente panorámica de otro orden, insistiendo en la orientación bibliográfica para los estudiantes, se debe a López Estrada [1979], y sigue habiendo bastantes cosas aprovechables en el clásico libro de Crawford, reimpreso [1967] con buena información complementaria. López Morales [1968] centra su atención en Encina y Fernández, pero también hace interesantes comentarios sobre el período anterior. Probablemente es demasiado tajante en su afirmación de que no existe ninguna tradición dramática anterior a Gómez Manrique, pero su escepticismo es un saludable correctivo a las fáciles suposiciones, que encontramos en otras obras, de que hay un gran número de textos perdidos. Trabajo de gran importancia desde el punto de vista erudito es el de Shergold [1967] sobre las condiciones materiales en que se produjo este teatro primitivo: se trata de la primera monografía detallada de esta clase por lo que respecta a España. Logro igualmente importante de la erudición es la revalorización del teatro castellano dentro del contexto de la Edad Media europea: así, Axton [1974] analiza de un modo nuevo e inteligente las tradiciones y los temas del primitivo teatro medieval, y sitúa el *Auto de los Reyes Magos* dentro de este contexto (no llega a tocar las obras del siglo XV); y Regueiro [1977b] examina las consecuencias que tienen para España las revolucionarias teorías de Hardison [1965] sobre la evolución del teatro.[1]

La obra fundamental sobre el teatro latino de la Península es la de Donovan [1958]. Trata principalmente de Cataluña, debido a la extremada escasez de textos que hay en Castilla y en Portugal, pero reproduce todos los materiales referentes a Castilla que consiguió descu-

1. Hardison se opone a la opinión, propagada por autoridades de tanto peso como E. K. Chambers y Karl Young, de que las obras cortas evolucionan uniformemente hasta dar origen a otras más extensas, y las de tipo religioso se convierten en profanas; demuestra que la distribución de los diferentes tipos de obras es mucho más casual e insiste en la naturaleza esencialmente dramática de la misa.

brir y concede especial atención al drama litúrgico en Toledo; y aunque a este respecto hoy queda parcialmente superado por los descubrimientos de Torroja Menéndez y Rivas Palá [1977], probablemente sigue siendo válido para el período anterior al año 1400. Una fuente primordial para el capítulo de Donovan sobre Toledo, así como para los otros estudios sobre el tema, es el manuscrito del siglo XVIII de Felipe Fernández Vallejo, aludido a menudo por los eruditos anteriores, pero que tuvo escaso valor práctico hasta que Joseph E. Gillet publicó unos fragmentos sustanciales en 1940.[2] Víctor García de la Concha ha emprendido una nueva exploración de las fuentes consultadas por Donovan y de otras hasta ahora no utilizadas, y es de esperar que en breve esté en condiciones de matizar las ideas corrientes sobre la relación entre el teatro litúrgico y la tradición romance.

El *Auto de los Reyes Magos* se considera casi siempre como un fragmento, pero un examen del manuscrito no corrobora necesariamente esa opinión, al par que hay sólidas razones literarias para defender que el texto conservado es una obra íntegra [Hook & Deyermond, en prensa]. Durante mucho tiempo fue estudiado casi exclusivamente desde los puntos de vista de la lingüística y la historia, pero Wardropper [1955] inaugura una actitud de análisis crítico que revela los notables valores estéticos del *Auto*. Regueiro [1977a] estudia sus características literarias y dramáticas a la luz de las conclusiones de Hardison (con menos fortuna que en [1977b], ya que se ve obligado a situar dos de los tres elementos estructurales que postula en el final supuestamente perdido). Axton (pp. 105-108), considerando la obra con un enfoque general (al margen de las cuestiones específicas del hispanista), le atribuye un subido valor.[3] Un importante elemento en el *Auto* es el uso de la tradición figural o tipológica (cf. cap. 1, p. 7). Foster [1967] hace una valiosa contribución planteando el problema, pero tergiversa por completo el modo en que la técnica de la *figura* se emplea en la obra (para varias correcciones, véase Hook & Deyermond [en prensa]). El trasfondo cultural del autor ha sido objeto de muchas discusiones. Sturdevant [1927] probó que se apartaba sustancialmente de la común tradición de las piezas sobre la Epifanía y que se inspiraba en poemas narrativos franceses, combinándolos con elementos de su propia invención. La idea de que

2. «The *Memorias* of Felipe Fernández Vallejo and the history of the early Spanish drama», en *Essays and Studies in Honor of Carleton Brown*, New York University Press, Nueva York, 1940, pp. 264-280.

3. Véase también Peter Dronke, *Poetic individuality in the Middle Ages: new departures in poetry 1000-1150*, Clarendon, Oxford, 1970, pp. 5-6, junto con el comentario de Francisco Rico, «Tradición y experimento en la poesía medieval», *Romance Philology*, XXVI (1972-1973), p. 682.

era de origen ultrapirenaico fue reforzada por el estudio de Lapesa [1954] sobre las rimas, en cuya irregularidad podrían reconocerse los hábitos lingüísticos de un autor gascón (el número de clérigos franceses que vivían en Toledo en esta época hace plausible tal teoría). Los nuevos argumentos de Sola-Solé [1976-1977] tienden a eliminar la razón principal que Lapesa aducía para preferir un autor gascón a uno catalán (menos convincentes son los indicios que alega Sola-Solé de una influencia lingüística árabe a través de un autor mozárabe). En relación con este debate, hay que mencionar que Regueiro [1977a] obtiene provechosos resultados al ver el *Auto* con la óptica de la tradición dramática catalana. Una tarea que aún espera a los especialistas es la preparación de una nueva edición del *Auto*: la mayoría de las que circulan se limitan a reproducir el texto publicado por Menéndez Pidal en 1900, que tiene más de un punto débil. Senabre [1977] sugiere plausiblemente que se redistribuyan algunos parlamentos, pero acepta la transcripción de Menéndez Pidal. Una nueva edición, cuando vea la luz, no será muy distinta de la de don Ramón desde el punto de vista textual, pero las diferencias pueden ser significativas, pues no en balde habrá de tomar en cuenta las recientes interpretaciones del diseño artístico del original.

Los importantes hallazgos sobre la actividad dramática en la catedral de Toledo que se han citado antes, se deben a Torroja Menéndez y a Rivas Palá [1977]. Las autoras presentan sus materiales de una forma ejemplar: la exposición es detallada y se apoya en copiosas notas extraídas de los documentos de archivo, están bien ponderados los argumentos en defensa de las teorías propuestas (por ejemplo, para mostrar que Alfonso Martínez de Toledo, el autor del *Arcipreste de Talavera* o *Corbacho,* se encargó de estas representaciones durante un tiempo), y la edición del *Auto de la Pasión* se acompaña con un estudio de sus fuentes y técnicas. Es éste el descubrimiento más importante realizado en el estudio del teatro medieval castellano desde la aparición del *Auto de los Reyes Magos.* Inevitablemente eclipsa el hallazgo que hizo López Yepes [1977] de un auto cordobés de la Sibila, aunque su edición y su análisis del texto sean a pesar de todo relevantes.

Sólo una de las obras dramáticas o semidramáticas de Gómez Manrique ha sido estudiada con cierto detalle: la *Representación del Nacimiento,* cuya estructura es analizada por Sieber [1965]. Algunos de los pormenores de este análisis son discutibles, pero sus líneas generales parecen firmes, y es de esperar que el ejemplo sea imitado y se emprenda un estudio global de Manrique en cuanto dramaturgo. El *Auto de la huida a Egipto* ha sido editado dos veces, por García Morales [1948] y por Amícola [1971]; Amícola, apoyándose en la obra de su predecesor, trata de un modo lúcido y bien documentado las fuentes, la estructura y la versificación, dándonos así lo que podría ser el estudio casi definitivo de esta obra. Stern [1965a] ha subrayado con tino la importancia del diálogo entre pastores —en torno al nacimiento de Cristo— que fray Íñigo de Mendoza insertó en sus *Coplas de vita Christi*: el pasaje no es ajeno a los usos dramáticos coetáneos y ejerció una clara influencia en el teatro posterior.

Aparte del *Auto de los Reyes Magos*, Encina y Fernández, de un modo inevitable y muy justificado, han atraído casi toda la atención de los eruditos y críticos. La evolución de sus procedimientos dramáticos ha sido estudiada por López-Morales [1968] dentro del contexto de las tradiciones medievales, tanto dramáticas como no dramáticas (puede compararse la brillante interpretación que hace Saraiva [1965] de Gil Vicente como culminación del teatro europeo medieval, que renueva las antiguas tradiciones y las transmite en una forma revigorizada a sus sucesores). López-Morales niega la existencia de una tradición dramática castellana más o menos consolidada anterior a Encina y, por ahí, acentúa el carácter innovador de éste, mientras Surtz [en prensa] estudia a los dramaturgos de fines del siglo xv como precedentes de los estilos y procedimientos del Siglo de Oro, y Hess [1976] enmarca algunas de sus técnicas cómicas en el contexto europeo de la época. El papel de Encina y Fernández en la evolución de los temas es el punto que más atrae la atención de Hathaway [1975], quien sostiene que en el teatro el amor se va apartando gradualmente del ideal cortés, en tanto Van Beysterveldt [1972] rastrea las influencias de la poesía de cancionero en la imagen que del amor se da en las obras profanas de Encina. Wardropper [1962] muestra el poder transformador del amor sagrado y profano en los personajes de Encina, afirmando que ésta es la base de su entidad dramática.

A Rosalie Gimeno se debe la mayor contribución individual que en los últimos años se ha hecho a los estudios sobre Encina. Gimeno analiza sus ocho primeras obras —las que figuran en el *Cancionero* de 1496—, prestando especial atención a su técnica dramática [1973] y editándolas con útiles notas y excelente introducción [1975]; y en volumen aparte da otra notable edición de las obras posteriores [1977]. Esta división obedece a razones irreprochables: las ocho primeras obras, escritas por Encina en Salamanca hacia 1495, producen en conjunto una impresión muy distinta de las posteriores, la mayoría de las cuales parece haberse compuesto después del viaje del dramaturgo a Roma y tiene unas características mucho más profanas. La cronología que siempre se había aceptado para las obras publicadas en el *Cancionero* de 1496, y según la cual la carrera teatral de Encina daba comienzo en 1492, ha sido convincentemente impugnada por Caso González [1953], quien considera la primera parte de su producción como el fruto de una intensa actividad de doce meses, desde el verano de 1495 al verano de 1496. Hay ciertas dudas acerca de la paternidad de dos obras: Myers [1964] no está de acuerdo con la aceptación general del *Aucto del repelón* como obra de Encina, y algunos críticos añadirían al canon la *Égloga interlocutoria*. Éste es el caso de Sullivan [1976], pp. 71-74, quien, por lo demás, da un útil resumen de la vida y obra de Encina, con particular hincapié en la producción dramática. Temprano [1975] analiza el trasfondo cultural de la poesía pastoril de Encina (es decir, la traducción que hizo de las *Bucólicas* de Virgilio, así como las obras tituladas —no siempre apropiadamente— *églogas*). Las piezas de carnaval son el tema de un estimable estudio debido a Stern [1965*b*], y Andrews [1959], de modo más polémico, busca pruebas en todos los escritos de Encina de que su principal móvil literario era un obsesivo afán de fama. Probablemente, algo hay de verdad en tal idea (en mayor o menor medida, seguramente cabe decir otro tanto de la mayoría de escritores), pero es dudoso que Encina estuviese tan obsesionado como cree Andrews.[4]

Sobre Lucas Fernández hay menos bibliografía, pero en un aspecto concreto las investigaciones publicadas sobre él han ido más lejos. Nuestros dos dramaturgos ponen en boca de sus personajes campesinos la forma estilizada de lenguaje rústico que suele llamarse *sayagués* (véase López-Morales [1968], pp. 172-190, y Weber de Kurlat [1963], cap. III; es libro también imprescindible para otros aspectos del teatro castellano de hacia 1500). Por lo que se refiere a Encina, el único tratamiento profundo y extenso de este tema es una tesis doctoral inédita,[5] mientras que disponemos ya en cambio de un completo análisis de todos los aspectos de la lengua de Fernández (Lihani [1973*a*]). Recientemente han aparecido dos excelentes ediciones de sus obras, a cargo de Lihani [1969] y de Canellada [1976]; ambas tienen introducción y notas, pero es una lástima que la introducción de Canellada se ocupe principalmente de problemas estrictamente lingüísticos (duplicando así en parte el trabajo de Lihani), en tanto que las cuestiones literarias parecen algo descuidadas. Sin embargo, este vacío puede suplirse gracias a Hermenegildo [1975], quien ofrece un estudio de cada una de las obras dentro de su marco social; la vida y la trayectoria literaria de Fernández, por otro lado, han sido objeto de una completa panorámica debida a Lihani [1973*b*].

4. Para la poesía de Encina, véase el cap. 8.
5. Aludo a la tesis de Oliver T. Myers (Columbia University, 1961), casi simultánea a la de Charlotte Stern (University of Pennsylvania, 1960), sobre el *sayagués* en el teatro antiguo.

Así, pues, el último decenio ha conocido una gran expansión en los estudios dedicados a Encina y a Fernández. Los lectores, que durante mucho tiempo han tenido que conformarse con ediciones defectuosas y que han carecido de orientaciones literarias adecuadas, pueden ahora elegir entre excelentes ediciones y comentarios críticos. Naturalmente, no es posible hablar de logros definitivos, pero la atención que eruditos y críticos prestan hoy a estos dos dramaturgos corresponde por fin a su importancia histórica y literaria.

BIBLIOGRAFÍA

Amícola, José, «El *Auto de la huida a Egipto*, drama anónimo del siglo xv», *Filología*, XV (1971), pp. 1-29.

Andrews, J. Richard, *Juan del Encina: Prometheus in search of prestige*, University of California Press (University of California Publications in Modern Philology, LV), Berkeley, 1959.

Axton, Richard, *European drama of the early Middle Ages*, Hutchinson, Londres, 1974.

Canellada, María Josefa, ed., Lucas Fernández, *Farsas y églogas*, Castalia (Clásicos Castalia, LXXII), Madrid, 1976.

Caso González, J., «Cronología de las primeras obras de Juan del Encina», *Archivum*, III (1953), pp. 362-372.

Crawford, J. P. W., *Spanish drama before Lope de Vega*, con suplemento bibliográfico de W. T. Mc Cready, University of Pennsylvania Press, Philadelphia, 1967.

Donovan, Richard B., *The liturgical drama in medieval Spain*, Pontifical Institute of Mediaeval Studies (Studies and Texts, IV), Toronto, 1958.

Foster, David W., «Figural interpretation and the *Auto de los Reyes Magos*», *Romanic Review*, LVIII (1967), pp. 3-11; reimpr. en su *Christian Allegory in Early Hispanic Poetry*, University Press of Kentucky (Studies in Romance Languages, IV), Lexington, 1970, pp. 22-28.

García Morales, Justo, ed., *Auto de la huida a Egipto*, Joyas Bibliográficas, II, Madrid, 1948.

Gimeno, Rosalie, «Juan del Encina: teatro del primer *Cancionero*», *Segismundo*, IX (1973), pp. 75-140.

—, ed., Juan del Encina, *Obras dramáticas*, I: (*Cancionero de 1496*), Istmo (Clásicos Españoles, III), Madrid, 1975.

—, ed., Juan del Encina, *Teatro (segunda producción dramática)*, Alhambra, Madrid, 1977.

Hardison, O. B., *Christian rite and christian drama in the Middle Ages: essays in the origin and early history of modern drama*, Johns Hopkins University Press, Baltimore, 1965.

Hathaway, Robert L., *Love in the early Spanish theatre*, Plaza Mayor, Madrid, 1975.

Hermenegildo, Alfredo, *Renacimiento, teatro y sociedad: vida y obra de Lucas Fernández*, Cincel, Madrid, 1975.

Hess, Rainer, *El drama religioso románico como comedia religiosa y profana (siglos XV y XVI)*, Gredos, Madrid, 1976.

Hook, David, y Alan Deyermond, «El problema de la terminación del *Auto de los reyes magos*», *Anuario de Estudios Medievales*, en prensa.

Lapesa, Rafael, «Sobre el *Auto de los Reyes Magos*: sus rimas anómalas y el posible origen de su autor», en *Homenaje a Fritz Krüger*, Universidad Nacional de Cuyo, Mendoza, 1954, II, pp. 591-599; reimpr. en su *De la Edad Media a nuestros días: estudios de historia literaria*, Gredos, Madrid, 1967, pp. 37-47.

Lázaro Carreter, Fernando, ed., *Teatro medieval*, Castalia (Odres Nuevos), Madrid, 1965².

Lihani, John, ed., Lucas Fernández, *Farsas y églogas*, Las Américas, Nueva York, 1969.

—, *El lenguaje de Lucas Fernández: estudio del dialecto sayagués*, Instituto Caro y Cuervo, Bogotá, 1973.

—, *Lucas Fernández*, Twayne (Twayne's World Authors Series, CCLI), Nueva York, 1973.

López Estrada, Francisco, *Introducción a la literatura medieval española*, Gredos, Madrid, 1979⁴, pp. 468-487.

López Morales, Humberto, *Tradición y creación en los orígenes del teatro castellano*, Ediciones Alcalá, Madrid, 1968.

López Yepes, José, «Una *Representación de las sibilas* y un *Planctus Passionis* en el Ms. 80 de la Catedral de Córdoba: aportaciones al estudio de los orígenes del teatro medieval castellano», *Revista de Archivos, Bibliotecas y Museos*, LXXX (1977), pp. 545-567.

Myers, Oliver T., «Juan del Encina and the *Auto del repelón*», *Hispanic Review*, XXXII (1964), pp. 189-201.

Regueiro, José M., «El *Auto de los Reyes Magos* y el teatro litúrgico medieval», *Hispanic Review*, XLV (1977), pp. 149-164.

—, «Rito y popularismo en el teatro antiguo español», *Romanische Forschungen*, LXXXIX (1977), pp. 1-17.

Saraiva, António José, *Gil Vicente e o fim do teatro medieval*, Europa-América (Estudos e Documentos, XXXIV), Lisboa, 1965².

Senabre, Ricardo, «Observaciones sobre el texto del *Auto de los Reyes Magos*», en *Estudios ofrecidos a Emilio Alarcos Llorach*, vol. I, Universidad de Oviedo, Oviedo, 1977, pp. 417-432.

Shergold, N. D., *A history of the Spanish stage from medieval times until the end of the seventeenth century*, Clarendon Press, Oxford, 1967.

Sieber, Harry, «Dramatic symmetry in Gómez Manrique's *La representación del Nacimiento de Nuestro Señor*», *Hispanic Review*, XXXIII (1965), pp. 118-135.

Sola-Solé, J. M., «El *Auto de los Reyes Magos*: ¿impacto gascón o mozárabe?», *Romance Philology*, XXIX (1976-1977), pp. 20-27.

Stern, Charlotte, «Fray Íñigo de Mendoza and medieval dramatic ritual», *Hispanic Review*, XXXIII (1965), pp. 197-245.

—, «Juan del Encina's carnival eclogues and the Spanish drama of the Renaissance», *Renaissance Drama*, VIII (1965), pp. 181-196.

Sturdevant, Winifred, *The «Misterio de los Reyes Magos»: its position in the development of the mediaeval legend of the Three Kings*, The Johns Hopkins Press y Presses Universitaires de France, Baltimore-París, 1927.

Sullivan, Henry W., *Juan del Encina*, Twayne (Twayne's World Authors Series, CCCXCIX), Boston, 1976.

Surtz, Ronald E., *The birth of a theatre: dramatic convention in the Spanish theatre from Juan del Encina to Lope de Vega*, Castalia, Madrid, en prensa.

Temprano, Juan C., *Móviles y metas en la poesía pastoril de Juan del Encina*, Universidad de Oviedo, Oviedo, 1975.

Torroja Menéndez, Carmen, y María Rivas Palá, *Teatro en Toledo en el siglo XV. «Auto de la Pasión» de Alonso del Campo*, anejo XXXV al *Boletín de la Real Academia Española*, Madrid, 1977.

Van Beysterveldt, Antony, *La poesía amorosa del siglo XV y el teatro profano de Juan del Encina*, Ínsula, Madrid, 1972.

Wardropper, Bruce W., «The dramatic texture of the *Auto de los Reyes Magos*», *Modern Language Notes*, LXX (1955), pp. 46-50.

—, «Metamorphosis in the theatre of Juan del Encina», *Studies in Philology*, LIX (1962), pp. 41-51.

Weber de Kurlat, Frida, *Lo cómico en el teatro de Fernán González de Eslava*, Universidad de Buenos Aires, 1963.

Fernando Lázaro Carreter

EL DRAMA LITÚRGICO, LOS «JUEGOS DE ESCARNIO» Y EL *AUTO DE LOS REYES MAGOS*

Los *tropos* —que se desarrollan, en medios monásticos suizos y franceses, desde mediados del siglo IX, y que pronto se extienden por toda Europa— son textos breves que se interpolan en un texto litúrgico, bien aprovechando una frase musical sin letra en el canto, bien dotándolos de melodía propia. [...] Quizá a través de una etapa en que el texto se divide entre las dos mitades del coro, los tropos se hacen decididamente dialogados. El más antiguo conservado es el famosísimo [tropo pascual de la *Visitatio Sepulchri*, que empieza con la pregunta] *Quem quaeritis?*; aparece en un manuscrito de Saint-Martial de Limoges, copiado alrededor del año 933, que dice así:

—Psallite regi magno, devicto mortis imperio! Quem queritis in sepulchro, o Christicole?
Responsio. —Ihesum Nazarenum crucifixum, o celicole.
Responsio. —Non est hic, surrexit sicut ipse dixit; ite, nunciate quia surrexit. Alleluia, resurrexit Dominus, hodie resurrexit leo fortis, Cristus, filius Dei; Deo gratias, dicite eia!

De que este tropo dialogado se cantaba y representaba en Inglaterra, en la liturgia del domingo de Resurrección, ofrece testimonio [una obra compuesta] entre los años 965 y 975, donde se nos informa cómo un clérigo, revestido con el alba y con una palma en la

Fernando Lázaro Carreter, *Teatro medieval*, Castalia (Odres Nuevos), Madrid, 1965², pp. 17-20, 23-24, 26, 37-40, 87-88.

mano, debía sentarse junto al Monumento, *ad imitationem Angeli,* mientras que otros tres, representando a las tres Marías, y con ungüentos en las manos, se acercaban a él fingiendo buscar algo; era entonces cuando el ángel, *mediocri voce dulcisone,* entonaba el tropo *Quem quaeritis.* La ingenua ceremonia proseguía con caracteres inequívocamente teatrales. Esto que se atestigua para Inglaterra en fecha tan temprana, ocurría simultáneamente en Francia, Alemania y Suiza, y, quizá no mucho más tarde, en Italia y España. Y, puesto que ya existe un texto dialogado e interpretado ante el público por clérigos, que encarnan personajes evangélicos en el seno de las ceremonias sacras, podemos hablar, aunque su extensión sea tan exigua, de auténticos *dramas litúrgicos.*

El éxito de estas interpolaciones dramáticas fue grande, a juzgar por el gran número de ellas que se conserva en toda Europa, y por la relativa variedad que alcanzaron. Muy pronto fueron introducidas en la liturgia de Navidad, fiesta que, por su especial carácter jubiloso, ofrecía amplias posibilidades de arraigo. Y así, sobre el *Quem quaeritis* de la Resurrección, [se forjaron las diversas versiones del tropo denominado *Officium pastorum,* que expone la escena de los pastores ante el pesebre de Belén, en diálogo con los ángeles].

Si la *Visitatio Sepulchri* y el *Officium Pastorum* son verdaderos dramas litúrgicos, por cuanto formaban cuerpo con la liturgia propiamente dicha, hubo pronto otros textos —que llamaremos *dramas sacros*— los cuales, aun teniendo el mismo carácter religioso, no se unían tan estrechamente al culto; se les representaba durante las ceremonias o después, y estaban inspirados a veces en fuentes no estrictamente litúrgicas. A este género corresponden ciclos como el *Ordo Prophetarum* y el *Ordo stellae,* que ofrecen alguna manifestación en España. [El primero hace comparecer en procesión, como testigos de la divinidad de Cristo, a varios personajes del Antiguo Testamento (Isaías, Daniel, David, etc.) y, con ellos, a la Sibila Eritrea, que profetiza los signos del Juicio Final.] El *Ordo* u *Officium Stellae* (que, en Laon, se representaba a continuación de la procesión de los profetas) desarrolla el tema de la adoración de los Reyes Magos, conforme a leyendas piadosas que se documentan en Francia desde el siglo v. Las más antiguas piezas de este ciclo aparecen en dicho país en el siglo xi; se representaban en la misa, y eran dramas litúrgicos en sentido estricto; ampliaciones posteriores determinaron su salida de la misma.

[La incorporación de los *tropos* se realizó simultáneamente en Cataluña y en Castilla hacia el siglo XI; pero, mientras en el área catalana se desarrollaron activamente, en los reinos occidentales parecen haber contado con escaso favor.] El más antiguo tropo conservado, procedente de tierras castellanas, aparece en un breviario del monasterio benedictino de Silos, de fines del siglo XI, y corresponde al ciclo de la *Visitatio Sepulchri*. Dice así:

Interrogatio: Quem queritis in sepulcro hoc, Cristicole?
Responsio: Ihesum Nazarenum crucifixum, o celicole.
Interrogatio siue responsio, antiphona: Non est hic, surrexit sicut locuutus est; ite, nuntiate quia surrexit Dominus, alleluia. Surrexit.

Henos, pues, ante el más antiguo texto dramático que hoy poseemos de los reinos occidentales, [seguido por muy pocos otros tropos análogos o del ciclo del *Officium pastorum,* todos los cuales] representan fórmulas muy primitivas, arcaicas para su tiempo, y todos, aun los más tardíos, proceden de centros de difusión situados en Francia o en el área catalana. [...]

Debemos volver los ojos al canon del III Concilio toledano (h. 589) que denuncia, para la época visigótica, costumbres licenciosas en los templos —saltos, bailes, cánticos torpes—, mal avenidas con la severidad del culto. Y compararlo con lo que, siete siglos más tarde, hizo escribir Alfonso X en su famoso código:

Los clérigos (...) nin deben ser fazedores de juegos de escarnios, porque los vengan a ver gentes cómo se fazen. E si otros omes los fizieren, non deseen los clérigos ý venir, porque fazen ý muchas villanías y desaposturas, nin deben otrosí estas cosas fazer en las Eglesias: antes decimos que les deben echar dellas desonrradamente a los que lo fizieren; ca la Eglesia de Dios es fecha para orar, e non para fazer escarnios en ella (...) Pero representación ay que pueden los clérigos fazer, así como de la nascencia de Nuestro Señor Jesú Christo, en que muestra cómo el ángel vino a los pastores è cómo les dixo cómo era Jesú Christo nacido. E otrosí de su aparición, cómo los tres Reyes Magos lo vinieron a adorar E de su Resurrección, que muestra que fue crucificado e resucitado al tercer día: tales cosas como estas que mueven al ome a fazer bien e a aver devoción en la fe, pueden las fazer (...) Mas esto deven fazer apuestamente e con gran devoción, e en las ciudades grandes donde ovieran arzobispos e obispos, e con su mandado dellos, o de los otros que tu» vieran sus veces; e non lo deven fazer en las aldeas nin los lugares viles, nin por ganar dineros con ellas (Partida I, ley 34, tít. VI). [...]

La ley de las *Partidas,* más bien que ofrecer un testimonio «de la persistencia de dramas litúrgicos, representados por clérigos, que desarrollaban temas navideños y pascuales», como creíamos hace años, lo que hace es —si se lee con atención y sin prejuicios— estimular y autorizar a los clérigos a que celebren representaciones de Navidad, Epifanía y Resurrección. [...]

Es imposible negar que, antes de la época alfonsí, se celebrasen en los templos representaciones sacras: el fragmentario [*Auto* o *Representación de los Reyes Magos,* compuesto en Toledo a mediados del siglo XII,] lo atestigua por sí mismo. Pero su testimonio, único por el momento, nos remite a un origen francés [véase pp. 454-455]. Y, carente Castilla de tropos litúrgicos que dieran lugar, por evolución interna, a piezas sacras en vulgar, ¿qué remedio queda sino atribuir a influjo francés la introducción y el desarrollo de nuestro teatro religioso? Por otro lado, ¿qué otro nexo podemos aducir, entre lo francés y Toledo, que la clerecía cluniacense allí instalada desde el siglo XI? Nuestra hipótesis, única con que hemos alcanzado a ordenar los hechos, es que son precisamente los monjes galos, conocedores de las prácticas ultramontanas, quienes directamente, y sin el intermedio del tropo litúrgico latino, componen obritas religiosas en lengua vernácula, para reprimir, ordenar y canalizar los excesos profanos de los templos, a que se entregaban, por igual, fieles y clero. La temprana fecha de la *Representación de los Reyes Magos* y el origen gascón de su autor [según Lapesa (1954)] encajan perfectamente en nuestra suposición y la apoyan. Como también confirma su verosimilitud el hecho de que los tres ciclos recomendados por el Rey Sabio —Navidad, Epifanía y Resurrección—, se correspondan exactamente con los ciclos ya tradicionales en Francia. Y que falten, en cambio, otros ciclos dramáticos nacidos fuera de sus fronteras: el de Pasión, surgido en Italia en el siglo XII, pero no desarrollado en Francia hasta fines del XIII, y el de los Santos, que aparece a principios del XII en Inglaterra, y que no llega a Francia hasta los últimos años de dicho siglo.

Pensamos, pues, que hubo un movimiento difusor de la representación de obras sacras, pertenecientes a los tres ciclos citados, en las iglesias, cuyo único superviviente es el dramita de Epifanía hallado en Toledo. Dicho movimiento debió de estar promovido por la clerecía francesa y afrancesada, y a él se unieron posteriormente Alfonso X y, quizá, otros monarcas. Es de presumir que estas obras fuesen de muy poca calidad literaria, y de carácter nada progresivo. La pérdida de tales textos ha de deberse, como Donovan [1958] supone, a que quizá nunca se escribieron: su transmisión, en muchísimos casos, debió de realizarse sólo por vía oral. Los autos navideños que, actualmente, se representan en zonas arcaizantes y conservadoras de León, poseen, con toda seguridad, este remoto origen. [...]

Esta irrupción de las representaciones en lengua vernácula, por implantación directa y no por la evolución de los *tropos* que se describe en otros países, hizo inútil el cultivo de éstos; de ahí que no existan en nuestros archivos. Castilla se pasó sin ellos porque importó una fase dramática —el texto extenso en lengua vulgar— perfectamente evolucionada. Los excesos profanos a que hemos aludido reciben el nombre, en las *Partidas,* de *juegos de escarnios.* Eran actividades burlescas, paródicas, folklóricas, etc., con fuerte impronta juglaresca. Lo «literario», lo «dramático», debía de reducirse a chanzas triviales. Los clérigos se entregaron abiertamente a estas diversiones, actuando en las fiestas o permitiéndolas, tanto en la calle como en el templo; muchos vivían y procedían como meros juglares. El drama religioso, sitiado por los juegos de escarnios, experimenta además la terrible competencia de los espectáculos propiamente juglarescos. Nadie lo defiende. No se le considera como espectáculo —esta consideración había salvado e impulsado al teatro religioso en el resto de Europa— sino como instrumento de piedad o mero rito. Y en calidad de tal, queda detenido en su evolución, con textos seguramente pobres, reducido quizás a simples ceremonias rudas y rutinarias.

Bruce W. Wardropper

LA TEXTURA DRAMÁTICA
DEL *AUTO DE LOS REYES MAGOS*

En la primera escena del *Auto* cada uno de los Reyes Magos se entrega a un soliloquio en el que discute consigo mismo si la estrella maravillosa anuncia el nacimiento del «senior... de todos» (versos 6, 25, 40). En todos los casos advertimos que su fe está matizada de espíritu crítico; es decir, que aparte de que aceptemos o no la puntuación del editor (ya que un signo de interrogación puede cambiar por completo una frase de duda o de fe), cada uno de los reyes parte de una postura de incertidumbre para acabar finalmente convencido de la verdad cristiana. El paralelismo entre las dudas y las creencias de los magos queda subrayado por el estribillo litúrgico: «Alá iré ó que fure, aorala e» (17); «iré, lo aoaré» (31); «iré alá, par caridad» (51). Hay, no obstante, cierta individualización en los conflictos psicológicos de los tres reyes: Caspar es el más escéptico («todo esto non vale uno figo», 8); Baltasar, el más inclinado a creer: «Certas nacido es en tirra / aquel qui en pace i en guera / senior a a seer da oriente / de todos hata in occidente» (23-26); pero la fe de Melchior es casi igual de grande. Los Reyes Magos son astrólogos; leen en el libro divino de los cielos, sus ojos se dirigen siempre hacia el Altísimo. Por todo ello, a pesar de ser paganos, están potencialmente salvados, o son susceptibles de salvación. He aquí la explicación de su propensión crítica hacia la fe, resumida en unos versos de Melchior: «¿Es? ¿Non es? / Cudo que uerdad es» (44-45).

El cuarto rey de la obra, Herodes, también duda. Pero la suya es una duda inquieta, que tiene su origen en el temor a un rival: «¡Aún non so io morto, / ni so la terra pusto! / ¿Rei otro sobre mí?» (109-111). En él no hay sabiduría. En vez de levantar la mirada a los cielos en busca de la verdad, como los Magos, convoca a los sabios de su corte; confía en el mundo, «el seglo», en los «escriptos» terrenales. La duda de Herodes es muy escéptica, porque

Bruce W. Wardropper, «The dramatic texture of the *Auto de los Reyes Magos*», *Modern Language Notes*, LXX (1955), pp. 46-50.

ansía permanecer en este estado y porque se funda en la ignorancia: «ia non se que me faga; / por uerdad no lo creo / hata que io lo ueo» (114-116). A la larga lo cierto es que los hechos le convencerán. La coincidencia de rango entre los Magos y Herodes se utiliza así para contraste y edificación.

Volviendo a los Reyes Magos: la primera escena empieza y termina con la triple repetición de la palabra «verdad» (7, 10, 11; 45, 47, 50). La palabra subraya el significado del papel de los Magos: un saber desinteresado que busca la verdad; desinteresado en el sentido de que los Magos, reyes igual que Herodes, se proponen llegar a la verdad, mientras que él, autoridad indiscutible, quiere eliminarla. La sabiduría aparece, pues, como algo muy distinto del saber de los hombres doctos a quienes Herodes consulta. La diferencia entre sabiduría y saber es de orden moral, y el elemento distintivo resulta ser la caridad, la virtud principal de la naciente Nueva Revelación. De ahí que sea importante que Melchior decida encaminarse hacia el pesebre «par caridad» (51).

El hecho de que «caridad» rime con «verdad» subraya la relación temática que se establece en el drama, así como la interdependencia de ambos principios en la vida del cristiano. La primera vez que estas dos palabras riman entre sí es para indicar lo que empuja a Melchior a lanzarse a la búsqueda del Niño Jesús: «bine ['bien'] lo veo que es verdad; / iré alá, par caridad» (50-51). La segunda vez Caspar contesta a la duda y al temor de Herodes invocando la nueva virtud teológica:

CASPAR: Rei, un rei es nacido que es senior de tirra,
           que mandara el seclo en grant pace sine gera.
HERODES: ¿Es así por uertad?
CASPAR: Sí, rei, por caridad (84-87).

En la tercera ocasión, al final de nuestro fragmento, a los dos rabinos se les ha pedido que digan a Herodes la verdad acerca del nuevo Rey. Discrepan entre sí.

RABINO 2.º: ¿Por que non somos acordados?
              ¿Por que non dezimos uerdad?
RABINO 1.º: Io non la sé, par caridad.
RABINO 2.º: Porque no la avemos usada,
              ni en nostras vocas es falada (143-147).

En estas palabras encontramos la primera indicación de que el suave juramento «par caridad» tiene que tomarse en serio como un tema de la obra. La falta de caridad se identifica como un origen del error intelectual y moral. Herodes y sus consejeros se diferencian de los Magos en que no tienen caridad, carecen por lo tanto de sabiduría, y en consecuencia no tienen ningún conocimiento cierto de la verdad divina. La obra queda truncada precisamente en este punto tan significativo. La escena que nos falta —y que podemos conjeturar que es la visita al pesebre, donde Cristo demostrará que es al mismo tiempo un hombre mortal, Rey de la Tierra y Rey de los Cielos— sólo podía ser un desenlace de estas líneas temáticas. En la escena entre los rabinos está la culminación del drama. Y el fragmento, al igual que los romances españoles, termina en su momento de mayor intensidad: el momento en que la duda (la duda crítica de los Magos que tiende a la fe, y la colérica incertidumbre de Herodes que tiende al rechazo de la fe) está a punto de disiparse para los cuatro reyes ante la verdad que se revela por sí misma (el hecho del Nacimiento; el dogma de la Encarnación; la naturaleza trina de Cristo). Porque la verdad está en el aire al llegar a este punto de la historia, cuando al segundo rabino se le concede la gracia de comprender que la verdad no se encuentra en la corte de Herodes porque la caridad también está ausente de allí. Donde no hay caridad, el nuevo Mesías y su Nueva Ley no serán aceptados. Lo inseparable de la verdad y de la caridad se hace manifiesto mientras los temas que dan unidad espiritual a la obra se entrelazan.

Ahora bien, la imposición de un sencillo sistema metafísico o ideológico en una obra teatral de carácter litúrgico, a mi entender es una característica propia del teatro religioso español. La obra que hemos estado analizando es del siglo XII; no se conserva ningún texto dramático más en lengua castellana, hasta que a fines del siglo XV aparecen algunos dramas litúrgicos que alcanzaron el mismo grado de desarrollo que el *Auto de los Reyes Magos*. La *Representación* de Gómez Manrique y las primeras églogas de Encina de hecho son mucho más rudimentarias que nuestro *Auto*. Pero el período central en la trayectoria de Encina y Gil Vicente proporciona una buena base de comparación. En la *Égloga de las grandes lluvias*, por no citar más que un ejemplo, los pastores de la Navidad están engolfados en sus preocupaciones, con la lluvia, sus disputas por el juego, la decepción de Juan por el revés que ha sufrido en sus ambiciones, etc.; el ángel anuncia el Nacimiento; los pastores, por esta efusión de gracia divina, reciben la paz: la discordia se transforma en concordia: la «saña» cede su lugar a la «risa». Éste es un aspecto del teatro religioso español al que hasta ahora se ha prestado muy poca atención. El hecho de que proceda del *Auto de los Reyes Magos* abona la opinión de que hay una continuidad de procedimientos en las obras de tipo litúrgico, a pesar de las lagunas históricas.

N. D. SHERGOLD
CARMEN TORROJA MENÉNDEZ y MARÍA RIVAS PALÁ

TRADICIONES Y TÉCNICAS EN EL TEATRO SACRO DEL SIGLO XV

1. Fuera de Cataluña, y con [pocas] excepciones, el drama litúrgico tiende a aparecer en una época tardía y a utilizar la lengua española. Este teatro vernáculo es una creación original del período al que pertenece, y por lo común no incorpora a su texto ninguna traducción de los tropos latinos, aunque hay ecos esporádicos de las palabras ahí más características. No siempre está vinculado a una iglesia o lugar en concreto, y generalmente las condiciones en que se representaba han de deducirse tan sólo por el diálogo o por algunas acotaciones que a veces lo acompañan. [...]

El *Cancionero* de Juan del Encina, publicado en 1496, contiene dos obras del ciclo de Pascua. Ambas se representaron en 1493, o quizás en 1494 [pero cf. Caso (1953)], en la capilla privada de sus protectores, el duque y la duquesa de Alba. En la primera, un ermitaño viejo se encuentra con otro joven en el camino que conduce al sepulcro donde ha sido sepultado el cuerpo de Cristo. Discuten sobre

1. N. D. Shergold, *A history of the Spanish stage from medieval times until the end of the seventeenth century,* Clarendon Press, Oxford, 1967, pp. 26-29, 39-40.
2. Carmen Torroja Menéndez y María Rivas Palá, *Teatro en Toledo en el siglo XV. «Auto de la Pasión» de Alonso del Campo,* anejo XXXV al *Boletín de la Real Academia Española,* Madrid, 1977, pp. 138-141.

la Crucifixión y dicen que irán a ver el sepulcro, al que llaman «monumento». Se dirigen juntos hacia allí, mientras siguen hablando, y cuando llegan, el ermitaño más viejo, o «padre», dice al joven, al que llama «hijo»: «aquesta que aquí parece / deve ser su sepultura». Junto al sepulcro está la Verónica, quien relata la historia de la Pasión y cómo la imagen del rostro de Cristo apareció en el paño con el que ella le secó la cara. Luego la Verónica dice: «Y esta es su sepultura, / tesoro de nuestra vida». El joven se dirige entonces al sepulcro con las siguientes palabras: «O sagrario divinal, / arca de muy gran tesoro, / no de plata ni de oro, / mas de más alto metal». El término «monumento» aquí se refiere probablemente al altar, y el «sagrario» o «arca» es el tabernáculo en el que la Hostia consagrada se guardaba como parte del rito de la *depositio* del Viernes Santo. El viejo pide a continuación ver cómo era el rostro de Cristo, y la Verónica le enseña el paño. Finalmente, todos se arrodillan ante el «sepulcro», aparece un ángel que anuncia la Resurrección para dentro de tres días, y la representación termina con el canto de un villancico.

La segunda obra trata de hechos que suceden después de producirse la Resurrección. José de Arimatea está junto al sepulcro, del que dice que lo había construido como una tumba para sí mismo y al que alude como «sepulcro singular». Más adelante habla de «este monumento» y de «su monumento precioso». Llega santa María Magdalena y le dice que aquella mañana, muy temprano, acudió a la tumba «con esta caxa de ungüento», pero que descubrió que Cristo ya había resucitado. Añade que se le ha aparecido vestido de jardinero. San Lucas y Cleofás llegan entonces y dicen que han visto a Cristo en el camino del castillo de Emaús, vestido de peregrino, y que han comido con él. El resto de la obra consiste en comentarios sobre el significado de la Resurrección, y en un villancico final. Dado que el episodio del *Peregrinus* [es decir, la aparición de Cristo a los discípulos en el camino de Emaús] se cuenta como algo que ya ha sucedido, seguramente la obra debía de representarse el lunes de Pascua. En ella podía utilizarse el mismo tabernáculo de la obra anterior, pero vacío, para mostrar que Cristo había resucitado.

La similitud de estructura entre la primera obra de Encina y el tropo *Quem queritis* es muy acusada. En el tropo las Marías se acercan al sepulcro, un ángel les anuncia la Resurrección, y, al menos en algunas versiones, enseña un *sudarium* a los allí reunidos o a los discípulos. En la obra de Encina los ermitaños van al sepulcro, la Verónica les cuenta la Crucifixión y les muestra un paño con la imagen de Cristo impresa en él. Es, pues, posible que Encina conociera una versión del *Quem queritis* y compusiera su obra sobre este modelo. En relación con ello también es digno de notarse que sus dos dramas pascuales tratan de hechos que se sitúan en los extremos del ciclo de la Pasión, y que son distintos de los que aparecen en el *Quem queritis*. En el primero, ya han pasado las horas de prima, tercia y sexta, lo cual sin duda alguna sitúa la representación en las Vísperas del Viernes Santo; y la segunda, como hemos visto, es probable que se representara el lunes de Pascua. De ser así, queda espacio libre para una versión de la *Visitatio sepulchri* en los maitines pascuales. Al fin y al cabo éste era el episodio central del drama de la Resurrección, y parece insólito que existieran las obras preliminares y de la conclusión sin él. Si tal fue el caso, es fácil advertir cómo Encina podía haber sufrido su influencia. Una razón más para suponerlo es que ha de aceptarse cierta relación con el *Quem queritis*, o alguna de sus derivaciones, para explicar la existencia de un drama pascual en Alba de Tormes.

Estas dos obras de Encina pueden compararse con el *Auto* (o *Representación*) *de la Pasión* de Lucas Fernández, publicado en 1514. También en este caso se requiere una puesta en escena semejante, que en el texto se indica con unas pocas acotaciones. En esta obra, san Pedro, lleno de remordimientos por sus negaciones, cuenta a san Dionisio los hechos que condujeron a la Crucifixión. San Mateo escucha atentamente la historia y la tres Marías aparecen cantando un planto, al cual sigue un motete. Jeremías también aparece, elevando así el número de personajes a siete. En realidad la obra es un *planctus* dramatizado, y probablemente se representaba el Viernes Santo. En el pasaje de la historia en que san Mateo habla de mostrar a Cristo al pueblo, Lucas Fernández introduce una acotación que dice «se ha de mostrar un eccehomo ['imagen de Cristo como lo presentó Pilatos al pueblo'] para provocar la gente a devoción». Sin duda la imagen estaba oculta por una cortina, que se descorría dramáticamente en el momento oportuno. La acotación también dice que los personajes, que aquí se llaman «los recitadores», tienen que arrodillarse cuando se muestre el *Ecce Homo*, y ponerse a cantar» a cuatro voces 'Ecce Homo, Ecce Homo, Ecce Homo'». Más adelante, cuando se hace el relato de la misma Crucifixión, otra acotación dice que «se ha demostrar o descobrir una cruz, [de] repente», y la misma cortina, si no es otra, debe de volver a usarse. Los personajes que se arrodillan y veneran la cruz vuelven a llamarse «recitadores», y cantan en canto llano. Jeremías menciona un pendón o «vandera / con cinco plagas bordada», el «estandarte» que triunfa sobre los ardides del Demonio. Hacia el final de la obra la relación litúrgica se acentúa por el hecho de que varias estrofas del diálogo están en latín. Los personajes aluden no sólo a la Crucifixión, sino también al descendimiento de la cruz y al entierro en el sepulcro, aunque estos hechos no se representen. Al final de la obra se acercan al sepulcro, que vuelve a llamarse el «monumento», y se arrodillan ante él entonando un cántico de alabanza. Esta obra también es probable que se representase en el Viernes Santo, después de la *depositio*. No hay ningún dato acerca del lugar donde se hacía tal representación, pero la adscripción eclesiástica de Lucas Fernández y sus ocupaciones musicales parecen indicar que se escribió para ser representada en la misma catedral de Salamanca. Pero también cabe que se destinara a representaciones privadas, incluso tal vez en la capilla de Alba de Tormes, como las obras de Encina. [...]

Por lo que se refiere a las obras del ciclo navideño, encontramos dos textos del siglo xv que son interesantes. El primero es un breve fragmento insertado en la *Vita Christi* de fray Íñigo de Mendoza. Aunque dirigido a «lectores», es sin embargo perfectamente representable, y pudo haber sido representado en una iglesia o capilla como complemento de la liturgia navideña, a no ser que tales representaciones sugiriesen la misma idea de la obra. El ángel aparece «volando», pero no es imprescindible imaginar que era forzoso representarlo así con ayuda de maquinaria. Los pastores se dirigen hacia el pesebre, que se describe como un «portal», donde encuentran a María cantando una nana. La última parte de la obra es un relato de lo que han visto, y podría considerarse como una respuesta a la pregunta *Quem vidistis, pastores?* [de ciertas versiones del *Officium pastorum*: cf. p. 462]. Sin embargo, la otra obra trata el tema de un modo bastante diferente. Es la *Representación del nacimiento de Nuestro Señor* de Gómez Manrique, escrita entre 1467 y 1481, y representada en el convento de Calabazanos, en la que su hermana era vicaria. La historia empieza con una escena en la que intervienen María y José, quien sospecha que su esposa ha cometido adulterio; y termina con una variante más bien patética del tema de los presentes navideños: aparecen tres santos que encabezan una procesión de mártires que ofrecen al Niño Jesús los símbolos e instrumentos de la Pasión: el cáliz o copa de amargura, la columna y la soga, el azote, la corona de espinas, la cruz, los clavos y la lanza. La obra concluye con un canción de cuna que las monjas entonan a coro.

Dos obras de tema navideño debidas a Juan del Encina se representaron en 1492 ante el duque y la duquesa de Alba. Las acotaciones detallan que la representación se celebró en la sala o en la capilla donde acababan de cantarse los maitines. Estas obras reciben el nombre de «églogas» y reflejan la boga de una literatura pastoril profana, así como del tradicional tema de la Navidad. Los cuatro pastores que aparecen en ellas llevan los nombres de los cuatro evangelistas, y Juan es el propio Encina, quien es de suponer que representaba este papel. Su regalo de Navidad a la Duquesa es un ejemplar de sus propias obras, a las que defiende de unos detractores representados por Mateo. Sólo la segunda obra trata de la Navidad. La aparición del ángel es contada por Lucas, y los pastores se encaminan a Belén cantando un villancico. Por el diálogo no es posible saber si en escena se veía el portal. Una tercera obra navideña debida a Encina, compuesta para la Navidad de 1498, muestra la misma sencillez de presentación.

2. En este contexto aparecen a finales del siglo xv el *Auto de la Pasión* (1486-1499) y el guión del *Auto del emperador* (1477-1478), de Alonso del Campo, en estrecha relación con las representaciones del Corpus en Toledo, [que de tiempo atrás venían celebrándose en el curso de la procesión, en carros preparados con decoraciones y tramoyas cada vez más complejas y con mayor abundancia de personajes y aderezos como máscaras y vestimentas llamativas]. La diferencia principal entre la obra de Alonso del Campo, [que cuidó tales fiestas entre 1481 y 1499,] y la de los autores del siglo xv y primeros años del xvi es a nuestro juicio el carácter de narración directa de los hechos que destaca en la obra del capellán toledano. Gómez Manrique, Juan del Encina y Lucas Fernández ponen en escena unos personajes que han presenciado la Pasión del Señor y, como testigos oculares, narran los hechos acaecidos, lamentándose y llorando al mismo tiempo los sufrimientos de Cristo y de su madre. En cambio, el *Auto de la Pasión* de Alonso del Campo, aunque utilice en ocasiones esa técnica, representa directamente en otras los

diversos episodios de la Pasión con los personajes que realmente intervinieron en ellos. El alto grado de desarrollo del teatro religioso toledano, que hemos comprobado con el estudio de los autos del Corpus a través del Libro de Cuentas del Cabildo, permitió a Alonso del Campo prescindir del artificio de presentar una acción en lugar diferente del original por medio de la narración de un personaje que aparece en la escena. Los problemas de escenografía no asustaron a nuestro autor, que utiliza un procedimiento mixto, acudiendo unas veces a los recursos de sus contemporáneos (Plantos de San Pedro, San Juan y la Virgen) y representando directamente los hechos en otras (Oración en el Huerto, Prendimiento, Negación de Pedro, Sentencia de Pilatos, Nuestra Señora y San Juan). Quizás esta última técnica se adaptaba mejor a la finalidad didáctica que caracteriza la obra de Alonso del Campo y las representaciones de la fiesta del Corpus en Toledo. Entre las obras contemporáneas del *Auto de la Pasión,* hay una que coincide con ella en ese carácter de asistencia directa a los hechos: el anónimo *Auto de la huida a Egipto.*

Es curioso y significativo señalar cómo los primeros textos del teatro medieval castellano están casi todos especialmente ligados a Toledo: el *Auto de los Reyes Magos* se encontró en un códice de la catedral, donde es muy posible que se escenificara; las fiestas de Navidad venían adornadas probablemente desde el siglo xiii con las pequeñas piezas de la Sibila y los pastores, cuya descripción nos proporciona Fernández Vallejo [cf. p. 454]. Ya en el siglo xv, aparece la obra de Gómez Manrique, personaje muy unido a Toledo, pues fue corregidor de la ciudad desde 1477 hasta su muerte, acaecida en 1490. Y por fin la pieza dramática que hoy nos ocupa, hallada asimismo en la catedral toledana, y obra casi segura de Alonso del Campo. A todo esto vienen a añadirse las pruebas documentales extraídas del Archivo de Obra y Fábrica, que testifican la celebración de las fiestas del Corpus durante el siglo xv con la puesta en escena de autos o dramas religiosos en número nada despreciable, sobre todo en los últimos años del siglo. Creemos que estos datos no permiten ya poner en duda la existencia de un floreciente teatro religioso castellano durante el siglo xv, al menos en Toledo.

Por otra parte, pensamos que la existencia de esas representaciones, que alcanzaron un grado de organización tan alto como para anotarse en un libro especial los gastos ocasionados por ellas, demuestra que nos hallamos ante una tradición de hondas raíces en el quehacer artístico teatral en lengua castellana. No cabe duda que los autos que debieron ponerse en escena en la catedral de Toledo durante el siglo xv no eran cosa que se improvisara en unos años, sino que deben ser el resultado de un proceso largo y lento de formación y desarrollo de toda una tradición dramática castellana, que se debería a múltiples y variadas influencias.

El gran problema de la crítica ha sido siempre averiguar el paradero de los textos representados. Algunos autores han apuntado la idea de una transmisión por vía oral: si los largos cantares de gesta se transmitieron de ese modo, ¿por qué no habría de ocurrir igual con los más breves textos de los autos? [...] Respecto al *Auto de la Pasión,* debemos preguntarnos qué es lo que supone su aparición para la historia del teatro español. La existencia de esta obra con sus especiales características puede ser un arma de doble filo para esgrimir como argumento a favor o en contra de la pujanza de las representaciones teatrales castellanas del siglo xv —ya que de su existencia no se puede dudar— y la calidad de los textos de las mismas. De una parte no cabe duda que nos hallamos ante un texto elaborado y de considerable longitud, y, aunque no sepamos si llegó alguna vez a representarse, sí podemos asegurar que la intención del autor al componerlo fue sin duda su puesta en escena. De otra, el hecho de que Alonso del Campo tuviera que acudir a un texto no dramático para escribir su auto, [en una cuarta parte procedente de la *Pasión trobada* de Diego de San Pedro,] se puede interpretar como prueba de la inexistencia de obras teatrales o escritas expresamente para su representación. En todo caso la aparición del manuscrito del *Auto de la Pasión* nos hace vislumbrar un camino de solución al problema de la procedencia de los textos de los autos representados en nuestras iglesias y catedrales al finalizar la Edad Media. Es posible que —como en este caso— tuvieran su origen en obras ajenas en principio al teatro y no concebidas en el momento de su gestación con una finalidad escénica.

Humberto López Morales

HACIA LA SECULARIZACIÓN DEL TEATRO: LA FIGURA DEL PASTOR EN JUAN DEL ENCINA Y LUCAS FERNÁNDEZ

Son varios los factores que hacen de algunas de estas piezas [de finales del siglo xv] algo diferente a la producción propiamente medieval. Las obras de la Pasión, con su apego a la letra evangélica, son las que con mayor fidelidad representan la pervivencia de la tradición. En las relativas al Nacimiento, sin embargo, lo primero que se descubre es el desequilibrio argumental. Mientras las obras pascuales son verdaderos plantos más o menos glosados, o dogmáticos panegíricos, las de la Natividad han reducido a unos momentos los episodios bíblicos y han dedicado el cuerpo de la obra a cuestiones ajenas. Los *razonamientos* de los pastores, que es la situación más general aunque no la única, han terminado por desplazar considerablemente la escena de la Anunciación. En la *Égloga de las grandes lluvias,* de Encina, el diálogo donde los pastores hablan de sus cosas ocupa 191 versos, el parlamento del ángel, 16, y la escena final donde aquéllos deciden acudir al portal con sus regalos, 40. En la *Égloga o farsa del nascimiento,* de Lucas Fernández, la conversación de Bonifacio, Gil y más tarde Macario, se desarrolla en 377 versos; Marcelo despacha la noticia en una breve intervención; durante los restantes 202 versos, hay un diálogo donde el ermitaño explica a los pastores los misterios de la gran noche; y 10 versos a partir del *Fin,* cuando, ya convencidos, marchan a adorar al Niño. El *Auto o farsa del nascimiento* presenta la más jugosa escena de pastores ante el anuncio de la Natividad en 149 versos, de los cuales 114 están dedicados a la incredulidad de Pascual y Lloriente. Al principio de la obra se destinan 195 versos a diálogos ajenos al tema; de nuevo aquí Lucas Fernández, con su puntilloso sentido

Humberto López Morales, *Tradición y creación en los orígenes del teatro castellano,* Ediciones Alcalá, Madrid, 1968, pp. 143-150, 154-155, 160 (pero el último párrafo procede del prólogo del mismo López Morales a su edición de J. del Encina, *Églogas completas,* Escelicer, Madrid, 1968, pp. 30-31).

catequístico, convierte en teólogo al pastor Juan, y en una escena de 162 versos le hace explicar la significación de la encarnación del hijo de Dios; los últimos 38 versos son los de la decisión de visitar el pesebre y la enumeración de los regalos. [...]

Aun en las dos obras de Lucas Fernández se advierte la irrupción desproporcionada de elementos seculares y el consiguiente cambio en la relación de los elementos compositivos de estas piezas. De la *Representación del Nacimiento de Nuestro Señor* de Gómez Manrique a la égloga enciniana los términos han quedado considerablemente invertidos. La rápida intervención de los pastores en aquélla ha llegado a dominar la situación en ésta. Si vemos que Lucas Fernández iguala al menos lo bíblico y lo secular [...] y que en Encina la Anunciación llega a ser un pretexto, no sorprende que casi de inmediato lleguen unas églogas donde los pastores comiencen y terminen sus razonamientos sin que el ángel tradicional —o algún otro pastor— haya venido a comunicarles nada. Progresivamente, Encina, el primero, ha llegado a secularizar temáticamente su teatro.

Las églogas pastoriles que ahora se producen no difieren grandemente de las anteriores en cuanto a su estructura, pero, no acondicionado el tema, ni las situaciones, ni los personajes, se llega a concluir el proceso de revitalizar los diálogos y de ampliar y matizar la trama con situaciones nuevas. Lucas Fernández aprovecha ya esta insuperable lección, y aun en sus escenas más dogmáticas lo religioso no se da nunca como elemento puro, sino ambientado con gracejos pastoriles. Obsérvese con cuidado la escena del *Auto o farsa del nascimiento* en que Juan llega con la buena nueva: Pascual y Lloriente juegan; Juan, agitado por la carrera, les llama con emoción, pero los otros pastores no quieren distraerse. Durante la primera parte de esta escena Juan intenta repetidas veces captar la atención de los otros («¡A, zagales!, no juguéys; / mirá qué os quiero dezir ...»), pero sin éxito. Las respuestas que recibe son en extremo chispeantes: «Anda vete, mamaburras, / dende ya, que nos aturras ...». A continuación, Juan decide bajar por lo que, según el texto, parece ser un escarpado, y esto los ocupa a todos durante una buena parte de la escena. Por fin, a duras penas, después de pequeñas interrupciones ocasionales, sale la noticia del Nacimiento. Cuando el lector espera que, tras tantas dilaciones, los pastores, maravillados con la buena nueva, acudirán de inmediato con regalos al portal, Lucas Fernández nos pinta con unos colores vivísimos el escepticismo de los pastores. Éstos, en su incredulidad, se burlan a cada paso de los puntos tradicionales de la anunciación narrada por Juan. Les parece que el canto del ángel fue ruido de grillos, que el ángel mismo fue quizás algún ladronazo o algún lobo rapaz; el anuncio del *gloria in excelsis Deo* los deja fríos, puesto que «sincas, ahora paz tenemos; / entre nós no hay barajas», y si es cierto que parió la hija de Santa Ana, también pudo parir Juana, dicen. La cordura llega, finalmente, al diálogo y Lucas Fernández rinde su tributo a los evangelios, pero adviértase que todavía aquí, entre serios e impostados parlamentos de Juan, salta la comicidad alguna vez:

> *Lloriente.*   Sí, y también lo profetó
> Daniel y Sofonías,
> Osé, Barué, Jeremías.
> *Pascual.*   ¿No dijo nada Judillas? [...]

Todo este abrirse a la novedad necesitaba instrumentos apropiados. Muchos no se consiguen, otros sí. De entre estos últimos, ninguno tan importante como el diferente matiz que ahora adquiere el tipo del pastor y unos pocos personajes nuevos que suben a estrenarse en las tablas. Los temas giran en torno a la vida del campo, aunque pausadamente van acercándose al pastorilismo renacentista, al que se suman otros motivos argumentales. [...] El pastor como personaje dramático no es nada nuevo. Baste con recordar los primeros pasos de la escena litúrgica para encontrarlo, aún inmóvil y frío, en su participación coral del *Officium Pastorum*. En Castilla las antífonas del *Quem vidistis* se oyeron cantar en Toledo quizá desde finales del siglo XII. [Como sea, con fray Íñigo de Mendoza, Encina, Lucas Fernández,] asistimos a la creación de un personaje distinto, aunque no por nuevo carente de matices tradicionales. Por encima de tan diferentes entidades literarias, se extiende engañosamente la homogeneidad de rasgos superficiales: nombres pastoriles, y el artificio lingüístico, con sus rusticismos y ciertas preferencias léxicas, que bien denotan el contacto de la lectura entre fray Íñigo, el anónimo autor de las *Coplas de Mingo Revulgo*, Encina y sus seguidores.

Pero, ¿cómo es en realidad este nuevo personaje? ¿Cuáles son sus características más sobresalientes? Todo buen pastor toca el caramillo, danza la difícil «çapateta» y canta villancicos. Las fiestas de las aldeas y las privadas, a las que se hace referencia a cada paso en estos diálogos, propiciaban el desarrollo de tales habilidades. Todos los pastores cantan en las églogas. Los villancicos del nacimiento vienen avalados por una poderosa tradición popular y sólo a medias pueden ayudar a caracterizar el tipo. Otros villancicos cantados al final de la pieza obedecen a convenciones del quehacer dramático de este período; generalmente son epílogos, resúmenes y hasta moralejas de lo tratado en la obrita. En la égloga VI de Encina, los pastores terminan su actuación con uno que es un canto a la gula. Los pastores de la égloga VIII, égloga amatoria por excelencia, después de convertidos en palaciegos, al final de la pieza cantan una «linda sonada»; lo que entonan es el bello villancico «Ninguno cierre las puertas / si Amor viniere a llamar, / que no le ha de aprovechar», muy a tono con el argumento que termina. [...] El rudo pastor de la *Comedia*, de Lucas Fernández, enamorado de la doncella trata de conquistarla ofreciéndole dones, y no faltan sus *mill ñotas* entre los madroños, las nueces y las manzanas. [...]

Después del tocar instrumentos, del bailar y del cantar, la característica más distintiva del tipo es su afición al juego. En la *Égloga de las grandes lluvias*, de Encina, el pastor Juan ha comprado unos higos y unas castañas y las reparte entre sus amigos Miguellejo, Rodrigacho y Antón. Es de noche y llueve a cántaros, y tras las barrancas donde se cobijan deciden jugar las frutas a «pares y nones». Pronto empiezan las disputas y el ángel de la anunciación les sorprende mientras discutían si debían cambiar el juego por el «treintín» como quiere Miguellejo (161-192). En la *Égloga de Plácida y Vitoriano*, los pastores Gil y Pascual, en contraste con la tragedia que se avecina y que ya se presiente en la desesperación de Vitoriano, después de lanzar unos cuantos improperios contra los de la villa, deciden recrearse jugando a los dados alguna de las cosas que llevan en el hato. Así salen a relucir el cayado del uno, el cinto de tachones del otro, y, por último, la piedra de discordia de esta escena: la cesta de Gil. Los pastores de Lucas Fernández se muestran también apasionados por el juego. En el *Auto o farsa del nacimiento*, Lloriente propone jugar al «estornija y al palo», pero Pascual prefiere el «salta-buitre». Otros dos juegos son propuestos pero sin éxito: el «tejo», porque es juego de viejo; el «correr, saltar, luchar», porque son juegos de mueca. Por último, se avienen con el de la «chueca», y tras apostar, cuando ya habían tomado posiciones, llega Juan a interrumpirles. Ya se ha visto en otro lugar cómo hacen todo lo posible para que no se produzca la interrupción, interesados como estaban más en la «chueca» que en el nacimiento. [...]

Entre otros rasgos atribuibles al pastor, que sin ofrecer posibilidades de generalización pueden descubrirse aisladamente en los textos, están su cariñoso apego a la vida del campo, su pertinaz enamoramiento y el picaresco escape de sus obligaciones pastoriles.

Algunas de estas aristas no van a desaparecer más de las églogas de Encina, por más que en las piezas donde impera ya el pastorilismo renacentista —Plácida y Vitoriano— parezcan encontrarse fuera de lugar. Estos pastores salmantinos van cediendo el paso a otras figuras, mucho más delicadas en su concepción, que, abrasadas por las llamas del amor, invocan a Venus y maldicen de los sinsabores que les da Cupido. Estos otros pastores sólo conservan el disfraz; todo lo demás ha cambiado, desde su incipiente perfil psicológico hasta su expresión, ahora elegante y culta. Estos personajes de trazo cortesano quedan envueltos siempre en situaciones amatorias. Junto a ellos aparece, personificado, Amor, y también suben a las tablas hermosísimas ninfas y dioses de la mitología clásica. Aquí el nexo entre los dos mundos, medieval y renacentista, ha sido el viejo tópico trovadoresco «Amor omnia vincit», tratado en forma dialogada en las letras castellanas —y con singular acierto— por Rodrigo Cota, bastante antes que Encina. Ni siquiera parece necesario insistir en que el renacentismo del salmantino —el renacentismo superficial que puede encontrarse en las églogas— no se da nunca en forma absoluta, sino siempre compartido con tendencias más tradicionales.

ROSALIE GIMENO

LA *ÉGLOGA DE PLÁCIDA Y VITORIANO* Y LOS TEMAS DE LA SEGUNDA ÉPOCA DE JUAN DEL ENCINA

Así como en el teatro del primer *Cancionero* (1496) Juan del Encina, cuidadosamente y en dos líneas paralelas, desarrolló sin antago-

Rosalie Gimeno, introducción a Juan del Encina, *Teatro (segunda producción dramática)*, Alhambra, Madrid, 1977, pp. 45-46, 59-65, 87, 92.

nismo la proyección religiosa y la proyección profana del ser humano al contar la historia de la vida del hombre, ahora, en la *Égloga de Cristino y Febea*, presenta con igual esmero y claridad el choque entre estas dos proyecciones. Utiliza los dos extremos filosófico-religiosos (hedonismo-ascetismo) para ilustrar esta pugna interior entre la razón y los sentidos. A cada postura corresponde un estado y un oficio: el pastoril y el eremítico. Para cada servidumbre hay un señor, una deidad poderosa: Cupido y el Dios cristiano. Cada acercamiento a la vida pertenece a una tradición literaria: la greco-latina, que vuelve a brotar en el Renacimiento y la judeo-cristiana, que perdura en la Edad Media. Con el ascenso de Cupido, con su triunfo sobre el Dios cristiano [en la lucha interior de Cristino], Encina clarifica su evolución conceptual artística. En la [*Égloga de tres pastores (Fileno, Zambardo y Cardonio)* y en la *Égloga de Plácida y Vitoriano*] —églogas que sospechamos fueron las últimas escritas por el salmantino— presenciaremos un mundo regido por el Amor todopoderoso. Por eso, *Cristino y Febea* presagia el ambiente conceptual de aquellas dos piezas; en aquéllas, sin embargo, la yuxtaposición de *caritas* y *cupiditas* no será la única fórmula usada para tratar el amor humano. [...]

La *Égloga de tres pastores* ilustra la omnipotencia y la omnipresencia del amor en sus dos manifestaciones más extremas, la viciosa y la virtuosa. Mientras que la muerte supera al amor erótico, el amor virtuoso supera a la Fortuna, a la lujuria y a la muerte. La trágica historia de Fileno se contrapone a la feliz historia de Cardonio. Encina brinda en su pieza «grave y ardua», versificada en arte mayor, la solución renacentista al problema sentimental del hombre. El amor, que se presenta como deseo, debe ser un deseo de belleza perfecta, espejo de virtud, templado por la razón y no regido por los sentidos. En vez de entregarse a la pasión desenfrenada, el hombre debe aprovechar su facultad racional para encaminar su sentimiento hacia una trayectoria vital armónica, perfeccionadora y plena. Éste es el sentido, la lección que se saca, de la *Égloga de Fileno, Zambardo y Cardonio*. [...]

En vez de tratar principalmente de personajes pastoriles, la *Égloga de Plácida y Victoriano* trata de dos protagonistas de la alta sociedad. El medio que les corresponde —aunque su crisis amorosa les lleva al campo— es la ciudad, no la aldea. Tanto Vitoriano como Plácida pertenecen a la nobleza, social y espiritualmente hablando; son «una dama» y «un galán», dos personajes opuestos en absoluto a los «pobres pastores». Residen los dos normalmente en palacios, no en cabañas o en chozas. [...] Su vocación, lejos de ser física y pastoril, es espiritual y refinada. Su quehacer vital es el amatorio; el lazo que les ciñe es el amor perfecto, pues esta pareja joven de la clase adinerada pasa el tiempo de su vida ociosa, en la que el amor florece, «amándose ygualmente de verdaderos amores». El amor verdadero se define como una *afición* con *fe,* cuyas características principales son la castidad, la lealtad y la constancia, y el amor igual entre dos personas equiparables en virtud y en voluntad. [...] Aunque parece ideal la pareja, y aunque el amor recíproco que la enlaza tiene un fundamento sólido en la fe de los enamorados, Plácida y Vitoriano, como la mayoría de jóvenes inmersos en la vida amatoria, están sujetos, debido a la Fortuna, a distintas vicisitudes. En efecto, los encontramos por primera vez inmediatamente después de un suceso que introdujo discordia en sus relaciones. A pesar de ser los dos constantes, dudan de la constancia; esta equivocación mutua les lleva a una separación, circunstancia insoportable para unos amantes —como ellos— verdaderos. Veremos a la dama y al galán un poco después de la discordia cuando se han separado física —si no espiritualmente— y los seguiremos viendo en crisis hasta que esta crisis se resuelva para que puedan reunirse de nuevo, perfectamente, los amantes en su perfecto amor.

El asunto de esta representación es el mismo que el de las otras tres que tratan el amor: la crisis personal del joven. En este caso, sin embargo, son dos jóvenes enamorados, en vez de uno, los que se enfrentan a causa del amor con su vivir problemático. También el tópico que sirve de base aquí es el que sostiene el *Triunfo de Amor* del *Cancionero* de 1496, *Cristino y Febea* y *Fileno, Zambardo y Cardonio:* «omnia vincit Amor». En el modo en que Encina demuestra la fuerza del amor reside la novedad de esta comedia dentro de su producción dramática.

Plácida y Vitoriano se levanta sobre dos temas, los mismos, por cierto, que sostienen la *Égloga de tres pastores:* el del amor y el del remedio. En vez de contraponer al espiritual el amor erótico, como en *Fileno, Zambardo y Cardonio,* Encina contrapone ahora el amor con fe al amor sin fe. Mientras que aquél se presenta como verdadero, éste se presenta como falso. Las dos manifestaciones de este sentimiento coinciden porque las dos se asocian con elementos físicos; en cambio, sólo al amor constante se le atribuyen elementos espirituales.

Con todo, el amor, sea constante o inconstante, se define como una inclinación hacia lo bello. La belleza, por su parte, tiene también dos manifestaciones: la exterior y la interior, o si se quiere, la física y la espiritual. Así como Plácida y Vitoriano encarnan la genuina hermosura humana, que es, a la vez, exterior e interior, Flugencia, [con quien «Vitoriano finge ... nuevos amores» y que «assimesmo le responde fingidamente»,] en contraste, representa solamente la hermosura física o exterior, una hermosura falsa, una engañosa cubierta que esconde un ser indigno. Precisamente por eso, la belleza de Flugencia se desvanece en cuanto la vamos conociendo, y como espectadores llegamos a compartir la opinión de Eritea, la alcahueta que la conoce a fondo: «Flugencia, cómo estáys fea». Lejos de encontrarse fuera del influjo de la Fortuna, de Cupido y de la Muerte —como Cardonio, amador a nivel filosófico—, Plácida y Vitoriano, con su verdadero amor humano mal aprovechado, se encuentran sujetos hasta el desenlace a estos tres poderes que introducen toda clase de calamidades en sus vidas.

Precisamente porque el sentimiento amoroso va acompañado de estos mudables gobernadores, Encina puede presentar al amor que se desvía de sus cauces naturales como enfermedad grave que necesita cura. De ahí que el segundo tema, el del remedio, reciba tanto ímpetu. Los remedios para el amor «complido» constituyen un verdadero repertorio en el que los dos últimos se destacan por su novedad en el teatro enciniano: huida al campo, soledad, consolación de la naturaleza, consejos del amigo leal, cambio de amante, servicio activo, búsqueda y reconciliación con la amada, suicidio, redención y, por último, resurrección. [...]

Cuando Venus explica al protagonista que Plácida «se mató» y cuando le dice que «no es muerta», hay una aparente contradicción; pero esta contradicción desaparece, si la examinamos de acuerdo con el sentido literal y con el sentido simbólico de la égloga. La protagonista se mató en cuanto personaje aislado. Como protegida e instrumento de Venus, su muerte literal no constituye empero una muerte definitiva, porque, por una parte, la divinidad puede hacerla resucitar en la tierra, y, por otra, su alma pervive en el infierno de los enamorados junto al río Leteo, cuyas aguas, cuando se bebían, causaban el olvido. No hay duda de que Plácida murió cuando se suicidó; la prueba de ello es que Mercurio, cuando la hace renacer, junta de nuevo su cuerpo y su alma.

Como símbolo de la belleza verdadera, sin embargo, Plácida nunca muere; es un ideal indestructible. Es como el sol, al que Encina la equipara, un elemento independiente del universo. Si es verdad que las nubes, la luna (como Flugencia en la égloga) y la noche pueden privarnos de la vista del sol a veces, es igualmente verdad que, aunque no lo veamos, el sol brilla siempre. Plácida, la belleza perfecta, que encierra la verdadera virtud humana, es metafóricamente semejante al sol; es, como Vitoriano afirma, «aquella luz verdadera». Encina coloca la resurrección de Plácida al amanecer. Ella renace cuando renace el sol. [...]

La *Égloga de Plácida y Vitoriano* es una obra renacentista por su forma y por su sentido, una brillante muestra del empleo de elementos clásicos y medievales, paganos y cristianos. En ella, los ciclos rítmicos universales de la naturaleza y del hombre se circunscriben (día-noche-día; nacimiento-vida-muerte-resurrección); los altibajos del espíritu humano se perfilan (desesperanza-esperanza); el pasado, el presente, el futuro artístico se proyectan; la mitificación o la desmitificación de personajes se realiza; la visión humanista supera a la visión religiosa y a la visión cortesana. El perfecto amor humano, por fin, todo lo vence (la Fortuna, Cupido, el Tiempo y la Muerte), para reinar por completo en la tierra. Con agilidad conceptual, con capacidad creativa, con espontaneidad renovadora y con maestría técnica, Juan del Encina compuso su última representación, cumbre de su producción dramática y digno antecedente del gran teatro español del Barroco.

12. «LA CELESTINA»

Entre el crepúsculo de la Edad Media y el alba del Renacimiento, una obra requiere tratamiento independiente, en capítulo aparte, por su grandeza, singularidad y la magnitud de la erudición y de la crítica que ha suscitado. Desde luego, todas las obras de arte son únicas, pero ello es cierto de un modo muy particular en el caso de la *Tragicomedia de Calisto y Melibea*, que muy pronto se conoció con el título de *La Celestina*: no hay nada en las postrimerías de la Edad Media con lo que pueda compararse provechosamente esta primera novela española (y probablemente primera novela europea: ni el sustantivo ni los adjetivos deben asustarnos). Tanto su título originario (que fue *Comedia de Calisto y Melibea* aun antes de llamarse *Tragicomedia*) como su forma dialogada indican su origen: al parecer, empezó siendo una tentativa de escribir en castellano una comedia humanística a imitación de las piezas con las que los escritores latinos de la Italia renacentista estaban renovando las tradiciones de la antigua Roma. Sin embargo, tales antecedentes fueron quedando atrás a medida que la obra avanzaba, del mismo modo que el *Quijote* desbordó la tradición de los libros de caballerías.

La primera edición conservada, en dieciséis actos y con el título de *Comedia,* se imprimió en Burgos en 1499. Tuvo un éxito inmediato, y rápidamente se sucedieron otras ediciones. Pronto, la *Comedia* se convirtió en la *Tragicomedia* en veintiún actos, publicada antes de 1502 (aunque el representante más antiguo que de ese texto ha llegado hasta nosotros es una traducción italiana de 1506). Aunque de manera indirecta (la información sólo aparece en unos versos acrósticos que figuran entre los preliminares; pero también es cierto que se llama la atención al respecto), se da ahí el nombre del autor, un cierto Fernando de Rojas, «bachiller», natural de Puebla de Montalbán, y se nos dice que «acabó» (no que 'compuso') la obra. En uno de sus dos prólogos, Rojas es más concreto: halló escrito el acto primero, y movido por una gran admiración decidió completarlo. Los prólogos también subrayan la doble función, literaria y moral, de la obra.

La característica literaria más evidente de *La Celestina,* como ya se ha dicho, es su forma dialogada. Los únicos pasajes en los que aparece el autor son los textos iniciales, unas pocas estrofas finales y —tal como ahora se nos presentan— los *argumentos* que encabezan los actos añadidos a la *Tragicomedia* (los *argumentos* de la *Comedia* son obra del impresor, según Rojas lamenta en el prólogo). Menos manifiesta, pero más importante es la estructura subyacente, que puede interpretarse de dos modos: como la trama de una comedia humanística que se ha desviado hacia el trágico desenlace típico de la forma narrativa predominante en la época, el relato sentimental; y como una estructura muy trabada, en la que el personaje determina la acción, la acción transforma al personaje y un inexorable encadenamiento de causas lo gobierna todo. Ésta, que es una de las innovaciones radicales de *La Celestina,* es también un rasgo distintivo de las grandes novelas europeas del siglo XIX. Otra innovación capital es el modo en que Rojas trata el lenguaje, no tanto por la manera de reflejar el diálogo (por mucho que llame la atención en *La Celestina,* este logro ya había sido anticipado en el *Arcipreste de Talavera* y en el sermón popular medieval), como por el hecho de que a ningún personaje corresponde un nivel estilístico predeterminado, sino que los niveles varían según los interlocutores y el tema que se está tratando.

Un rasgo en el que Rojas insiste, para desazón de los críticos modernos, es el de las artes de hechicería de Celestina. Ese dato no armoniza fácilmente con los móviles realistas de carácter psicológico que explican la seducción de Melibea —por ejemplo—, pero es un hecho que no puede descartarse. Así se plantea un problema, no sólo en cuanto a la valoración de la técnica literaria de Rojas, sino también por lo que atañe al sentido de la obra. Hay un 'mensaje' que se afirma claramente en los textos preliminares y finales; pero aunque algunos críticos aceptan la afirmación de Rojas de que existe un propósito moral de ejemplaridad, otros creen que el evidente pesimismo del libro acerca de la condición humana trasciende y quizás incluso subvierte la moralidad ortodoxa de aquellos tiempos. Algunos quisieran ir más lejos, relacionando la sombría visión de la condición humana propia de Rojas con su situación como converso. El preeminente papel que se asigna a la hechicería proporciona argumentos a unos y a otros, pero es al mismo tiempo motivo de no pocas otras perplejidades.

La inmediata y prolongada popularidad de *La Celestina* se refleja no sólo en el considerable número de ediciones que se conservan, sino también en traducciones al latín y a media docena de lenguas vernáculas, en continuaciones e imitaciones, en la influencia ejercida por la tradición celestinesca sobre la narrativa en prosa y el teatro español de los siglos xvi y xvii. Lo único que se echa en falta en ese despliegue literario centrado en *La Celestina* son representaciones teatrales: antes del siglo xx, no hay el menor indicio de ningún intento de llevar a la escena la obra propiamente dicha (otra cosa son las adaptaciones en castellano y en otras lenguas). Probablemente ello obedece a causas más profundas que las meras dificultades técnicas; a pesar de su título, de su origen literario y de su forma dialogada, *La Celestina* no es una obra teatral —pienso—, sino una novela.

La crítica y la erudición en torno a *La Celestina* han aumentado tan rápidamente en las últimas décadas, que las guías bibliográficas no son ya solamente útiles, sino indispensables. La mejor —por su precisión, amplitud e inmediata incorporación de nuevas piezas— es la publicada por Snow [1976 ss.]. Por desgracia se limita a obras aparecidas a partir de 1949, pero sólo un número relativamente pequeño de libros y artículos todavía válidos se publicó antes de esta fecha (vid. también Mandel [1971]), de modo que la limitación no es tan grave como podría suponerse. La cota alcanzada por los estudios sobre la materia puede inferirse con sólo parar mientes en que en los últimos veinte años estudiosos de la categoría de Marcel Bataillon, Américo Castro, Stephen Gilman, María Rosa Lida de Malkiel, José Antonio Maravall o Peter E. Russell han publicado volúmenes monográficos o centrados principalmente en torno al drama de Rojas. Varios de esos libros pueden parecer demasiado deseosos de sentar una clave interpretativa única para la *Tragicomedia* (Bataillon subraya su dimensión moral; Castro y Gilman, el nihilismo —paradójicamente, creativo— que preside el mundo celestinesco, como consecuencia del origen converso de Rojas, etc., etc.), pero todos ellos contienen sugestivos vislumbres a otros propósitos. Sin mengua de la importancia de todos esos trabajos, es necesario insistir en el valor del gigantesco volumen de Lida de Malkiel sobre *La originalidad artística de «La Celestina»*, donde la autora escudriña minuciosamente los principales aspectos de la obra con tanta erudición cuanta agudeza (aun si no siempre alcanza conclusiones definitivas o cabe discutir algunos de sus presupuestos, como el excesivo hincapié en el realismo en tanto criterio estético).[1]

---

1. Entre los comentarios suscitados por *La originalidad artística de «La Celestina»* se destacan los de M. Bataillon, R. Lapesa y O. H. Green (cf. referencias en Lida de Malkiel [1970], pp. 761-762). Notable polémica, por otra parte, ha levantado el último libro de Gilman [1972]: a las graves objeciones de P. E. Russell [1978], pp. 341-375, pueden contraponerse, así, los entusiastas juicios de Juan Goytisolo, *Disidencias*, Seix Barral, Barcelona, 1977,

En los últimos años hemos aprendido mucho acerca de la historia textual de *La Celestina,* pero las relaciones concretas existentes entre los primeros textos impresos son aún objeto de enconadas discusiones. El paso decisivo lo dio Norton [1966] al demostrar, por medio de un minucioso estudio de los tipos de imprenta y de los grabados, que la datación de los primeros textos conservados tenía que revisarse y, más precisamente, que ninguna de las ediciones de la *Tragicomedia* que llevan la fecha de 1502 se imprimió realmente en aquel año. Todas son considerablemente más tardías, y la supuesta impresión de 1502 elegida como texto de base por Criado de Val y Trotter [1958] para su edición crítica es la más tardía de todas. Así, la laboriosa edición Criado-Trotter quedó desacreditada pocos años después de publicarse. Esta revisión de la cronología concede mucho mayor importancia a la traducción italiana (1506); ésta y la edición zaragozana de 1507, perdida por un tiempo pero ahora reaparecida, son los testimonios más antiguos que conservamos del arquetipo de la *Tragicomedia,* y mientras no se descubra una edición auténtica de 1502, seguirán teniendo la misma importancia. La esmerada edición que Kish [1973] hizo de la traducción italiana tiene, pues, especial valor, y también sería de desear que existiera una edición moderna y erudita del texto de 1507 (para este proyecto, cf. Erna Berndt-Kelley, *Actas,* pp. 7-28). La cuestión textual más discutida es la que suscitó Herriott [1964], al suponer que varios de los primeros impresores utilizaron dos o incluso más ediciones como textos de base. Whinnom [1966] señala la improbabilidad de semejante teoría, fundándose en los usos imperantes en los primeros tiempos de la imprenta, y propone otro esquema de filiación textual para explicar los hechos en que se apoyaba Herriott. Una variante de la teoría de Herriott ha sido hábilmente defendida por Rank [1978], pero a pesar de todo es difícil de aceptar. Sea cual fuere la opinión que se adopte sobre el asunto, la edición crítica de la *Comedia* preparada por Rank, que adopta como texto base el de 1501, es un instrumento muy útil para los especialistas. Conseguir una edición crítica solvente de la *Tragicomedia* será una tarea difícil. Como ha demostrado Scoles [1975], tendrán que ser tomados en consideración algunos textos sorprendentemente tardíos. En la actualidad, las únicas ediciones que pueden manejarse con bastante confianza son las de Severin [1969] y de López-Morales [1976], ya que sólo ellas toman en cuenta los recientes descubrimientos textuales. La nueva edición crítica de Severin, que se fundará en el texto de 1507, se espera con impaciencia.

---

pp. 13-35, testimonio de la vitalidad de la *Tragicomedia* en la estimación de uno de los mayores novelistas de la España contemporánea.

La paternidad de *La Celestina,* que tiempo atrás se discutía con tanto acaloramiento, ha dejado de ser una cuestión vital, excepto por lo que se refiere al acto primero. La mayor parte de los especialistas hoy en día parecen inclinados a aceptar la afirmación de Rojas de que el primer acto es obra de un autor desconocido: Riquer [1957] y Faulhaber [1977], por ejemplo, estudian las discrepancias existentes entre este acto y el resto de la obra, y Mettmann [1976] sugiere que el autor pudiera haber sido un clérigo. Quedan todavía algunas cuestiones por resolver: como ha mostrado Thompson [1977], los aparentes errores en el texto del acto primero, que suelen considerarse como pruebas negativas de la paternidad de Rojas, podrían explicarse de otro modo. La vida de Rojas está hoy mucho mejor documentada gracias a Gilman [1972], que aprovecha los descubrimientos realizados por un descendiente de Rojas, Fernando del Valle Lersundi. La interpretación que da Gilman a los datos biográficos, desde luego, puede discutirse (por ejemplo, estamos lejos de tener la certidumbre de que el padre de Rojas, según asegura Gilman, fuese ejecutado por la Inquisición), pero su reconstrucción histórica ha contribuido en gran modo a comprender a Rojas y el ambiente que le rodeaba. Uno de sus hallazgos de mayor importancia es que la conversión de la familia Rojas tuvo lugar en una época muy anterior a la que se había supuesto: el autor era un converso de tercera generación, con lo cual ya no es posible explicar el pesimismo de *La Celestina* como fruto de una conversión traumática. Otros factores relativos a su circunstancia de miembro de una familia de conversos a fines del siglo xv sin duda ejercieron cierta influencia en la visión del mundo que tenía Rojas, y por lo tanto en su novela, pero es difícil apreciar el alcance de tales elementos, y nunca hay que olvidar que en su madurez (el único período para el que disponemos de testimonios directos) Rojas se comportó como un católico más, sin dar el menor indicio de heterodoxia. Por lo tanto es muy posible que los reflejos de la situación de Rojas que puedan encontrarse en el texto no sean de índole religiosa (como sostienen Castro [1965] y Gilman), sino social. Las implicaciones sociales, analizadas interesantemente por Castro y Gilman en el curso de sus comentarios sobre la interpretación religiosa, han tenido un desarrollo mayor gracias a Van Beysterveldt [1975] y Rodríguez-Puértolas [1976]. Otro aspecto de la vida de Rojas que influyó en su literatura —esta vez de un modo fácil de comprobar— es su formación como hombre de leyes. Bermejo Cabrero (*Actas,* pp. 401-408) demuestra que el conocimiento del derecho y la mentalidad que ello comporta influyen en una serie de pasajes de *La Celestina,* y Russell [1976] esboza lo que debería ser un estudio definitivo de este tema.

Antes se ha aludido al pesimismo de *La Celestina.* He ahí un rasgo que la mayor parte de los lectores advierten en la obra, tanto si ven también en ella como si no un didactismo cristiano. El análisis más detallado de ese pesimismo se lo debemos a Ayllón [1965], quien señala su presencia en los temas de la fortuna y del amor. Wardropper [1964] y Dunn [1976] analizan desde diferentes puntos de vista la relación que existe entre pesimismo y didactismo en el discurso final de Pleberio. Para Bataillon [1961] y Heugas [1973], la moral cristiana domina toda la obra, y los elementos que entran en conflicto con ella no deben tomarse en mucha consideración; Morón Arroyo [1974], aun afirmando que ese criterio tiene ciertos puntos débiles, lo considera preferible a cualquier otro. Gilman, por otra parte, cree ver en la obra un pesimismo radical y existencial que apenas deja lugar a una moral ortodoxa. Sus primeros comentarios [1956], intensamente existencialistas, se modificaron luego, y en 1972 dio mayor importancia al contexto social. No obstante, Gurza [1977] prolonga e intensifica la primera de tales interpretaciones. Algunas de las ponencias presentadas en el congreso internacional sobre *La Celestina* proponen variantes de estas dos teorías principales: Alcalá (*Actas*, pp. 36-50) descubre una vena neoepicúrea en el pesimismo de Rojas, mientras Cantarino (*Actas*, pp. 103-109) insiste en el didactismo, aunque duda de que sea de carácter medieval (en este punto existe un acentuado contraste con Morón, cuya interpretación se funda en un amplio conocimiento de la teología medieval).

Uno de los conceptos evocados con mayor frecuencia por los personajes de nuestro drama es el de la Fortuna, que adquiere especial relieve en el último discurso de Pleberio. Para Gilman, la Fortuna debe identificarse con un universo hostil, pero la mayoría de los críticos opinan que esta visión es anacrónica, prefiriendo ver en la Fortuna la casualidad, la acción inexorable de un destino al que los personajes se hacen acreedores al someterse a las pasiones; esta cuestión fue sagazmente analizada por Berndt [1963] y McPheeters [1954]. Para Reckert [1976], el tema de *La Celestina,* más que la intervención de esa clase de Fortuna, es una visión de la anarquía que impregna el mundo. Gilman [1956, caps. 5-6] contrasta los temas heredados por Rojas con la elaboración personal que hace de ellos, y adopta —como ya se ha indicado— una interpretación existencialista. Dunn [1975, cap. 8] hace un repaso general de los temas, llegando a conclusiones más tradicionales. La mayoría de los críticos han tratado inevitablemente del lugar que ocupa el amor en la obra; muy útiles y reveladoras son las páginas en que O. H. Green [1963] sintetiza varias monografías suyas al respecto, pero los dos extensos análisis realizados por Berndt [1963] y por Martin [1972] son probablemente los más completos. Esta cuestión se confunde con la del trasfondo literario de *La Celestina,* ya que el amor que los personajes proclaman es el amor cortés. Martin muestra cómo sus afirmaciones se ven desmentidas por la acción: el retrato de Calisto como parodia de un galán cortesano forma parte de la condena que Rojas hace del protagonista. Los estudios de Shipley sobre las imágenes [1973-1974; 1975] también ejemplarizan la fisura que existe entre la retórica amorosa y una acción con validez en sí misma. Kassier [1976] muestra en qué modo el lenguaje y los conceptos de la poesía amorosa de cancionero se reflejan en *La Celestina,* y Wardropper [1964] estudia el uso del *planctus* medieval en el diseño del discurso final de Pleberio.

El trasfondo social de la obra cada vez es objeto de mayor atención. El estudio que ha tenido mayor influencia ha sido, merecidamente, el excelente libro de Maravall [1964], quien contempla a los protagonistas del drama a la luz de las transformaciones de la sociedad coetánea, advirtiendo, por ejemplo, cómo Calisto aparece en tanto miembro del nuevo estilo de vida de la clase ociosa o cómo Sempronio y Pármeno atestiguan la ruptura de los lazos feudales entre criados y señores, a favor de una relación basada ya sólo en el lucro personal. Rodríguez-Puértolas [1976] mezcla ese punto de vista con el de Castro y con una orientación que aspira a ser marxista (o quizá, como se dice en la terminología más reciente, marxiana): *La Celestina* nos presenta una sociedad que de palabra valora la fidelidad y la honradez de trato, pero que está corrompida por el comercialismo. Un enfoque de tipo marxista menos valioso, que se limita a tratar la literatura como una fuente de materiales polémicos, está ejemplificado por Ferreras-Savoye [1977]. Otros aspectos sociales han sido comentados por Castro, Gilman y Van Beysterveldt (véase más arriba), y un aspecto de primera magnitud, descuidado o mal entendido por otros críticos, ha sido objeto de un profundo análisis por Russell [1963], uno de cuyos importantes artículos demuestra que Celestina tiene que ser considerada seriamente como una bruja y que parte de la acción es difícil de explicar si no se acepta ese supuesto.

El género de *La Celestina* ha sido un constante quebradero de cabeza para los críticos, sobre todo porque el título de *(Tragi)comedia,* la forma dialogada y la división en actos implica una función dramática que la obra no parece haber tenido (los versos finales de Alonso de Proaza dan instrucciones para que un lector único lea el texto en voz alta a un auditorio, en aquella época uno de los medios más frecuentes de difundir las narraciones en prosa). Gilman [1956, cap. 7] ve a Rojas vacilando entre la novela y el drama, debido a su fascinación por el diálogo, y Guazzelli [1971, cap. 3] también considera que la obra fuerza las clasificaciones genéricas normales. Lida de Malkiel [1962, cap. 1], por otra parte, examina y rechaza los intentos de clasificar el libro como una novela o como un diálogo puro, y afirma que cae de lleno dentro de las normas de la comedia humanística italiana. Dunn, aunque por razones diferentes, también cree en el carácter fundamentalmente dramático de *La Celestina* [1975, cap. 5].

La estructura de la obra, una de sus características más justamente admiradas, ha sido estudiada de diferentes maneras por Gilman [1956, cap. 4], Lida de Malkiel [1966, cap. 4], Guazzelli [1971, cap. 2] y Dunn [1975, cap. 7]. Desde luego, un factor primordial de la estructura es el ya mencionado encadenamiento de causas y efectos. Las diferencias entre la *Comedia* y la *Tragicomedia* fueron durante mucho tiempo desatendidas por la crítica, si se exceptúa algo tan obvio como la ampliación de la trama argumental, y solamente Cejador sugirió tempranamente que la diferencia entre el personaje de Melibea en la *Comedia* y tal como aparece en la nueva versión era tan grande que el hecho denotaba un cambio de autor. El paso decisivo lo dio Gilman [1954-1955] en una brillante demostración de que, mientras los *argumentos* que preceden a los actos originarios parecen ser, tal como dijo Rojas, obra del impresor, los de los actos interpolados posteriormente tienen todas las trazas de ser debidos al propio Rojas. Gilman examinó luego [1956, cap. 2] las pequeñas variaciones estilísticas, y de ellas extrajo importantes conclusiones acerca de la actitud de Rojas respecto a su obra.

El aspecto del estilo de Rojas que más frecuentemente se ha estudiado son sus imágenes. En esta cuestión Shipley [1973-1974; 1975] es la máxima autoridad, y es de esperar que su libro sobre el tema no tarde en publicarse. Otras valiosas contribuciones son el análisis del simbolismo sexual que realizó Weinberg [1971], las comparaciones establecidas por Barbera [1970] y Faulhaber [1977] entre las imágenes de Rojas y las de la tradición medieval, y las indagaciones de Burke [1977] sobre las imágenes alquímicas y su importancia dentro de nuestra obra. Bataillon [1961, cap. 3] y el mismo Shipley (*Actas,* pp. 231-244, y cf. pp. 245-268) han hecho estimulantes comentarios sobre el uso de los refranes en la *Tragicomedia*. Otros aspectos estilísticos han sido estudiados en detalle por Gilman (véase más arriba), Samonà [1953], que se centra en la tradición retórica, y Reckert [1976], que se funda en el estudio de las oposiciones verbales para trazar un cuadro del tema de la obra. Cualquier estudio lingüístico de *La Celestina* será a partir de ahora mucho más fácil gracias al catálogo de sinónimos compilado por De Gorog [1972], y, sobre todo, a las concordancias de la *Comedia* cuyos autores son Kasten y Anderson [1976].

Los rasgos no estilísticos de la técnica de Rojas fueron estudiados con gran detenimiento y profunda erudición por Lida de Malkiel [1962, caps. 2-10; también 1961, cap. 5, y 1966], mientras Severin [1970] analiza el uso que hace Rojas de la memoria como artificio técnico. El reciente estudio de Severin [1978-1979] es el primero que aborda el humor de *La Celestina* de forma sistemática. Los personajes han sido muy estudiados. Particularmente notables en este aspecto son los artículos de Wardropper [1964] y Dunn [1976] sobre el lamento de Pleberio y lo que nos revela de él; la segunda mitad del libro sobre *La Celestina* de Lida de Malkiel [1962, caps. 11-18], donde los precedentes literarios y otros aspectos de los personajes se comentan con mucho detalle; y las visiones de conjunto más breves de Gilman [1956, cap. 3], Lida de Malkiel [1961, cap. 6] y Dunn [1975, cap. 6]. En otro sentido prestan especial atención a determinadas partes del texto Guazzelli [1971, cap. 4], que analiza los cuatro últimos actos de la *Comedia* y el interpolado *Tratado de Centurio*, y Reckert [1976], que ofrece el ejemplo de una minuciosa lectura de un pasaje breve. Dunn presenta comentarios menos pormenorizados, pero muy interesantes sobre cada acto [1975, cap. 4].

Las fuentes de *La Celestina* se conocen a grandes rasgos y en muchos de sus detalles desde que Florentino Castro Guisasola publicó sus *Observaciones sobre las fuentes literarias de «La Celestina»* en 1924 (buena parte de este libro procede de una inédita *«Celestina» comentada* del siglo XVI, como ha señalado Russell [1976]). Muchas de las fuentes enumeradas por Castro Guisasola es improbable que fueran utilizadas directamente por los autores de *La Celestina,* y en la actualidad los especialistas conceden mayor importancia al uso de *florilegia* o colecciones de extractos de diferentes autores. No obstante, algunas de las fuentes individuales desempeñan un importante papel en *La Celestina,* y las más significativas de ellas son las obras latinas de Petrarca; yo mismo he estudiado la manera en que las aprovechó Rojas [1961]. En este campo todavía pueden hacerse nuevos descubrimientos, como probó Faulhaber [1977] al observar que unos renglones del comienzo del acto primero proceden de la *Rota Veneris* de Boncompagno da Signa (siglo XIII), tratadista del arte epistolar. No todas las deudas literarias implican préstamos verbales: *La Celestina* debe poco o nada a las palabras mismas de las comedias humanísticas italianas, pero Lida de Malkiel demostró de manera concluyente que éstas eran una fuente principal de carácter estructural y técnico [1962]. El estudio más dilatado sobre la influencia de *La Celestina* sobre otras obras es el de Heugas [1973], que se ocupa de muchas imitaciones y continuaciones. Nueve ponencias leídas en el Primer Congreso sobre *La Celestina* tratan —con diferentes grados de erudición— de una variada gama de influencias y traducciones (*Actas*, páginas 315-394). Distinta es otra línea de investigación que está obteniendo resultados impresionantes, la acogida dada a *La Celestina* por sus primeros lectores. Chevalier [1976] estudia diversas reacciones de los Siglos de Oro ante la obra, y demuestra que sus primeros lectores estaban tan poco de acuerdo entre sí como sus sucesores modernos respecto a su sentido y a su valor moral: la ambigüedad del libro no es una fácil invención de la crítica moderna, sino una característica fundamental de su arte. Russell [1976] describe el modo como el autor de la «*Celestina*» *comentada* vio la obra. Este manuscrito es con mucho el trabajo crítico más importante sobre *La Celestina* anterior al siglo XX, y se espera con expectación el estudio extenso al respecto en el que Russell está trabajando.

La tarea más urgente que tienen ahora los especialistas de *La Celestina* es de carácter textual: se necesita una edición crítica de la *Tragicomedia* con un completo aparato de variantes, así como también nuevos estudios sobre los primeros textos impresos. Las otras zonas que parecen requerir mayor atención son la crítica literaria (por sorprendente que parezca, dada la gran cantidad de trabajos parciales que se han publicado en este sentido) y la elucidación de determinados pasajes que aún se resisten a ser descifrados de un modo claro.

BIBLIOGRAFÍA

Para una bibliografía más amplia, véase Snow [1976] y los suplementos publicados en *Celestinesca: Boletín informativo internacional*.

Actas=«*La Celestina*» *y su contorno social: Actas del I Congreso Internacional sobre «La Celestina»*, Dirección: Manuel Criado de Val, Hispam y Borrás Ediciones, Barcelona, 1977.

Ayllón, Cándido, *La visión pesimista de «La Celestina»*, Ediciones de Andrea (Colección Stndium, XLV), México, 1965.

Barbera, Raymond E., «Medieval iconography in *La Celestina*», *Romanic Review*, LXI (1970), pp. 5-13.

Bataillon, Marcel, «*La Célestine» selon Fernando de Rojas*, Didier (Études de Littérature Étrangère et Comparée, XLII), París, 1961.

Berndt, Erna Ruth, *Amor, muerte y fortuna en «La Celestina»*, Gredos, Madrid, 1963.

Burke, James F., «Metamorphosis and the imagery of alchemy in *La Celestina*», *Revista Canadiense de Estudios Hispánicos*, I (1977), pp. 129-152.

Castro, Américo, «*La Celestina» como contienda literaria (castas y casticismos)*, Revista de Occidente, Madrid, 1965.

Criado de Val, Manuel, y G. D. Trotter, eds., *Tragicomedia de Calixto y Melibea, libro también llamado la Celestina*, Clásicos Hispánicos, Madrid, 1958; 3.ª ed., 1970.

Chevalier, Maxime, «*La Celestina* según sus lectores», en *Lectura y lectores en la España del siglo XVI y XVII*, Turner, Madrid, 1976, pp. 138-166.

De Gorog, Ralph P. y Lisa S., *La sinonimia en «La Celestina»* (*Boletín de la Real Academia Española*, anejo XXV), Madrid, 1972.

Deyermond, A. D., *The Petrarchan sources of «La Celestina»* Oxford University Press, Londres, 1961; 2.ª ed., Greenwood Press, Westport, Connecticut, 1975.

Dunn, Peter N., *Fernando de Rojas,* Twayne (Twayne's World Authors Series, CCCLXVIII), Nueva York, 1975.

—, «Pleberio's world», *Publications of the Modern Language Association of America,* XCI (1976), pp. 406-419.

Faulhaber, Charles, «The hawk in Melibea's garden», *Hispanic Review,* XLV (1977), pp. 435-450.

Ferreras-Savoye, Jacqueline, «*La Célestine*» *ou la crise de la société patriarcale,* Ediciones Hispano-Americanas, París, 1977.

Gilman, Stephen, «The *argumentos* to *La Celestina*», *Romance Philology,* VIII (1954-1955), pp. 71-78.

—, *The art of «La Celestina»,* University of Wisconsin Press, Madison, 1956; trad. cast.: «*La Celestina*»: *arte y estructura,* trad. Margit Frenk Alatorre (Persiles, LXXI), Taurus, Madrid, 1974.

—, *The Spain of Fernando de Rojas: the intellectual and social landscape of «La Celestina»,* University Press, Princeton, 1972; trad. cast.: *La España de Fernando de Rojas,* Taurus (Persiles, 107), Madrid, 1978.

Green, O. H., *Spain and the western tradition,* University of Wisconsin Press, Madison, 1963, vol. I; trad. cast.: *España y la tradición occidental,* Gredos, Madrid, 1969, vol. I.

Guazzelli, Francesco, *Una lettura della «Celestina»,* Università (Istituto di Letteratura Spagnola e Ispano-Americana, Collana di Studi, XXII), Pisa, 1971.

Gurza, Esperanza, *Lectura existencialista de «La Celestina»,* Gredos, Madrid, 1977.

Herriott, J. Homer, *Towards a critical edition of «La Celestina»: a filiation of early editions,* University of Wisconsin Press, Madison, 1964.

Heugas, Pierre, «*La Célestine*» *et sa descendance directe,* Institut d'Études Ibériques et Ibéro-Américains de l'Université, Burdeos, 1973.

Kassier, Theodore L., «*Cancionero* poetry and the *Celestina*: from metaphor to reality», *Hispanófila,* n.º 56 (enero 1976), pp. 1-28.

Kasten, Lloyd, y Jean Anderson, *Concordance to the «Celestina» (1499),* Hispanic Seminary of Medieval Studies y The Hispanic Society of America, Madison, 1976.

Kish, Kathleen V., ed., *An edition of the first Italian translation of the «Celestina»* (University of North Carolina Studies in the Romance Languages and Literatures, CXXVIII), Chapel Hill, 1973.

Lida de Malkiel, María Rosa, *Two Spanish masterpieces: the «Book of good love» and the «Celestina»,* University of Illinois Press (Illinois Studies in Language and Literature, XLIX), Urbana, 1961; trad. cast.: *Dos obras maestras españolas,* EUDEBA, Buenos Aires, 1966.

—, *La originalidad artística de «La Celestina»,* EUDEBA, Buenos Aires, 1962; 2.ª ed., 1970.

—, «El ambiente concreto en *La Celestina*: fragmentos de un capítulo no aprovechado para *La originalidad artística de La Celestina»,* en *Estudios dedicados a James Homer Herriott*, University of Wisconsin, Madison, 1966, pp. 145-165.

López Morales, Humberto, ed., *La Celestina*, Cupsa (Hispánicos Planeta, 6), Madrid, 1976.

Mandel, A. S., «*La Celestina*» *studies. A thematic survey and a bibliography, 1824-1970*, The Scarecrow Press, Metuchen, N. J., 1971.

Maravall, José Antonio, *El mundo social de «La Celestina»*, Gredos, Madrid, 1964; 3.ª ed., 1972.

Martin, June Hall, *Love's fools: Aucassin, Troilus, Calisto and the parody of the courtly lover*, Tamesis, Londres, 1972.

McPheeters, Dean W., «The element of fatality in the *Tragicomedia de Calisto y Melibea*», *Symposium*, IX (1954), pp. 331-335.

Mettmann, Walter, «Anmerkungen zum ersten Akt der *Celestina*», *Hispanic Review*, XLIV (1976), pp. 257-264.

Morón Arroyo, Ciriaco, *Sentido y forma de «La Celestina»*, Cátedra, Madrid, 1974.

Norton, F. J., *Printing in Spain, 1501-1520, with a note on the early editions of «La Celestina»*, Cambridge University Press, 1966.

Rank, Jerry R., ed., *Comedia de Calisto & Melibea* (Estudios de *Hispanófila*, XLIX), Chapel Hill, 1978.

Reckert, Stephen, «La textura verbal de *La Celestina*», en *Medieval Hispanic studies presented to Rita Hamilton*, Tamesis, Londres, 1976, pp. 161-174.

Riquer, Martín de, «Fernando de Rojas y el primer acto de *La Celestina*», *Revista de Filología Española*, XLI (1957), pp. 373-395.

Rodríguez-Puértolas, Julio, «*La Celestina*, o la negación de la negación», en *Literatura, historia, alienación*, Labor, Barcelona, 1976, pp. 147-171.

Russell, P. E., «La magia como tema integral de la *Tragicomedia de Calisto y Melibea*», en *Studia philologica. Homenaje a Dámaso Alonso*, Gredos, Madrid, 1963, III, pp. 337-354; versión ampliada en su libro *Temas de «La Celestina» y otros estudios*, Ariel (Letras e Ideas: Maior, 14), Barcelona, 1978, pp. 241-276.

—, «The *Celestina comentada*», en *Medieval Hispanic studies presented to Rita Hamilton*, pp. 175-193; trad. cast. en *Temas de «La Celestina»*, pp. 293-321.

Samonà, Carmelo, *Aspetti del retoricismo nella «Celestina»*, Università (Studi di Letteratura Spagnola, II), Roma, 1953.

Scoles, Emma, «Il testo della *Celestina* nell'edizione Salamanca 1570», *Studi Romanzi*, XXXVI (1975), pp. 7-124.

Severin, Dorothy S., *Memory in «La Celestina»*, Tamesis, Londres, 1970.

—, «Humor in *La Celestina*», *Romance Philology*, XXXII (1978-1979), páginas 273-291.

—, ed., *La Celestina*, Alianza, Madrid, 1969; 3.ª ed., 1974.

Shipley, George A., «'Non erat hic locus': the disconcerted reader in Melibea's garden», *Romance Philology*, XXVII (1973-1974), pp. 286-303.

—, «Concerting through conceit: unconventional uses of sickness images in *La Celestina*», *Modern Language Review*, LXX (1975), pp. 324-332.

Snow, Joseph, con Jane Schneider y Cecilia Lee, «Un cuarto de siglo de interés en *La Celestina*, 1949-75: documento bibliográfico», *Hispania* (EE.UU.), LIX (1976), pp. 610-660; suplementos en *Celestinesca*, a partir de I, n.º 1 (mayo 1977).

Thompson, B. Bussell, «Misogyny and misprint in *La Celestina*, act I», *Celestinesca*, I, n.º 2 (otoño 1977), pp. 21-28.

Van Beysterveldt, Antony, «Nueva interpretación de *La Celestina*», *Segismundo*, XI (1975), pp. 87-116.

Wardropper, Bruce W., «Pleberio's lament for Melibea and the medieval elegiac tradition», *Modern Language Notes*, LXXIX (1964), pp. 140-152.

Weinberg, F. M., «Aspects of symbolism in *La Celestina*», *Modern Language Notes*, LXXXVI (1971), pp. 136-153.

Whinnom, Keith, «The relationship of the early editions of the *Celestina*», *Zeitschrift für Romanische Philologie*, LXXXII (1966), pp. 22-40.

María Rosa Lida de Malkiel

LA ORIGINALIDAD ARTÍSTICA DE *LA CELESTINA*

Al echar una ojeada de conjunto [a los principales aspectos] de la técnica de *La Celestina,* se perfilan muy netas las directivas que han guiado a sus autores. La avidez de realidad aumenta y diversifica la acotación proporcionando al drama un escenario múltiple y una riqueza de gesto y además inconcebible en la comedia romana y medieval. Es también la que varía el tono y temas del diálogo oratorio; la que entre todos los tipos de diálogo prefiere el que evoca la conversación «normal»; la que hace del monólogo un estudio introspectivo de caracteres. Los autores de *La Celestina* expresaron su aversión a esquematizar la realidad en su rechazo de tipos artificiosos de diálogo, monólogo, acotación e ironía, en su afán de dar naturalidad al aparte, en su tratamiento del lugar y del tiempo, cortados a la medida del drama, sin sujeción a ninguna preceptiva literaria. La atención a la realidad corre parejas con la conciencia de su inagotable variedad, y por eso lo representado se da como ilustración típica, no como la serie completa del acontecer y, a la vez, para sugerir su infinitesimal gradación, se introducen aquí y allá variantes gemelas de un mismo personaje, de una misma situación, de una misma frase. Tal avidez de lo real veda la digresión libresca, a que no resistieron las imitaciones, y se complace en apurar la correlación visible en unos hechos a la luz de otros, subrayando su enlace causal —en el mundo de la realidad, parece decirnos Rojas, nada sucede por el azar feliz que funciona en el mundo de los poetas— y,

María Rosa Lida de Malkiel, *La originalidad artística de «La Celestina»*, EUDEBA, Buenos Aires, 1962, pp. 725-730.

por momentos, iluminando irónicamente su verdadero sentido. Esta presentación integral de la vida no excluye lo sobrenatural, pero lo muestra como una causalidad paralela, que no desaloja el juego de causas y efectos naturales. El diseño muy meditado y muy unitario que descubren la selección e innovación de dicha técnica teatral converge en un hecho básico: simplificación del argumento y elaboración minuciosa de la acción, del ambiente —evocado con tal concretez y con tal prescindencia de notas particularizadoras que explica y refuta los devaneos anecdóticos de identificar el lugar de la acción y el abolengo de los personajes— y de los caracteres. No parece sino que frente al teatro de la Antigüedad y de la Edad Moderna, *La Celestina* (cuya perfección ha disimulado los lazos que la unen con la oscura comedia humanística) recorta de la realidad un caso sencillísimo y «lo dilata maravillosamente»,[1] sin cansarse de contemplar su infinita complejidad.

También en el trazado de los caracteres se singulariza *La Celestina* por su atención total a la variedad de las criaturas individuales, visible en la minuciosidad de su pintura y en el repudio de la convención literaria y social y de la tipificación abstracta inherente al arte didáctico, donde la transparencia de la alegoría es la condición precisa para la inteligibilidad de la lección. En la *Tragicomedia*, la fisonomía de cada personaje brota de una sabia superposición de imágenes tomadas desde diversos puntos de vista: presente y pasado, dicho y hechos, realidad y ensueño, palabra exterior e interior, juicio propio y ajeno.[2] Personajes que comparten una relación esencial (los

1. [«Al acabar de exponer el contenido de una de las mejores y más imitadas comedias humanísticas, la *Poliscena*, atribuida a Leonardo Bruni de Arezzo, reza un manuscrito: [«Hec est summa comediae, sed eam poeta miro modo dilatat»]. Y, en efecto, debía de ser maravilloso para el lector de Plauto y Terencio el enfoque miniaturesco [de la comedia humanística] que se complace en la repetición de situaciones y caracteres, en la abundancia de episodios no imprescindibles para la acción, aunque muy valiosos para otros aspectos, en la motivación que explica con inagotable detalle cada coyuntura de la acción» (M. R. Lida de Malkiel [1961], trad. 1966, p. 67).]

2. [«Precisamente por ser individuos y no tipos, no se retratan estas criaturas de una vez por todas, como en las comedias de figurón, de modo que cuanto el personaje diga o haga venga a alinearse bajo el rótulo ya conocido: tal, en la mejor de las comedias españolas de carácter, *La verdad sospechosa* [de Juan Ruiz de Alarcón], el retrato del mentiroso al comienzo, confirmado hasta el desenlace por la actuación de don García. Aquí los carac-

amantes, por ejemplo, los padres, los criados, las «mochachas») reaccionan en forma distinta, con la espontaneidad de su temple, no predeterminados por la relación común. Aquí el cotejo histórico subraya, como no lo podría hacer el análisis estructural, hasta qué punto los autores han recreado originalmente los arquetipos de la literatura antigua y medieval: el hecho de que un Ariosto, forjador de tanta deliciosa figura femenina en el *Orlando furioso,* ahogase su fantasía en sus *commedie erudite* para sólo admitir las esquemáticas alcahuetas y nodrizas que hallaba en el teatro de Plauto y Terencio, da la medida de la independencia creadora de *La Celestina.* Cuando los personajes retienen algún rasgo tradicional (por ejemplo, la inactividad del enamorado en la comedia romana y en sus descendientes), lo reelaboran integrándolo en la concepción psicológica de cada personaje; o bien oponen a los paradigmas convencionales una realización no idealizada (por ejemplo, el egoísta Calisto, no el enamorado caballeresco; la turbiamente apasionada Melibea, no la amada como

teres surgen ante el lector lentamente, en sus pocos hechos, en sus muchas palabras, frente a los otros en diálogos y frente a sí mismos en soliloquios y, además, en el juego mutuo de los juicios, retratos y reacciones de los demás personajes, no pocas veces contradictorios o equivocados, ya que en ellos retratan no sólo al personaje en cuestión sino principalmente a sí mismos. Véase el caso de Melibea: Calisto pinta su belleza física, exaltándola conforme al canon retórico tradicional (I); más adelante pondera su perfección natural, inaccesible a los artificios con que el resto de las mujeres pretende igualarla (VI), y luego del primer abrazo evoca sus melindres y audacias de enamorada primeriza (XIV). Pero otros personajes contribuyen también al retrato, cada uno con su personal pincelada. Celestina declara conocer de antiguo su casa y madre, e insinúa que hasta hace poco era Melibea una niña insignificante (VI). El criado rencoroso, Pármeno, alude procazmente a su atractivo (II) y le rinde involuntario homenaje nombrándola como parangón de hermosura (VIII), y el criado satisfecho, Sempronio, se mofa del amo, pero alaba a «aquella graciosa e gentil Melibea» (IX). Estas palabras provocan la furia de las mujerzuelas, que a porfía denigran a la alta doncella hasta reducir sus gracias a afeites malolientes y deformidad senil (IX). Para los nuevos criados es Melibea una joya fatal, que Calisto ha comprado con la muerte de sus servidores (XIV). Las palabras mismas de la heroína (XX), la jactancia de su madre (XVI), la inquietud (XII; XVI) y quejas de su padre (XXI) revelan el esmero con que ha sido criada, y cómo converge en ella la vida toda de los suyos. Así, el retrato de Melibea brota —aparte su propia actuación— del complejo reajuste entre las exageraciones del enamorado, la observación fría de la tercera, la admiración de los sirvientes, la envidia de las perdidas, el orgullo y desvelos de los padres» (pp. 318-319).]

dechado de inocencia virginal; Pleberio, vulnerable en su ternura, no el padre como guardián adusto del honor). En algunos personajes, los tipos dados se transfiguran por combinación de lo leído y lo observado (Celestina, las «mochachas»), o por sustitución de lo leído por lo observado (el bravo Centurio). No hay personaje que no reúna tachas y virtudes, en íntima cohesión y exhibidas con idéntica imparcialidad: la energía y doblez con que Melibea satisface y encubre su amor clandestino son las mismas con que realiza y encubre su plan de muerte; la avaricia de Celestina es acicate de su flexible estrategia y de la inflexible obstinación que exaspera a sus asesinos.

La insólita interferencia de personajes «bajos» y personajes «altos» en la acción perfila la no menos insólita autonomía artística concedida a aquéllos; quizá la faceta más singular de la atención objetiva de *La Celestina* a la realidad sea la detenida pintura de los personajes humildes o viles, en ocasiones contrapuestos con tácita aprobación a los nobles (como Lucrecia a Melibea en los actos IV y X, Sosia y Tristán a Calisto en los actos XIII y XIV), y siempre retratados con entera compenetración. Asombran, en particular, las criaturas del hampa, representadas desde dentro, tal como ellas mismas se ven, no desde un punto de vista sobrepuesto, satírico o moralizante.[3]

3. Para apreciar debidamente este aspecto de *La Celestina,* ha de recordarse que se opone a la literatura antigua y mucho más a la de la Edad Media, ya que ésta, por prestar sanción divina a las jerarquías sociales, separa nobles de villanos con un encono ignorado en la Antigüedad. En contraste con la Antigüedad, en que el escritor se esfuerza muchas veces por superar el prejuicio social, el letrado medieval, cliente de la nobleza, se encarniza contra el villano (si bien menos en la literatura de Castilla, reacia al feudalismo, que en otras). De los ejemplos, demasiado numerosos para citarlos, elijo uno del predicador inglés Odón de Sheriton (siglo XIII), según el cual un villano se amortece al sentir aroma de especias y vuelve en sí cuando un burgués «sabiendo su condición» le da a oler estiércol; compárese con *Celestina,* XIX, donde la humillación de su atavío maloliente inhibe al mozo de caballos para mostrar amor a la cortesana perfumada. La abyección que los escritores endosan al villano no desapareció en un día. [...] Shakespeare abunda en testimonios del mismo horror [por la plebe], principalmente en el *Coriolano* y en la cruel caricatura de un levantamiento popular en la *Segunda Parte de Enrique VI,* IV, 2; elocuente es su insistencia en la suciedad y mal olor de la gente del pueblo (*Julio César,* I, 2; *Coriolano,* II, 3; *Antonio y Cleopatra,* V, 2), mientras los entremeses del alguacil, corchete y sacristán en *Mucho ruido para nada* le muestran más infatigable todavía que Cervantes en zaherir a los villanos que trabucan vocablos cultos, con la diferencia de

Porque es falsear la *Tragicomedia* presentarla, según se viene haciendo, como el choque de dos planos pulcramente esquematizados: lo que la *Tragicomedia* ofrece no es un conflicto abstracto de categorías abstractas, sino criaturas individuales enzarzadas en una heraclítea contienda de egoísmos.

Además de esta excepcional construcción de caracteres, Rojas —único entre los dramaturgos que conozco— se aplica a desplegar a la vista del lector-espectador el cambio afectivo extremo, y por añadidura en dos personajes totalmente distintos, Melibea y Pármeno, aparte pintar la variable relación de otros (la de Sempronio y Celestina, por ejemplo). La maduración anímica de los personajes en escena, que el lector de hoy, a base de su familiaridad con las formas modernas del drama y la novela, juzga peculiar de esta última (aunque es del todo ajena a la novela que los autores de *La Celestina* conocieron), es otra fase de su atención a la complejidad de lo real, y de su deseo de sugerir la infinita cadena de sucesos variables entre hecho y hecho, que determinó las inusitadas proporciones de su drama juntamente con la simplificación de sus lances. [...] *La Celestina* sorprende al lector con su visión integral del hombre y de la sociedad, que no ha vuelto a expresarse con tal concentrado vigor en obra alguna de teatro. Ya en el acto I, y con intensidad cada vez mayor en los quince actos restantes de la *Comedia* y en el *Tractado de Centurio*, los elementos más diversos del mundo del siglo xv aparecen orgánicamente integrados en su contextura: el caballero noble, la noble doncella, los padres solícitos, los criados leales

---

que Cervantes hace a Sancho ignorante pero agudo, en tanto que los plebeyos de Shakespeare son estúpidos (o pillos) sin excepción. Como otras eminentes figuras de la época isabelina comparten tal sentimiento, no es de extrañar que en semejante ambiente fuese inconcebible la intervención de esos seres fétidos y abyectos (que sólo pueden expresarse en prosa chusca, no en el verso blanco reservado a los señores) en el destino de los personajes de calidad. Nótese también que, si en *La Celestina* los servidores poseen cada cual su inconfundible individualidad, en muchísimas obras de teatro medievales y modernas no puede averiguarse si el mensajero, el criado o criada que aparecen cuando así lo requiere el argumento, es uno mismo o distinto en cada ocasión; y la situación no cambia mucho aunque los autores de los Misterios cíclicos hayan derrochado su fantasía verbal para adjudicar nombre propio a estas figuras fuera de foco, o aunque los dramaturgos modernos recurran al expediente, tan ingenuo como significativo, de designarlas por su número de orden (criado primero, criado segundo, etc.).

o desleales, la alcahueta activa y codiciosa, las meretrices resentidas, el rufián burlador. La palabra abundante de estos personajes evoca a otros que no intervienen directamente y a buen número de tipos sociales, clasificados por su oficio y representados ya en el ejercicio de su profesión, ya en su participación en la vida de la ciudad. De modo parejo, la *Tragicomedia* muestra directamente gran número de lugares y evoca otros muchos; implica considerable tiempo para su acción y se refiere a lapsos mucho más largos que sitúa en el pasado de los personajes. Con no menor detalle pintan los autores el mundo que cada criatura lleva en sí, vario, cambiante y rebelde a esquematismos: ¡cuántos altibajos, cuántos movimientos contradictorios en Calisto y Melibea, en Sempronio y Pármeno! ¡Cuánta grandeza y flaqueza, cuánta sagacidad y ceguera en Celestina! De ahí el inevitable desenlace trágico: cuando cada personaje es un denso complejo vital y no un esquema convencional, cuando el amor del amo se logra merced a la astucia interesada de los servidores y se malogra a consecuencia de otros aspectos de la vida de sus servidores —ya no reducidos a resortes de la intriga—, esas vidas integralmente enfocadas imponen la forma trágica. Al fin, el desenlace feliz es siempre un corte que el autor introduce a una altura arbitraria de su obra. Los autores de *La Celestina* encauzan su visión integral de la realidad en la olvidada forma de la comedia humanística, síntesis de la tradición «terenciana», de la tradición del relato amoroso medieval y de su propia acogida a la observación del vivir cotidiano. Éste fue el germen desarrollado en la *Tragicomedia* bajo la norma del realismo verosímil —para dar algún nombre a la observación atenta de la realidad y su recreación evocativa—, y transmutado en un ser artístico nuevo, positivamente original, a pesar de su variada deuda literaria.

Contraprueba de esta originalidad es el no haberse dado cosa parecida en las letras occidentales hasta el surgimiento de las grandes novelas del siglo pasado. La *Tragicomedia de Calisto y Melibea* rebasó inmensamente la comprensión artística de los lectores coetáneos e inmediatos. Testigo el cambio de título: el público no pudo mantener el complejo equilibrio de la obra, y operó en ella un doble empobrecimiento, abrazando francamente el mundo de Celestina y sus allegados, y reduciendo aun éste a sus toques cómicos, sin querer admitir su tragedia. No menos elocuente es el juicio de Cervantes quien, en sus dos famosos versos de cabo roto («libro en mi opinión diví—, / si encubriera más lo humá—»), condena en nombre de un ideal artístico selectivo, a tono con la vena neoclásica tan importante en su crítica literaria, la visión integral de la realidad propia de la *Tragicomedia*. Por muy leída y celebrada que fuese, por mucho que se remedase algún chiste o situación, por mucho que floreciesen las llamadas «continuaciones» e «imitaciones», por más que uno de sus personajes se incorporase al acervo popular, de hecho *La Celestina* como un todo artístico apenas ejerció influjo literario: éste fue el precio de su asombrosa originalidad.

Otis H. Green

AMOR CORTÉS Y MORAL CRISTIANA EN LA TRAMA DE *LA CELESTINA*

Los críticos que no estén al corriente de las paradojas del amor cortés no verán en *La Celestina* más que un enigma; pero cuando se comprenden esas antinomias, el enigma se aclara. Preguntarse cómo es que Calisto no pide la mano de Melibea en matrimonio es sencillamente una *ignoratio elenchi*.[1] La cosa es muy sencilla: y es que esos jóvenes amantes no quieren un hógar, sino un amor, lo mismo exactamente que Amadís de Gaula antes de las bodas «oficiales» celebradas al fin del libro. Con todo, existe una diferencia entre el *Amadís* y *La Celestina,* y es que en ésta se propone el autor presentar un amor pecaminoso. Sempronio reprocha a su impaciente amo sus deseos incontrolados por la razón; y Melibea afirma que «más vale ser buena amiga que mala casada», siguiendo la línea de Heloísa, que en el siglo XII prefería «el amor al matrimonio y la libertad a las cadenas», poniendo al cielo por testigo de que «ella

Otis H. Green, *Spain and the western tradition,* University of Wisconsin Press, Madison, 1963, I; trad. cast.: *España y la tradición occidental,* Gredos, Madrid, 1969, I, pp. 139-145, 148.

1.　En el texto no hay indicación de ninguna barrera social efectiva. El que Calisto la ponga por encima de sí es parte de la humildad cortesana. Se afirma repetidas veces la igualdad social esencial. En la confesión final que hace a su padre, Melibea menciona a los «padres y claro linaje» de Calisto.

consideraba más honroso ser la querida de Abelardo que la mujer del César». En *La Celestina* no hay palinodia. Calisto pide confesión al verse morir, pero no la obtiene. «¡Triste muerte sin confesión!», exclama Tristán. Mientras Melibea está pensando en arrojarse desde lo alto de la torre, lo único que lamenta es no haber bebido más a fondo el cáliz del amor: «¿Cómo no gocé más del gozo?». En el momento de ir a saltar desde la torre dice a su padre: «cuando el corazón está embargado de pasión, están cerrados los oídos al consejo». En la confesión que hace entonces a su padre, se culpa de la muerte de un noble caballero, pero no de haber compartido con él la satisfacción de sus ilícitos amores. Reflexiona sobre el hecho de que Calisto murió sin confesión; pero no hay ningún sacerdote para asistirla a ella, ni tampoco se molesta en pedirlo: según dice, tiene la memoria trastocada y sumamente perturbada. En un rasgo de inconsecuencia, encomienda su alma a Dios esperando encontrar a su amante en la otra vida. La pintura de estas relaciones amorosas y la concepción de semejante catástrofe resultan completamente comprensibles cuando se piensa que *La Celestina* es la *reprobatio amoris*, la condenación de los excesos del amor cortés.

Siguiendo el trágico trazado del autor, los protagonistas quebrantan desde el primer momento el código del amor cortés y las normas de la moral cristiana. Ya en su primera declaración se muestra Calisto como un enamorado temerario e inconsiderado. Saltándose el período calculadamente largo de la espera y de la adoración a distancia, impregnada de humildad y silencio —que constituye la fase del «fenhedor» [o 'tímido', primera etapa de la pasión cortés]—, dispara a bocajarro sus sentimientos de adoración hacia Melibea en una escena que se desarrolla en el jardín. En una reacción perfectamente normal y a la que están acostumbrados los amantes cortesanos demasiado impetuosos, Melibea le contesta con una explosión de ira femenina: «la furia de Melibea». Al verse rechazado de esta manera y bajo el impulso de su pasión, Calisto sufre un ataque de la enfermedad llamada *hereos,* propia de los enamorados y a la que estaban particularmente expuestos los amantes dotados de un corazón aristocrático y grande. Mucho se ha escrito sobre esta enfermedad psicosomática, [en cuyo curso, según varios antiguos autores españoles,] «la tristeza y cuidados ... desecan los huesos, consumen la carne, perturban el espíritu, arrugan el cuero, angustian el corazón, gastan la memoria y son causa de otros graves daños». Las perturbaciones mentales pueden producir serios trastornos psíquico, como en el caso de *Orlando furioso*. Sempronio, criado de Calisto, califica a su amo de loco: «loco está este mi amo».

A medida que Calisto va devorando sus penas, aparecen cada vez más claros ciertos aspectos del amor cortés. No sólo es él una víctima de la belleza, sino que la criatura que encarna esa belleza es infinitamente superior —en la imaginación del enamorado—: aquí tenemos «la superioridad de la dama» en una situación típica del «service d'amour». Cuando Sempronio apremia a su amo a que considere sus propios méritos, en nada despreciables comparados con los de Melibea, el enamorado no quiere oír hablar de igualdad de cualidades: Melibea es superior sobre toda comparación y proporción. La amada se convierte en el objeto del culto religioso del amor. «¿Tú no eres cristiano?» —le pregunta el criado escandalizado—. «¿Yo? Melibeo só, y a Melibea adoro y en Melibea creo y a Melibea amo.» Por otra parte Calisto no muestra devoción por el «amor puro» con su casto y prolongado «alejamiento»; no exulta con el «bendito sufrimiento», [también característico de la tradición cortés,] ni piensa en legitimar su amor, recurriendo [como en el *Amadís* y en otros libros de caballerías] al matrimonio clandestino (esa expresión apenas perceptible de la honradez de la intención, tan oculta que el lector tiene la impresión de estar disfrutando del fruto prohibido hasta que al fin se revela el secreto); precisamente tiene que prescindir de todos estos expedientes por disposición deliberada del autor que necesita se produzcan esas omisiones por razones de orden literario. No hay «matrimonio secreto» porque los dos amantes están condenados a un castigo trágico; no hay exultación en el sufrimiento ni largos períodos de «mírame y no me toques», porque la acción debe desarrollarse con rapidez. *La Celestina* es una obra dramática, no lírica, y tiene que precipitarse su desenlace mediante la acción rápida y vengadora de la muerte.

En la crisis psicótica que padece Calisto, Sempronio toma cartas en el asunto: «Yo quiero tomar esta empresa de cumplir tu deseo». Reprende a su amo por hacer caso de las sutilezas del amor cortés, introduciendo elementos ajenos al concepto cortés del amor —aunque a él también se le acusa de apreciar y «alabar» a su amante Elicia—. Gracias a la intervención de Sempronio, se busca un alivio a la pasión devoradora en dos recursos decididamente desorbitados: en una alcahueta de profesión y en la magia, como fuerza auxiliar. El amor cortés permitía y esperaba la mediación de los amigos o confidentes, pero no de una alcahueta: en apareciendo ésta es señal de que las intenciones no son buenas. En una obra como *La Celestina*, escrita indudablemente para inculcar una moraleja, el empleo de los servicios de una alcahueta y de una hechicera reviste especial gravedad, y no cabe duda de que al introducirlas el autor se daba perfecta cuenta de esa gravedad: [como atestiguan los manuales de confesión,] el recurrir a alcahuetas o hechiceras para satisfacer los lujuriosos deseos del amante era de suyo pecado mortal. [...]

Si prescindimos de su incontrolable deseo del «amor mixto», [como se llamó al que admitía el goce carnal,] la conducta de Calisto se ajusta bien al esquema cortés. Canta canciones de desesperación. Insiste en que Melibea es su dios, su vida; él es su cautivo, su esclavo; ella un ángel disfrazado que vive entre nosotros. Pero no se contenta con adorar a su ángel a distancia ni con amoldar sus acciones a su sentido de humildad e inferioridad. Lo que motiva más que nada su segunda falta contra el código del amor cortesano es su exceso de desesperación (su primera falta, es decir, su declaración brusca no hubiera tenido en realidad graves consecuencias). En cambio, bajo el impulso de su desesperación recurrió a la mediación y malas artes de Celestina conociendo perfectamente su mala profesión. [...]

[La *Comedia* pone en una sola noche la consumación del amor y la muerte de los protagonistas;] la versión posterior [de la *Tragicomedia*] es más larga, pero la acción resulta suficientemente expedita. Pero con mayor o menor rapidez el caso es que la trama se convierte en un ejemplo moralizador de la «caída de príncipes», de la precariedad de toda situación de gozo. Un paso en falso en una escala, fractura del cráneo, desesperación; salto desde lo alto de la torre. Julio Cejador [en 1913] veía un motivo de escándalo en ese entrejuego del destino y del castigo, del pecado y de la retribución, lo mismo que en la yuxtaposición del suicidio con la esperanza de reunirse en el cielo, y se consolaba con la circunstancia atenuante de que el autor era un converso del judaísmo. Quien conozca la historia de las fantasías de los poetas y de las licencias poéticas en la Edad Media y en el Renacimiento y de las interferencias de las tres antigüedades —hebrea, clásica y cristiana— en la evolución anterior y posterior de la cultura castellana, encontrará que todo en *La Celestina* está en armonía con lo que podía producir razonablemente un autor bien dotado y lo que podía asimilar razonablemente un lector culto de aquella época. Cuando casi siglo y medio más tarde la Inquisición revisó *La Celestina,* el censor no tuvo objeción que hacer a su desenlace. Los pecadores mueren y además sin confesión; y mueren en pecado mortal: el pecado de fomentar y satisfacer un intenso amor cortés sin sentido de responsabilidad y recurriendo al empleo de medios prohibidos.

PETER E. RUSSELL

LA MAGIA DE CELESTINA

[Los testimonios históricos prueban sobradamente] que en la España de la época de Rojas, a todos los niveles de la sociedad, entre teólogos y sacerdotes, juristas, nobles y plebeyos, por regla general se creía en la realidad de la magia, discutiéndose únicamente el problema de si los magos realmente gozaban de poderes sobrenaturales o si los actos mágicos eran realizados directamente por el demonio, quien, para sus propios fines, burlaba a los magos, haciéndoles creer que necesitaba de ellos para intervenir en las cosas humanas. Los innumerables lectores de la *Tragicomedia,* pues, creían casi todos en la eficacia de la magia tanto en la vida cotidiana como en sus manifestaciones literarias, hecho que no podían ignorar los autores de la obra al tratar el tema. Al querer examinarlo, la crítica moderna tiene que empezar reconociendo esa verdad histórica. Es necesario reconocer también que, al sugerir la posibilidad de que los autores de la *Tragicomedia* muestren un escepticismo fundamental ante la hechicería y la brujería en la famosa obra, la crítica les atribuye actitudes intelectuales y sociales que discrepaban con la tradición ortodoxa de

P. E. Russell, «La magia como tema integral de la *Tragicomedia de Calisto y Melibea*», en *Studia philologica. Homenaje a Dámaso Alonso,* Gredos, Madrid, 1963, III, pp. 337-354; versión ampliada en *Temas de «La Celestina» y otros estudios (del «Cid» al «Quijote»),* Ariel (Letras e Ideas: Maior, 14), Barcelona, 1978, pp. 253-254 y 249-250 (primero y segundo párrafos respectivamente), 260-264.

la sociedad en que vivían. Nada más alejado de la realidad española o europea del Cuatrocientos que el suponer que el escepticismo con respecto a la magia era la norma entre personas inteligentes o escritores geniales.

[Las ideas de la época sobre la brujería se exponen con particular claridad, entre muchas fuentes,] en el famoso *Malleus maleficarum* (*El martillo de las hechiceras*) (hacia 1484), obra de dos dominicos, Jacobo Sprenger y Enrique Institor, quienes, basándose en su experiencia como inquisidores en Alemania, establecieron la teoría de la hechicería sobre la que se fundó, durante casi dos siglos, la persecución de las hechiceras por la justicia civil y eclesiástica —tanto protestante como católica— en Europa. Los autores del *Malleus*, citando no sólo las teorías de teólogos y canonistas, sino su propia experiencia práctica del problema, aseguran que quienes supusieran que todos los efectos de la hechicería se debían meramente a la ilusión y a la imaginación se engañaban grandemente. Y, lo que es más importante, rechazaban la antigua doctrina ortodoxa de que los demonios siempre pudiesen actuar sin la ayuda del hechicero, al declarar [que sólo se producían «maleficiales effectus» cuando el brujo y el demonio obraban de común acuerdo]. Ofrecían argumentos razonados para apoyar la opinión general de que los hechizos tenían eficacia especial en lo que atañía a las cosas amorosas. Según ellos, Dios permite al diablo poderes más amplios con respecto al acto venéreo que a ningún otro. Aunque la hechicería se usaba muchas veces para impedir el amor entre dos personas —el laboratorio de Celestina contenía algunos de los ingredientes usados a este fin—, la actividad más común de las hechiceras era, según los autores del *Malleus*, la de producir por medios mágicos una violenta pasión hacia una persona determinada en la mente de la víctima del hechizo. Esto se llamaba *philocaptio* y es, no hace falta insistir en ello, el fin con que se introduce el tema del conjuro en la *Tragicomedia*. La teoría del *Malleus* sobre la *philocaptio* —que no hace más que reproducir la opinión común de la época— explica por qué tanto la tradición literaria como el juicio de autores que reflejaban más explícitamente la actualidad social establecían una relación íntima entre la alcahuetería y la hechicería.

Para el conjuro del acto III, Celestina utiliza un bote de aceite serpentino, un papel en el que van escritos nombres y signos mágicos dibujados con sangre de murciélago, una porción de sangre de cabrón y unas barbas del mismo animal. Todo parece pertenecer a la magia práctica descrita en los manuales y, por consiguiente, a los usos de la hechicería contemporánea de Rojas. En el conjuro, los nombres y signos sirven para obligar al demonio a que aparezca; el aceite serpentino es derramado sobre la madeja de hilado para prepararla a que entre en ella. Importantísimo es el papel del aceite serpentino para lo que va a ocurrir. Este líquido, considerado como extraordinariamente ponzoñoso y dotado, según los magos, de fuerza diabólica especial debido a la tradicional afición del demonio a disfrazarse de serpiente, se utiliza en el conjuro para prestar verosimilitud a la *philocaptio* de Melibea. Será bajo el pretexto de vender hilado como la vieja intentará entrar en la casa de Melibea. Para hechizar a la joven es necesario que, al salir Celestina, deje al demonio oculto en la casa para completar el hechizo. Nada más fácil que esconderlo dentro del hilado. Ahora bien: una madeja de hilado recuerda, si bien lejanamente, una culebra enroscada. Partiendo de esta asociación de ideas, muy característica de las artes vedadas, se explica fácilmente el papel del aceite serpentino en el conjuro. Rojas, mucho más tarde, insiste en el hecho de que Melibea misma, sin enterarse de la significación de lo que dice, relaciona la *philocaptio* de que es víctima con sensaciones que le hacen pensar en mordeduras de serpiente. El demonio celestinesco funciona bajo el símbolo de una serpiente. [...]

Después de tanta preparación, Rojas no se atreve a poner en boca de la vieja un conjuro de Satanás que reprodujera los recomendados en los manuales. Siguiendo el ejemplo de Juan de Mena [cuando en el *Laberinto de fortuna* pinta a la maga que agoró la derrota del Condestable], aunque con fines muy diferentes, Celestina empieza conjurando a «Plutón». No obstante, los epítetos con los que lo califica a continuación («emperador de la corte dañada, capitán de los condenados ángeles ..., governador y veedor de los tormentos y atormentadores de las pecadoras ánimas») hacen evidente que a quien conjura Celestina es a Satanás, ligeramente disfrazado bajo una capa clásica. Las amenazas de la vieja contra el demonio, [...] para los lectores contemporáneos de Rojas, indicaban que, por mala que fuera la escena que presenciaban, la alcahueta no cometía en ella un acto de herejía. Un conjuro sólo era un acto herético si el mago rogaba al demonio o daba otras señales de venerarle. El anónimo jurista que comentó *La Celestina* en la última mitad del siglo XVI insiste mucho en que el conjuro de Celestina no era herético.

El instrumento de la *philocaptio* será, como ya sabemos, la madeja de hilado en la que está presente el demonio. La tarea de Celestina —una vez consumado el conjuro— es la de persuadir a Melibea para que la compre, quedándose así el poderoso maleficio en posesión de la joven. Cuando el poder de este maleficio empiece a hechizar a Melibea, tendrá la vieja alcahueta obligación de aprovechar el camino así abierto para llevar a cabo su malévolo proyecto. Según los autores del *Malleus maleficarum,* hechicera y diablo tienen que obrar conjuntamente, pero Rojas probablemente aceptaba la doctrina más antigua de que todo era obra del demonio. De todos modos insiste en que la parte importante es la del demonio, como indica Celestina misma; es él quien, presente en el hilado, ha de lastimar a Melibea de «crudo y fuerte amor de Calisto, tanto que, despedida toda honestidad, se descubra a mí y me galardone mis passos y mensaje».

Al final del acto III Celestina parte para la casa de Melibea, confiada, como ella dice, en el mucho poder que la ayuda diabólica le garantiza. Es curioso, al empezar el acto siguiente, hallarla, de camino, sufriendo una aparente crisis de ansiedad. Esta crisis, artísticamente, ensancha y humaniza la personalidad de la vieja. Teme que el intento de *philocaptio* urdido contra Melibea sea descubierto y teme sufrir los duros castigos que reservaba la ley a los condenados por hechicerías. Rojas, al parecer, quiere demostrar a sus lectores, por boca de la vieja hechicera, que no es posible jamás tener una confianza absoluta en el demonio; aviso que repite por boca de Celestina, en el acto VII, al protestar ella que, después de la muerte de doña Claudina, [compinche suya y madre de Pármeno,] los diablos continuamente mienten. El martirio de la misma Claudina, claro está, demuestra que el demonio abandona aun a sus más entusiastas adeptos. Pero la ansiedad de la vieja no dura. Su conocimiento de la magia adivinatoria le hace reconocer que los agüeros son favorables. Tiene además sensaciones físicas de estar dotada de poderes sobrenaturales; las adiciones hechas al texto en 1502 sirven para subrayar aún más la base sobrenatural de esas sensaciones. La vieja no sólo se siente libre de los achaques físicos de la edad; parece que los muros se le abren para facilitar su llegada a la casa de Pleberio. Es de notar también que, una vez llegada allí, las adiciones de 1502 sirven para poner fuera de duda el hecho de que Celestina cree que el demonio está realmente presente mientras ella habla con Melibea y con su madre. En dichas adiciones la vieja continúa dirigiéndose al demonio como si fuera un criado de casa.

Hay más. En toda esta escena, Rojas presenta una serie de hechos que parecen indicar que la vieja no se engaña. A pesar de los avisos de Lucrecia sobre la personalidad de Celestina («No sé cómo no tienes memoria de la que empicotaron por hechizera, que vendía las moças a los abades y descasava mil casados»), Alisa la admite y la trata con caridad, aunque hasta aquí ha guardado a su hija con toda cautela. Esta amnesia de la madre de Melibea sólo es explicable como consecuencia de una influencia sobrenatural. Después deja a Melibea sola en casa con la alcahueta y hechicera, al recibir la noticia de que la enfermedad de su hermana se ha agravado súbitamente, acontecimiento que Celestina atribuye a la acción del demonio conjurado por ella. Pero el demonio no lo facilita todo sin dar a la maga sus momentos de alarma, hasta el punto de llegar Melibea a denunciarla por lo que es: «¡Quemada seas, alcahueta falsa, *hechizera,* enemiga de la honestidad, causadora de secretos yerros!». Este momento es importantísimo, porque demuestra la extraordinaria resistencia moral de Melibea, no sólo ante las astucias puramente mundanas de la vieja, sino ante los efectos del tremendo maleficio que representa el hilado y la presencia demoníaca dentro de él.

Pero al fin queda vencida. Amonestado por Celestina, el demonio cumple con el pacto. En lugar de echar a la hechicera, Melibea le deja hablar más y, a pesar de lo que sabe de la situación en que está, da crédito a las nuevas patrañas de la vieja. Desde entonces el maleficio funciona y hay que considerar a la muchacha como víctima de *philocaptio.* Por supuesto, ella desconoce la verdadera causa del repentino cambio psicológico que ha experimentado, y no la sabrá jamás. Siente, sin embargo, que hay algo anormal en un amor que calificará de «mi terrible passión», y Rojas mismo no quiere que el lector olvide el origen sobrenatural de ésta. Preguntada más tarde (X) por Celestina cómo es su mal, contesta Melibea «que me comen este coraçón serpientes dentro de mi cuerpo». Es evidente que el poder demoníaco, cuyo principio fue el bote de aceite serpentino en que se empapó el hilado, se ha transferido al cuerpo de la víctima, como nota con satisfacción, entre dientes, la vieja: «Bien está. Assí lo quería yo».

José Antonio Maravall

CALISTO Y LOS CRIADOS:
LA DESVINCULACIÓN DE LAS RELACIONES SOCIALES

Originariamente, el criado no era un servidor contratado, sino un miembro de la casa, ligado personalmente a ella, con lazo de deberes morales entre él y el amo, lazo que unía también entre sí a todos los miembros de la familia como amplia sociedad doméstica. [En el siglo xv, en cambio,] lo que había sido una relación de adscripción personal —cuyo peso, por otra parte, había venido sintiéndose cada vez más insoportable, por otros motivos— se convierte en una relación de mero contenido económico, conforme lo permiten los recursos de la economía monetaria, al generalizar el sistema de pago de los servicios en dinero. Y al quedar al desnudo, en su puro contenido económico, esa relación, perdiendo el complejo tradicional de deberes y obligaciones recíprocas que llevaba consigo, queda al descubierto también entre amo y criado la inferioridad de clase del segundo, irritante para éste, porque apetece, lo mismo que su amo, la riqueza, y no encuentra motivos —aquellos motivos guerreros de la antigua sociedad— para que otros la monopolicen. [...]

Observemos que los criados que acompañan a Calisto no son ya sus «naturales». Desde la baja Edad Media se llamaban «naturales» de un señor aquellos que dependían de él en virtud de una vinculación heredada, según un nexo que se presentaba con un carácter familiar, doméstico, cuya transmisión se suponía, con mayor o menor exactitud, que había tenido lugar de generación en generación, y que se mantenía, en principio, de modo permanente. Por estas causas, la dependencia «natural» o de «naturaleza» engendraba, junto a unos derechos y deberes recíprocos, de condición jurídica, otras obligaciones de tipo moral, difícilmente definibles y mensurables, sobre cuya determinación no cabían más que criterios consuetudinarios —adhesión, fidelidad, ayuda, etc.—. A diferencia de los que

José Antonio Maravall, El mundo social de «La Celestina», Gredos, Madrid, 1964; 3.ª ed., revisada, 1972, pp. 82, 87, 92-97.

poseían este *status* familiar, los criados de Calisto son mercenarios, gentes alquiladas, cuyos derechos y obligaciones derivan de una relación económica y terminan con ésta. Por lo menos, aunque por tradición se finja que permanecen y aunque aparezcan bajo formas cuasifamiliares, no es así en la conciencia de esos nuevos servidores, como tampoco en la de sus amos, atendiendo a cómo unos y otros se comportan de hecho. Se trata, con toda nitidez, de rasgos de los «siervos comprados» o de los «servidores salariados», de que habla coetáneamente Juan de Lucena, y cuya dependencia se obtiene, como el propio Lucena observa, cuando se les puede pagar, esto es, cuando se posee riqueza, y no por relación señorial heredada.

Los servicios personales a que el criado está obligado, según esa nueva relación, se pagan con un sueldo o salario —así llaman, con ajustado neologismo [aún poco corriente entonces], a la remuneración que esperan, los personajes de *La Celestina*. La obtención de éste —y, a ser posible, la del mayor provecho económico que encuentren a su alcance— es el móvil del servicio. Prima en ello la finalidad económica, y, por tanto, es siempre un servicio calculado, medido. Sempronio, ante el temor de que los amores de Calisto le ocasionen perjuicios —en lugar del provecho que espera de acuerdo con sus cómplices—, declara: «al primer desconcierto que vea en este negocio no como más su pan. Más vale perder lo servido que la vida por cobrallo»; declaración bien explícita acerca de lo que para él es el contenido de su relación de servicio. Los criados, desde el primer momento, están dispuestos a no arriesgar nada, y [...] su deliberada abstención del peligro no es manifestación de una psicología de cobardes, sino resultado de una situación social. Quien moralmente ha reducido su relación con el amo a cobrar un salario, no se siente obligado a más, y un nexo tan externo y circunstancial puede romperse cuando así convenga, ya que, efectivamente, la conveniencia es su única razón de ser. [...]

Si Calisto alaba ocasionalmente a sus servidores en forma que no corresponde demasiado al trato que le vemos tener con ellos, es para responder a esa ley de la «ostentación» que rige en su posición social, para mostrar que, de acuerdo con ella, tiene a su servicio buenos servidores, tal como cumple a su reputación. No hay, en cambio, relación afectiva y personal de los criados al amo, ni tampoco de éste a aquéllos, como se revela al conocer Calisto la desgracia que sus acompañantes han sufrido. Si hay una primera reacción de «caballero» al modo antiguo, su pronto y fácil acomodo para librarse de obligaciones de señor respecto a sus servidores, y la apelación, con tal objeto, a la conveniencia del negocio en que está, confirman la falta en él de auténtico espíritu caballeresco, según corresponde a la caracterización de su figura social [como miembro de la clase ociosa recientemente enriquecida, nacida de la burguesía y con débil fe en el viejo código del honor estamental].

Celestina, con aguda malicia, abre los ojos a Pármeno sobre el verdadero sentido de su posición: está en la casa de Calisto, pero no es de ella; no es más que un mercenario para su amo. No es un «natural», es un extraño, como lo ha sido en otras partes, porque, como corresponde a tal configuración, ni ha permanecido de siempre en casa de Calisto, sino que ha pasado por muchas, ni tiene por qué considerarse vinculado a aquél. «Sin duda, dolor he sentido porque has tantas partes vagado y peregrinado, que ni has avido provecho ni ganado deudo ni amistad.» Ni beneficio material, ni relación personal: un pago reducido al mínimo, que se puede cortar en cualquier momento. Por puro interés, dirá también Areúsa, se rompe la relación con los sirvientes y se les echa cuando ya no son útiles. Ante un mundo de relaciones sociales de este tipo, Celestina no aconseja al joven servidor que procure buscarse un empleo de diferente condición, puesto que todos son semejantes, sino que le recomienda aprovecharse egoístamente y calculadamente del que tiene mientras dure. Por muchos años que sirva a Calisto, el galardón que podrá obtener de su amo no será nada. Que se aproveche del estado de aquél, sin lamentar que malgaste su hacienda, porque únicamente lo que con ese proceder consiga para sí sacará en limpio. Y esto no son palabras astutas de Celestina, sino fundamento real. El comportamiento de Calisto y las reacciones de todo el mundo de los criados en la obra, nos hacen ver que es la base social real de que se parte. De ahí la crítica de «cómo son los señores deste tiempo», crítica que es una pieza esencial para comprender el sentido del drama: «dessecan la substancia de sus sirvientes con huecos y vanos prometimientos. Como la sanguijuela, sacan la sangre, desagradescen, injurian, olvidan servicios, niegan galardón... Estos señores de este tiempo más aman a sí que a los suyos y no yerran. Los suyos ygualmente lo deven hazer. Perdidas son las mercedes, las magnificencias, los actos nobles. Cada uno destos cativa y mezquinamente procuran su interesse con los suyos». Egoísmo, explotación, en un mundo en que cada uno no busca más que su provecho. Y a estos juicios de Celestina, de los criados, de las rameras, se corresponde un perfil de Calisto, magistralmente trazado en los sucesivos episodios de la obra, de un radical egoísmo utilitario.

En Sempronio una actitud semejante está dada antes de que aparezca Celestina. Ante la dolencia amorosa que aqueja a Calisto, reflexiona aquél: «si entretanto se matare, muera»; y ante tal eventualidad lo que se le ocurre es pensar si puede sacar buen partido, quedándose con cosas cuya existencia los otros ignoren, mejorando de esta manera en su suerte. Ya antes vimos otro similar testimonio suyo no menos rotundo. Y esto deriva de cuál es la estimación tan desfavorable que Sempronio tiene de su amo y de la ausencia de todo deber moral que pueda estimar que le ligue a su defensa y conservación. Hasta el más joven de los criados, el paje Tristán, no deja de tener una bien áspera frase sobre Calisto, sintiéndose desligado de él por no reconocerle un valor moral que a su amo le obligue: «¡Dexaos morir sirviendo a ruynes!».

Los criados conservan siempre también una clara noción de la maldad de Celestina y del negocio a que están entregados. Pero no pueden encontrar, en el estado social en que se hallan colocados, motivos para detenerse. Todos, y los principales aún mucho más que el paje Tristanico, consideran ruin a Calisto, y, por tanto, ante las posibilidades que les abre su enajenación, no tienen más que un objetivo: «aprovecharse». Así lo anuncia Sempronio, y sobre ello acaban poniéndose de acuerdo. No falta más que encontrar manera. Muy diferentemente del modo como, en el torpe desarrollo del tema celestinesco que se da en otras novelas posteriores, en las cuales a los personajes que en ellas proyectan actuar tan egoístamente apenas se les ocurre otra cosa que la violencia, en La Celestina el trío de los confabulados busca un método propio de la mentalidad de la época, un arte hábil, calculado, desarrollado sabiamente: enunciarlo y dirigirlo es el papel de la maquiavélica vieja.

Marcel Bataillon

TUTEO, DIÁLOGO Y APARTE: DE LA FORMA AL SENTIDO

Sin duda Rojas y su antecesor quisieron, al igual que Boccaccio y que el autor de la *Cárcel de Amor*, declarar los títulos de nobleza humanística del género que cultivaban haciendo reinar entre sus personajes el tuteo latino generalizado, sin «formas de cortesía». La estilización «a la antigua», en el género que nos ocupa, es tanto más notable cuanto que los autores de *La Celestina*, como sus imitadores, situaron la acción, ya fuera sin decirlo, ya diciéndolo, en la España de su época. Por lo menos le dieron el colorido de las costumbres de esa España, adaptándose así a una tradición ya creada por la comedia humanística en latín. Los contrastes deliberados entre ese aspecto actual y las reminiscencias mitológicas, entre los nombres de los personajes de apariencia latina o griega y los sabrosos modismos de su castellano, son la sal de toda una tradición humanística moderna, [aún perceptible en Ramón Pérez de Ayala]. Por sí misma tal disonancia contribuye a desconcertar al lector en la justa medida necesaria para hacer más picante un juicio emitido sobre la realidad más próxima.

Pero el tuteo al estilo antiguo tiene otro significado. Sempronio, Pármeno y Celestina tutean a Calisto, a Melibea y a Alisa, y son tuteados por ellos. No puede dejar de parecernos significativo el hecho de que los personajes de baja extracción, que por otra parte manejan frecuentemente un estilo sentencioso, emplean así para con los amos a quienes sirven o a quienes engañan un tuteo en cierto modo filosófico, cínico si se quiere, y cuya familiaridad puede llegar hasta la insolencia. [...]

Una de las novedades mayores de *La Celestina* es la de inaugurar en prosa el verdadero diálogo cómico, más ágil, *más vivaz* que la conversación ordinaria, innovación admirada y pronto imitada en sus procedimientos más aparentes. Piénsese, por ejemplo, en la réplica que provoca una simple fórmula de despedida: «—Que-

Marcel Bataillon, «*La Célestine*» *selon Fernando de Rojas*, Didier (Études de Littérature Étrangère et Comparée, XLII), París, 1961, pp. 78-81, 83-87.

de Dios contigo. —Y Él te me guarde» (I). El primer autor anónimo se había ahorrado el pronombre sujeto: «—Quede Dios contigo. —E contigo vaya» (I). Rojas imita esta elegancia (X). [...] La misma observación puede hacerse a propósito de la respuesta que consiste en una pregunta rápida que suscita una explicación: «—En esto veo, Melibea, la grandeza de Dios. —¿En qué, Calisto?»; pero más aún cuando se trata de una pregunta que se devuelve, como una pelota, junto con la respuesta: «—¿Quién te mostró esto? —¿Quién? Ellas» (I); «—Pues, ¿quién yo para esso? —¿Quién? Lo primero eres hombre...» (I). Otra viva reacción tuvo un gran éxito: la que subraya una palabra en un impulso de protesta que se expresa por «¿o qué?»: «—Toma esta espada e mátame. —¿Espada, señor, o qué?» (VI) [...] ¿Y qué decir de la respuesta adversativa que se introduce con *mas* o *antes,* giro que el primer autor anónimo calcó, no sin cierta monotonía, del *immo* tan caro a Plauto y a Terencio? «—O bienaventuradas orejas mías... —Mas desventuradas...». Todo ello, que parece pensado para una representación propiamente dicha, resalta también en la lectura en voz alta. Y que éste era el destino de *La Celestina* de Rojas lo sabemos por su admirador Alonso de Proaza, «corrector de la impresión», [quien subraya que la lectura pública del drama, si es diestra y expresiva, realizará los designios morales del autor: «Pues mucho... puede tu lengua hacer, / lector, con la obra que aquí te refiero; / que a un corazón más duro que acero, / bien la leyendo, harás liquecer: / harás al que ama amar no querer, / harás no ser triste al triste penado, / al que es sin aviso harás avisado...»].

Si es inevitable reparar en que Rojas insista tan a menudo en el *tú* que se dirige a un interlocutor, debemos conceder especial atención a los apartes de forma tan característica, en los cuales los criados o la vieja dejan traslucir su deslealtad respecto a las personas a las que fingen dirigirse con respeto, sobre todo teniendo en cuenta que Proaza recomendó de un modo particular hacer resaltar esos pasajes en la lectura en voz alta: «Cumple que sepas hablar entre dientes...». Desgraciadamente, en esta cuestión como en tantas otras, la evolución moderna del arte literario ha sido fatal para Rojas, o por lo menos para la adecuada comprensión de su propósito. Plauto y Terencio transmitieron a la comedia del Renacimiento esa técnica del aparte, que es una pura convención, pero un procedimiento cómodo para establecer entre los espectadores y un personaje que disimula una connivencia de la que se excluye a otro personaje que está al lado mismo del primero en el escenario. Sólo una convención tan inocente como antigua puede hacernos admitir de un modo implícito que el segundo no se entera de lo que hace o dice en un aparte el primero. [...] El primer autor de *La Celestina* parece haber ido a buscar sus modelos de comedia en Plauto y sobre todo en Terencio, más que en los humanistas del siglo xv italiano. Se ha observado que el acto I «contiene el único ejemplo de aparte que se dirige a los espectadores ('¿Oystes qué blasfemia? ¿Vistes que ceguedad?'), por el que Plauto siente predilección, y que se evita cuidadosamente en el resto de la *Tragicomedia*» (M. R. Lida de Malkiel). Pero el «antiguo auctor» mostró ya una preferencia abrumadora por el aparte que llega a captar vagamente la misma persona que no debía oírlo. Hay nada menos que cinco ejemplos en la gran escena entre Calisto y Sempronio (I). Estos casos quedan desigualmente resaltados por la pregunta del amo: «—¿Qué estás murmurando, Sempronio? —No digo nada. —Di lo que dizes, no temas...». «—¿No te digo que fables alto, quando fablares? ¿Qué dizes?» «—¿Cómo es eso? —... —¿Qué?» «—¿Qué dizes?» [...]

Sempronio lo que suele hacer es hurtar el cuerpo, trata de refugiarse en el silencio, o disfraza sus palabras de antes invirtiendo su sentido, pero utilizando algunas de las palabras ya pronunciadas para que su amo pueda creer que ha oído mal. Recuérdese el aparte repetido que precede al enunciado de los encantos visibles de Melibea:

SEMP. — (¡Qué mentiras y qué locuras dirá agora este cativo de mi amo!).
CAL. — ¿Cómo es eso?
SEMP. — Dije que digas que muy gran placer habré de lo oír. (¡Así te medre Dios, como me será agradable ese sermón!)
CAL. — ¿Qué?
SEMP. — Que así me medre Dios como me será gracioso de oír.

[Un recurso similar se usa una vez en el *Andria*;] sin embargo dista mucho la aparición ocasional de semejante procedimiento en Terencio del uso sistemático que hace de él el primer autor de *La Celestina*, incurriendo en el peligro de exagerar por un exceso de rigidez la deslealtad del criado con respecto a su amo. Porque sin duda es eso lo que se trata de dar a entender. El autor nos da una prueba indirecta un poco más adelante en el diálogo entre Calisto y

Pármeno. Este último aún es sinceramente fiel a su amo, a quien trata de poner en guardia contra la vieja. Y así no se permite ninguno de esos apartes en los que se manifiesta la duplicidad cínica de Sempronio, que ya es cómplice de Celestina para explotar la locura de Calisto. Este significado moral del procedimiento fue perfectamente comprendido por Rojas.

A partir del acto II, cuando vuelve a servirse del personaje de Pármeno y nos lo muestra por un momento a solas con su amo, ya muestra un nuevo rostro de la fidelidad del joven criado. Éste acusa el efecto de los manejos de Celestina; sobre todo, su respeto por Calisto ha sufrido un rudo golpe cuando ha visto humillar su dignidad ante la infame vieja, y está casi persuadido de que su locura es incurable. Por todo ello, aunque sin renunciar aún a hacerle entrar en razón, ya se atreve, en unos apartes, a mofarse de la inquietante prodigalidad del amo o de su empeño insensato en que los demás aprueben su conducta: «¿Ya lloras? ¡Duelos tenemos! En casa se habrán de ayunar estas flaquezas», «¡Apruébelo el diablo!». Ya en la pendiente de la traición, se irrita al ver que es su propio amo quien le empuja a traicionarle. Pero sobre todo es en el acto IV donde Rojas utiliza de nuevo con insistencia el recurso de los apartes en las escenas en que Celestina consigue en casa de Alisa la primera victoria sobre la turbada Melibea. La perfidia de las «malas mujeres» se manifiesta escénicamente por el mismo procedimiento que la de los «falsos sirvientes». En esta otra fase de la acción encontramos siete apartes captados a medias, si incluimos un «secreteo» de Celestina con Lucrecia que sorprende Melibea. El lector que está sobre aviso —y más aún el oyente que escucha con atención a un recitador que sabe «hablar entre dientes» y dar a cada réplica el tono adecuado— advierte con facilidad contrastes o paralelismos significativos en las reacciones de los personajes nobles víctimas de la conspiración de los ruines: por ejemplo entre el «—¿qué dizes, amiga?» de la incauta madre y el «—¿qué dizes, enemiga?» de la hija irritada (IV); entre «Ya, ya, perdida es mi ama» de Lucrecia (IV) y el «Deshecho es, vencido es, caído es» de Pármeno en el primer acto. Pero este aparte del criado no había sido oído por Calisto, que estaba en adoración ante la vieja. La exclamación de Lucrecia, su sospecha manifestada con toda crudeza, pero reprimida «entre dientes», es oída a medias por su ama. La criada disimula sus palabras, convertida ya en «enemiga» a su manera por su complicidad virtual:

Lucr. — (... ¡Más le querrá dar que lo dicho!)
Mel. — ¿Qué dices, Lucrecia?
Lucr. — Señora, que baste lo dicho, que es tarde.

Sería fácil analizar dentro de su contexto cada uno de los apartes medio oídos que nos ofrecen los actos I a X de *La Celestina* (luego la intriga ya no los necesita, como tampoco la caracterización moral de los personajes, ya que la suerte está echada y cada cual se dirige hacia su destino). Con lo dicho basta para reconocer ahí un procedimiento de moralización que Rojas maneja con destreza, y para explicar el efecto que esperaba sobre todo un Proaza de la lectura expresiva, a un tiempo intensa y contenida, de las exclamaciones «entre dientes»; se quiere provocar en el oyente un juicio instantáneo, no sólo sobre el personaje ruin que se entrega a este doble juego, sino también sobre el personaje en apariencia inocente que se deja engañar por el primero, y cuya ceguera más o menos voluntaria, si no se trata de inconsciencia, incurre asimismo en la reprobación de la razón y de la moral.

Stephen Gilman

LA VOZ DE FERNANDO DE ROJAS EN EL MONÓLOGO DE PLEBERIO

[El soliloquio de Pleberio que cierra las dos versiones de *La Celestina* está realzado con sumo énfasis.] Ocupa por sí solo todo el acto final; sirve como monólogo de conclusión después que todos los participantes en el diálogo han muerto o desaparecido; sale del alma del único personaje cuyo diálogo no ha sido subvertido irónicamente durante el curso de la obra, y, sobre todo, resume e intenta

Stephen Gilman, *The Spain of Fernando de Rojas: the intellectual and social landscape of «La Celestina»*, Princeton University Press, 1972, páginas 360, 368-369, 374-378; trad. cast. revisada por el autor: *La España de Fernando de Rojas. Panorama intelectual y social de «La Celestina»*, Taurus (Persiles, 107), Madrid, 1978, pp. 352, 360, 365-368.

dar sentido (o quitárselo) a todo lo que ha sucedido. En vista de estos hechos tan evidentes en sí mismos —y aunque las lecturas posteriores de la obra no tengan por qué coincidir y no hayan coincidido con la de Rojas— se requiere una sospechosa dosis de destreza crítica para evitar atribuir al joven autor las palabras del personaje ya anciano. Como afirmó Menéndez Pelayo explícitamente (y como casi todos los lectores antes y después han supuesto tácitamente), Pleberio en el acto XXI es el portavoz de la intención final de Rojas, [cuyo primitivo propósito de «reprehensión de los locos enamorados» y «aviso de los engaños de las alcahuetas e malos e lisonjeros sirvientes» evolucionó durante la redacción del drama hacia un punto de vista moral más original, más profundo y mucho menos optimista]. Menéndez Pelayo observa que, si la obra hubiera acabado con el suicidio de Melibea en el acto XX, «podría creerse que el poeta había querido envolver en luz de gloria a los dos infortunados amantes, haciendo la apoteosis del amor libre». En su intención, se la podría comparar a la historia de Tristán e Iseo. Pero las palabras de Pleberio proyectan una luz diferente sobre la acción. A través de sus ojos vemos el amor tal cual es, «una deidad misteriosa y terrible cuyo maléfico influjo emponzoña y corrompe la vida humana» y lleva a una repentina y terrible muerte a sus servidores: Celestina, Melibea, Calisto, Sempronio y Pármeno. Pero, admitiendo esta moral implacable, Menéndez Pelayo se apresura a decir que *La Celestina* es, no obstante, lamentablemente heterodoxa. [...]

[El soliloquio de Pleberio se centra en un amargo apóstrofe de acusación a la Fortuna, al Mundo y al Amor, en orden creciente de importancia.] La Fortuna para Pleberio (como portavoz de Rojas) pervierte el orden [del universo] y no ejerce su ira sobre aquello que debiera estar sometido a ella. Antes pensaba que el Mundo y sus hechos estaban «regidos por alguna orden», pero ahora sabe la atroz verdad. El Amor también es injusto, arbitrario, cruel, y su armonioso y gentil nombre no es más que un disfraz. Se conduce «sin orden ni concierto». Esta idea del universo —sea que refleje las conclusiones de Rojas o el simple frenesí de Pleberio— es heterodoxa en todos los sentidos. No es estoica, pues el primer principio del estoicismo es que es la persona la que está fuera del orden, no la naturaleza. Ni es cristiana (aunque algunos de los adjetivos aplicados al Mundo suenen como cristianos), ya que desatiende la existencia (e incluso la posibilidad) de una providencia oculta. [Para Rojas y su portavoz Pleberio] no hay ley a que puedan acogerse, no existe fe («*ley*») alguna —ni cristiana, ni judía, ni gentil— en cuyos brazos se pueda hallar descanso. Los creyentes de las tres castas están igualmente sujetos a embates arbitrarios.

Si para Pleberio el universo es algo en constante desbarajuste, indiferente, caótico e insensiblemente hostil, su mismo desorden sugiere paradójicamente un modelo literario familiar: el de las danzas de la Muerte, tan populares en el siglo que precede a *La Celestina*. En estas danzas, profusamente presentadas en la poesía y en las artes gráficas, la muerte elige sus sucesivas parejas sin atender a la edad ni a la importancia jerárquica. El papa, el labriego, el rey, el caballero, el mendigo, el niño y todos los demás se ven obligados a pronunciar sus últimas palabras, se dan media vuelta y mueren según el inflexible y tétrico antojo de la maestra de la danza. Así, cuando Pleberio menciona la «congoxosa dança» del «enemigo de toda razón», y cuando Rojas, en los versos finales, advierte a los lectores de que «huygamos su dança» (la de Calisto y Melibea), ambos sugieren que el Amor actúa con la misma arbitrariedad que la muerte en esa popular alegoría. Por una asimilación de tópicos característica de la época, Rojas contempla a *La Celestina* como una danza de amor, un baile tan fatal, tan horrendo e insensato como [el de la Muerte], con el agravante de la perversidad de su promesa engañosa de gozo. Se ha de notar, por supuesto, que los oyentes y espectadores de las danzas de la muerte (normalmente miembros de las oprimidas clases bajas) parecen haber encontrado un consuelo y un compensatorio deleite al contemplar el destino común de toda la humanidad, mientras que Pleberio (y, por extensión, Rojas) se queda solo en su horror a la vez apasionado e intelectual. [...] La *Danza de la Muerte*, que correspondía a lo que Jacques Maritain llamó la «desazón existencial» del siglo xv en toda Europa, se emplea aquí para traducir a términos familiares a todo el mundo la alienación mucho más radical y en definitiva desesperada del solitario converso español.

Rojas no detiene ni puede detener aquí sus esfuerzos para expresar su resentida y vengativa intención [...], cree que es su deber asignar una causa final a las circunstancias que describe. Bien está echar la culpa al Amor, pero la naturaleza humana con su inherente impulso erótico en última instancia no puede ser culpable: «¿Quién te dio tanto poder?», pregunta Pleberio al Amor de una manera directa; y deja que el oyente saque sus conclusiones. Éste, si es que ha seguido atentamente el diálogo tan cargado de premoniciones y augurios que está para terminar, recordará que la cuestión fue contestada concretamente casi al comienzo. Al principio del acto I, Sempronio había lanzado la respuesta correcta: «¡O Soberano Dios, qué altos son tus misterios! ¡Quánta premia pusiste en el amor, que es necessaria turbación en el amante!». Aquí está la intención secreta de que acabamos de hablar. Una vez que el lector se da cuenta de que Rojas, sin decirlo abiertamente, quiere que se entienda el Amor como un eufemismo para designar a Dios («Dios te llamaron otros»), las demás frases del soliloquio adquieren un significado insospechado: la cita del Antiguo Testamento («no pensé que tomavas en los hijos la vengança de los padres»), la amarga observación de que «Cata que Dios mata los que crió», y la potencialmente blasfema paráfrasis de las Bienaventuranzas («Bienaventurados los que no conociste o de los que no te curaste»). Pero la declaración definitiva de la intención medio oculta ocurre en el mismo final cuando Pleberio observa: «del Mundo me quexo porque en sí me crió». La consecuencia de un universo natural sin Dios es casi tan explícita ahora como lo pudo ser en su tiempo. O a lo más, suponiendo que detrás de las máscaras de la Fortuna, del Mundo y del Amor acecha una especie de supervisor, hay que reconocer que es caprichoso y despiadado, comparable a esos dioses de *El rey Lear* que son como niños traviesos que matan moscas.

¿Cuál es el sino del hombre nacido en semejante situación? Es precisamente la respuesta a esta cuestión la que el auditorio invisible de Pleberio acaba de oír a lo largo de los veinte actos anteriores de *La Celestina*. El hombre está lanzado a una febril e inevitable danza de la vida compuesta de dos movimientos fundamentales. Por un lado (como se explica en el prólogo, copiándolo directamente de Petrarca), hay un constante e implacable conflicto, un conflicto de palabras, puños, espadas, espíritus y garras entre todos los que viven: animales, amos, criados, clases, hijos, padres, ciudades, naciones y las antagónicas facultades del alma. «Todas las cosas (son) criadas a manera de contienda o batalla», y, como ha puesto de relieve A. Castro [1965], incluso el caos es «litigioso». Por otro, hay un impulso erótico igualmente implacable (al que incluso el «Viejo» de Rodrigo Cota se vio obligado a sucumbir) sometiéndonos a todos a la furia ferina. Sempronio continúa el apóstrofe a Dios recién citado con una vívida descripción de la especie humana desatada en el amor: «Paresce al amante que atrás queda. Todos passan, todos rompen, pungidos e esgarrochados como ligeros toros. Sin freno saltan por las barreras». Aparte la insinuación sobre cómo va a ser la muerte de Calisto, podemos fijarnos en el dinamismo desordenado de ambos movimientos de la danza de la vida según Rojas, tan parecida a un cuadro de El Bosco. En su infancia, la sociedad le había contado a Rojas una historia de horror compuesta de mil y una anécdotas atroces sobre la persecución de su casta. Y ahora, en *La Celestina,* él, a su vez (lo mismo que el autor del *Lazarillo* habría de hacer unas décadas después), ha contado a la sociedad otra historia de horror. Ha contado a sus oyentes y lectores la historia de un mundo de causas y efectos vertiginosos sin Providencia y sin asilo ni antes ni después de la muerte, un mundo en que la muerte era una bendición a causa del insano y despiadado dinamismo de encontrarse vivo.

AMÉRICO CASTRO

HACIA LA NOVELA MODERNA: VOLUNTAD DE EXISTIR Y NEGACIÓN DE LOS MARCOS LITERARIOS EN *LA CELESTINA*

Fernando de Rojas precedió a Cervantes en la aventura de trastornar el sentido de la materia literaria anterior a ellos, de servirse de ella para fines imprevisibles, como un pretexto más bien que como un texto. La finalidad de esta «tragicomedia» no fue moralizar, ni criticar primordialmente el orden social o religioso. Lo que de esto haya es reflejo secundario de otros propósitos más hondos: la perversión y el trastorno de las jerarquías de valoración vigentes, de los ideales poéticos y caballerescos. Encontramos negados los signos positivos de lo literariamente admitido, no con miras a destruir por destruir, sino a fin de poner al desnudo la escueta voluntad de existir, de demostrar la posibilidad de que una figura literaria con-

Américo Castro, «*La Celestina» como contienda literaria (castas y casticismos),* Revista de Occidente, Madrid, 1965, pp. 95-97, 116-117, 154-155.

tinúe subsistiendo privada de su marco típico, como una negación de su forma previa, como un rebelde que compensa con su desatada violencia la pérdida de lo que había sido serena e indiscutida perfección. Veamos qué hace Fernando de Rojas con el romance de *La misa de amor* (llamado también *La dama de Aragón* [y *La bella en misa*]), cuando la figura de Celestina toma por asalto aquel recinto de belleza, nunca antes profanado por quienes venían morando en él desde hacía siglos.

Dice el romance:	*Dice Celestina:*
«Mañanita de San Juan, mañanita de primor, cuando damas y galanes van a oír misa mayor. Allá va *la mi señora,* entre todas la mejor; viste saya sobre saya, mantellín de tornasol... En la su boca muy linda lleva un poco de dulzor...; así *entraba por la iglesia* relumbrando como sol. Las damas mueren de envidia, y los galanes de amor. El que cantaba en el coro, en el credo se perdió; el abad que dice la misa, *ha trocado la lición;* monacillos que le ayudan, no aciertan responder, non; por decir *amén, amén,* decían *amor, amor.*»	«En *entrando por la iglesia,* vía derrocar bonetes en mi honor, *como si yo fuera una duquesa.* El que menos avía de negociar conmigo, por más ruin se tenía. De media legua que me viesen, *dexavan las Horas.* Uno a uno, dos a dos, venían a donde yo estava, a ver si mandava algo, a preguntarme cada uno por la suya. En viéndome entrar, *se turbavan, que no hazían ni dezían cosa a derechas.* Unos *me llamavan señora,* otros tía, otros *enamorada,* otros vieja honrada. Allí se concertaban sus venidas a mi casa, allí las idas a la suya, allí se me ofrecían dineros, allí promesas, allí otras dádivas, *besando* el cabo de mi manto, y aun algunos *en la cara,* por me tener más contenta» (IX).

Esto no es una parodia. Las parodias existen a expensas de lo parodiado, y no *per se.* *La Celestina* posee su propia sustantividad literaria gracias a su sostenido ánimo destructivo-constructivo. [...]

La conciencia del vivir como un mero hacer o hacerse halló aquí expresión, por vez primera, en la literatura de Occidente. Hasta entonces la representación de la vida —menester primario de la literatura— había estado ligada a ciertas formas, tan consustanciales con la figura literaria como los mitos lo eran respecto del conocimiento de la realidad (el cuento, el poema metrificado y melodiosamente recitado, la representación ritual y pública, etc.). Lo fantaseado, lo acontecido, lo padecido ocupaban el puesto estilístico que previamente les estaba asignado. En momentos de crisis, los tradicionales vehículos literarios se desviaban de su curso normal y emprendían rumbos irónicos o cómicos (comedia, sátira, *fabliau*, cantigas de maldecir, Pulci, lo que fuere). Siempre, sin embargo, quedaba presente la doble dimensión de la literatura cómica o satírica —o paródica—, pues todo ello existía en función de algo que no era cómico o satírico. Aristófanes se reía de los dioses, pero los dioses continuaban poseyendo su realidad como tales dioses. En el *Libro de buen amor,* el amor puede ser bueno por existir otro que no lo es. Ahora bien, en *La Celestina* los tipos y los temas son arrojados de sus paraísos literarios, no por ningún ángel de la sátira o de la parodia, sino por los puntapiés de una invisible voluntad. No se hace en modo alguno perceptible que Celestina hubiese elegido para instalar su existencia el espacio literario antes ocupado por la Bella en misa. [...]

La obra de Fernando de Rojas es significativa como ejemplo de arremetida, no crítica y directamente lanzada contra la sociedad en torno (según hacían ciertos erasmistas, muchos escritores ascéticos y los inquisidores, a la vez temerosos y enfurecidos), sino contra la sociedad ideal de las valoraciones literarias. Lo hecho por Rojas carece de antecedente y de paralelo en su tiempo. Rojas no hizo «evolucionar» las formas o géneros literarios; opuso audazmente y en forma grotesca lo que podría llamarse —para entendernos— la dimensión épica (los aspectos dinámicos, amplios, públicos, colectivos y movibles de las imaginaciones literarias) y la dimensión lírica, íntima, sensible y erótica, presente en la poesía y en la prosa tradicionales. La tendencia a lo expansivo, a lo numeroso, a lo abierto y a lo notorio choca con la opuesta inclinación a permanecer en el recinto de los goces íntimos, de la soledad contemplativa, en disociación con el mundo exterior. Al mismo tiempo, los marcos típicos aparecen con contenidos incongruentes e inesperados —Celestina, con dimensión épica, emprende el ataque contra la doncellez de Melibea como si se tratara de vencer al gigante encastillado sobre una roca, [conjurando a Plutón con la misma confianza imperativa con que los héroes de la literatura medieval casi «exigen» la ayuda de Dios antes de entrar en lidia, y diciéndose entre sí: «¡Esfuerça, esfuerça, Celestina, no desmayes!»]. Todo al revés, todo trastornado. Por entre los resquicios de tanta confusión, asoman las voluntades de quienes intentan emprender un rumbo propio en sus existencias, olvidados por un momento de lo alto y de lo bajo, de lo público y de lo íntimo y callado, atentos únicamente al asunto que traen entre manos, el de ellos —Areúsa, Elicia, Sosia, Sempronio. Son células de textura novelística, efectos secundarios, chispas erráticas, novelísticas, desprendidas de una trayectoria literaria, que al volverse vertiginosas han hecho que las figuras se desencajen de sus marcos, y éstos de aquéllas. Pero esas chispas erráticas no extinguen su dinamicidad, pues se integran en una estructura, por incipiente que ésta sea.

ADICIONES

Ad 1. *Temas y problemas de la literatura medieval*

Goldberg, Harriet, «The several faces of ugliness in medieval Castilian literature», *La Corónica*, VII (1978-1979), pp. 80-92.
Medieval literature and Contemporary Theory, número monográfico de *New Literary History*, X:2 (1979), con artículos de H. R. Jauss, P. Zumthor, M. Corti, etc.
Nepaulsingh, Colbert, «The Concept 'Book' and Early Spanish Literature», en *The Early Renaissance*, ed. Aldo S. Bernardo, State University of New York (Acta, V), Binghamton, 1978, pp. 133-155.

Ad 2. *Las jarchas y la lírica tradicional*

Compton, Linda Fish, *Andalusian Lyrical Poetry and Old Spanish Songs: the «muwashshah» and its «kharja»*, New York University (Studies in Near Eastern Civilization, VI), Nueva York, 1976.
Hitchcock, Richard, «Sobre la 'mamá' en las jarchas», *Journal of Hispanic Philology*, II (1977-1978), pp. 1-9.
López Estrada, Francisco, *Lírica medieval española*, Universidad Nacional de Educación a Distancia, Cádiz, 1977.
Welsh, Andrew, *Roots of Lyric: primitive poetry and modern poetics*, University Press, Princeton, 1978.

Ad 3. *El Cantar de Mio Cid y la épica*

Amorós, Andrés, «El Poema de Fernán González como relato», en *Estudios ofrecidos a Emilio Alarcos Llorach*, II, Universidad de Oviedo, 1978, pp. 311-335.

Bluestine, Carolyn A., «The imagery of blood in the *Siete infantes de Lara*», *Hispanic Review*, en prensa.

Caso González, José Miguel, «El *Cantar del Cid*, literatura comprometida», en *Estudios sobre literatura y arte dedicados al profesor Emilio Orozco Díaz*, Universidad de Granada, 1974, vol. I, pp. 251-267.

Chalon, Louis, «La historicidad de la leyenda de la Condesa traidora», *Journal of Hispanic Philology*, II (1978), pp. 153-163.

Lacarra, María Eugenia, «El *Poema de Mio Cid* y el monasterio de San Pedro de Cardeña», en *Homenaje a don José María Lacarra de Miguel*, II, Universidad de Zaragoza, 1977, pp. 89-94.

Miletich, John S., «Medieval Spanish Epic and European Narrative Traditions», *La Corónica*, VI (1977-1978), pp. 90-96.

Smith, Colin, «The Cid as Charlemagne in the *Leyenda de Cardeña*», *Romania*, XCVII (1976), pp. 509-531.

Ad 4. *Berceo y la poesía del siglo XIII*

Concha, Víctor García de la, «Los *Loores de Nuestra Sennora*, un *Compendium historiae salutis*», *Berceo*, 94-95 (1978), pp. 133-189.

Chaves, Maite, y Labarta de Chaves, Teresa, «Influencia de las artes visuales en la caracterización de la Virgen en los *Milagros de Nuestra Señora*», *Berceo*, 94-95 (1978), pp. 89-96.

Devoto, Daniel, «Notas al texto de los *Milagros de Nuestra Señora* de Berceo», *Bulletin Hispanique*, LIX (1957), pp. 5-25. Versión muy ampliada de tres de las notas en su *Textos y contextos: estudios sobre la tradición*, Gredos, Madrid, 1974, pp. 11-61.

Deyermond, Alan, «La estructura tipológica del *Sacrificio de la Misa*», *Berceo*, 94-95 (1978), pp. 97-104.

Dutton, Brian, ed., *Obras completas de Gonzalo de Berceo, V. El sacrificio de la Misa. La vida de Santa Oria. El martirio de San Lorenzo*, Tamesis, Londres, en prensa.

Fradejas, José, «Una opinión más sobre la *Cántica Eya velar*», *Berceo*, 94-95 (1978), pp. 29-41.

Marchand, James W., «Gonzalo de Berceo's *De los signos que aparesçerán ante del Juiçio*», *Hispanic Review*, XLV (1977), pp. 283-295.

Nelson, Dana A., ed., Gonzalo de Berceo [*sic*], *El Libro de Alixandre*, Gredos, Madrid, 1979.

Uría Maqua, Isabel, «El *Poema de Santa Oria*: cuestiones referentes a su estructura y género», *Berceo*, 94-95 (1978), pp. 43-55.

Van Antwerp, Margaret, «*Razón de amor* and the Popular Tradition», *Romance Philology*, XXXII (1978-1979), pp. 1-17.

Walsh, John K., «Lost Context and Lost Parody in the *Libro de Buen Amor*», *Romance Philology*, en prensa (Sobre el sistema de fórmulas en el mester de clerecía).

Ad 5. *La prosa en los siglos XIII y XIV*

Ayerbe-Chaux, Reinaldo, «El uso de *exempla* en la *Estoria de España* de Alfonso X», *La Corónica*, VII (1978-1979), pp. 28-33.

Bossong, Georg, *Probleme der Übersetzung wissenschaftliche Werke aus dem Arabischen in das Altspanische zur Zeit Alfons des Weisen*, Niemeyer (Beihefte zur *Zeitschrift für romanische Philologie*, CLXIX), Tübingen, 1979.

García Gallo, Alfonso, «Nuevas observaciones sobre la obra legislativa de Alfonso X», *Anuario de Historia del Derecho Español*, XLVI (1976), pp. 609-670.

Kasten, Lloyd A., y Nitti, John J., ed., *Concordances and Texts of the Royal Scriptorium Manuscripts of Alfonso X, el Sabio*, edición en microfichas, Hispanic Seminary of Medieval Studies, Madison, 1978.

Lomax, Derek W., «Algunos autores religiosos, 1295-1350», *Journal of Hispanic Philology*, II (1977-1978), pp. 81-90.

MacDonald, Robert, «Progress and Problems in Editing Alfonsine Juridical Texts», *La Corónica*, VI (1977-1978), pp. 74-81.

Ad 6. *El «Libro de buen amor» y la poesía del siglo XV*

Coy, José Luis, «El *Rimado de palacio*: historia de la tradición y crítica del texto», *La Corónica*, VI (1977-1978), pp. 82-90.

—, «Los estados redaccionales del *Rimado de Palacio*», *Studia Philologica Salmanticensia*, II (1978), pp. 85-108.

Garcia, Michel, ed., Pero López de Ayala, *«Libro de poemas» o «Rimado de palacio»*, dos tomos, Gredos, Madrid, 1978.

Naylor, Eric W., G. B. Gybbon-Monypenny, y Alan Deyermond, «Bibliography of the *Libro de Buen Amor* since 1973», *La Corónica*, VII (1978-1979), pp. 123-135.

Nepaulsingh, Colbert, «The Concept 'Book'» (véase la adición al cap. 1), pp. 144-150 (Sobre el *Libro de buen amor*).

Prieto, Antonio, «La titulación del *Libro del Arcipreste de Hita*», [también ahí], vol. III, pp. 53-65.

Rey, Alfonso, «Juan Ruiz, don Melón de la Huerta y el yo poético medieval», *Bulletin of Hispanic Studies*, LVI (1979), pp. 103-116.

Walsh, John K., «Lost Context» (véanse las adiciones al cap. 4).

Zahareas, Anthony N., «Structure and Ideology in the *Libro de Buen Amor*», *La Corónica*, VII (1978-1979), pp. 92-104.

Ad 7. *El romancero*

Armistead, Samuel G., «Neo-Individualism and the *Romancero*», *Romance Philology*, en prensa.

Catalán, Diego, «Análisis electrónico de la creación poética oral: el programa Romancero en el Computer Center de UCSD», en *Homenaje a la memoria de don Antonio Rodríguez-Moñino 1910-1970*, Castalia, Madrid, 1975, pp. 157-194.

Ad 8. *La poesía del siglo XV*

Boreland, Helen, «El diablo en Belén: un estudio de las *Coplas del Infante y el Pecado*, de Fray Ambrosio Montesino», *Revista de Filología Española*, en prensa.

Dutton, Brian, «Catálogo descriptivo de los cancioneros castellanos del siglo xv», *La Corónica*, VI (1977-1978), pp. 104-108 (Bosquejo de su proyectado catálogo-índice).

Fainberg, Louise V., ed., *Laberinto de Fortuna*, Alhambra, Madrid, 1976.

Garcia, Michel, «Le Chansonnier d'Oñate y Castañeda», *Mélanges de la Casa de Velázquez*, XIV (1978), pp. 107-142.

González Cuenca, Joaquín, «Cancioneros manuscritos del Pre-renacimiento», *Revista de Literatura*, XL (1978), pp. 177-215.

Lapesa, Rafael, «Poesía docta y afectividad en las *consolatorias* de Gómez Manrique», en *Estudios sobre literatura y arte dedicados al profesor Emilio Orozco Díaz*, Universidad de Granada, 1974, vol. II, pp. 231-239.

Lida de Malkiel, María Rosa, «La ciudad, tema poético de tono juglaresco en el *Cancionero de Baena*», en *Estudios sobre la literatura española del siglo XV*, Porrúa Turanzas, Madrid, 1977, pp. 333-337.

López Estrada, Francisco, *Lírica medieval española* (véanse las adiciones al cap. 2).

McKendrick, Geraldine, «The *Dança de la Muerte* of 1520 and social unrest in Seville», *Journal of Hispanic Philology*, en prensa.

—, «Sevilla y la *Dança de la Muerte* (1520)», *Historia, Instituciones, Documentos*, V (1978), en prensa.

Round, Nicholas G., «Exemplary Ethics: towards a reassessment of San-

ADICIONES 533

tillana's *Proverbios*», en prensa en el volumen conmemorativo de los
50 años de la Cátedra de Español, Queen's University, Belfast.
Santiago, Miguel de, ed., Jorge Manrique, *Obra completa*, Ediciones 29
(Libros Río Nuevo, Serie Ucieza, IV), Barcelona, 1978 (con un «Estudio crítico», pp. 9-130).
Steunou, Jacqueline, y Lothar Knapp, *Bibliografía de los cancioneros
castellanos del siglo XV y repertorio de sus géneros poéticos*, Centre
National de la Recherche Scientifique, París, II, 1978 (clasificación
de las poesías por orden alfabético y según los autores).

Ad 9. *Libros de caballerías y «novela» sentimental*

Blüher, Karl A., «Zur Tradition der politischer Ethik im *Libro del caballero Zifar*», *Zeitschrift für romanische Philologie*, LXXXVII (1971),
pp. 249-257.
Brownlee, Marina Scordilis, «Towards a reappraisal of the *Historia troyana polimétrica*», *La Corónica*, VII (1978-1979), pp. 13-17.
Hernández, Francisco Javier, «*El libro del cavallero Zifar*: meaning and
structure», *Revista Canadiense de Estudios Hispánicos*, II (1977-1978),
pp. 89-121.
Keightley, R. G., «Models & Meanings for the *Libro del cavallero Zifar*»,
Mosaic, XII, 2 (invierno, 1979), pp. 55-73 (estropeado por la revisión editorial; la tirada aparte incluye muchas rectificaciones).
Labandeira Fernández, Amancio, ed., *El passo honroso de Suero de Quiñones*, Fundación Universitaria Española, Madrid, 1977.
Márquez Villanueva, Francisco, «Historia cultural e historia literaria: El
caso de *Cárcel de amor*» en Lisa E. Davis e Isabel C. Tarán, ed., *The
analysis of hispanic texts: current trends in methodology*, Bilingual
Press/Editorial Bilingüe (II Colloquium on Hispanic Texts), New
York, 1976, pp. 144-157.
Whinnom, Keith, ed., *Dos opúsculos isabelinos: «La coronación de la
señora Gracisla» (BN MS. 22020) y Nicolás Núñez, «Cárcel de
Amor»*, Universidad (Exeter Hispanic Texts, XXII), Exeter, 1979.

Ad 10. *Prosa y actividad intelectual en el otoño de la Edad Media*

De Gorog, Ralph, y De Gorog, Lisa S., ed., *Concordancias del «Arcipreste
de Talavera»*, Gredos, Madrid, 1978.
Delgado, Feliciano, ed., *La vida de Virgilio de Enrique de Villena en su
traducción de la «Eneida»*, Ediciones Escudero, Córdoba, 1979.

Keightley, R. G., «Enrique de Villena's *Los doze trabajos de Hércules*: a reappraisal», *Journal of Hispanic Philology*, III (1978-1979), páginas 49-68.

Nepaulsingh, Colbert, «Talavera's Imagery and the Structure of the *Corbacho*», *Revista Canadiense de Estudios Hispánicos*, en prensa.

Ad 12. *La Celestina*

Rank, Jerry R., ed., *Comedia de Calisto y Melibea*, Universidad de North Carolina (Estudios de *Hispanófila*, XLIX), Chapel Hill, 1978.

Sánchez, Elizabeth, «Magic in *La Celestina*», *Hispanic Review*, XLVI (1978), pp. 481-494.

ÍNDICE ALFABÉTICO

Canellada, M.ª Josefa, 278, 457-458
Cangiotti, Gualtiero, 301, 304
Cantar de Fernán González, véase *Poema de Fernán González*
Cantar de Mio Cid, 18, 22-24, 26, 38, 83-91, 101-102, 104-107, 109, 112, 115-116, 120, 209-210, 274-276; autor, 86, 89, 90; estilo, 86, 89, 90, 106-112, 115, 116, 117; estructura, 90, 92; fecha, 86, 89-90; fuentes, 86, 90; historicidad, 102; humor, 109; lengua, 90-91, 116; oralidad, 85, 86, 112-114; personajes, 91, 102-105, 109-112; realismo, 105; sociedad, 26-27, 90; técnicas narrativas, 115-118; temas, 89, 90, 115; versificación, 91, 114, 115-116
Cantar de Roncesvalles, 275
Cantar de Sancho II, 84, 88, 92, 119, 121
cantares de gesta, 83, 87, 88, 98-101, 119-123, 213
Cantarino, Vicente, 50, 54, 220, 490
Cantera, Francisco, 218, 302, 304, 399, 404
cantigas, 310, 312, 314
cantigas d'amigo, 47, 51, 53, 60, 65-68, 76-78, 163, 331
cantigas d'amor, 47, 331
cantigas d'escárnio e de maldizer, 47, 192
Cantigas de Nuestra Señora Santa María (Alfonso X), 38, 173, 310, 312
Capela, Marciano, 22
Caravaggi, Giovanni, 299, 305
Cárcel de amor (Diego de San Pedro), 352, 356, 377, 379, 381, 383-389, 424, 427, 517
Cárdenas, Anthony, 3, 10
Carlomagno, 23, 71, 84, 102, 105
Carlos V, 281
Carlos, príncipe de Viana, 400
Carmen Campidoctoris, 22
Carmina Burana, 72
Carmina cantabrigiensia, 287
Carr, Derek C., 399, 404, 417
Carreras Artau, Joaquín, 6, 10

Carreras Artau, Tomás, 6, 10
Carriazo, Juan de Mata, 396, 404
«Colección de Crónicas Españolas», 396, 404
Carrión, Manuel, 305
Cartagena, Teresa de, 393, 399, 402, 438-441
Admiración de las cosas de Dios, 440
Arboleda de los enfermos, 440
cartas, véase epístolas
Carvajales, 302
Caso González, José, 278, 456, 458, 469
Castellanos y leoneses (romance), 276
Castigos y documentos del rey don Sancho, 168, 174, 195
Castigos y exemplos de Catón, 128
Castilla, 23-31, 170, 218, 248, 252
Castillo, Hernando del, 295, 313, 346, 347
Cancionero general, 286, 288, 295, 298-299, 303, 313, 330, 346-347, 349
Castro, Américo, 1-2, 4, 10, 23, 27, 51, 54, 171, 218-219, 222-223, 244, 247, 339, 396, 398, 404, 487, 489, 491, 494, 524-525
Castro Guisasola, Florentino, 493
Castro y Calvo, J. M., 175, 177
Catalán, Diego, 4, 7, 10, 92-93, 172, 174, 176-177, 187, 207, 210, 216, 219-221, 223, 257-263, 277-278, 289, 353, 358, 396, 404
catalana, literatura, 47-48, 455, 463
Cataluña, 21, 24, 170
catecismo, 156
Cátedra, Pedro, 170, 399-400, 404
Catón, Dionisio, 15
Catulo, 448
cedrero, 16, 18
Cejador, Julio, 215, 492, 507
Celestina, La (F. de Rojas), 45, 186, 244, 348, 349, 374, 485-528; acotación, 498; ambigüedad, 493; amor, 490, 504-508, 522, 523, 524; aparte, 517-521; autoría, 485, 486, 488-

ÍNDICE